CD-ROM de Profile Plus®
Para *Ejercicio y salud*, sexta edición

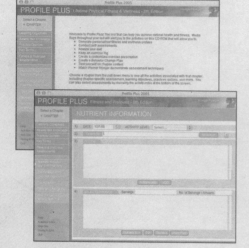

Profile Plus® 2005 es el software más completo de plataforma dual sobre ejercicio y salud físicos. El contenido, en inglés, del CD-ROM anexo a este libro ayuda a mantener motivados a los estudiantes y los compromete a asumir el control de su salud y su condición física.

El CD-ROM tiene muchas características que lo hacen interesante, divertido y útil. Fácil de usar y de navegar, el **Profile Plus® 2005** está organizado por capítulo para que los estudiantes encuentren lo que buscan de manera sencilla y *rápida*. También incluye fascinantes herramientas y características que hacen que los lectores se involucren en su propia salud.

▶ Las autoevaluaciones y actividades están vinculadas con cada capítulo del texto.
▶ Una nueva característica es que permite a los estudiantes crear e incrementar un plan de modificación de conducta personalizado.
▶ Herramientas que ayudan a registrar la ingesta de alimentos y un análisis completo de la dieta.
▶ Una bitácora personal diaria de ejercicio.
▶ Las preguntas de revisión del capítulo para evaluar el aprendizaje se vinculan con el material del CD-ROM.
▶ Como auxiliares en el estudio están las preguntas breves prácticas y un glosario interactivo.
▶ ¡Y mucho más!

Advertencia:

Si después de instalar el programa y escribir los datos solicitados en la pantalla de My Profile, recibe el mensaje: "INPUT ERROR. Invalid birthday, no future dates allowed", debe cambiar la configuración regional y de idioma de su equipo. Por favor, siga estas instrucciones.

Windows XP

1. Haga clic en **Inicio**.
2. Elija **Panel de control**.
3. Seleccione **Configuración Regional** y de idioma.
4. Haga clic en la pestaña de **Opciones** regionales.
5. Haga clic en **Estándares y Formatos**.
6. Elija la opción **Inglés (Estados Unidos)**.
7. Haga clic en **Aplicar y Aceptar**.
8. Reinicie su máquina.
9. Haga doble clic en el icono de **Profile Plus 2005** que aparecerá en el escritorio.
10. Siga las instrucciones en la pantalla.
11. Escriba sus datos en la ventana de **My Profile**.
12. Haga clic en **Continue**.
13. Elija un capítulo.
14. Haga clic sobre el tema de su interés.

Windows 2000

1. Haga clic en **Inicio, Configuración**.
2. Haga clic en **Panel de Control**.
3. Seleccione **Configuración Regional**.
4. Cambie la ubicación actual en la pestaña **General**.

5. En el campo **Su idioma (Ubicación)**, seleccione **Inglés (Estados Unidos)**.
6. Haga clic en **Aplicar y Aceptar**.
7. Haga doble clic en el icono de **Profile Plus 2005** que aparecerá en el escritorio.
8. Siga las instrucciones en la pantalla.
9. Escriba sus datos en la ventana de **My Profile**.
10. Haga clic en **Continue**.
11. Elija un capítulo.
12. Haga clic en el tema de su interés.

Usuarios de Macintosh

Antes de instalar el programa Profile Plus 2005, es necesario verificar que el formato de fechas y hora, sea: mes, día y año. Siga las instrucciones correspondientes para tener la configuración adecuada.

Sistema Mac 9

1. Abrir el **Panel de Control**.
2. Hacer doble clic en el icono de **Date & Time**.
3. En el campo **Current Date**, hacer clic en el botón **Date Formats**.
4. Dentro de la ventana que se abre, verificar que el formato de fechas sea **Mes, Día y Año**.

Sistema Mac X

1. Dentro de **System Preference**, hacer doble clic en el icono de **Internacional**.
2. En **Internacional**, hacer clic en el botón **Formatos**.
3. Dentro de **Formatos**, verificar que el formato de la fecha sea: Mes, Día y Año.

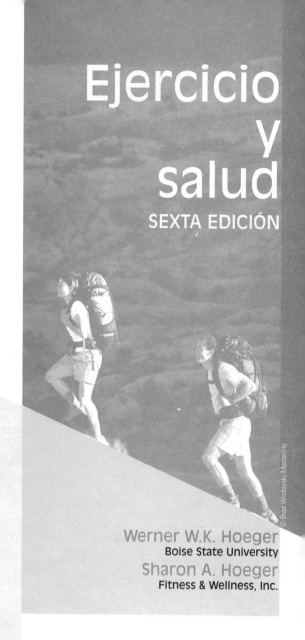

Ejercicio y salud

SEXTA EDICIÓN

Werner W.K. Hoeger
Boise State University

Sharon A. Hoeger
Fitness & Wellness, Inc.

© Brad Wrobleski/Masterfile

Revisión técnica:

Dr. Sergio Gadea Gómez
Especialista y M. en C. en Medicina del Deporte
Facultad de Medicina, UNAM
Escuela Superior de Medicina, IPN
Director Técnico Medicina del Deporte
Instituto Mexicano del Seguro Social (IMSS)

THOMSON ™

Australia • Brasil • Canadá • España • Estados Unidos • México • Reino Unido • Singapur

Ejercicio y salud
Werner W.K. Hoeger y Sharon Hoeger

Presidente de Thomson Learning Iberoamérica:
Javier M. Arellano Gutiérrez

Director editorial y de producción:
José Tomás Pérez Bonilla

Editora de desarrollo:
Rocío Cabañas Chávez

Gerente de producción:
Luis Villanueva Rebollo

Editor de producción:
Alejandro A. Gómez Ruiz

Supervisor de manufactura:
Israel Robles Martínez

Traducción:
Lic. Sandra López Suárez
Traductora profesional

Corrector de estilo:
José Arturo Velasco Carreto

Composición tipográfica:
José Jaime Gutiérrez Aceves

Lectores de pruebas:
Demetrio Alemán Valenzuela
Martha Angélica Juárez Guzmán

Diseño de portada:
Brad Wrobleski/Masterfile

Traducido del libro: *Fitness and Wellness*, 6a. ed., publicado en inglés por Thomson/Wadsworth © 2005, ISBN 0-534-63544-X
Datos para catalogación bibliográfica:
Werner, W.K. Hoeger y Sharon Hoeger.
Ejercicio y salud, 6a. ed.
ISBN 970-686-556-X
Contenido:
1. Introducción a la condición física y la salud. 2. Valoración de la condición física. 3. Prescripción de ejercicio. 4. Evaluación de las actividades físicas. 5. Nutrición para el bienestar. 6. Control de peso. 7. Manejo y determinación del nivel de estrés. 8. El enfoque de una vida saludable. 9. Temas relevantes sobre la condición física y el bienestar. Apéndices. Sección de respuestas. Glosario. Índice.

División Iberoamericana

México y América Central:
Thomson Learning
Séneca núm. 53
Col. Polanco
México, D.F., 11560
Tel. 52 (55) 1500 6000
Fax 52 (55) 5281 2656
editor@thomsonlearning.com.mx

El Caribe:
Thomson Learning
598 Aldebarán St.
00920, Altamira
San Juan, Puerto Rico
Tel. (787) 641 1112
Fax (787) 641 1119

Cono Sur:
Buenos Aires, Argentina
thomson@thomsonlearning.com.ar

América del Sur:
Thomson Learning
Calle 39 núm. 24-09
La Soledad
Bogotá, Colombia
Tel. (571) 340 9470
Fax (571) 340 9475
cliente@thomsonlearning.com.co

España:
Paraninfo Thomson Learning
Calle Magallanes 25
28015 Madrid
España
Tel. 34 (0) 91 446 3350
Fax 34 (0) 91 445 6218
clientes@paraninfo.es

Esta obra se terminó de imprimir en julio de 2007 en Edamsa Impresiones S.A. de C.V.

CONTENIDO

© Christel Rosenfeld / Stone / Getty Images

© Owaki - Kulla/CORBIS

© Jim Cummins/ Taxi/ Getty Images

PREFACIO

La buena noticia a principios del siglo XXI es que gozar de salud, condición física y bienestar óptimos a lo largo de la vida se encuentra al alcance de la mayoría de las personas en la actualidad. La condición enfermiza del individuo está siendo prevenida mediante la adopción de un estilo de vida saludable. La mala noticia es que los hábitos de mucha gente resultan dañinos para su salud debido, principalmente, a que no incluyen suficiente actividad física o a una nutrición inadecuada. En muchos casos, el estilo de vida resulta tan nocivo que incrementa el nivel de deterioro del cuerpo y conduce al envejecimiento, la enfermedad y la muerte prematuros.

Este libro ofrece información con la cual el lector podrá iniciarse en los temas del ejercicio y el bienestar y llevar a cabo, además, un estilo de vida saludable.

Debido a que las necesidades de ejercicio y bienestar varían de un individuo a otro de manera significativa, todas las prescripciones de ejercicio deben personalizarse a fin de obtener los mejores resultados. La información en los capítulos siguientes, así como las actividades al final de éstos permitirán a los lectores desarrollar un programa personal permanente que promueva la condición física, el cuidado preventivo de la salud y el bienestar personal. Las actividades se presentan en hojas desprendibles a fin de que puedan ser mostradas a los instructores en clase.

◣ Contenido del libro

Conforme estudie el presente libro y complete las actividades respectivas, aprenderá a:

- ■ Determinar si requiere o no aprobación médica para llevar a cabo un programa de ejercicios de manera segura.
- ■ Realizar análisis de nutrientes y seguir las recomendaciones para tener una nutrición adecuada.
- ■ Desarrollar programas sanos de dieta y control de peso.
- ■ Determinar los componentes de la condición física relacionados con la salud (resistencia cardiorrespiratoria, fuerza y resistencia musculares, flexibilidad muscular y composición corporal).
- ■ Redactar prescripciones de ejercicio para la resistencia cardiorrespiratoria, la fuerza y resistencia musculares y la flexibilidad muscular.

- ■ Entender el estrés, reducir su vulnerabilidad a éste e implementar un programa de manejo del mismo en caso de ser necesario.
- ■ Implementar un programa de reducción de riesgo de enfermedades cardiovasculares.
- ■ Seguir las guías para reducir su riesgo personal de desarrollar cáncer.
- ■ Implementar un programa para dejar de fumar, en caso de que esta situación aplique.
- ■ Entender las consecuencias en la salud de la dependencia a los estupefacientes y de las conductas sexuales irresponsables, con el objetivo de prevenir enfermedades de transmisión sexual.
- ■ Discernir entre mitos y realidades sobre el ejercicio y los conceptos relacionados con la salud.
- ■ Aprender técnicas de modificación de la conducta con el propósito de llevar a cabo un programa permanente de ejercicio y bienestar.

◣ Sexta edición, nueva y mejorada

Al igual que en las ediciones previas, los capítulos de la sexta edición de *Ejercicio y salud* han sido actualizados con el fin de que incluyan la información más reciente que ha salido a la luz en las investigaciones sobre dichos temas, así como en las reuniones de salud profesional, educación física y medicina del deporte. Las siguientes son las actualizaciones más significativas en esta sexta edición:

- ■ Se agregaron a lo largo de todos los capítulos del libro preguntas de reflexión crítica para estimular discusiones profundas entre los estudiantes y los instructores.
- ■ Se agregó también una sección llamada "Determine su conocimiento" que contiene 10 preguntas de opción múltiple con el objetivo de que los estudiantes evalúen su comprensión de los contenidos de cada capítulo.
- ■ Se incorporaron los siguientes cambios en el capítulo 1: Actualizaciones estadísticas sobre gran parte de la información presentada en el capítulo; las

guías del 2002 para la actividad física del Institute of Medicine of the National Academy of Sciences; se aumentó la lista de factores en el estilo de vida que mejoran la salud y prolongan la existencia; se incluyó una discusión sobre el ciclo de llevar a cabo y dejar de hacer ejercicio; y se modificaron las dos actividades del capítulo a fin de recopilar información adicional con respecto al proceso de cambio de la conducta, seguridad al hacer ejercicio y el historial de actividad física.

◼ La información nueva en el capítulo 2 incluye una sección sobre la importancia de la realización de una prueba de condición física, una introducción a la relación entre la captación de oxígeno y el gasto de energía (calórico) y una puesta al día sobre la importancia y los beneficios de una buena flexibilidad muscular.

◼ En el capítulo 3 se incorporó el concepto de pirámide de actividad física el cual incluye las recomendaciones dadas a conocer en 2002 por el Institute of Medicine of the National Academy of Sciences para incrementar la actividad física diaria a 60 minutos. Asimismo, se agregó: Una sección sobre ejercicios contraindicados (para minimizar el riesgo potencial de sufrir daños), el concepto de fortalecimiento de la parte central del cuerpo y el sistema de ejercicios Pilates. Los ejercicios contraindicados se ilustran en el nuevo apéndice D. Se agregaron varios ejercicios a la lista de fortalecimiento muscular en el apéndice A. Se aumentó el número de actividades al final del capítulo para ayudar a los estudiantes a implementar y supervisar su programa de ejercicios.

◼ Se revisó y actualizó la información sobre varias de las actividades aeróbicas presentadas en el capítulo 4 de acuerdo con las recomendaciones recientes dadas a conocer en publicaciones profesionales.

◼ En el capítulo 5 se incorporó las Ingestas Dietéticas Promedio (IDP) para los carbohidratos, la grasa, las proteínas y la fibra que proporciona la National Academy of Sciences. Asimismo, se incluyó en este capítulo las actualizaciones sobre los nutrientes antioxidantes, la ingesta de fibra, el vegetarianismo y los beneficios en la salud de los alimentos de soya y de las nueces.

◼ Se revisó el contenido del capítulo 6, *Manejo de peso*, para ajustarlo al documento recientemente publicado por el American College of Sports Medicine sobre *Appropriate Intervention Strategies for Weight Loss and Prevention of Weight Regain for Adults*. En el capítulo se enfatiza aún más la importancia de la actividad física y del ejercicio como las llaves para lograr perder y mantener el peso con base en los hallazgos de las investigaciones. De

igual manera, se incluyen datos actualizados sobre la creciente epidemia de obesidad en Estados Unidos y se mejoró la lista de "Consejos para la modificación de la conducta y para la realización permanente de un programa de manejo de peso". Además, se agregó al capítulo información sobre las dietas de moda, las dietas altas en proteínas y bajas en carbohidratos, la efedra y la pérdida de peso, el calcio y el manejo del peso.

◼ En el capítulo 7 se incorporó el síndrome de adaptación general del doctor Hans Selye que explica la respuesta y la adaptación del cuerpo al estrés junto con aplicaciones prácticas de este modelo. Se encuentra también disponible una introducción al yoga como técnica de manejo del estrés.

◼ La información nueva y las actualizaciones del capítulo 8 incluyen guías actuales sobre reducción del colesterol; medicamentos para disminuir los niveles de colesterol; la alta sensibilidad a la proteína reactiva C (as-CRP) (una prueba que mide la inflamación en los vasos sanguíneos y que se emplea para predecir enfermedades cardiacas); estadísticas actuales sobre las enfermedades cardiovasculares, el cáncer y el VIH; guías nutricionales para la prevención del cáncer; así como el uso de la droga MDMA (éxtasis).

◼ En el capítulo 9 se proporciona información sobre la tríada de las atletas, las guías del ACSM sobre instituciones de salud y ejercicio y sobre entrenadores personales. Se incluyen también actualizaciones sobre la osteoporosis, la cafeína, el consumo de alcohol, y el ejercicio y el envejecimiento.

◼ En general se agregaron fotografías y gráficas nuevas a color.

◣ Materiales suplementarios

◼ CD Profile Plus 2005 for *Lifetime Physical Fitness and Wellness, octava edición* y *Fitness and Wellness (Ejercicio y Salud), 6a. edición*. El paquete de programas disponible más completo. El Profile Plus permite a los estudiantes generar perfiles personalizados de ejercicio y salud, llevar a cabo autoevaluaciones, analizar su dieta, elaborar prescripciones de ejercicio con base en sus necesidades, mantener una bitácora de ejercicios y mucho más.

◼ Diet Analysis 6.0 for Windows CD-ROM (Bundle Version). Mediante el Diet Analysis Plus los estudiantes pueden determinar las mejores formas de ajustar su ingesta de alimentos para cumplir con sus necesidades nutricionales y sus metas personales de salud de manera óptima. Interactivo e interesante, el Diet Analysis Plus ofrece una nueva y dinámica interfaz a color que permite a los estudiantes crear sus propios perfiles con base en la altura, el peso, la edad, el sexo y el nivel de actividad. Los estudiantes pueden ingresar el tipo y porción de los alimentos que consumen hasta por siete días. El programa incorpora las referencias dietéticas de 2000 y 2001. Disponible por separado.

- Bitácora personal diaria. Esta bitácora contiene una pirámide del ejercicio, consejos para alcanzar el éxito en las pruebas, una forma de registro de la composición corporal y una de registro del fortalecimiento muscular y mucho más.
- Wellness Worksheets (hojas desprendibles). Cuarenta evaluaciones recortables, además de un inventario de bienestar completo.
- Explorador de salud, ejercicio y bienestar. Una guía de los recursos en Internet, tercera edición. Un tríptico que contiene docenas de direcciones de sitios útiles en Internet sobre salud y bienestar.
- The Wadsworth Health, Fitness and Wellness Resource Center Web Site. http://health.wadsworth.com

Complementos

Este libro cuenta con complementos en inglés para el instructor y sólo se proporcionan a los profesores que adopten la presente obra como texto para sus cursos. Para mayor información, favor de comunicarse a las oficinas de nuestros representantes: clientes@thomsonlearning.com.mx.

Reconocimientos

Queremos agradecer a los siguientes revisores por sus comentarios y contribuciones invaluables a la sexta edición:

Cheryl J. Cohen, Western Illinois University

Peggy J. Foss, University of Michigan - Dearborn

Janet S. Hamilton, Clayton College and State University

Carlyn L. Martin, St. Cloud State University

Patricia A. Ochoa, Chattanooga State Technical Community College

Ben Reuter, Florida Southern College

Judy Stewart, Motlow State Community College

Dedicamos este libro a Kate.

Ninguna droga que se utilice en la actualidad o en un futuro próximo garantiza tanto una salud constante como un programa de ejercicio físico continuo.[1]

Introducción a la condición física y la salud

1

- Entender la importancia de una buena condición física y de salud.
- Definir la condición física y enlistar los componentes de la condición relacionada con la salud y con las habilidades.
- Aprender los beneficios de un programa completo de ejercicio y salud.
- Aprender técnicas de motivación y conducta a fin de lograr el cumplimiento de un programa de estilo de vida saludable.
- Determinar si se requiere aprobación médica para ejercitarse de manera segura.

Prepárese para un cambio saludable en su estilo de vida completando el "Plan para un cambio de conducta" en su CD-ROM.

La mayoría de la gente va a la escuela para aprender la manera de ganarse la vida. Un curso sobre ejercicio y salud le enseñará a vivir, es decir, a sacarle a la vida el mayor provecho. Aunque algunas personas piensan que el éxito se mide por la cantidad de dinero que se percibe, vivir de manera holgada no le garantiza nada a menos de que lleve un estilo de vida saludable que le permita disfrutar de lo que posee. El estilo de vida constituye el factor más importante pues éste influye en nuestro bienestar personal; sin embargo, la mayoría de la gente no sabe cómo lograrlo.

Durante las últimas tres décadas los beneficios de la actividad física han sido respaldados por pruebas científicas que vinculan el aumento de ejercicio y los hábitos de vida positivos con una mejor salud y calidad de vida. Si bien algunas personas viven más tiempo debido a factores genéticos favorables, la calidad de vida durante la madurez y la vejez se relaciona muy a menudo con las decisiones inteligentes que se tomaron durante la juventud y que se mantuvieron a lo largo de la vida.

Con base en la gran cantidad de investigaciones científicas sobre la actividad física y el ejercicio durante las últimas tres décadas, se ha establecido una distinción muy clara entre la actividad física y el ejercicio. El término **actividad física** se refiere al movimiento del cuerpo producido por los músculos del esqueleto que requiere un gasto de energía y que produce beneficios progresivos en la salud. Algunos ejemplos de actividad física son caminar de la casa al trabajo y del trabajo a la casa, o ir a la tienda, subir las escaleras en lugar de utilizar el elevador o las escaleras eléctricas, realizar trabajos de jar-

La actividad física y el ejercicio disminuyen las enfermedades, alargan la vida y aumentan la calidad de vida.

© Fitness & Wellness, Inc.

dinería, llevar a cabo las labores del hogar, bailar y lavar el automóvil sin ayuda de una manguera. En contraste, la inactividad física implica un nivel de actividad más bajo del que se requiere para mantener una buena salud.

El **ejercicio** está considerado como un tipo de actividad física que requiere un movimiento corporal planeado, estructurado y repetitivo a fin de mejorar o mantener uno o más componentes de la condición física. Caminar, trotar, andar en bicicleta, hacer aeróbicos, nadar, levantar pesas y llevar a cabo ejercicios de estiramiento son ejemplos de ejercicios que un programa a la semana puede incluir de manera regular.

Desafortunadamente, el estilo actual de vida en Estados Unidos no proporciona al cuerpo humano el ejercicio físico suficiente para mantener una salud adecuada. Además, muchos patrones de vida representan una amenaza tan seria para la salud que, de hecho, aceleran el deterioro del cuerpo humano. En unos cuantos años la falta de salud conducirá a una pérdida de vitalidad y gusto por la vida, así como a una morbilidad y mortalidad prematuras.

El ciudadano estadounidense promedio no constituye un buen ejemplo de una condición física buena. En Estados Unidos, sólo 20% de los adultos realizan una actividad física moderada por más de cinco días a la semana y cerca de 14% se ejercita de forma vigorosa al menos tres veces por semana.[2] Aunque mucha gente en Estados Unidos cree que un estilo de vida positivo tiene un gran impacto en su salud y en su longevidad, la mayoría no sigue un programa de ejercicios y de salud que les pueda brindar los resultados deseados.

Veamos, por ejemplo, el caso de Patty Neavill. Ella intentó cambiar su vida constantemente pero era incapaz de

hacerlo debido a que no sabía cómo seguir un programa de ejercicios saludables y de control de peso. A la edad de 24 años, Patty, quien asistía a la universidad, estaba descontenta con su peso, su condición física, su imagen y calidad de vida en general. Había luchado con su peso casi toda su vida y, como miles de personas, había intentado perder kilos sin lograrlo; así que hizo a un lado sus temores y decidió entrar a un curso de acondicionamiento físico. Como parte de uno de los requisitos, Patty se sometió a una serie de pruebas al inicio del semestre que indicaron que su condición cardiorrespiratoria y sus niveles de fuerza eran bajos, su flexibilidad era promedio, pesaba más de 90 kilos y su porcentaje de grasa era de 41 porciento.

Después de la valoración inicial de su condición física, Patty conoció a su instructor de curso, quien le prescribió un programa de ejercicios y de nutrición como el que incluimos en el presente libro. Patty se comprometió a llevar a cabo el programa al pie de la letra: Caminaba o trotaba cinco veces a la semana y jugaba voleibol o básquetbol de dos a cuatro veces por semana. Su consumo calórico diario se situaba en el rango de 1 500 a 1 700 calorías; tenía cuidado de cumplir a diario con las porciones mínimas requeridas de los cuatros grupos de alimentos básicos, los cuales le proporcionaban a su dieta alrededor de 1 200 calorías. El resto de las calorías provenía principalmente de carbohidratos complejos. Al término del semestre de 16 semanas de duración, su condición cardiorrespiratoria, su fuerza y flexibilidad habían mejorado y se situaban en la categoría de "bueno". Asimismo, había perdido 23 kilos y su porcentaje de grasa se ubicaba ahora en ¡22.5 porciento!

En una nota de agradecimiento a su instructor, Patty dice lo siguiente:

> Gracias por hacer de mí una nueva persona. Agradezco profundamente el tiempo que pasaste conmigo. Sin tu amabilidad y tu motivación, nunca lo hubiera logrado. Es fabuloso tener una buena condición física y estar en forma. Jamás me había sentido así y me gustaría que todos se pudieran sentir como yo por una vez en su vida.
>
>   Gracias,
>   Patty, ¡la chica en forma!

A Patty no le habían enseñado nunca los principios que gobiernan un programa saludable para perder peso. Necesitaba este conocimiento y, como muchos estadounidenses que nunca han experimentado el proceso de adquisición de una buena condición física, tuvo que entrar en un programa de ejercicios estructurados para poder sentir de manera verdadera el placer de estar en forma.

Más importante aún, Patty continuó su programa de ejercicios aeróbicos y de fortaleza física. Un año después de terminar una dieta baja en calorías, aumentó 4 kilos de peso, pero su grasa corporal disminuyó de 22.5 a 21.2%. Como se verá en el capítulo 6, este aumento se relaciona comúnmente a cambios en la pérdida de tejido durante la fase de reducción de peso. A pesar de que sólo tuvo una ligera pérdida de peso durante el segundo año después de que siguiera una dieta baja en calorías, su nivel de grasa corporal disminuyó a 19.5% en los dos si-

---

* *Nota del R.T.:* En México, el ciudadano promedio tampoco es un buen ejemplo de una condición física buena puesto que sólo 18% de la población realiza una actividad física. (Datos del censo nacional más reciente, 1997.)

guientes años. Patty comprende ahora la nueva calidad de vida que se obtiene a través de un programa saludable de ejercicios.

Estilo de vida, salud y calidad de vida

Se ha descubierto que la inactividad física y los hábitos negativos de vida representan una seria amenaza para la salud. El movimiento y la actividad física son funciones básicas para las cuales el organismo fue creado. Sin embargo, los avances tecnológicos han eliminado la necesidad de tener actividad física en nuestra vida diaria. Por tanto, ésta ha dejado de ser una parte natural de nuestra existencia. La inactividad física se ha convertido en una epidemia que constituye hoy en día la segunda mayor amenaza de salud pública en Estados Unidos y ha sido denominada **Síndrome de Muerte por Sedentarismo** o **SMS**. (La primera amenaza es el consumo de tabaco, el cual origina el mayor número de muertes evitables.)

En la actualidad vivimos en una sociedad automatizada: realizamos la mayoría de las actividades que solían requerir una actividad física extenuante con sólo oprimir el botón o jalar la palanca de un aparato. Al ir a un supermercado que se encuentra tan sólo a unas cuadras de su casa, la mayoría de la gente va en automóvil y pasa unos minutos buscando el lugar más cercano a la entrada donde pueda estacionarlo. Ya no es necesario incluso que la gente cargue los víveres hasta su automóvil: de manera voluntaria un empleado de la tienda los pone en el carrito para después llevarlos hasta el automóvil. Durante una visita a un centro comercial de varios pisos, casi todas las personas eligen las escaleras eléctricas y no las normales.

Los automóviles, los elevadores, las escaleras eléctricas, los teléfonos, los sistemas de intercomunicación, los controles remotos, las puertas de garage eléctricas son comodidades modernas que minimizan la cantidad de movimiento y esfuerzo que el cuerpo humano requiere.

Uno de los efectos más nocivos de la tecnología actual es el incremento de **enfermedades crónicas** relacionadas con la falta de actividad física, como la hipertensión (presión alta), padecimientos cardiacos, el dolor crónico de espalda, la obesidad, entre otras. En ocasiones se les conoce como **enfermedades hipokinéticas** ("hipo" significa bajo o poco y el término "kinético" implica movimiento). La falta de actividad física adecuada se ha convertido en una realidad que la gente ya no puede dejar pasar por alto. Si queremos vivir al máximo y continuar disfrutando las comodidades de la vida contemporánea, es necesario que integremos en nuestra rutina diaria un programa permanente y personalizado de ejercicios.

Con el desarrollo de la tecnología, tres factores adicionales han cambiado nuestra existencia de manera significativa y han tenido un impacto negativo en nuestra salud: la nutrición, el estrés y el medio ambiente. Los alimentos engordantes, los dulces, el alcohol, el tabaco, el exceso de estrés y condiciones del medio ambiente tales

El colmo de la inactividad física es manejar por varios minutos en búsqueda de un lugar cercano a la entrada de un establecimiento para poder estacionar el automóvil.

como los desperdicios, el ruido y la contaminación atmosférica tienen efectos nocivos en la población.

Las principales causas de muerte en Estados Unidos (ver la figura 1.1) están relacionadas con el estilo de vida. Cerca de 62% de las muertes registradas en este país se deben a enfermedades cardiovasculares y al cáncer.[3] Casi el 80% de estas muertes pudieron haberse prevenido mediante un estilo de vida saludable. La tercera causa de muerte (obstrucción pulmonar crónica) se relaciona en gran medida al consumo de tabaco. Los accidentes conforman la cuarta causa de muerte. A pesar de que no todos lo son, muchos accidentes son prevenibles pues aquéllos que resultan fatales se relacionan con el abuso de drogas y con no llevar el cinturón de seguridad puesto.

De acuerdo con el doctor David Satcher, ex-inspector general de sanidad de Estados Unidos, más de 50% de las personas de ese país muere debido a lo que realiza. Se estima que más de la mitad de las enfermedades se relacionan con el estilo de vida: Una quinta parte se atribuye a factores ambientales, una décima parte a la atención médica que el individuo recibe y sólo 16% se relaciona con factores genéticos. De este modo, el individuo controla cerca de

TÉRMINOS CLAVE

Actividad física: Movimiento del cuerpo producido por los músculos del esqueleto que requiere gasto de energía y que produce beneficios progresivos en la salud.

Ejercicio: Tipo de actividad física que requiere un movimiento corporal planeado, estructurado y repetitivo a fin de mejorar o mantener uno o más componentes de la condición física.

Síndrome de Muerte por Sedentarismo (SMS): Término empleado para describir el tipo de muertes que se atribuyen a la falta de actividad física regular.

Enfermedades crónicas: Padecimientos que se desarrollan y perduran por un largo periodo.

Enfermedades hipokinéticas: Enfermedades relacionadas con la falta de actividad física.

Figura **1.1** *Causas principales de muerte en Estados Unidos en el 2001.*

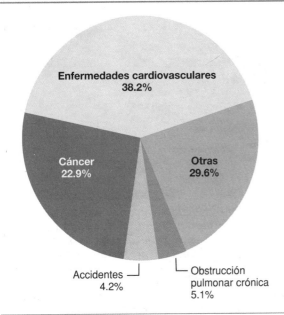

Fuente: U.S. Department of Health and Human Services, Centers for Disease Control and Prevention, National Center for Health Statistics, National Vital Statistics Report: Muertes: Informe final para el 2001, 52:3 (18 de septiembre de 2003).

Figura **1.2** *Esperanza de vida (números de la derecha) y esperanza de vida saludable (números de la izquierda) en países desarrollados.*

Fuente: Organización Mundial de la Salud, http://www.who.int/inf-pr-2000/en/pr2000-life.html. Recuperado el 4 de junio de 2000.

84% de las enfermedades y de la calidad de vida. Los datos también indican que 83% de las muertes que ocurren antes de los 65 años de edad son prevenibles. Por consiguiente, el tipo de vida de la mayoría de la gente en Estados Unidos representa su mayor amenaza.[4]

Hoy en día, el promedio de **esperanza de vida** en Estados Unidos es de 76.9 años (alrededor de los 75 años, en el caso de los hombres, y de 80 años en el de la mujeres). Sin embargo, a diferencia de estimaciones anteriores sobre la esperanza de vida, por primera vez en el año 2000 la Organización Mundial de la Salud (OMS) estimó la **esperanza de vida saludable (EVS)** de 191 naciones. Estados Unidos ocupó el lugar número 24 en este reporte con un EVS de 70 años. Japón fue el primer lugar con un EVS de 74.5 años (ver la figura 1.2).

El lugar de Estados Unidos resultó una gran sorpresa siendo éste un país desarrollado con uno de los mejores sistemas médicos en el mundo. El porcentaje indica que los estadounidenses mueren a una edad más temprana y que permanecen más tiempo inhabilitados que la población de otros países desarrollados. La OMS señala varios factores que podrían contribuir a este resultado inesperado:

1. La salud extremadamente precaria de algunos grupos como los nativos estadounidenses, los afroestadounidenses de las zonas rurales y la población pobre de las ciudades. Su nivel de salud es más característico de las naciones pobres en desarrollo que de las naciones ricas e industrializadas.

2. La epidemia del VIH que ocasiona más muertes e incapacidad que en otras naciones desarrolladas.
3. El alto consumo de tabaco.
4. Una alta incidencia de enfermedades coronarias.
5. Los niveles relativamente altos de violencia, sobre todo de homicidios, en comparación con otras naciones desarrolladas.

► Informe de la inspección general de sanidad sobre la actividad física y la salud

En julio de 1996, la inspección general de sanidad de Estados Unidos publicó un informe sobresaliente sobre la influencia de la actividad regular física en la salud.[5] No debemos subestimar la importancia de este documento histórico. Hasta 1996 la inspección general había publicado sólo dos informes: Uno sobre los efectos del cigarro en la salud en 1964 y otro sobre nutrición y salud en 1988. El informe sobre la actividad física y la salud es un compendio de más de 1 000 estudios científicos provenientes de áreas como la epidemiología, la fisiología del ejercicio, la medicina y las ciencias de la conducta.

El informe establece que una actividad física regular y moderada ofrece beneficios sustanciales en la salud y el bienestar de la gran mayoría de estadounidenses que no están físicamente activos. Entre estos beneficios se encuentra una disminución significativa del riesgo de desarrollar o de morir a causa de una enfermedad cardiaca, diabetes, cáncer de colon y presión arterial alta.

La actividad regular física es también importante para el desarrollo de los músculos, los huesos y las articulaciones sanas. De igual forma, reduce síntomas de depresión y ansiedad, mejora el estado de ánimo y aumenta la habilidad de llevar a cabo las labores diarias a lo largo de la vida. En el caso de individuos que ya son moderadamente activos, éstos pueden lograr mayores beneficios en su salud si aumentan su actividad física.

De acuerdo con la inspección de sanidad, la falta de actividad física en el mejoramiento de la salud representa un problema serio de salud pública que debemos afrontar de inmediato. Según el informe, más de 60% de los adultos no cumplía con la cantidad de actividad física recomendada y 25% estaban completamente inactivos. Más aún, casi la mitad de las personas entre los 13 y 21 años de edad no realizaban una actividad física vigorosa de manera regular. El informe establecía también que la inactividad física es mayor en las mujeres que en los hombres, en los afroestadounidenses e hispanoamericanos que en los caucásicos, en los adultos mayores que en los jóvenes, en los pobres que en los ricos, y en los adultos menos instruidos que en los más preparados.

Este informe se convirtió en un aviso para tomar cartas en el asunto a nivel nacional. Una actividad física regular y moderada puede prevenir la muerte prematura, ciertos padecimientos y la discapacidad. Asimismo, puede ayudar a controlar los gastos en salud y mantener una calidad de vida alta incluso durante la vejez. En el informe se definía a la actividad física moderada como una actividad en la que se emplea 150 calorías de energía al día, o bien, 1 000 calorías a la semana. La gente debería esforzarse por realizar al menos 30 minutos de actividad física al día a lo largo de toda la semana. Ejemplos de actividad física moderada son caminar, andar en bicicleta, jugar básquetbol o voleibol, nadar, hacer aeróbicos acuáticos, bailar a un ritmo rápido, empujar una carreola, barrer las hojas de los árboles, quitar la nieve, lavar o encerar el automóvil, lavar las ventanas o los pisos e incluso las labores de jardinería.

Debido al aumento de obesidad en Estados Unidos, una guía de 2002 elaborada por científicos estadounidenses y canadienses del Instituto de Medicina de la Academia Nacional de las Ciencias recomienda 60 minutos de actividad física moderada todos los días.[6] Dicha recomendación se basa en pruebas que indican que la gente que mantiene un peso saludable lleva a cabo por lo general una hora de actividad física diaria. Aunque los beneficios en la salud se derivan de un promedio de 30 minutos al día, una hora de actividad diaria previene el aumento de peso y conlleva otros beneficios como un bajo riesgo de padecer enfermedades cardiovasculares y diabetes.

Pensamiento crítico

¿Incorpora de manera consciente la actividad física en su estilo diario de vida?, ¿podría proporcionar algunos ejemplos?, ¿considera que realiza una actividad física suficiente como para mantener una condición saludable?

◤ Bienestar

Después del "boom" inicial del ejercicio en Estados Unidos en los años setenta, quedó claro que el solo mejoramiento de la condición física no siempre resulta suficiente para disminuir el riesgo de padecer enfermedades y de asegurar, por tanto, una mejor salud. Por ejemplo, se puede decir que las personas que corren 5 kilómetros al día, levantan pesas de manera regular, realizan ejercicios de estiramiento y revisan de manera constante su peso tienen una condición física buena o excelente. No obstante, si estas mismas personas tuvieran una presión arterial alta, fumaran, estuvieran bajo un estrés constante, consumieran demasiado alcohol y comieran muchos alimentos engordantes, todos estos elementos serían **factores de riesgo** de contraer enfermedades, de los cuales tal vez no estarían totalmente conscientes.

El concepto de la "buena salud" ha dejado de ser considerado simplemente como la ausencia de enfermedad. La noción de buena salud se ha desarrollado de forma notable en los últimos años y continúa cambiando a medida que los científicos aprenden más sobre los factores del estilo de vida que generan padecimientos y afectan el bienestar de la persona. El concepto de bienestar se desarrolló en los ochenta una vez que se afianzó la idea de que el ejercicio por sí mismo no disminuye necesariamente el riesgo de padecer enfermedades ni tampoco asegura una mejor salud.

El concepto de **bienestar** es muy inclusivo pues abarca una gran variedad de factores relacionados con la salud. Un estilo de vida basado en el bienestar requiere la implementación de programas positivos que tengan como objetivo cambiar la conducta y, por consiguiente, mejorar la salud y la calidad de vida, prolongar esta última y lograr un bienestar total. A fin de disfrutar un buen estilo de vida, una persona tendrá que poner en práctica hábitos que conduzcan a resultados positivos en las siete dimensiones del bienestar: física, emocional, intelectual, social, ambiental, espiritual y laboral (ver la figura 1.3). Dichas dimensiones se interrelacionan, ya que una de ellas afecta a menudo a las otras. Por ejemplo, una persona con un nivel emocional bajo no tiene por lo regular ganas de ejercitarse, estudiar, ir al trabajo, socializar o asistir a la iglesia.

Si observa las siete dimensiones del bienestar, es evidente que un nivel alto de éste va más allá de una condición física óptima o de la ausencia de enfermedades. El bienestar comprende componentes tales como una buena condición física, una nutrición apropiada, el manejo del estrés, la prevención de enfermedades, el apoyo social, la autoestima, la crianza (es decir, el sentido de ser necesario o de utilidad), la espiritualidad, la seguridad personal,

TÉRMINOS CLAVE

Esperanza de vida: El número de años que se espera que una persona viva con base en su año de nacimiento.

Esperanza de vida saludable: El número de años que se espera que una persona viva con buena salud. Este número se obtiene al restar los años de mala salud de la esperanza de vida total.

Factores de riesgo: Características que predicen las posibilidades de desarrollar cierta enfermedad.

Bienestar: El esfuerzo constante y deliberado de estar saludable y lograr desarrollar al máximo un estado de salud óptimo.

Figura **1.3** *Dimensiones del bienestar.*

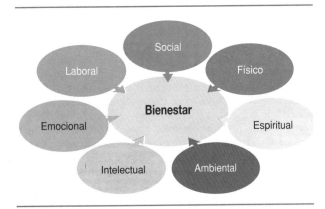

Figura **1.4** *Comparación de los cálculos sobre gastos de salud por persona en los países desarrollados en 1989 y 1997.*

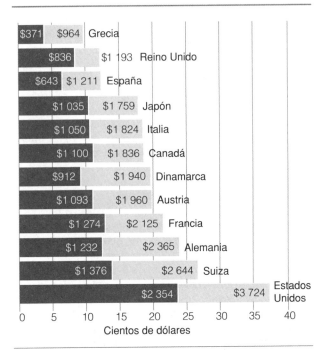

Fuente: "Daten Der Woche", *Weit am Sonntag* 25 (1991): 35. Organización Mundial de la Salud, *The World Health Report 2000 —Health Systems— Improving Performance* (2000): Anexo tabla 8.

no fumar ni consumir drogas, los exámenes físicos regulares, el apoyo ambiental y la educación sobre la salud.

Las personas con un estilo de vida saludable deben estar en forma y no manifestar signos de enfermedad y, además, no deben presentar factores de riesgo (tales como la inactividad física, la hipertensión, niveles altos de colesterol, fumar, estrés excesivo, mala nutrición y negligencia sexual). Si bien un individuo que es sometido a prueba en un centro de acondicionamiento físico puede llegar a demostrar una condición física adecuada o incluso excelente, su propensión a un estilo de vida caracterizado por hábitos poco saludables aumentará su riesgo de padecer enfermedades crónicas y disminuirá su bienestar. En el capítulo 8 se proporciona información adicional sobre el bienestar y la manera en que se puede implementar un programa que lo genere.

Las conductas dañinas contribuyen a asombrosos gastos de salud pública en Estados Unidos. Los factores de riesgo de enfermedades conllevan un alto precio. Cerca de 13% del producto interno bruto (PIB) o 1.3 trillones de dólares, se empleó para cubrir los gastos de salud en el 2000. Los gastos se ubicaron en un promedio de más de 3 700 dólares por persona en ese mismo año, el rango más alto en el mundo.[7] De acuerdo con los cálculos, 1% de los estadounidenses responde por el 30% de estos gastos. La mitad de la gente utiliza poco más de 97% del presupuesto asignado para la salud. Se espera que los gastos alcancen cerca de 16% del PIB para el 2010.

En cuanto a los costos en salud por persona al año, como se ilustra en la figura 1.4, Estados Unidos gasta más por persona ($3 724) que cualquier otra nación industrializada. Se espera que los costos en salud per cápita alcancen casi los 9 000 dólares por persona para el 2010. Con todo, el sistema de salud en general se ubica en el lugar 37 a nivel mundial. Una de las razones de que su sistema en general se sitúe en un nivel bajo es el énfasis en la curación y no en programas de prevención de enfermedades. Estados Unidos es el mejor lugar del mundo para tratar a una persona una vez que ésta presenta una enfermedad, pero el sistema de salud realiza una labor muy deficiente en cuanto a mantener, antes que nada, a la persona en un estado saludable. De igual forma, su sistema no provee una buena atención médica para toda la población: 44 millones de personas no cuentan con seguro médico.

▲ Condición física

Los individuos tienen una buena condición física cuando son capaces de cumplir con las demandas tanto comunes como inusuales de la vida diaria de forma segura y efectiva sin sentirse excesivamente fatigados y poseer energía aún para el tiempo libre y las actividades recreativas. La **condición física** se puede dividir en dos categorías: Condición relacionada con la salud y condición relacionada con las habilidades.

▶ Condición relacionada con la salud

La **condición relacionada con la salud** tiene cuatro componentes: Resistencia cardiorrespiratoria, resistencia y fuerza muscular, flexibilidad muscular y composición corporal (ver la figura 1.5):

1. *Resistencia cardiorrespiratoria*: La habilidad del corazón, los pulmones y los vasos sanguíneos de proveer oxígeno a las células para cumplir con las demandas de una actividad física prolongada (también conocida como ejercicio aeróbico).
2. *Resistencia y fuerza muscular*: La habilidad de los músculos de generar fuerza.
3. *Flexibilidad muscular*: La capacidad de una articulación de moverse de manera libre a través de un amplio rango de movimiento.
4. *Composición corporal*: La cantidad de masa corporal y tejido adiposo (grasa corporal) en el cuerpo humano.

Figura **1.5** *Componentes de la condición física relacionados con la salud.*

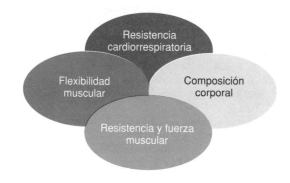

▶ **Condición física relacionada con las habilidades**

La **condición física relacionada con las habilidades** es esencial en actividades tales como básquetbol, tenis, golf, caminata, fútbol y ski acuático. Este tipo de condición también aumenta la calidad general de vida al hacer que las personas puedan actuar de manera más efectiva en situaciones de emergencia (ver el capítulo 4). Los componentes de esta condición son agilidad, equilibrio, coordinación, potencia, tiempo de reacción y velocidad (ver la figura 1.6):

1. *Agilidad*: Es la habilidad de cambiar la posición y dirección del cuerpo de forma rápida y eficiente. La agilidad es fundamental en deportes como básquetbol, fútbol y tenis, en los cuales los jugadores deben cambiar de dirección de manera rápida y al mismo tiempo mantener un control apropiado del cuerpo.
2. *Equilibrio*: Es la habilidad de mantener el cuerpo en equilibrio. Este componente es vital en actividades como gimnasia, buceo, patinaje sobre hielo e incluso en fútbol americano y lucha, deportes en los que el atleta intenta romper el equilibrio del oponente.
3. *Coordinación*: Es la integración de los sistemas nervioso y muscular para generar movimientos corporales correctos, agradables y armoniosos. Este componente es importante en una gran variedad de actividades motoras como golf, béisbol, karate, fútbol y tenis, deportes en los que se deben integrar los movimientos que van de la mano o del pie a los ojos.
4. *Potencia*: La habilidad de generar el máximo de fuerza en el menor tiempo posible. Los dos componentes de la potencia son la velocidad y la fuerza. Una combinación efectiva de estos dos elementos permite a una persona generar movimientos explosivos como saltar, disparar, lanzar un dardo, lanzar y golpear una pelota.
5. *Tiempo de reacción*: El tiempo que se requiere para responder a un determinado estímulo. Un buen tiempo de reacción es importante para arrancar en una carrera de atletismo o de nado, para reaccionar

Figura **1.6** *Componentes de la condición física relacionados con las habilidades motrices.*

Una buena condición física relacionada con las habilidades aumenta las posibilidades de triunfo en las actividades deportivas.

de manera rápida al jugar tenis en la red, y en deportes como ping-pong, boxeo y karate.
6. *Velocidad*: Es la habilidad de impulsar el cuerpo o una parte de éste de un lugar a otro de forma rápida. El fútbol, básquetbol, robar base en el béisbol y correr a toda velocidad son ejemplos de actividades que requieren una buena velocidad para poder ganar.

En términos de medicina preventiva, los programas de acondicionamiento físico deberían enfocarse en los componentes relacionados con la salud. La condición física antes descrita es fundamental para tener un desempeño exitoso en los deportes y en el atletismo y contribuye,

TÉRMINOS CLAVE

Condición física: La capacidad general de adaptarse y responder de forma favorable a un esfuerzo físico.

Condición relacionada con la salud: Estado físico en el que se trabaja la resistencia cardiorrespiratoria, la fuerza, resistencia y flexibilidad muscular, y la composición corporal.

Condición física relacionada con las habilidades: Componentes de la condición importantes para la realización exitosa de actividades motoras en eventos atléticos, así como en los deportes y otro tipo de actividades.

además, al bienestar personal. El mejoramiento de la condición física relacionada con las habilidades le brinda al individuo un gozo y éxito mayores en el deporte. De igual manera, la realización de actividades basadas en las habilidades contribuye a desarrollar una condición física saludable. Cabe mencionar, además, que para lograr un estado físico óptimo se requiere llevar a cabo programas específicos para mejorar tanto los componentes relacionados con la salud como los relacionados con las habilidades.

▶ Beneficios del ejercicio y el bienestar

Los beneficios que se obtienen al llevar a cabo un programa regular de ejercicio y bienestar son muchos. Además de una vida más longeva (ver las figuras 1.7, 1.8 y 1.9 en las páginas 9 y 10), el mayor beneficio de todos es que las personas con una buena condición física y con un estilo de vida positivo tienen una calidad de vida mejor y más saludable. Este tipo de personas viven la vida al máximo y presentan menos problemas de salud que las personas inactivas que tienen, además, hábitos negativos en su estilo de vida.

Enlistar de manera completa los beneficios que se desprenden de llevar a cabo un programa de ejercicio y bienestar representa todo un reto; sin embargo, la siguiente lista resume muchos de estos beneficios:

- Mejora y fortalece el sistema cardiorrespiratorio.
- Promueve un mejor tono, fuerza y resistencia musculares.
- Mejora la flexibilidad muscular.
- Aumenta la actividad atlética.
- Ayuda a mantener el peso recomendado.
- Ayuda a preservar la tonicidad muscular.
- Mejora el metabolismo.
- Mejora la habilidad del cuerpo de utilizar la grasa corporal durante una actividad física.
- Mejora la postura y la apariencia física.
- Mejora el funcionamiento del sistema inmunológico.
- Disminuye el riesgo de enfermedades o padecimientos crónicos (como las enfermedades cardiovasculares y el cáncer).
- Disminuye el índice de mortalidad por enfermedades crónicas.
- Adelgaza la sangre de manera que no se coagule de manera inmediata (por lo que el riesgo de padecer enfermedades coronarias o infartos disminuye).
- Ayuda a que el cuerpo controle el colesterol de manera más efectiva.
- Previene o retrasa el desarrollo de la presión arterial alta y disminuye la presión en el caso de personas que sufren de hipertensión.
- Ayuda a prevenir y controlar la diabetes.
- Ayuda al completo desarrollo de la masa ósea en los jóvenes y a mantener ésta en la vejez, por lo que disminuye el riesgo de padecer osteoporosis.
- Ayuda a que las personas duerman mejor.
- Ayuda a prevenir el dolor crónico de espalda.
- Libera la tensión y ayuda a que las personas manejen el estrés.
- Aumenta los niveles de energía y de productividad laboral.
- Alarga la longevidad y retarda el proceso de envejecimiento.
- Promueve el bienestar psicológico a través de una imagen, una autoestima y un estado de ánimo mejores.
- Reduce la depresión y la ansiedad.
- Motiva a la realización de cambios positivos en el estilo de vida (mejorar la nutrición, dejar de fumar, controlar el consumo de alcohol y drogas).
- Acelera el tiempo de recuperación después del ejercicio físico.
- Acelera el proceso de recuperación después de una enfermedad o un daño físico.
- Regula y mejora las funciones del cuerpo en general.
- Mejora el vigor físico y contrarresta la fatiga crónica.
- Ayuda a continuar un estilo de vida independiente, en especial en el caso de los adultos mayores.
- Aumenta la calidad de vida: La gente se siente mejor y vive de forma más saludable y feliz.

Además de los beneficios anteriores, los estudios de **epidemiología** que relacionan la actividad física y los índices de mortalidad han demostrado índices más bajos de muerte prematura en individuos físicamente activos. El doctor Ralph Paffenbarger de la Universidad de Stanford,[8] quien llevó a cabo una de las primeras investigaciones en esta área, demostró que a medida que la actividad física semanal aumentaba, el riesgo de padecer enfermedades cardiovasculares disminuía. En dicho estudio, realizado con 16 936 alumnos de Harvard, la mayor disminución de muertes de origen cardiovascular se observó en aquéllos que quemaban más de 2 000 calorías a la semana por medio de la actividad física (ver la figura 1.7).

Otro estudio, realizado por el doctor Steve Blair y sus colaboradores,[9] apoyaba los hallazgos de la investigación del doctor Paffenbarger. Con base en información proveniente de 13 344 individuos que fueron estudiados a lo largo de ocho años, los resultados confirmaron que el nivel de condición cardiorrespiratoria está relacionado con la mortalidad por todo tipo de causas. Este descubrimiento demostró una relación inversa consistente y graduada entre la condición física y la mortalidad, sin importar la edad y otros factores de riesgo.

En pocas palabras, mientras más alto sea el nivel de condición cardiorrespiratoria, mayor será la duración de la vida (ver la figura 1.8). El índice de mortalidad por diversas causas en los hombres con una baja condición física fue 3.4 veces más alto que el de los de mejor condición física. En el caso de las mujeres, el índice de mortalidad fue 4.6 veces más alto en aquéllas con una condición física baja que en las que presentaban una mejor condición. Asimismo, el estudio indicaba un índice muy reducido de muertes prematuras, incluso en los niveles de ejercicio físico moderado, el cual la mayoría de los adultos puede realizar con facilidad. La gente obtiene una mayor protección cuando combina los niveles altos de ejercicio con la disminución de otros factores de riesgo tales como la hipertensión, los niveles altos de colesterol, el consumo de tabaco y el exceso de grasa corporal.

Otro estudio enfocado en los cambios en los niveles de ejercicio y mortalidad descubrió una disminución sus-

Figura **1.7** *Tasa de mortalidad de acuerdo con el índice de actividad física.*

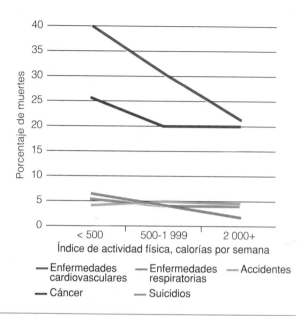

Enfermedades cardiovasculares — Enfermedades respiratorias — Accidentes — Cáncer — Suicidios

Nota: La gráfica representa tasas de muerte por causas específicas en 10 000 individuos que fueron observados al año entre 16 936 alumnos de Harvard, 1962-1978, con respecto al índice de actividad física, adaptado por diferencias de edad, consumo de tabaco e hipertensión.

Fuente: "A Natural History of Atthleticism and Cardiovascular Health" de R.S. Paffenbarger, R.T. Hyde, A.L. Wing y C.H. Steinmetz, *Journal of the American Medical Association* 252 (1989): 491-495. Información autorizada.

tancial (44%) en el riesgo de mortalidad cuando los participantes abandonaban su estilo sedentario de vida y empezaba a realizar un ejercicio físico moderado.[10] El índice de mortalidad más bajo se observó en los individuos que estaban en forma y continuaban haciendo ejercicio, mientras que el más alto se observó en los individuos que permanecieron físicamente inactivos (ver la figura 1.9).

Un estudio posterior publicado en el *Journal of the American Medical Association*[11] en 1995 respaldaba los hallazgos anteriores e indicaba también que las actividades físicas vigorosas están asociadas con una mayor longevidad. Se considera que una actividad es vigorosa cuando requiere un nivel MET igual o superior a los 6 MET (ver el capítulo 4, tabla 4.1, pág. 92). Este nivel se refiere al ejercicio que se realiza con un nivel de energía de seis veces la energía de reposo recomendada. Ejemplos de actividades vigorosas que se emplearon en este estudio incluyen quitar la nieve con una pala, caminar a paso rápido y trotar, así como las carreras de natación, el squash, el bádminton y el tenis. Los resultados indicaron también que el ejercicio vigoroso es tan importante como mantener el peso recomendado y no fumar.

Todos los estudios anteriores señalan con claridad que el ejercicio mejora el bienestar, la calidad de vida y la longevidad. Si la gente tiene la capacidad, se recomienda que lleve a cabo un ejercicio vigoroso debido a que éste se asocia de manera significativa con una vida más larga.

TÉRMINO CLAVE

Epidemiología: Se refiere al estudio de las enfermedades epidémicas.

Figura **1.8** *Tasa de mortalidad de acuerdo con niveles de ejercicio físico.*

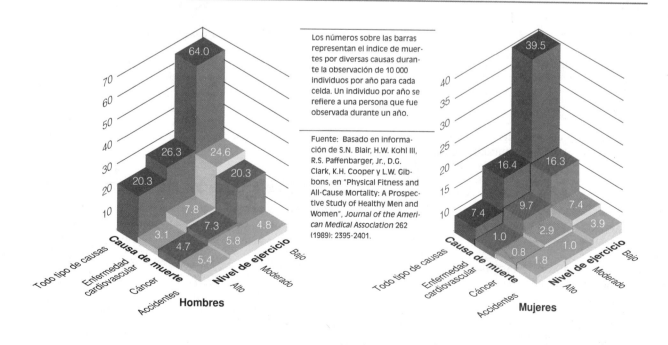

Los números sobre las barras representan el índice de muertes por diversas causas durante la observación de 10 000 individuos por año para cada celda. Un individuo por año se refiere a una persona que fue observada durante un año.

Fuente: Basado en información de S.N. Blair, H.W. Kohl III, R.S. Paffenbarger, Jr., D.G. Clark, K.H. Cooper y L.W. Gibbons, en "Physical Fitness and All-Cause Mortality: A Prospective Study of Healthy Men and Women", *Journal of the American Medical Association* 262 (1989): 2395-2401.

Hombres

Mujeres

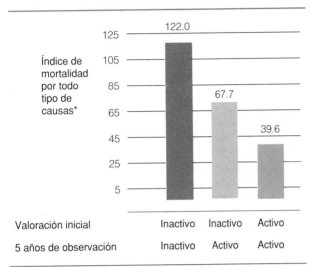

Figura **1.9** *Efectos de los cambios en la actividad física en los índices de mortalidad.*

* Índice de muertes en 10 000 individuos observados por año. Información basada en datos tomados de "Changes in Physical Fitness and All-Cause Mortality: A Prospective Study of Healthy Men", *Journal of the American Medical Association* 273 (1995): 1193-1198.

Fuente: S.N. Blair, H.W. Kohl III, C.E. Barlow, R.S. Paffenbarger, Jr., L.W. Gibbons, y C.A. Macera, "Changes in Physical Fitness and All-Cause Mortality: A Prospective Study of Healthy and Unhealthy Men", *Journal of the American Medical Association* 273 (1995): 1193-1198.

Objetivos de salud nacional para el año 2010

Cada 10 años, el U.S. Department of Health and Human Services entrega una lista de objetivos para prevenir las enfermedades y promover la salud. Desde su primera aparición en 1980, este plan ha ayudado a inculcar un nuevo sentido del propósito y enfoque de la salud pública y la medicina preventiva. Se pretende que estos objetivos de salud nacional constituyan metas realistas para mejorar la salud de todos los estadounidenses en el nuevo milenio. Los objetivos para el año 2010 tienen dos metas únicas: el aumento de la calidad y los años de vida saludable y la eliminación de las condiciones desiguales de salud en toda la población. Los objetivos se dirigen a tres puntos importantes:[12]

1. *Responsabilidad personal*: Los individuos se deben concientizar más que nunca de su salud. Una actitud responsable e informada es la llave a una buena salud.
2. *Beneficios de la salud para todos*: La condición socioeconómica baja y la mala salud se relacionan a menudo. Proveer a toda la gente de los beneficios que brinda una buena salud es crucial para el bienestar de una nación.
3. *Promoción de la salud y prevención de las enfermedades*: Dar una mayor prioridad a las técnicas de prevención en lugar del tratamiento disminuirá en forma drástica los costos en salud y ayudará a que todos los estadounidenses logren una mejor calidad de vida.

El desarrollo de estos objetivos requiere más de 10 000 personas en representación de 300 organizaciones nacionales entre las que se encuentran el Institute of Medicine of the National Academy of Sciencies, los departamentos de salud de todos los estados y el Federal Office of Disease Prevention and Health Promotion. En la figura 1.10 se proporciona un resumen de los principales objetivos para el 2010. El seguimiento de los principios de ejercicio y bienestar que este libro brinda mejorará su calidad de vida y le permitirán lograr de manera activa los objetivos antes mencionados.

El camino hacia el ejercicio y el bienestar

Las investigaciones científicas actuales y el movimiento en pro del ejercicio que comenzó en Estados Unidos hace más de tres décadas ha conseguido que mucha gente se dé cuenta de las ventajas de llevar a cabo un programa de ejercicio que mejore y mantenga su salud. Debido a que las necesidades de cada persona varían, los programas se deben personalizar a fin de obtener mejores resultados. El presente libro proporciona los elementos necesarios para desarrollar un programa que mejore nuestra condición física, así como para promover los cuidados preventivos y nuestro bienestar personal durante toda la vida. Conforme avance en su lectura y complete las tareas que se asignan en cada capítulo, aprenderá a:

■ Determinar si para ejercitarse de manera segura requiere aprobación médica.
■ Valorar su condición física general, incluyendo la resistencia cardiorrespiratoria, fuerza, resistencia y flexibilidad musculares, así como la composición corporal.
■ Prescribir programas personalizados a fin de desarrollar una condición física completa.
■ Aprender técnicas de modificación de la conducta que le permitan cambiar patrones nocivos de vida.
■ Desarrollar programas saludables de dieta y control de peso.
■ Implementar un programa de estilo saludable de vida que incluya la prevención de enfermedades cardiovasculares y del cáncer, el manejo del estrés y, según sea el caso, dejar de fumar.
■ Diferenciar los mitos de las realidades en relación al ejercicio y a los conceptos relacionados con la salud.

Modificación de la conducta

Las pruebas científicas que demuestran los benéficos derivados de un estilo saludable de vida continúan sumándose cada día. Aunque las evidencias resultan impresionantes, mucha gente aún no se decide a llevar a cabo un estilo más sano de vida. Para entender esto último, hay que analizar las motivaciones de la gente, así como el tipo de acciones que se requieren para realizar cambios de conducta permanentes, es decir, **modificaciones de conducta**.

Figura **1.10** *Selección de objetivos de salud nacional para el año 2010.*

1. Incrementar la calidad y el número de años de vida saludable.
2. Eliminar la inequidad en materia de salud.
3. Mejorar la salud, la condición y la calidad de vida de todos los estadounidenses a través de la adopción y mantenimiento de una actividad física diaria y regular.
4. Promover la salud y reducir el riesgo de padecer enfermedades crónicas y degenerativas, así como la debilitación y la muerte prematura a causa de factores en la dieta y el nivel nutricional de toda la población de Estados Unidos.
5. Reducir las enfermedades, la discapacidad y la muerte relacionada con el consumo, ya sea activo o pasivo, de tabaco.
6. Aumentar la calidad, disponibilidad y efectividad de programas basados en la educación y la comunidad y diseñados para prevenir las enfermedades y mejorar la salud y calidad de vida de los estadounidenses.
7. Promover la salud de toda la gente mediante un entorno saludable.
8. Reducir la incidencia y gravedad de daños ocasionados por accidentes, así como la violencia y el abuso.
9. Promover la salud y la seguridad mediante la prevención.
10. Mejorar el acceso a un cuidado de la salud completo y de alta calidad.
11. Asegurar que todos los casos de embarazo en Estados Unidos sean atendidos.
12. Mejorar los resultados de maternidad y embarazo y reducir los índices de discapacidad infantil.
13. Mejorar la calidad de las decisiones relacionadas con la salud por medio de una comunicación efectiva.
14. Disminuir la incidencia de limitaciones funcionales a causa de la artritis, la osteoporosis y padecimientos crónicos de dolor de espalda.
15. Disminuir la incidencia del cáncer, la morbilidad y la mortalidad.
16. Promover la salud y prevenir condiciones secundarias en las personas con discapacidad.
17. Aumentar la salud cardiovascular y la calidad de vida de todos los estadounidenses por medio de la prevención y control de los factores de riesgo, así como la promoción de hábitos saludables de vida.
18. Prevenir la transmisión del VIH y la mortalidad y morbilidad a causa de ésta.
19. Mejorar la salud mental de todos los estadounidenses.
20. Concientizar a la gente acerca de los signos y síntomas de las enfermedades pulmonares.
21. Hacer más conciencia sobre la importancia de las relaciones sexuales sanas y prevenir todo tipo de enfermedades de transmisión.
22. Reducir la incidencia de abuso de sustancias, en especial en los niños.

Fuente: U.S. Department of Health and Human Services.

Echemos un vistazo a una situación muy común en los colegios: La mayoría de los estudiantes sabe que debe ejercitarse y contemplan la posibilidad de participar en un curso de ejercitación. Su motivación principal puede ser la de mejorar su apariencia física, los beneficios en su salud o simplemente el cumplimiento de un requisito escolar. De modo que se inscriben al curso, asisten por un par de meses, lo terminan y... ¡dejan de hacer ejercicio! Para ello, ofrecen una amplia variedad de excusas: Mucho trabajo, nadie que pueda acompañarlos a hacer ejercicio, ya alcanzaron el nivel deseado, horarios inconvenientes o problemas laborales. Unos meses después, se dan cuenta de nuevo de que el ejercicio es vital y, por consiguiente, vuelven a repetir el ciclo (ver la figura 1.11).

La información de este libro le será de poca utilidad si no está dispuesto a abandonar sus hábitos negativos de vida y a adoptar conductas nuevas y saludables. Antes de estudiar los consejos para tener bienestar y una mejor condición física, deberá considerar de manera crítica sus propios hábitos y estilo de vida y, sobre todo, realizar algunos cambios permanentes a fin de promover su salud y bienestar generales.

Modelo de cambio de conducta

Cambiar las conductas crónicas y nocivas para mantener conductas sanas representa a menudo un reto. El cambio no ocurre de inmediato sino que es un proceso largo de

Figura **1.11** *Ciclo de abandono del ejercicio.*

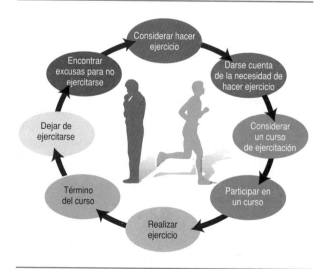

TÉRMINO CLAVE

Modificación de la conducta: Proceso de cambiar las acciones de forma permanente.

varias etapas. Con el fin de ayudar en este proceso, los psicólogos James Prochaska, John Norcross y Carlo DiClemente desarrollaron un modelo de cambio de conducta.[13] Éste cuenta con cinco etapas que resultan importantes para entender el proceso de cambio voluntario. Estas etapas describen los procesos subyacentes que la gente experimenta en su deseo por cambiar sus conductas más problemáticas por unas más sanas. El modelo se emplea, de forma muy frecuente, para cambiar conductas relacionadas con la salud, tales como la inactividad física, el consumo de tabaco, la nutrición, el control de peso, el estrés y el abuso de alcohol.

Las cinco etapas del cambio son la preconsideración, la consideración, la preparación, la acción y el mantenimiento. Una sexta etapa, la de término/adopción, fue añadida posteriormente al modelo.

Después de años de estudio, los investigadores encontraron que la aplicación de técnicas específicas de cambio de conducta durante cada etapa del modelo incrementa el éxito de cambio. Entender cada etapa le ayudará a determinar en qué lugar se encuentra en relación con sus propias conductas saludables de estilo de vida. Asimismo, le ayudará a identificar técnicas para realizar cambios exitosos.

Preconsideración

En la **etapa de preconsideración** la gente no considera o no desea cambiar una conducta específica. Por lo común niega tener un problema y, por tanto, no intenta cambiar. Por lo general, este tipo de personas no está consciente o lo está, si bien de manera subconsciente, de su problema. Sin embargo, la gente que los rodea, su familia, amigos, colegas, médicos, lo identifica con claridad.

Al no preocuparse de su problema, estas personas llegan a rechazar la información o material que aborde el tema. De igual forma, rechazan pláticas y talleres que podrían ayudarlos a identificar y cambiar, a pesar de recibir incluso incentivos monetarios para que puedan ser atendidos. Con frecuencia estas personas se resisten de manera enérgica a cambiar y parecen resignados a aceptar su conducta como parte de su "destino"; así que resulta muy difícil tratar de convencerlos de cambiar. A menudo creen que cambiar ni siquiera constituye una posibilidad. Instruirlos acerca de su conducta nociva es crucial para ayudarlos a comenzar a considerar el proceso de cambio. Se dice que el conocimiento es "poder", así que el reto es encontrar maneras de ayudar a estas personas a darse cuenta de que serán los únicos responsables de las consecuencias de su conducta. Sin embargo, algunas veces inician el proceso de cambio sólo cuando están bajo la presión de otras personas.

Consideración

En la **etapa de consideración** la gente reconoce que tiene un problema y empieza a pensar seriamente en la manera de poder superarlo. Si bien estas personas aún no están del todo preparadas para el cambio, comienzan a sopesar las ventajas y desventajas. Pueden permanecer en esta etapa por años, pero siempre están planeando tomar cartas en el asunto para dentro de los próximos seis meses o más. La instrucción y el apoyo de alguna otra persona son valiosos durante esta etapa.

Preparación

En la **etapa de preparación** la gente considera y planea gravemente cambiar su conducta para el próximo mes. Empiezan a tomar ciertas decisiones a fin de cambiar e incluso lo intentan por un periodo corto: Dejan de fumar por un día o hacen ejercicio unas cuantas veces durante un mes. En esta etapa las personas establecen una meta general en su cambio de conducta (por ejemplo, dejar de fumar hasta el último día del mes), así como objetivos específicos a fin de cumplir con la meta que se han trazado (ver el tema de "Establecimiento de metas para lograr cambios", página 16). Durante esta fase se recomienda el apoyo continuo de otra persona y de su entorno.

Acción

La **etapa de acción** requiere un compromiso total de tiempo y energía por parte del individuo. Para este momento, la persona ha emprendido acciones para cambiar o modificar su conducta o para adoptar hábitos más sanos. Esta etapa requiere que la persona siga los lineamientos específicos establecidos para el tipo de conducta que desea adoptar: por ejemplo, una persona deja de fumar por completo, realiza ejercicios aeróbicos tres veces por semana de acuerdo con una guía de ejercicios recomendados (ver el capítulo 3) o mantiene una dieta saludable.

El **retroceso**, es decir que un individuo regrese a una etapa anterior, resulta común durante esta fase. Una vez que el individuo logra mantenerse en esta etapa por seis meses consecutivos, pasa a la fase de mantenimiento.

Mantenimiento

Durante la **etapa de mantenimiento** la persona continúa cumpliendo su deseo de cambiar hasta por un periodo de cinco años. Esta fase requiere el seguimiento continuo de las características específicas que distinguen a cada conducta (por ejemplo, dejar de fumar por completo, ejercicio aeróbico tres veces por semana o técnicas adecuadas para el manejo del estrés). Para este momento, la persona se encuentra trabajando para reforzar los beneficios que ha logrado a través de las distintas etapas del proceso de cambio y lucha por prevenir las recaídas.

Término/adopción

Una vez que la persona mantiene su conducta por más de cinco años, entra a la **etapa de término/adopción** sin miedo a recaer. Se conoce como etapa de término cuando

Figura **1.12** *Identificación de su estado actual de cambio.*

Indique qué respuesta describe con más precisión su conducta actual _____
(indique en el espacio dicha conducta: Fumar, actividad física, estrés, nutrición, control de peso, etc.). A continuación, seleccione el enunciado (sólo uno de ellos) que mejor represente su patrón actual de conducta. A fin de seleccionar el enunciado más apropiado, complete uno de los tres primeros enunciados en caso de que su conducta actual sea problemática. (Por ejemplo, podría decir que "En la actualidad fumo, pero *no* deseo cambiar este hábito en los próximos años", o "en la actualidad *no hago* ejercicio pero estoy considerando hacerlo en seis meses".) Si ya ha empezado a realizar cambios, complete uno de los tres últimos enunciados. (En este caso, podría decir, por ejemplo, que "en la actualidad sigo una *dieta baja en grasas* pero sólo la he estado siguiendo en los últimos seis meses", o "en la actualidad *practico técnicas adecuadas para el manejo del estrés* y las he estado practicando por más de seis meses".) Como puede observar, estos enunciados le permitirán identificar su etapa en el proceso de cambio para cualquier tipo de conducta relacionada con su salud.

1. En la actualidad _____ pero no pretendo cambiar en los próximos años.

2. En la actualidad _____ pero estoy considerando cambiar en los próximos seis meses.

3. En la actualidad _____ de manera regular pero pretendo cambiar en el próximo mes.

4. En la actualidad _____ pero lo he llevado a cabo tan sólo los seis últimos meses.

5. En la actualidad _____ y lo he llevado a cabo por más de seis meses.

6. En la actualidad _____ y lo he llevado a cabo por más de cinco años.

ETAPAS DE CAMBIO

1	= Preconsideración	4	= Acción
2	= Consideración	5	= Mantenimiento
3	= Preparación	6	= Término/adopción

las conductas negativas han cesado por completo y, como etapa de adopción, cuando la persona ha adoptado una conducta positiva por más de cinco años. Varios expertos creen que, después de este periodo, cualquier adicción anterior, problema o falta de seguimiento de hábitos saludables ya no representa un obstáculo en la búsqueda del bienestar. El cambio se vuelve parte del estilo propio de vida. Esta fase constituye la meta final de todo aquél que desee tener una vida más saludable.

Utiliza los enunciados provistos en la figura 1.12 para determinar las conductas que le gustaría cambiar o que desearía adoptar. Conforme vaya llenando esta forma, se dará cuenta de que se encuentra en diferentes etapas según sus conductas. Por ejemplo, es posible que usted se encuentre en la etapa de término con respecto al ejercicio aeróbico y el consumo de tabaco, en la etapa de acción con respecto al fortalecimiento muscular, pero en la etapa de consideración en cuanto a adoptar una dieta saludable. Saber en qué etapas se encuentra en relación con distintas conductas le ayudará a diseñar un mejor plan de acción para emprender un estilo sano de vida.

A partir de la forma provista en la actividad 1.1 de la página 19, seleccione dos o tres conductas que se haya impuesto como objetivo para los próximos tres meses. El desarrollo de nuevos patrones de comportamiento toma tiempo e intentar trabajar en muchos componentes a la vez reducirá sus probabilidades de éxito. Por consiguiente, empiece con los componentes en los que piensa que cuenta con mayores oportunidades de éxito.

TÉRMINOS CLAVE

Etapa de preconsideración: Etapa de cambio en la que las personas no tienen la voluntad de cambiar sus hábitos.

Etapa de consideración: Etapa de cambio en la que las personas consideran cambiar sus hábitos en los próximos seis meses.

Etapa de preparación: Etapa de cambio en la que las personas se disponen a realizar un cambio a partir del mes próximo.

Etapa de acción: Etapa de cambio en la que las personas están cambiando de manera activa un hábito negativo o adoptando una conducta nueva más sana.

Retroceso: Regresar o retomar un hábito o hábitos negativos, o bien, fracasar en mantener las conductas saludables.

Etapa de mantenimiento: Etapa de cambio en la que las personas mantienen el cambio de conducta por más de cinco años.

Etapa de término/adopción: Etapa de cambio en la que las personas han eliminado una conducta indeseable o mantenido una conducta positiva por más de cinco años.

¿Cuáles considera que sean los factores que le impiden llevar a cabo un programa regular de ejercicios?, ¿cuáles son los factores que le impiden controlar su consumo diario de calorías?

Motivación y lugar del control

La **motivación** a menudo explica por qué algunas personas tienen éxito y otras no. Aunque la motivación viene desde adentro, los factores externos son los que despiertan el deseo interno de lograr cierto objetivo. Por tanto, estos factores controlan la conducta.

Entender el **lugar del control** resulta de gran ayuda en el estudio de la motivación. La gente que cree que controla las situaciones que ocurren en su vida tiene un lugar interno de control. Por el contrario, la gente con un lugar externo de control cree que lo que le ocurre es resultado del azar o de factores ambientales y que, por tanto, no tiene relación alguna con su conducta. Con frecuencia, a este tipo de gente se le dificulta salir de las etapas de preconsideración y consideración.

La gente con un lugar interno de control es apta para ser más sana y se les facilita más iniciar y seguir un programa de ejercicios que aquéllos que creen que tienen muy poco control en su vida y se consideran débiles o vulnerables. Asimismo, estos últimos tienen mayor riesgo de padecer enfermedades. Una vez que la enfermedad se presenta, es fundamental restaurar el sentido de control a fin de recuperar la salud.

Pocas personas tienen un lugar de control completamente externo o completamente interno, más bien se hallan a medio camino. Mientras más externo sea, mayor es el reto de cambiar y seguir una rutina de ejercicios u otros hábitos más sanos de vida. Por fortuna, una persona es capaz de desarrollar un lugar más interno de control. Entender que la mayoría de los sucesos que ocurren en la vida no se encuentran determinados por la genética o el entorno ayuda a las personas a perseguir metas y ganar control en sus respectivas vidas. Sin embargo, hay tres elementos que podrían impedir que se acceda a las etapas de preparación y acción: Competencia, confianza y motivación.

1. *Problemas de competencia*: La falta de las habilidades necesarias para realizar una tarea dada lleva a una menor competencia. Si sus amigos juegan básquetbol de manera regular pero usted no sabe cómo jugar, es muy probable que no desee participar en el juego. La solución a este problema de competencia es dominar las habilidades que necesita para poder participar: no toda la gente nace con las habilidades para llevar a cabo cualquier tipo de actividad, por ejemplo, los deportes.

   Un profesor de preparatoria solía observar a un grupo de estudiantes jugar básquetbol todos los viernes en la tarde. Como no tenía las habilidades, se negaba a jugar (etapa de consideración). Sin embargo,

Muchas personas se abstienen de la actividad física porque carecen de las habilidades necesarias para disfrutar y obtener los beneficios de la participación regular.

con el tiempo su deseo de divertirse fue tan grande como para que se inscribiera en un curso de básquetbol para principiantes a fin de que pudiera aprender a jugar (etapa de preparación). Para su sorpresa, la mayoría de los estudiantes estaban asombrados de que estuviera dispuesto a tomar un curso. Hoy en día, con una mayor competencia, está capacitado para unirse a los partidos del viernes (etapa de acción).

Otra alternativa consiste en seleccionar una actividad en la que se tiene habilidad. Tal vez no sea el básquetbol, pero sí los aeróbicos, así que no tema probar nuevas actividades. De manera similar, si su peso representa para usted un problema, puede aprender a preparar alimentos bajos en grasa: Pruebe diferentes recetas hasta que encuentre los platillos que más le satisfagan.

La historia de Patty al principio de este capítulo ejemplifica una falta de competencia. Patty estaba motivada y sabía que podía lograrlo; sin embargo, requería las habilidades para alcanzar su objetivo. Todo el tiempo Patty pasaba de la etapa de consideración a la de acción y, una vez que dominó las habilidades que necesitaba, fue capaz de alcanzar y mantener su objetivo.

2. *Problemas de confianza*: Este tipo de problemas surge cuando se tienen las habilidades pero no se cree que se pueda lograr la meta. El miedo y el sentimiento de insuficiencia a menudo interfieren con la habilidad de la persona para llevar a cabo una tarea dada.

   No se desaliente antes de haberlo intentado. Si posee las habilidades, el cielo es el límite. Primero, trate de visualizarse realizando y completando la actividad que desee. Repita lo anterior varias veces y después intente llevarlo a la realidad: Se sorprenderá del resultado.

En ocasiones la falta de confianza surge cuando la actividad parece infranqueable. En estos casos, dividir la meta en objetivos más pequeños y realistas ayuda a realizar la actividad: Por ejemplo que, si sabe nadar, lograr la meta de nadar una milla sin parar le podría tomar varias semanas. Establezca un programa de entrenamiento de manera que pueda nadar una mayor distancia cada vez hasta que sea capaz de nadar la milla completa. Si no alcanza su objetivo en determinado día, inténtelo de nuevo, reevalúe su desempeño, disminuya un poco sus exigencias y, sobre todo, no desista.

3. *Problemas de motivación*: Aunque la competencia y la confianza estén presentes, la persona no estará dispuesta a cambiar si tiene problemas de motivación, pues las razones para hacerlo no resultan importantes para ella. Por ejemplo, una persona decide iniciar un programa para dejar de fumar sólo cuando las razones para hacerlo superan a aquéllas de seguir fumando.

Con respecto a la calidad de vida, la falta de conocimiento y de metas constituyen las causas principales para negarse a cambiar (factores de la etapa de preconsideración). El conocimiento determina a menudo las metas y éstas a su vez determinan la motivación. La fuerza con la que una persona desee algo dictamina el empeño que pondrá en alcanzarlo. Mucha gente no está al tanto de la gran cantidad de beneficios que un programa de bienestar le puede brindar. Sin embargo, si de un estilo de vida saludable se trata, es posible que no haya una segunda oportunidad: La apoplejía, los infartos y el cáncer pueden llegar a tener consecuencias irreparables o incluso fatales. Quizá un mayor conocimiento de los factores que conducen a las enfermedades sea todo lo que se necesite para emprender un cambio.

De igual manera, sentirse en forma resulta difícil de explicar a menos que ya lo haya experimentado por sí mismo. Lo que Patty le expresó a su instructor —ejercicio, autoestima, confianza, salud y calidad de vida— no puede ser transmitido a alguien que se encuentra limitado por una vida sedentaria. De cierto modo, el bienestar es como escalar la cima de una montaña: Resulta difícil explicar a alguien que siempre ha vivido confinado en la ciudad la quietud, el aire limpio, la abundante vegetación, la corriente del río, la vida silvestre y el majestuoso valle que se observan desde arriba.

◣ Principios de modificación de la conducta

Con el curso de varios años todos los seres humanos desarrollamos hábitos que nos gustaría cambiar en cierto momento. La frase entonces de "la fuerza de la costumbre" nos viene a la mente. La adquisición de conductas positivas que conduzcan a una salud y bienestar mejores requiere un esfuerzo continuo. Si de bienestar se trata, mientras más pronto llevemos a cabo un programa saludable de estilo de vida, mayores serán los beneficios y la calidad de vida que nos aguardan. La adopción de los siguientes principios de modificación de la conducta le ayudará a cambiar su comportamiento.

◢ Autoanálisis

El primer paso para modificar la conducta es la decisión de hacerlo. Si no le interesa cambiar, no lo hará (preconsideración). Una persona que no desea dejar de fumar, no lo hará, sin importar lo que todo el mundo diga o lo convincente que pueda resultar la evidencia acerca de sus efectos nocivos. En su autoanálisis podría preparar una lista de las razones para continuar o no con su hábito. Cuando las razones para cambiar superen a las otras, estará listo para el segundo paso (etapa de consideración).

◢ Análisis de la conducta

A continuación deberá determinar la frecuencia, las circunstancias y las consecuencias del hábito que desea cambiar, o bien, adoptar. Si el resultado que se desea es consumir menos grasas, debe saber, en primer lugar, cuáles son los alimentos en su dieta que son altos en grasa y cada cuándo los consume (etapa de preparación). Saber cuándo no consume este tipo de alimentos le indicará las circunstancias en las que ejerce control en su dieta y, por consiguiente, le permitirá establecer metas.

◢ Establecimiento de metas

Una **meta** motiva a cambiar una conducta. Mientras más fuerte sea ésta, o su deseo, mayor será su motivación para cambiar una conducta indeseada, o bien, adoptar una más saludable. El tema final de este capítulo, es decir, el establecimiento de metas, le permitirá redactar metas y diseñar un plan de acción para lograrlas, lo cual contribuirá a la modificación de su conducta.

◢ Apoyo social

Rodearse de gente que trabaje con usted para alcanzar una meta en común o que lo aliente a continuar con su objetivo le será de gran ayuda. Intentar dejar de fumar, por ejemplo, resulta más sencillo cuando se está rodeado de otras personas que desean realizar lo mismo. Los amigos que han dejado este hábito podrían incluso ayudarlo. El apoyo de un compañero constituye un gran incentivo

TÉRMINOS CLAVE

Motivación: El deseo y la voluntad de realizar algo.

Lugar del control: El grado al que una persona cree que puede influir en el ambiente externo.

Meta: El objetivo último hacia el cual se dirige el esfuerzo.

El apoyo social mejora la participación regular y el proceso de modificación de la conducta.

para cambiar un hábito. Durante este proceso, se debe evitar a la gente que no esté dispuesta a brindarle apoyo: Aquéllos que no desean dejar de fumar podría disuadirlo y alentarlo a que cese en su propósito. Asimismo, es posible que las personas que ya han alcanzado la misma meta no brinden ningún apoyo. Por ejemplo, si alguien, de manera presuntuosa, le dice "puedo correr 6 millas (11 km) sin parar", podría responderle "yo, en cambio, me siento orgulloso de poder trotar 5 km sin parar".

☞ Supervisión

Durante las etapas de acción y mantenimiento, una supervisión continua de la conducta hace a la persona más consciente del resultado que se quiere alcanzar. En ocasiones este principio en sí mismo es suficiente para generar un cambio. Por ejemplo, un registro de la ingesta diaria de alimentos le revelaría fuentes de grasa en su dieta, lo cual le podría ayudar a reducir de forma gradual o eliminar por completo algunos alimentos altos en grasa antes de consumirlos. Si su meta es incrementar la ingesta diaria de frutas y verduras, llevar un registro del número de porciones que consume al día lo hará más consciente de su dieta y lo ayudará a consumir más este tipo de alimentos.

☞ Opinión positiva

Tener una opinión positiva significa adoptar un enfoque optimista desde el principio del proceso de cambio y creer en uno mismo. El seguimiento de los puntos tratados en este capítulo le permitirá establecer su propio ritmo de manera que pueda trabajar para lograr un cambio. De igual forma, se puede sentir motivado si piensa en los resultados que espera alcanzar (lo saludable que se será, lo bien que se verá o la distancia que podrá ser capaz de recorrer).

☞ Reforzamiento

La gente tiende a repetir las conductas que son premiadas y desatender aquéllas que no lo son o que se castigan. Si ha reducido su ingesta de grasas durante la semana, prémiese a sí mismo con la asistencia a un espectáculo o la compra de una prenda nueva. No se refuerce a sí mismo con actitudes destructivas tales como comer un platillo alto en grasas en la cena. Si fracasa en cambiar una conducta (o en adoptar una nueva), no compre esa prenda que planeaba comprar para esa semana. Cuando una conducta positiva se vuelva habitual, regálese algo mejor: váyase de fin de semana, compre una bicicleta nueva o la raqueta de tenis que siempre ha querido.

▲ Establecimiento de metas para lograr cambios

Las metas son fundamentales cuando se desea iniciar un cambio, pues éstas motivan un cambio de conducta y proveen un plan de acción. Las metas resultan más efectivas cuando:

1. *Se planean bien*: Sólo un plan de acción bien concebido le permitirá alcanzar su meta. Los puntos de esta lista, así como los de otros capítulos, le ayudarán a diseñarlo. Redacte **objetivos** específicos para poder cumplir su meta. En el capítulo 3, en el tema de "Establecimiento de metas de ejercicio", página 69, se proporcionan ejemplos de este tipo de objetivos.
2. *Están personalizadas*: Las metas que se imponga le motivarán más que las metas que alguien más establezca por usted. Así que, hágalo usted mismo.
3. *Se redactan*: Una meta sin redactar es tan sólo un simple deseo. En pocas palabras, una meta escrita se convierte en un contrato con usted mismo. Muestre su meta a un amigo o a su instructor y pídale que sea su testigo y que firme el contrato que usted ha elaborado.
4. *Son realistas*: Las metas deben ser asequibles. Si nunca ha hecho ejercicio de manera regular, sería poco realista empezar a realizar un programa diario de ejercicio que consistiera de 45 minutos de aeróbicos con banco a un nivel de alto impacto. Las metas poco realistas conducen a la frustración y a la pérdida de interés. Por tanto, establezca metas pequeñas y asequibles.

En ocasiones surgen problemas incluso cuando las metas son realistas. Intente anticipar las dificultades potenciales tanto como le sea posible y planee formas de resolverlas. Si su objetivo es trotar por 30 minutos en seis días consecutivos, ¿cuáles serían sus alternativas si de repente empezara a llover? Una solución posible sería trotar a pesar de la lluvia, hallar un sitio que se encuentre techado, hacerlo en otro momento del día cuando el clima mejore o realizar un actividad aeróbica distinta como bicicleta estacionaria, nadar o aeróbicos en banco.

5. *Se pueden medir*: Redacte sus metas de modo que sean claras y especifique el objetivo que desea cumplir. Por ejemplo, decir "bajaré de peso" no es un objetivo claro y no es posible medirlo. Un mejor ejemplo sería: "Disminuiré mi grasa corporal a 17 porciento".

6. *Tienen un tiempo específico*: Una meta siempre debe ir acompañada de una fecha específica para poder cumplirla. Esta fecha debe ser realista, es decir, no con vistas a un futuro muy lejano.

7. *Se supervisan*: Supervisar su progreso mientras se va acercando a la meta reforzará su conducta. Lleve un diario para registrar su ejercicio o realice una evaluación periódica de su condición física para determinar en qué punto del proceso se halla.

8. *Se evalúan*: La evaluaciones continuas son imprescindibles para lograr el éxito. Por un lado, es posible que se dé cuenta de que un objetivo es inalcanzable. Si es así, vuelva a establecerlo. Por otro lado, si un objetivo es muy fácil de alcanzar, es posible que pierda interés y deje de trabajar en él. Una vez que logre su objetivo, establezca uno nuevo a fin de mejorar o mantener lo que había alcanzado hasta el momento. En fin, las metas lo mantienen motivado.

Además de estos puntos, a lo largo del presente libro encontrará información útil sobre el cambio de conducta.

Por ejemplo, el capítulo 3 incluye un cuestionario de aptitud para el ejercicio, consejos para empezar y tomar parte de un programa de ejercicios, y la forma de establecer metas para tener una mejor condición física; en el capítulo 4 se ofrecen consejos para aumentar su desempeño aeróbico; en el capítulo 6 se proporcionan sugerencias sobre cómo llevar a cabo un programa permanente de control de peso; en el capítulo 7 se establecen técnicas para el manejo del estrés, y en el capítulo 8 podrá encontrar un plan de seis pasos para dejar de fumar.

▲ Un consejo antes de que empiece a hacer ejercicio

Si bien hacer ejercicio resulta relativamente seguro para la mayoría de las personas menores de 45 años y en apariencia sanas, existe un riesgo pequeño pero real en cuanto a los problemas de salud derivados del ejercicio en personas con un historial de padecimientos cardiovasculares y en aquéllas con una propensión muy alta a las enfermedades.[14] Esta gente debe someterse a un examen médico antes de iniciar o aumentar la intensidad de un programa de ejercicios.

Antes de que inicie un programa o participe en una prueba de ejercicio, debe completar el cuestionario sobre el historial médico que se proporciona en la actividad 1.2. Una respuesta afirmativa a cualquiera de las preguntas puede revelar la necesidad de la aprobación de un médico antes de que participe. Si usted no responde de forma afirmativa a ninguna de ellas, puede pasar entonces al capítulo 2 para valorar su nivel de condición física actual.

TÉRMINO CLAVE

Objetivos: Pasos que se requieren para alcanzar una meta.

INTERACCIÓN EN LA RED

LifeScan le ayudará a aprender más acerca de los riesgos a los que podría estar exponiendo su salud todos los días. Realice el cuestionario sobre la salud para determinar de manera personalizada los riesgos en su estilo de vida. Sus resultados proporcionan una relación de resultados generales, de nutrición y de peso y estatura. Asimismo, se le indica su situación personal entre las 10 primeras causas de muerte, así como sugerencias sobre cómo mejorar su condición.

http://wellness.uwsp.edu/Health_Service/services/lifescan/lifescan.shtml

DETERMINE SU CONOCIMIENTO

Evalúe su conocimiento de los conceptos presentados en este capítulo mediante esta sección y practique las opciones de las series de preguntas en su Profile Plus CD-ROM.

1. Al movimiento corporal producido por los músculos del esqueleto se le llama
   a. actividad física.
   b. kinesiología.
   c. ejercicio.
   d. ejercicio aeróbico.
   e. fuerza muscular.

2. La mayoría de las personas en Estados Unidos
   a. realizan una actividad física adecuada de manera regular.
   b. cumplen con los estándares de ejercicio relacionados con la salud.
   c. participan regularmente en actividades relacionadas con las habilidades.
   d. las opciones a, b y c son correctas.
   e. no llevan a cabo una actividad física suficiente para mantener una buena salud.

3. La principal causa de muerte en Estados Unidos es
   a. el cáncer.
   b. los accidentes
   c. las enfermedades de obstrucción crónica de los pulmones.
   d. las enfermedades del sistema cardiovascular.
   e. la muerte por consumo de drogas.

4. Al esfuerzo constante y deliberado por permanecer saludable y lograr el potencial más alto de sentirse bien se le define como
   a. salud.
   b. condición física.
   c. bienestar.
   d. ejercicios relacionados con la salud.
   e. condición metabólica.

5. ¿Cuál de los siguientes no es un componente de la condición relacionada con la salud?
   a. resistencia cardiorrespiratoria.
   b. composición corporal.
   c. agilidad.
   d. fuerza y resistencia muscular.
   e. flexibilidad muscular.

6. Las investigaciones sobre los efectos del ejercicio en la mortalidad indican que la caída más grande en muertes prematuras se puede observar entre

a. el grupo de condición física promedio y el de excelente condición.
b. el grupo con menos condición física y el de condición moderada.
c. el grupo con buena condición y el de alta condición física.
d. el grupo de condición física moderada y el de buena condición.
e. La caída es similar entre todos los grupos de condición física.

7. ¿Cuál es el mayor beneficio de estar en forma?
   a. ausencia de enfermedades.
   b. una calidad de vida más alta.
   c. un mejor desempeño deportivo.
   d. una mejor apariencia personal.
   e. el mantenimiento del peso corporal ideal.

8. ¿Cuál de los siguientes conceptos es una etapa del modelo de modificación de la conducta?
   a. reconocimiento.
   b. motivación.
   c. recaída.
   d. preparación.
   e. establecimiento de metas.

9. Un individuo en la etapa de preconsideración
   a. no tiene deseo de cambiar sus hábitos.
   b. piensa realizar un cambio en los próximos seis meses.
   c. se prepara para realizar un cambio en los próximos 30 días.
   d. adopta hábitos saludables de manera voluntaria.
   e. consulta a un terapeuta para superar un problema de conducta.

10. Una meta resulta efectiva cuando
    a. se redacta.
    b. se puede medir.
    c. tiene un tiempo específico.
    d. se supervisa.
    e. todas las opciones son correctas.

Las respuestas correctas están en la página 255.

Modificación de la conducta: Etapas de cambio

Nombre _____   Fecha _____

Curso _____   Sección _____

Instrucciones

Indique la respuesta que describe con mejor precisión su etapa de cambio con relación a tres conductas distintas (en el espacio señale la conducta: Fumar, actividad física, estrés, nutrición, control de peso, etc.). A continuación, seleccione el enunciado (sólo uno) que mejor represente su patrón de conducta actual. Para seleccionar el enunciado más apropiado, complete uno de los tres primeros enunciados si su conducta actual es problemática. (Por ejemplo, podría decir "en la actualidad fumo y no deseo cambiar este hábito en los próximos años, o "en la actualidad no hago ejercicio pero estoy considerando cambiar en los próximos seis meses").

Si ya ha empezado a realizar cambios, complete uno de los tres últimos enunciados. (En este caso, podría decir "en la actualidad llevo una dieta baja en grasas pero la he seguido sólo durante los últimos seis meses", o "en la actualidad practico técnicas adecuadas de manejo de estrés y lo he hecho por más de seis meses"). Puede utilizar esta técnica para identificar su etapa de cambio en cuanto a cualquier tipo de conducta relacionada con la salud.

En seguida redacte una meta específica (ver páginas 16 y 17) e identifique tres principios de modificación de la conducta (págs. 15 y 16) que le ayudarán en el proceso de cambio.

Conducta 1: _____

1. En la actualidad _____ y no deseo cambiar en los próximos años.

2. En la actualidad _____ pero estoy considerando cambiar en los próximos seis meses.

3. En la actualidad _____ de manera regular pero deseo cambiar el mes próximo.

4. En la actualidad_____ pero lo he hecho sólo durante los últimos seis meses.

5. En la actualidad _____ y lo he hecho por más de seis meses.

6. En la actualidad_____ y lo he hecho por más de cinco años.

Etapa del cambio: (Ver la figura 1.12, página 13.) _____

Meta específica y fecha para consumarla:_____

Principios de modificación de la conducta que se emplearán: _____

Conducta 2: _____

1. En la actualidad _____ y no deseo cambiar en los próximos años.

2. En la actualidad _____ pero estoy considerando cambiar en los próximos seis meses.

3. En la actualidad _____ regularmente pero deseo cambiar el mes próximo.

4. En la actualidad_____ pero lo he hecho sólo durante los últimos seis meses.

5. En la actualidad _____ y lo he hecho por más de seis meses.

6. En la actualidad_____ y lo he hecho por más de cinco años.

Etapa del cambio: (Ver la figura 1.12, página 13.) _____

Meta específica y fecha para consumarla:_____

Principios de modificación de la conducta que se emplearán: _____

Conducta 3: _____

1. En la actualidad _____ y no deseo cambiar en los próximos años.

2. En la actualidad _____ pero estoy considerando cambiar en los próximos seis meses.

3. En la actualidad _____ regularmente pero deseo cambiar el mes próximo.

4. En la actualidad_____ pero lo he hecho sólo durante los últimos seis meses.

5. En la actualidad _____ y lo he hecho por más de seis meses.

6. En la actualidad_____ y lo he hecho por más de cinco años.

Etapa del cambio: (Ver la figura 1.12, página 13.) _____

Meta específica y fecha para consumarla: _____

Principios de modificación de la conducta que se emplearán: _____

Etapas del cambio

1 = Preconsideración	4 = Acción
2 = Consideración	5 = Mantenimiento
3 = Preparación	6 = Término/adopción

Aprobación para la realización de ejercicio

Nombre _____   Fecha _____

Curso _____   Sección _____

I. Historial médico

A pesar de que hacer ejercicio es relativamente seguro para la mayoría de las personas en apariencia sanas, no se puede predecir por completo la reacción del sistema cardiovascular al incremento en el nivel de actividad física. En consecuencia, existe un riesgo pequeño, pero real, de cier-

tos cambios que pueden llegar a presentarse durante la realización de ejercicio. Estos cambios incluyen presión arterial anormal, ritmo cardiaco irregular, desmayos y, en ocasiones raras, un paro cardiaco o un ataque al corazón. Por consiguiente, debe responder de manera honesta al siguiente cuestionario.

¿Ha presentado o presenta alguna de las siguientes condiciones?

☐ Sí ☐ No   1. Enfermedad cardiovascular (cualquier tipo de enfermedad del corazón o de los vasos sanguíneos, incluyendo ataques apopléticos).

☐ Sí ☐ No   2. Lípidos elevados en la sangre (colesterol y triglicéridos).

☐ Sí ☐ No   3. Dolor de pecho durante un esfuerzo físico o en descanso.

☐ Sí ☐ No   4. Insuficiencia respiratoria u otros problemas respiratorios.

☐ Sí ☐ No   5. Latidos del corazón irregulares o desiguales (incluyendo palpitaciones o ritmo cardiaco acelerado).

☐ Sí ☐ No   6. Presión arterial elevada.

☐ Sí ☐ No   7. Sentirse mareado o presentar **vértigos** frecuentes.

☐ Sí ☐ No   8. Diabetes.

☐ Sí ☐ No   9. Problemas en las articulaciones, huesos o músculos (artritis, dolor de espalda, reumatismo, etcétera).

☐ Sí ☐ No   10. Desórdenes alimenticios (anorexia, bulimia, atracones de comida).

☐ Sí ☐ No   11. ¿Alguna otra preocupación con relación en su habilidad para llevar a cabo de manera segura un programa de ejercicios? Sí es así, explique:

Indique si cualquiera de las siguientes dos condiciones aplican:

☐ Sí ☐ No   12. ¿Fuma?

☐ Sí ☐ No   13. Hombres - ¿Tiene 40 años o más?

☐ Sí ☐ No   14. Mujeres - ¿Tiene 50 años o más?

No se recomienda que haga ejercicio si presenta algunas de las condiciones antes mencionadas; otras tan sólo podrían indicar un tratamiento especial. Si cualquiera de estas condiciones aplica, debe consultar un médico antes de llevar a cabo un programa de ejercicios. Además, debe informar de inmediato a su instructor de cualquier anormalidad que experimente al momento de realizar ejercicio durante el curso del semestre.

Firma del alumno: _____   Fecha: _____

II. ¿Cree que es seguro para usted continuar con un programa de ejercicios? Explique cualquier preocupación o limitación en cuanto a su participación segura en un programa completo de ejercicios para mejorar su resistencia cardiorrespiratoria, su fuerza, resistencia y flexibilidad muscular.

_____

_____

_____

_____

_____

_____

_____

_____

_____

III. En unas cuantas palabras, describa su experiencia previa con el deporte y si ha formado parte o no de un programa estructurado de ejercicios. Exprese además su propio sentir acerca de la realización de ejercicio.

_____

_____

_____

_____

_____

_____

_____

_____

_____

_____

_____

_____

Valoración de la condición física

OBJETIVOS

- Identificar los componentes de la condición física relacionados con la salud.
- Ser capaz de determinar la condición cardiorrespiratoria.
- Entender la diferencia entre fuerza muscular y resistencia muscular.
- Aprender a determinar la condición de fuerza muscular.
- Entender los componentes de la composición corporal.
- Ser capaz de determinar la composición corporal.
- Aprender a determinar el peso corporal recomendado.
- Aprender a determinar el riesgo de enfermedades con base en el índice de masa corporal (IMC) y el radio de la cintura y la cadera.

Evalúe su resistencia cardiorrespiratoria realizando las actividades en su CD-ROM.

Los componentes de la condición física relacionados con la salud —resistencia cardiorrespiratoria, fuerza y resistencia musculares, flexibilidad muscular y composición corporal— conforman los temas del presente capítulo, junto con las técnicas básicas que con frecuencia se emplean para determinar dichos componentes. Por medio de estas técnicas de valoración usted será capaz de determinar su nivel de condición física de manera regular conforme lleve a cabo un programa de ejercicios. La valoración de su condición física en un programa completo de ejercicios es importante para:

1. Aprender los diferentes componentes de la condición física.
2. Determinar su nivel de condición física con respecto a cada uno de los componentes relacionados con la salud.
3. Identificar las áreas débiles a fin de que éstas reciban un mayor entrenamiento.
4. Motivarse para poder emprender el ejercicio.
5. Utilizar un punto de partida en sus prescripciones personalizadas de ejercicios.
6. Evaluar el progreso y efectividad de su programa.
7. Realizar ajustes en su prescripción de ejercicios si es necesario.
8. Premiarse por cumplir con su programa de ejercicios (el cambio a un nivel más alto de condición física representa en sí mismo un premio).

Se recomienda que realice al menos unas pruebas antes y después de llevar a cabo su programa de ejercicios. En la actividad 2.1, página 47, se

Figura **2.1** *Beneficios en la salud y en la condición física según el estilo de vida y el programa de actividad física.*

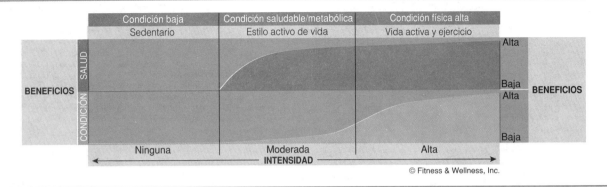

© Fitness & Wellness, Inc.

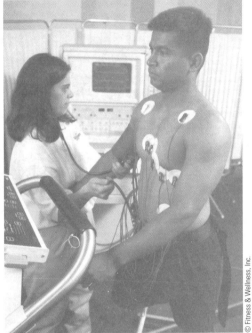

© Fitness & Wellness, Inc.

Antes de emprender un programa de ejercicios, es posible que algunos individuos requieran una prueba de tolerancia al ejercicio por medio de un monitoreo electrocardiográfico (EKG de estrés).

Como se vio en el capítulo 1, no se recomienda que las personas con ciertas condiciones físicas o médicas se sometan a pruebas de acondicionamiento físico o que realicen ejercicio. Por tal motivo, debe llenar antes el cuestionario de "Aprobación para la realización de ejercicio" que se proporciona en el capítulo 1, actividad 1.2, página 21. Una respuesta afirmativa a cualquiera de las preguntas indica que deberá consultar a un médico antes de que inicie, continúe o incremente su nivel de actividad física.

Serie de pruebas para la valoración del estado físico

Ningún examen es capaz de proporcionar una valoración completa de su condición física. Debido a que la condición relacionada con la salud tiene cuatro componentes, se requiere una serie de exámenes para determinar el nivel de condición física general de un individuo. En las siguientes páginas se describen varias de las pruebas empleadas para valorar los componentes de la condición relacionada con la salud. Es posible aplicar dos criterios en la interpretación de los resultados de estos exámenes: La condición saludable y la condición física.

Estándar de condición saludable

Como se puede observar en la figura 2.1, aunque el mejoramiento de la condición ($VO_{2máx}$ − ver el tema de resistencia cardiorrespiratoria en la página 27) por medio de un programa de actividad aeróbica moderada no es tan notable, se pueden desprender de este programa varios beneficios en la salud. Éstos pueden llegar a ser muy sorprendentes. Cabe resaltar que beneficios sólo ligeramente mayores se pueden obtener a través de un programa más intenso de ejercicios. Los beneficios incluyen: Reducción de lípidos en la sangre, presión arterial más baja, pérdida de peso, relajación y un riesgo más bajo de padecer diabetes y otras enfermedades, así como muerte prematura.

De manera más específica, se pueden notar mejoramientos en el **perfil metabólico** (una mejor sensibilidad a la insulina, tolerancia a la glucosa y mejores niveles de colesterol), a pesar de que haya un mejoramiento nulo o deficiente en la capacidad aeróbica y la pérdida de peso.

proporciona un perfil personal sobre su condición física para que pueda registrar los resultados que vaya obteniendo en cada prueba de este capítulo (examen previo). Al final del periodo, puede utilizar el reverso de la actividad 2.1 (examen posterior), página 48, para registrar los resultados que obtenga. Puede utilizar también el programa para computadora que acompaña al presente libro.

En el capítulo 3 aprenderá a redactar sus metas de ejercicio para este curso (ver actividad 3.2, páginas 73-76). Debe basar dichas metas en los resultados de la evaluación inicial de su condición física. Conforme avance en su programa de ejercicios, debe dejar pasar un mínimo de ocho semanas antes de llevar a cabo el examen posterior.

Las actividades aeróbicas promueven el desarrollo cardiorrespiratorio y contribuyen a disminuir el riesgo de padecer enfermedades crónicas.

A esta mejora en el metabolismo por medio de un estilo de vida activo y una actividad física moderada se le conoce como **condición metabólica**.

La condición saludable o los criterios empleados en este libro están basados en información epidemiológica que vincula los valores de la condición física mínima con la prevención de enfermedades y una mejor salud. Para lograr el **estándar de una condición saludable** se requieren solamente cantidades moderadas de actividad física. Por ejemplo, una caminata de 2 millas (3.2 km) en menos de 30 minutos de cinco a seis veces por semana parece resultar suficiente para cumplir con el criterio de resistencia cardiorrespiratoria.

➤ Estándar de condición física

El **estándar de condición física** se sitúa por encima del estándar de condición saludable y requiere un programa más vigoroso de ejercicios. La gente de todas las edades que se encuentra en forma tiene la libertad de disfrutar al máximo la mayoría de las actividades recreativas de la vida diaria. En este sentido, es probable que los estándares de condición saludable resulten insuficientes para alcanzar estos objetivos.

Una condición física saludable proporciona al individuo un nivel de independencia a lo largo de su vida que no toda la gente disfruta. Muchos adultos mayores deberían ser capaces de realizar actividades similares a las que realizaban durante su juventud, aunque no con la misma intensidad. Si bien no todas las personas tienen que ser atletas profesionales, actividades como cambiar un neumático, cortar leña, subir varios pisos, jugar un partido de básquetbol, andar en bicicleta, jugar fútbol con los

nietos, caminar varias millas alrededor de un lago y pasear en el parque, superan el nivel de condición física promedio de la población estadounidense.

Si el objetivo principal de un programa de condición física es disminuir el riesgo de enfermedades, el logro de los estándares de una condición saludable podría resultar insuficiente para asegurar una mejor salud. Al contrario, si el individuo desea participar en actividades físicas vigorosas o moderadas, se recomienda entonces lograr un estándar alto de condición física. En el presente libro se proporcionan tanto los estándares de una condición saludable como los de una física para cada examen. Para ello, tendrá que establecer sus objetivos personales en su programa de ejercicios.

TÉRMINOS CLAVE

Perfil metabólico: Resultado de la determinación del riesgo de padecer diabetes y enfermedades cardiovasculares por medio de insulina de plasma, glucosa, lípidos y niveles de lipoproteína.

Condición metabólica: Mejoramiento en el perfil metabólico mediante un programa de ejercicios de intensidad moderada a pesar del mejoramiento nulo o deficiente de la condición relacionada con la salud.

Estándar de condición saludable: Los requerimientos más bajos para poder mantener una buena salud, disminuir el riesgo de padecer enfermedades crónicas, así como la incidencia de daños musculares y esqueléticos.

Estándar de condición física: Criterios que se requieren para lograr un nivel alto de condición física; habilidad para hacer una actividad física de moderada a vigorosa sin presentar fatiga excesiva.

Resistencia cardiorrespiratoria

Al respirar, parte del oxígeno en el aire se aloja en los pulmones y llega al corazón a través de la sangre. El corazón bombea la sangre oxigenada a través del sistema circulatorio hacia todos los órganos y tejidos del cuerpo. A nivel celular, el oxígeno es empleado para convertir los substratos alimenticios, principalmente los carbohidratos y las grasas, en la energía necesaria para dirigir las funciones del cuerpo, mantener un equilibrio interno constante y llevar a cabo las tareas físicas.

Algunos ejemplos de actividades que promueven la **resistencia cardiorrespiratoria**, o la condición aeróbica, son caminar, trotar, andar en bicicleta, remar, nadar, esquiar a campo traviesa, el baile aeróbico, el fútbol, el básquetbol y el bádminton. En el capítulo 3 se proporcionan unas guías para desarrollar un programa permanente de ejercicios que contribuya a la resistencia cardiorrespiratoria. En el capítulo 4 se proporciona una introducción y una descripción de los beneficios de las actividades aeróbicas.

Un programa de resistencia cardiorrespiratoria óptima contribuye en gran medida a una buena salud. En este sentido, el estadounidense promedio no constituye precisamente un buen modelo a seguir en cuanto a la condición cardiorrespiratoria. El corazón de un individuo que se ejercita poco tiene que bombear más para mantener a éste con vida y es más propenso al deterioro natural que el de una persona con una mayor condición física. En situaciones que involucran una actividad extenuante, como limpiar el patio, levantar pesas u objetos pesados, correr para alcanzar el autobús, es posible que el corazón de un individuo que no se ejercita de manera regular no pueda mantener el gran esfuerzo físico.

Todo aquel que inicie un programa de ejercicios cardiorrespiratorios puede esperar un gran número de beneficios derivados del entrenamiento, entre los que se cuentan un ritmo cardiaco más bajo en estado de reposo, menos presión sanguínea y lípidos en la sangre (colesterol y triglicéridos), menor tiempo de recuperación después de hacer ejercicio, y riesgo menor de padecer enfermedades hipokinéticas (las que se asocian a la inactividad física y al sedentarismo). De manera simultánea, se incrementan tanto la fuerza del músculo cardiaco, como la capacidad de transmisión del oxígeno.

La resistencia cardiorrespiratoria está determinada por la **captación máxima de oxígeno** o **$VO_{2máx}$** (por sus siglas en inglés), es decir, la máxima cantidad de oxígeno que el cuerpo humano es capaz de utilizar por minuto de actividad física. Este valor se puede expresar en litros por minuto (l/min) o mililitros por kilogramo (2.2 libras) de peso corporal por minuto (ml/kg/min). El valor relativo en ml/kg/min es el que más se emplea porque considera a la masa corporal total (peso) en kilogramos. Si comparamos a dos individuos con el mismo valor absoluto, el de menor masa corporal tendrá un valor relativo más alto, lo cual indica que por cada kilogramo (2.2 libras) de peso hay más oxígeno disponible. Debido a que todos los tejidos y órganos del cuerpo necesitan oxígeno para funcionar, un consumo más alto de éste indica un sistema cardiorrespiratorio más eficiente.

La captación máxima de oxígeno ($VO_{2máx}$) se puede determinar mediante un análisis de gas directo, como se muestra durante una prueba de ejercicio de aeróbicos acuáticos.

Pensamiento crítico

Su captación máxima de oxígeno puede mejorar sin la necesidad de llevar a cabo un programa de aeróbicos acuáticos. ¿Cómo la podría mejorar? ¿Representaría esto algún beneficio en su salud?

El esfuerzo físico requiere más energía para llevar a cabo una actividad. Como resultado, el corazón, los pulmones y los vasos sanguíneos tienen que llevar más oxígeno a las células a fin de suministrar la energía requerida. Durante un ejercicio prolongado un individuo es capaz de llevar la cantidad requerida de oxígeno a los tejidos con relativa facilidad. El sistema cardiorrespiratorio de una persona con un nivel bajo de resistencia debe trabajar más debido a que el corazón tiene que bombear con mayor frecuencia para poder suministrar la misma cantidad de oxígeno a los tejidos y, por consiguiente, el individuo se fatiga más rápido. Así que, una mayor capacidad de llevar y utilizar el oxígeno (captación de oxígeno) indica un sistema cardiorrespiratorio más eficiente.

La captación de oxígeno, expresado en l/min, resulta de gran ayuda para determinar el gasto calórico de la actividad física. El cuerpo humano quema cerca de cinco calorías por cada litro de oxígeno consumido. Durante el ejercicio aeróbico una persona promedio ejercita entre 60 y 75% de la captación máxima de oxígeno.

Una persona con una captación máxima de 3.5 l/min que se ejercita a 60% del máximo utiliza 2.1

(3.5 × 0.60) litros de oxígeno por minuto de actividad física. Esto indica que quema 10.5 calorías por cada minuto de ejercicio (2.1 × 5). Si la actividad se llevara a cabo durante 30 minutos, quemaría 315 calorías (10.5 × 0.30). Debido a que una libra de grasa corporal representa 3 500 calorías, el ejemplo anterior indica que esta persona tendría que ejercitarse por un total de 333 minutos (3 500 ÷ 10.5) para quemar el equivalente a una libra de grasa corporal. Si las sesiones de ejercicio fueran de 30 minutos, requeriría 11 de ellas para gastar las 3 500 calorías.

Determinación de la resistencia cardiorrespiratoria

A pesar de que la mayoría de los exámenes de resistencia cardiorrespiratoria resultan seguros de realizar en individuos aparentemente sanos (que no presentan grandes factores de riesgo o síntomas de afecciones en las arterias coronarias), el American College of Sports Medicine recomienda que un médico esté presente en todos los exámenes de ejercicio realizados en hombres aparentemente sanos mayores de 45 y mujeres mayores de 55 años de edad.[1]

Una prueba máxima es cualquier prueba que requiere todo o casi todo el esfuerzo del participante, como la prueba de una milla y media o una prueba de rutina de máximo ejercicio (electrocardiograma del estrés). En pruebas de ejercicio submáximo (como una prueba de caminata), un médico debe estar presente al momento de evaluar a individuos con sintomatología o alto riesgo, así como a individuos con ciertos padecimientos, sin importar cuál sea su edad.

Prueba de la milla y media

La prueba más empleada para determinar la resistencia cardiorrespiratoria es la de la milla y media. La categoría de condición física se determina de acuerdo con el tiempo que le lleva a una persona correr o caminar un trayecto de milla y media. El único equipo necesario para realizar esta prueba es un cronómetro y una pista o un trayecto que mida la misma distancia.

Si bien esta prueba es muy sencilla de llevar a cabo, es necesario la siguiente advertencia: Debido a que el objetivo es cubrir la distancia en el menor tiempo posible, a esta prueba se le considera de ejercicio máximo; por tanto, debe aplicarse a individuos que estén en forma y que han recibido la aprobación médica necesaria para ejercitarse. No se recomienda entonces que se aplique a individuos que harán ejercicio por primera vez en su vida, a individuos sintomáticos, con enfermedades cardiovasculares o factores de riesgo de enfermedades del corazón, así como en hombres mayores de 45 y mujeres mayores de 55 años. Se recomienda que los principiantes se sometan a seis semanas de entrenamiento aeróbico antes de realizar la prueba.

Antes de correr, debe realizar ejercicios de calentamiento (estiramiento, caminar y trotar a paso lento). A continuación, tome el tiempo que le lleva correr el tra-

yecto para saber qué tan rápido cubre la distancia. Si nota cualquier síntoma inusual durante la prueba, no continúe: deténgase de inmediato y consulte a su médico, o bien, retome la prueba después de otras seis semanas de entrenamiento aeróbico. Al final, relájese caminando o trotando a paso lento por otros tres o cinco minutos. Con base en el tiempo que realizó, consulte el valor estimado de su $VO_{2máx}$ en la tabla 2.1 y la categoría de condición física correspondiente en la tabla 2.2.

Tabla **2.1** *Tiempo estimado de captación máxima de oxígeno en ml/kg/min para la prueba de la milla y media.*

TIEMPO	$VO_{2máx}$	TIEMPO	$VO_{2máx}$	TIEMPO	$VO_{2máx}$
6:10	80.0	10:30	48.6	14:50	34.0
6:20	79.0	10:40	48.0	15:00	33.6
6:30	77.9	10:50	47.4	15:10	33.1
6:40	76.7	11:00	46.6	15:20	32.7
6:50	75.5	11:10	45.8	15:30	32.2
7:00	74.0	11:20	45.1	15:40	31.8
7:10	72.6	11:30	44.4	15:50	31.4
7:20	71.3	11:40	43.7	16:00	30.9
7:30	69.9	11:50	43.2	16:10	30.5
7:40	68.3	12:00	42.0	16:20	30.2
7:50	66.8	12:10	41.7	16:30	29.8
8:00	65.2	12:20	41.0	16:40	29.5
8:10	63.9	12:30	40.4	16:50	29.1
8:20	62.5	12:40	39.8	17:00	28.9
8:30	61.2	12:50	39.2	17:10	28.5
8:40	60.2	13:00	38.6	17:20	28.3
8:50	59.1	13:10	38.1	17:30	28.0
9:00	58.1	13:20	37.8	17:40	27.7
9:10	56.9	13:30	37.2	17:50	27.4
9:20	55.9	13:40	36.8	18:00	27.1
9:30	54.7	13:50	36.3	18:10	26.8
9:40	53.5	14:00	35.9	18:20	26.6
9:50	52.3	14:10	35.5	18:30	26.3
10:00	51.1	14:20	35.1	18:40	26.0
10:10	50.4	14:30	34.7	18:50	25.7
10:20	49.5	14:40	34.3	19:00	25.4

Adaptado de "A Means of Assesing Maximal Oxygen Intake" de K.H. Cooper, *Journal of the American Medical Association*, 203 (1968), 201-204; *Health and Fitness Through Physical Activity* de M.L. Pollock (Nueva York: John Wiley and Sons, 1978); y *Training for Sport Activity* de J.H. Wilmore (Boston: Allyn & Bacon, 1982).

TÉRMINOS CLAVE

Resistencia cardiorrespiratoria: Habilidad de los pulmones, el corazón y los vasos sanguíneos de llevar la cantidad adecuada de oxígeno a las células para cumplir con las demandas que impone una actividad física prolongada.

Captación máxima de oxígeno ($VO_{2máx}$): Cantidad máxima de oxígeno que el cuerpo humano es capaz de utilizar por minuto de actividad física.

Tabla **2.2** *Clasificación de la condición cardiorrespiratoria con base en la captación máxima de oxígeno en ml/kg/min.*

GÉNERO	EDAD	CLASIFICACIÓN DE LA CONDICIÓN				
		MALA	REGULAR	PROMEDIO	BUENA	EXCELENTE
HOMBRES	≤29	≤24.9	25–33.9	34–43.9	44–52.9	≥53
	30–39	≤22.9	23–30.9	31–41.9	42–49.9	≥50
	40–49	≤19.9	20–26.9	27–38.9	39–44.9	≥45
	50–59	≤17.9	18–24.9	25–37.9	38–42.9	≥43
	60–69	≤15.9	16–22.9	23–35.9	36–40.9	≥41
MUJERES	≤29	≤23.9	24–30.9	31–38.9	39–48.9	≥49
	30–39	≤19.9	20–27.9	28–36.9	37–44.9	≥45
	40–49	≤16.9	17–24.9	25–34.9	35–41.9	≥42
	50–59	≤14.9	15–21.9	22–33.9	34–39.9	≥40
	60–69	≤12.9	13–20.9	21–32.9	33–36.9	≥37

■ Condición saludable o el estándar con base en criterios
■ Estándar de condición física alta

Por ejemplo, una chica de 20 años corre la milla y media en 12 minutos y 40 segundos. La tabla 2.1 muestra un $VO_{2máx}$ de 39.8 ml/kg/min para un tiempo de 12:40. Según la tabla 2.2, este $VO_{2máx}$ la sitúa en la categoría de buena condición cardiorrespiratoria.

Prueba de una milla*

Esta prueba consiste en recorrer caminando una pista de 440 yardas (cuatro vueltas a una milla) o un trayecto de una milla previamente medido. Antes del recorrido se debe determinar el peso corporal en libras. Asimismo, se requiere un cronómetro para medir el tiempo total del recorrido y el ritmo cardiaco.

Una vez que esté listo, proceda a caminar el trayecto de una milla a paso rápido a fin de que al final de la prueba la velocidad del ritmo cardiaco esté por encima de los 120 latidos por minuto. Cuando haya terminado de caminar, revise su tiempo de recorrido y de inmediato tome su pulso durante 10 segundos. Puedo hacerlo poniendo dos dedos en una de sus muñecas sobre la arteria radial (en la parte posterior de la muñeca, del lado del pulgar) o sobre la arteria carótida en el cuello justo debajo de la quijada, cerca del aparato fonador.

A continuación multiplique el pulso que tomó durante los 10 segundos por seis para obtener la velocidad del ritmo cardiaco en latidos por minuto. Ahora convierta el tiempo de recorrido de minutos y segundos a unidades de minuto. Cada minuto tiene 60 segundos, así que los segundos se dividen entre 60 para obtener la fracción de 1 minuto. Por ejemplo, un tiempo de recorrido de 12 minutos y 15 segundos equivale a 12 + (15 ÷ 60), o a

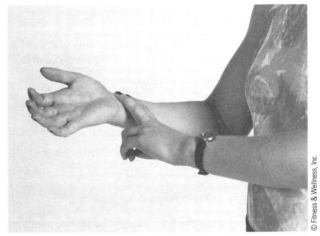

Tome el pulso en la arteria radial.

Tome el pulso en la artería carótida.

*Fuente: "Validation of the Rockport Fitness Walking Test in College Males and Females", de F.A. Dolgener, L.D. Hensley, J.J. Marsh y J.K. Fjelstul, *Research Quaterly for Exercise and Sport*, 65 (1994), 152-158.

12.25 minutos. Para obtener en esta prueba el valor estimado de su $VO_{2máx}$ en ml/kg/min, disponga los valores que obtuvo en la siguiente ecuación:

$$VO_{2máx} = 88.768 - (0.0957 \times W) + (8.892 \times G) - (1.4537 \times T) - (0.1194 \times HR)$$

donde:

W = peso en libras
G = género (utilice el 0 para las mujeres y el 1 para los hombres)
T = tiempo total del recorrido de una milla en minutos
HR = la velocidad del ritmo cardiaco por minuto al final del recorrido

Por ejemplo, una mujer que pesa 140 libras (63.5 kg) completó la caminata en 14 minutos y 39 segundos con una velocidad de ritmo cardiaco de 148 latidos por minuto. El $VO_{2máx}$ estimado es:

W = 140 libras
G = 0 (género femenino = 0)
T = 14:39 = 14 + (39 ÷ 60) = 14.65 min
HR = 148 lpm (latidos por minuto)
$VO_{2máx}$ = 88.768 − (0.0957 × 140) + (8.892 × 0) − (1.4537 × 14.65) − (0.1194 × 148)
$VO_{2máx}$ = 36.4 ml/kg/min

Al igual que la prueba de la milla y media, las categorías de la condición física con base en el $VO_{2máx}$ se encuentran en la tabla 2.2. Registre los resultados que obtuvo en la prueba de condición cardiorrespiratoria en su perfil de condición física que se proporciona en la actividad 2.1, examen previo, página 47.

▶ Fuerza y resistencia musculares

Mucha gente tiene la idea de que sólo los atletas o aquellas personas cuya labor requiere un gran trabajo muscular necesitan la fuerza y la resistencia musculares. De hecho, ambos son componentes importantes de una condición física completa, por lo que se ha demostrado que son vitales para todos los seres humanos.

Los niveles adecuados de fuerza aumentan la salud y bienestar de una persona a lo largo de su vida. La fuerza es crucial para un desempeño óptimo de actividades diarias tales como sentarse, caminar, correr, levantar y cargar objetos, hacer el aseo de la casa, e incluso, disfrutar de actividades recreativas. La fuerza también contribuye a mejorar la apariencia personal y la imagen que se tiene de uno mismo, a desarrollar habilidades deportivas y a enfrentar ciertas situaciones de la vida en las que la fuerza es necesaria para salir delante de manera efectiva.

Tal parece también que la fuerza muscular es el componente más importante de la condición física relacionada con la salud en los adultos mayores. Mientras que una resistencia cardiorrespiratoria apropiada ayuda a mantener al corazón en buen estado, los niveles óptimos de fuerza promueven más la vida independiente que cualquier otro componente. Antes que nada, los adultos mayores desean disfrutar una buena salud y funcionar de manera independiente. Sin embargo, muchos de ellos están confinados a cuidar los hogares debido a que carecen de la fuerza suficiente para trasladarse de un lado a otro. Con frecuencia no pueden caminar muy lejos y algunos de ellos tienen que ser asistidos al momento de acostarse, sentarse o bañarse.

Un programa de fortalecimiento puede llegar a tener un tremendo impacto en la calidad de vida de un individuo. Se han demostrado mejoras en la fuerza de las piernas en un 200%, en sujetos previamente inactivos mayores de 90 años.[2] A medida que la fuerza mejora, también mejoran la habilidad de moverse de un lado a otro, la capacidad de llevar una vida independiente, así como el disfrute de la "edad dorada". Más específicamente, una buena fuerza aumenta la calidad de vida de la siguiente manera:

- Mejora el equilibrio y restaura la movilidad.
- Hace que levantar y alcanzar objetos sea más fácil.
- Disminuye el riesgo de sufrir heridas o caídas.
- Fortalece los huesos, conserva la densidad ósea y disminuye el riesgo de osteoporosis.

Tal vez uno de los beneficios más significativos de mantener una fuerza óptima sea su relación con el **metabolismo**. Un gran resultado de un programa de fortalecimiento sería un incremento de la masa magra.

El tejido muscular utiliza energía incluso durante el estado de reposo, mientras que el tejido grasoso utiliza muy poca energía y se le puede considerar metabólicamente inerte si se toma en cuenta que hace uso de calorías. A la par de la masa corporal, aumenta también el porcentaje metabólico en reposo, o bien, la cantidad de energía (expresada en mililitros de oxígeno por minuto o en el total de calorías por día) que un individuo requiere en las situaciones en las que no se encuentra físicamente activo para poder mantener las funciones propias del cuerpo. Incluso los pequeños incrementos en la masa corporal pueden afectar el **metabolismo en estado de reposo**.

Cada libra adicional de tejido muscular aumenta el metabolismo en estado de reposo en un estimado de 35 calorías por día.[3] Considerando que todos los otros demás factores son iguales, si dos individuos que pesan 150 libras (68.4 kg) cada uno pero que tienen diferente cantidad de masa muscular —digamos 5 libras (2.3 kg)—, el de mayor masa muscular tendrá un porcentaje metabólico en estado de reposo más alto, lo que le permitirá consumir más calorías para mantener el tejido muscular.

Aunque la **fuerza muscular** y la **resistencia muscular** están interrelacionadas, existe una diferencia básica que las separa: la primera es la habilidad de ejercer una fuerza máxima contra la resistencia, y la segunda (también llamada resistencia muscular localizada) es la habilidad de los músculos de ejercer una fuerza submáxima de manera repetida durante cierto tiempo. La resistencia muscular depende en gran medida de la fuerza muscular y en menor medida de la resistencia cardiorrespiratoria. Los músculos débiles no pueden repetir una acción varias veces o mantenerla por largo tiempo. Con estos conceptos en mente, las pruebas de fuerza y los programas de entrenamiento han sido diseñados para medir y desarrollar la fuerza muscular absoluta, la resistencia muscular o una combinación de las dos.

Salto de banco.

Determinación de la fuerza

La fuerza muscular se determina en general mediante la técnica de **una repetición máximo (1 RM)**. A pesar de que esta valoración proporciona una buena medida de la fuerza absoluta, requiere un tiempo considerable para poder llevarla a cabo. La resistencia muscular se establece por lo común mediante el número de repeticiones que un individuo es capaz de realizar contra una resistencia submáxima, o bien, mediante el tiempo durante el cual una persona puede mantener una contracción dada.

Prueba de resistencia muscular

Vivimos en un mundo en el que tanto la fuerza como la resistencia musculares son necesarias. Sabemos que la segunda depende en gran medida de la primera. Según esto, se seleccionó una prueba de resistencia muscular para determinar el nivel de fuerza. Para esta prueba se han seleccionado también tres ejercicios que ayudan a valorar la resistencia de los músculos superiores, medios e inferiores. Para realizarla, necesitará un cronómetro, un metrónomo, un banco o una grada de gimnasio de 16¼" de alto, y un compañero.

Los ejercicios para esta prueba son el salto de banco, la inclinación modificada (hombres) o la plancha modificada (mujeres) y la posición encogida con las piernas dobladas. En lugar de esta última, los individuos que son susceptibles al dolor de espalda baja pueden hacer el ejercicio de fortalecimiento abdominal (ver el texto de la página 31). Todas las pruebas se deben realizar con ayuda de un compañero. A continuación se proporcionan los procedimientos adecuados para llevar a cabo estos ejercicios.

Salto de banco

Para el salto de banco, utilice un banco o una grada de gimnasio de 16¼" de alto e intente saltar de arriba a bajo tantas veces como pueda durante 1 minuto. Si no puede saltar el minuto completo, baje y suba del banco. Cada vez que ambos pies tocan el piso se cuenta una repetición.

Inclinación modificada

La inclinación modificada es un ejercicio en el que se trabaja la parte superior del cuerpo y que es realizado sólo por los hombres. Ponga sus manos sobre el banco o la grada con las puntas de los dedos hacia delante. Un compañero deberá sostener sus pies de frente a usted. Doble sus caderas a aproximadamente 90 grados (también puede poner sus manos en dos sillas firmes colocadas a los lados de su cuerpo y sus pies en una tercera silla colocada frente a usted).

Después, baje su cuerpo flexionando sus codos hasta formar un ángulo de 90 grados y, posteriormente, regrese a la posición original. No se cuenta la repetición si no se alcanzan los 90 grados. Realice las repeticiones a un ritmo de dos tiempos (abajo-arriba), regulado mediante un metrónomo programado a 56 compases por minuto. Haga tantas repeticiones como le sea posible. Si deja de seguir el ritmo del metrónomo, las repeticiones ya no contarán.

Plancha modificada

Las mujeres llevan a cabo este ejercicio en lugar de la inclinación modificada. Recuéstese en el piso (boca abajo), doble sus rodillas (las puntas de los pies deben quedar al

Inclinación modificada.

La plancha modificada.

Posición encogida con las piernas dobladas.

aire), y ponga sus manos sobre el piso a la altura de sus codos y con los dedos hacia delante. La parte inferior de su cuerpo se apoyará en sus rodillas (en lugar de sus pies) durante toda la prueba. Su pecho debe tocar el piso en cada repetición.

Realice las repeticiones siguiendo un ritmo de dos tiempos (arriba-abajo) regulado por medio de un metrónomo programado a 56 compases por minuto. Haga tantas repeticiones como le sea posible. Si deja de continuar el ritmo del metrónomo, no podrá contar ninguna repetición más.

Posición encogida con las piernas dobladas

Para este ejercicio, recuéstese en el piso, boca arriba, y doble ambas piernas hasta formar un ángulo aproximado de 100 grados. Sus pies deben permanecer en el piso y mantenerse en este lugar durante toda la prueba. Cruce

sus brazos y colóquelos sobre su pecho; sus manos deberán tocar sus hombros.

Enseguida levante su cabeza del piso colocando su barbilla contra su pecho. Ésta es tanto la posición inicial como la final de este ejercicio. La parte posterior de su cabeza no debe tocar el piso; las manos deberán permanecer siempre sobre los hombros; y, por último, ni los pies ni sus caderas deberán despegarse del piso durante toda la prueba. Ésta se debe dar por terminada cuando alguna de estas cuatro condiciones se presente. Al momento de encogerse, la parte superior de su cuerpo deberá alcanzar una posición recta antes de volver a bajar. Las repeticiones deben seguir un ritmo de dos tiempos (arriba-abajo) regulado por un metrónomo programado a 40 compases por minuto.

Para este ejercicio deberá realizar antes un breve periodo de práctica por alrededor de cinco a 10 segundos a fin de familiarizarse con el ritmo (el movimiento hacia arriba se inicia con el primer compás, por lo que deberá esperar el siguiente compás para iniciar el movimiento hacia abajo; se completa una repetición por cada dos compases del metrónomo). Cuente tantas repeticiones como sea capaz de realizar siguiendo el ritmo adecuado. La prueba se da por terminada si deja de mantener el ritmo o si completa 100 repeticiones. Pídale a un compañero que revise el ángulo que formen sus rodillas du-

TÉRMINOS CLAVE

Fuerza muscular: Habilidad de ejercer una fuerza máxima contra una resistencia.

Resistencia muscular: Habilidad de los músculos de ejercer una fuerza submáxima de manera repetida por cierto periodo de tiempo.

Una repetición máximo (1 RM): La cantidad máxima de resistencia que una persona es capaz de levantar en un solo intento.

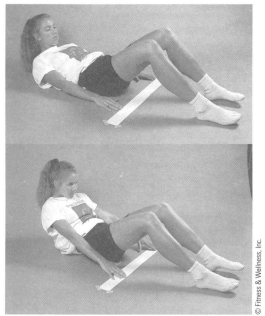

Fortalecimiento abdominal.

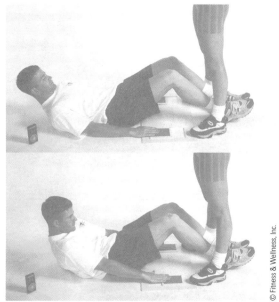

Prueba de abdominales usando el Crunch-Ster Curl-Up Tester

rante toda la prueba para asegurarse de que mantiene el ángulo de 100 grados lo más exactamente posible.

Ejercicio de fortalecimiento abdominal

Este ejercicio se recomienda sólo a los individuos que no pueden realizar el de posición encogida debido al dolor de espalda. Se debe revisar con mucho cuidado la forma en que el ejercicio se lleve a cabo durante la prueba.

Varios autores e investigadores[4,5,6,7] han indicado que a los individuos se les dificulta mantener la posición apropiada durante la prueba: a menudo deslizan su cuerpo, doblan sus codos o encogen sus hombros, lo que facilita la prueba y hace que el ejercicio sea mal ejecutado. Factores biomecánicos limitan también la habilidad de cumplir con la prueba.[8] Además, la falta de flexibilidad de la espina dorsal no permite que algunos individuos se muevan en el rango requerido (3½").[9,10] Asimismo, algunos individuos no pueden mantener sus talones en el piso. Por consiguiente, se ha cuestionado la validez de esta prueba como una medida efectiva de la fuerza o resistencia abdominales.[11,12] Con estas advertencias en mente, a continuación se proporciona una descripción del procedimiento:

Adhiera en el piso una tira de cartón de 3½" × 30". Recuéstese en el piso (su cuerpo debe descansar sobre su espalda), doble sus rodillas hasta formar un ángulo aproximado de 100 grados y separe ligeramente sus piernas. Deberá mantener sus pies sobre el piso durante toda la prueba. Estire sus brazos y colóquelos sobre el piso a los lados de su torso con las palmas hacia abajo y los dedos

completamente extendidos. Las puntas de los dedos de ambas manos deberán tocar apenas el contorno más próximo de la tira de cartón.

Levante su cabeza del piso hasta que su barbilla esté separada de su pecho por 1" o 2". Mantenga su cabeza en esta posición durante toda la prueba (no intente moverla flexionando o extendiendo su cuello). Ya está listo para empezar.

Realice las repeticiones con un ritmo de dos tiempos (arriba-abajo) regulado por un metrónomo programado a 60 compases por minuto. Conforme se vaya levantando, deslice las puntas de sus dedos sobre el cartón hasta que éstas alcancen el contorno más lejano (3½") y regrese después a la posición inicial.

Familiarícese con el ritmo por medio de un breve periodo de práctica de 5 a 10 segundos. Inicia el movimiento hacia arriba con el primer compás y el movimiento hacia abajo con el siguiente compás. Complete una repetición por cada dos compases del metrónomo. Cuente tantas repeticiones como sea capaz de realizar mientras sigue el ritmo adecuado. Una repetición no contará si las puntas de sus dedos no logran alcanzar el contorno más lejano del cartón.

Dé por terminada la prueba si: (a) deja de mantener el ritmo adecuado, (b) dobla sus codos, (c) encoge sus hombros, (d) desliza su cuerpo, (e) separa sus talones del piso, (f) no mantiene su barbilla cerca de su pecho, (g) completa 100 repeticiones o (h) ya no puede continuar la prueba. Pídale a su compañero que revise el ángulo que forman sus piernas durante toda la prueba para asegurar-

Tabla **2.3** *Tabla de resultados de resistencia muscular.*

RANGO PORCENTUAL	HOMBRES			
	SALTO DE BANCO	INCLINACIÓN MODIFICADA	POSICIÓN ENCOGIDA	FORTALECIMIENTO ABDOMINAL
99	66	54	100	100
95	63	50	81	100
90	62	38	65	100
80	58	32	51	66
70	57	30	44	45
60	56	27	31	38
50	54	26	28	33
40	51	23	25	29
30	48	20	22	26
20	47	17	17	22
10	40	11	10	18
5	34	7	3	16

RANGO PORCENTUAL	MUJERES			
	SALTO DE BANCO	PLANCHA MODIFICADA	POSICIÓN ENCOGIDA	FORTALECIMIENTO ABDOMINAL
99	58	95	100	100
95	54	70	100	100
90	52	50	97	69
80	48	41	77	49
70	44	38	57	37
60	42	33	45	34
50	39	30	37	31
40	38	28	28	27
30	36	25	22	24
20	32	21	17	21
10	28	18	9	15
5	26	15	4	0

▮ Estándar de condición física alta
▮ Estándar de condición saludable

Tabla **2.4** *Categoría de condición física con base en rangos porcentuales.*

RANGO PORCENTUAL	CATEGORÍA DE CONDICIÓN FÍSICA	PUNTOS
≥90	Excelente	5
70–80	Buena	4
50–60	Promedio	3
30–40	Regular	2
≤20	Mala	1

Tabla **2.5** *Categorías de condición de fuerza y resistencia musculares con base en el número total de puntos.*

TOTAL DE PUNTOS	CATEGORÍA DE FUERZA Y RESISTENCIA
≥13	Excelente
10–12	Buena
7–9	Promedio
4–6	Regular
≤3	Mala

asignan para cada categoría en la tabla 2.4. A continuación, sume todos los puntos y determine su categoría general de fuerza y resistencia según las calificaciones que se proporcionan en la tabla 2.5.

Registre los resultados que obtuvo en sus pruebas de fuerza en la actividad 2.1, examen previo, página 47.

▶ **Flexibilidad muscular**

La **flexibilidad** se refiere a la habilidad de las articulaciones de moverse con libertad en su máximo rango de movilidad. La mayoría de las personas que hacen ejercicio no realiza ejercicios de estiramiento. Y muchas de las que sí los efectúan, no los llevan a cabo de manera apropiada.

Desarrollar y mantener cierto grado de flexibilidad constituye un factor importante en cualquier programa para la salud, y lo es todavía más conforme vamos envejeciendo. Los especialistas en medicina del deporte sostienen que muchos problemas y daños musculares y esqueléticos, especialmente en los adultos, se relacionan con la falta de flexibilidad. En la vida diaria tenemos que hacer en ocasiones movimientos rápidos o vigorosos

se de que mantiene los 100 grados de la manera más exacta posible. Para esta prueba puede utilizar también el *Crunch-Ster Curl-Up Tester* el cual está disponible en Novel Products.*

Interpretación de la prueba de fuerza

Según el número de repeticiones que realizó en cada ejercicio, observe el rango porcentual para cada uno en la columna de la izquierda de la tabla 2.3. Con base en ellos, puede determinar su categoría de resistencia muscular para cada ejercicio mediante las guías que se proporcionan en la tabla 2.4. Observe el número de puntos que se

---

* Novel Products, Inc., Figure Finder Collection, C.P. 408, Rockton, IL 61072-0408; 1-800-323-5143.

que no estamos acostumbrados a hacer. A menudo se producen daños cuando un músculo tenso es forzado a moverse de manera abrupta más allá de su rango normal de movimiento.

Una disminución de la flexibilidad puede originar una mala postura y molestias o dolores persistentes que conducen a un movimiento limitado y doloroso de las articulaciones. Alrededor de 80% de todos los problemas de espalda baja en Estados Unidos provienen de una alineación inadecuada de la columna vertebral y la pelvis, resultado directo de músculos débiles e inflexibles. Este síndrome de dolor de espalda le cuesta a la industria de este país miles de millones de dólares al año por concepto de pérdida de productividad, servicios de salud y compensación al trabajador.

La flexibilidad muscular es muy específica y varía de una articulación a otra (caderas, torso, hombros), así como de un individuo a otro. De igual manera, se relaciona principalmente con factores genéticos y con el índice de actividad física. Además de esto, factores tales como la estructura de las articulaciones, los ligamentos, los tendones, los músculos, la piel, los daños de tejido, el tejido adiposo (grasa), la temperatura corporal, la edad y el género, influyen en el rango de la movilidad de las articulaciones.

En promedio, las mujeres son más flexibles que los hombres y, al parecer, mantienen esta ventaja durante toda su vida. La edad disminuye la capacidad de extensión del tejido blando, con lo que la flexibilidad en ambos géneros disminuye. Sin embargo, los principales factores que contribuyen a la pérdida de la flexibilidad son el sedentarismo y la inactividad física.

La mayoría de los expertos coinciden en afirmar que participar en un programa de flexibilidad de manera regular conlleva los siguientes beneficios:

- Ayuda a mantener una buena movilidad de las articulaciones.
- Aumenta la resistencia a los daños musculares y a sentir dolor.
- Previene los problemas de espalda baja y columna vertebral.
- Mejora y mantiene una postura bien alineada.
- Contribuye a un movimiento corporal correcto y armónico.
- Mejora la apariencia personal y la imagen que una persona tiene de sí misma.
- Facilita el desarrollo de las habilidades motoras a lo largo de la vida.

Los ejercicios de flexibilidad han resultado también muy benéficos en el tratamiento de la **dismenorrea**[13] (menstruación dolorosa) y la tensión neuromuscular general. La realización regular de ejercicios de **estiramiento** ayuda a disminuir las molestias o dolores persistentes generados por el estrés psicológico; y de igual forma disminuye la ansiedad, la presión arterial y la respiración agitada.[14]

Además, estos ejercicios, junto con la calistenia, resultan benéficos en las rutinas de calentamiento que permiten preparar al cuerpo para una actividad aeróbica más vigorosa o para ejercicios de fortalecimiento muscular. De igual manera, resultan benéficos en las rutinas de relajamiento que ayudan a la persona a regresar a su estado normal de reposo.

Al igual que la fuerza muscular, un buen rango de movilidad es vital en la vida adulta. Debido a la disminución de la flexibilidad, los adultos mayores pierden movilidad y son incapaces de llevar a cabo actividades diarias sencillas como inclinarse y darse la vuelta. Muchos adultos mayores no giran su cabeza o su torso para ver sobre su hombro, sino que avanzan alrededor de 90 a 180 grados para ver detrás de ellos.

Un rango limitado de movilidad puede dificultar de manera grave la actividad física y el ejercicio. Debido al dolor que se presenta al momento de realizar una actividad, los adultos mayores que tienen flexores (músculos) tensos en la cadera no pueden trotar o caminar muy lejos. Se produce entonces un círculo vicioso, ya que esta condición en general empeora con la inactividad física. Un programa sencillo de estiramiento puede aliviar o prevenir este problema y ayudar a la gente a que se incorpore de nuevo a un programa de ejercicios.

▶ Determinación de la flexibilidad

Se emplean dos pruebas de flexibilidad para producir un perfil: La prueba modificada de sentarse y estirarse y la prueba de rotación completa del cuerpo.

Prueba de extensión

Para llevar a cabo esta prueba necesitará el Acuflex I* o simplemente puede colocar un palo de una yarda de largo sobre una caja de alrededor de 12″ de alto. Para realizar esta prueba:

1. Haga ejercicios de calentamiento antes del primer intento.
2. Quítese los zapatos. Siéntese en el piso con sus caderas, espalda y cabeza contra la pared, las piernas completamente extendidas y la planta de los pies contra el Acuflex I o la caja.
3. Coloque sus manos una sobre la otra y estire sus brazos tanto como le sea posible sin despegar sus caderas, espalda y cabeza de la pared.
4. Otra persona debe entonces deslizar el indicador de alcance en el Acuflex I (o palo) a lo largo de la parte superior de la caja hasta que el final del indicador to-

---

* El Acuflex I y II para las pruebas de extensión y de rotación del cuerpo se pueden conseguir en Novel Products, Inc., Figure Finder Collection, C.P. 408, Rockton, IL 61072-0408; 1-800-323-5143.

Tabla **2.6** *Tabla de resultados para la prueba de extensión.*

	HOMBRES						MUJERES				
RANGO PORCENTUAL	CATEGORÍA POR EDAD				CATEGORÍA DE CONDICIÓN FÍSICA	RANGO PORCENTUAL	CATEGORÍA POR EDAD				CATEGORÍA DE CONDICIÓN FÍSICA
	<18	19–35	36–49	>50			<18	19–35	36–49	>50	
99	20.8	20.1	18.9	16.2	Excelente	99	22.6	21.0	19.8	17.2	Excelente
95	19.6	18.9	18.2	15.8		95	19.5	19.3	19.2	15.7	
90	18.2	17.2	16.1	15.0		90	18.7	17.9	17.4	15.0	
80	17.8	17.0	14.6	13.3	Buena	80	17.8	16.7	16.2	14.2	Buena
70	16.0	15.8	13.9	12.3		70	16.5	16.2	15.2	13.6	
60	15.2	15.0	13.4	11.5	Promedio	60	16.0	15.8	14.5	12.3	Promedio
50	14.5	14.4	12.6	10.2		50	15.2	14.8	13.5	11.1	
40	14.0	13.5	11.6	9.7	Regular	40	14.5	14.5	12.8	10.1	Regular
30	13.4	13.0	10.8	9.3		30	13.7	13.7	12.2	9.2	
20	11.8	11.6	9.9	8.8		20	12.6	12.6	11.0	8.3	
10	9.5	9.2	8.3	7.8	Mala	10	11.4	10.1	9.7	7.5	Mala
05	8.4	7.9	7.0	7.2		05	9.4	8.1	8.5	3.7	
01	7.2	7.0	5.1	4.0		01	6.5	2.6	2.0	1.5	

■ Estándar de condición física alta
■ Condición saludable o estándar con base en criterios

Tomado de *Lifetime Physical Fitness & Wellness: A Personalized Program,* de W .W. K. Hoeger (Belmont, CA: Wadsworth/Thomson Learning, 2005).

Posición inicial para la prueba modificada de extensión.

Prueba modificada de extensión.

que las puntas de sus dedos. Se debe sostener el indicador firmemente durante todo el resto de la prueba.

5. A continuación separe su cabeza y espalda de la pared, y extiéndase hacia adelante tres veces en forma gradual. En la tercera vez estírese lo más que pueda sobre el indicador (o palo) y mantenga esta posición final por al menos dos segundos. Asegúrese de mantener la parte posterior de sus rodillas contra el piso a lo largo de la prueba.

6. Redondeé el número final de pulgadas que logró extenderse a la media pulgada más próxima y registre el resultado.

7. Es posible que sólo haga dos intentos, en cuyo caso se tomará en cuenta como marca final el promedio de los dos resultados que obtuvo en cada intento.

Los rangos porcentuales y las categorías de condición para esta prueba se encuentran en las tablas 2.6 y 2.4, respectivamente.

TÉRMINOS CLAVE

Dismenorrea: Menstruación dolorosa.

Estiramiento: Mover las articulaciones más allá del rango acostumbrado de movilidad.

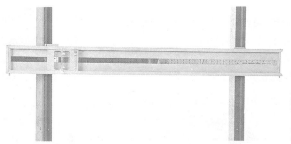

Aparato de Acuflex II para la prueba de rotación completa del cuerpo.

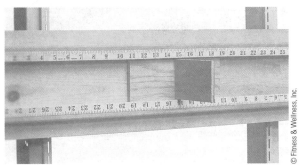

Aparato de medición hecho en casa para la prueba de rotación completa del cuerpo.

Empleo de cintas de medición para la prueba de rotación completa del cuerpo.

Prueba de rotación completa del cuerpo.

Posición adecuada de la mano en la prueba de rotación del cuerpo.

Prueba de rotación completa del cuerpo

Para realizar esta prueba es necesario el Acuflex II o una escala de medida con un panel que se deslice. El Acuflex II o la escala se colocan sobre la pared a la altura de los hombros y deben poder ajustarse a fin de acomodar las diferencias de altura de cada individuo. Si no dispone de un Acuflex, usted mismo puede construir su propia escala. Pegue o clave una cinta de medir en la parte superior del panel que se deslizará y otra cinta en la parte inferior y después centre el panel en la marca de 15″ (38 cm). Cada cinta debe medir por lo menos 30″ (76 cm) de largo. Dibuje una línea en el piso que quede centrada en la marca de 15″ de la cinta. Utiliza el siguiente procedimiento:

1. Haga ejercicios de calentamiento antes de iniciar la prueba.
2. Para empezar, párese a un lado de la línea, extienda su brazo de manera que éste sea la distancia que lo separe de la pared, sus pies deben estar en posición recta y ligeramente separados con las puntas de los dedos apuntando hacia la línea del piso. Mantenga su brazo en posición contraria a la pared y en forma horizontal con respecto al resto de su cuerpo y cierre el puño. El Acuflex II, la escala de medir o las cintas deben estar a la altura de sus hombros en este momento de la prueba.
3. A continuación gire su cuerpo, el brazo extendido deberá ir hacia atrás tratando siempre de mantener una posición horizontal. Su puño tendrá que hacer contacto con el panel, al cual deberá ir deslizando poco a poco hacia delante tanto como le sea posible. Si no dispone de un panel, entonces deslice su puño a lo largo de las cintas. Mantenga la posición final por al menos 2 segundos.
4. Su mano, del lado del dedo meñique, deberá deslizarse hacia delante durante toda la prueba. La posición de ésta es fundamental. Algunas personas tratan de abrirla o de empujar el panel con los dedos extendidos, o bien, intentan deslizarlo con los nudillos —ninguna de estas posiciones es aceptable. Durante la prueba puede doblar las rodillas ligeramente, pero no puede mover sus pies, ya que éstos siempre deben apuntar hacia delante. Asimismo, debe mantener su cuerpo tan recto (vertical) como sea posible.
5. Realice la prueba ya sea con el lado derecho o con el izquierdo del cuerpo. Puede llevar a cabo dos inten-

Tabla **2.7** *Tabla de resultados para la rotación completa del cuerpo.*

	RANGO PORCENTUAL	ROTACIÓN HACIA LA IZQUIERDA				ROTACIÓN HACIA LA DERECHA				CATEGORÍA DE CONDICIÓN FÍSICA
		CATEGORÍA POR EDAD				CATEGORÍA POR EDAD				
		<18	19–35	36–49	>50	<18	19–35	36–49	>50	
HOMBRES	99	29.1	28.0	26.6	21.0	28.2	27.8	25.2	22.2	
	95	26.6	24.8	24.5	20.0	25.5	25.6	23.8	20.7	Excelente
	90	25.0	23.6	23.0	17.7	24.3	24.1	22.5	19.3	
	80	22.0	22.0	21.2	15.5	22.7	22.3	21.0	16.3	Buena
	70	20.9	20.3	20.4	14.7	21.3	20.7	18.7	15.7	
	60	19.9	19.3	18.7	13.9	19.8	19.0	17.3	14.7	Promedio
	50	18.6	18.0	16.7	12.7	19.0	17.2	16.3	12.3	
	40	17.0	16.8	15.3	11.7	17.3	16.3	14.7	11.5	Regular
	30	14.9	15.0	14.8	10.3	15.1	15.0	13.3	10.7	
	20	13.8	13.3	13.7	9.5	12.9	13.3	11.2	8.7	
	10	10.8	10.5	10.8	4.3	10.8	11.3	8.0	2.7	Mala
	05	8.5	8.9	8.8	0.3	8.1	8.3	5.5	0.3	
	01	3.4	1.7	5.1	0.0	6.6	2.9	2.0	0.0	
MUJERES	99	29.3	28.6	27.1	23.0	29.6	29.4	27.1	21.7	
	95	26.8	24.8	25.3	21.4	27.6	25.3	25.9	19.7	Excelente
	90	25.5	23.0	23.4	20.5	25.8	23.0	21.3	19.0	
	80	23.8	21.5	20.2	19.1	23.7	20.8	19.6	17.9	Buena
	70	21.8	20.5	18.6	17.3	22.0	19.3	17.3	16.8	
	60	20.5	19.3	17.7	16.0	20.8	18.0	16.5	15.6	Promedio
	50	19.5	18.0	16.4	14.8	19.5	17.3	14.6	14.0	
	40	18.5	17.2	14.8	13.7	18.3	16.0	13.1	12.8	Regular
	30	17.1	15.7	13.6	10.0	16.3	15.2	11.7	8.5	
	20	16.0	15.2	11.6	6.3	14.5	14.0	9.8	3.9	
	10	12.8	13.6	8.5	3.0	12.4	11.1	6.1	2.2	Mala
	05	11.1	7.3	6.8	0.7	10.2	8.8	4.0	1.1	
	01	8.9	5.3	4.3	0.0	8.9	3.2	2.8	0.0	

▪ Estándar de condición física alta

▪ Condición saludable o estándar con base en criterios

Tomado de *Lifetime Physical Fitness & Wellness: A Personalized Program*, de W. W. K. Hoeger (Belmont, CA: Wadsworth/Thomson Learning, 2005).

tos con el lado del cuerpo que haya elegido. Registre la mayor marca que logró alcanzar y mantener por al menos 2 segundos y redondéela a la media pulgada más próxima. El promedio de los dos intentos será la marca final obtenida.

6. Consulte las tablas 2.7 y 2.4 para determinar el rango porcentual respectivo, así como la clasificación del tipo de condición para esta prueba.

▶ Interpretación de las pruebas de flexibilidad

La clasificación del tipo de condición para cada prueba de flexibilidad se obtiene con base en los rangos porcentuales que registró en ellas, para lo cual tendrá que utilizar las guías que se proporcionan en la tabla 2.4. De igual forma, deberá observar el número de puntos que se asignan para cada categoría en esta tabla. Su clasificación general de flexibilidad se obtiene sumando estos puntos y utilizando las calificaciones de la tabla 2.8. Registre los resultados de su prueba de flexibilidad en la actividad 2.1, examen previo, página 47.

Una buena flexibilidad contribuye al desarrollo de las habilidades relacionadas con el deporte.

© Fitness & Wellness, Inc.

Tabla **2.8** *Categorías de condición de flexibilidad muscular por el número total de puntos.*

PUNTOS TOTALES	CATEGORÍA DE FLEXIBILIDAD
≥9	Excelente
7–8	Buena
5–6	Promedio
3–4	Regular
≤2	Mala

Composición corporal

Hoy en día, a partir de los 25 años, el hombre y la mujer promedio en Estados Unidos sube 1 libra de peso al año. De manera que, a la edad de 65 años, el estadounidense promedio habrá subido 40 libras (18 kg). Sin embargo, debido a la reducción de la actividad física en nuestra sociedad, cada año el individuo promedio pierde también media libra de tejido muscular. Por consiguiente, este periodo de 40 años ha derivado de hecho en un sobrepeso de 60 libras (28 kg) acompañadas de una pérdida de masa magra[15] de 20 libras (9 kg) (ver la figura 2.2). No es posible detectar estos cambios a menos de que se valore la composición corporal en forma periódica.

La **composición corporal** se refiere a los componentes grasos y no grasos del cuerpo. A los primeros se le conoce normalmente como **masa grasosa** o **porcentaje de grasa corporal**. Y a los segundos se les conoce como **masa magra**.

La grasa total del cuerpo humano se clasifica en dos tipos: grasa esencial y grasa almacenada. La **grasa esencial** es la grasa del cuerpo necesaria para llevar a cabo las funciones fisiológicas normales. Esta grasa constituye cerca de 3% del peso total en los hombres y 12% en las mujeres (ver la figura 2.3). El porcentaje es mayor en las mujeres porque éste incluye grasa específica del género femenino, como la que se encuentra en el tejido del pecho, el útero y otros depósitos de grasa propios del género. Sin este tipo de grasa, la salud del ser humano se deteriora. La **grasa almacenada**, es decir, la grasa corporal almacenada en el tejido adiposo, se encuentra mayormente debajo de la piel (grasa subcutánea) y alrededor de los órganos principales del cuerpo.

La obesidad representa un riesgo para la salud de dimensiones epidémicas para la mayoría de los países desarrollados de todo el mundo. Por sí misma, la obesidad ha estado asociada con varios problemas graves de salud y representa de 15 a 10% del índice anual de mortalidad en Estados Unidos (ver la figura 2.4); y es también uno de los seis principales factores de las enfermedades de las arterias coronarias. Asimismo, constituye un factor de riesgo de otro tipo de enfermedades del sistema cardiovascular, en las que se incluyen la hipertensión, paros

Figura **2.2** *Cambios típicos en la composición corporal de la población adulta de Estados Unidos.*

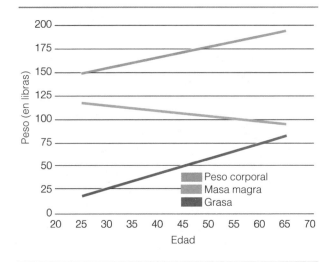

Figura **2.3** *Composición corporal típica del hombre y la mujer adultos.*

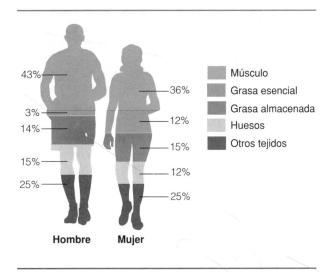

cardiacos por congestión, lípidos elevados de la sangre, aterosclerosis, infartos, tromboembolia, varices y claudicación intermitente.

Además, la gente con sobrepeso sufre de problemas de salud y tiene un índice más alto de mortalidad. Si bien la presión social por ser delgado ha disminuido de manera ligera en años recientes, la presión por lograr una delgadez parecida a la de los modelos de pasarela continúa aún y contribuye al incremento gradual de la incidencia de desórdenes alimenticios (anorexia y bulimia nerviosas, ver el capítulo 5). Una pérdida excesiva de peso puede acarrear problemas tales como daños al corazón, padecimientos gastrointestinales, contracción de los

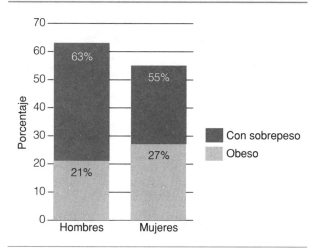

Figura **2.4** *Porcentaje de población adulta que es obesa o que presenta sobrepeso en Estados Unidos.*

Fuente: "The Disease Burden Associated with Overweight and Obesity", de A. Must *et al.*, *Journal of the American Medical Association*, 282 (1999), 1523-1529.

órganos internos, anormalidades del sistema inmune, desórdenes del sistema reproductivo, pérdida de tejido muscular, daños al sistema nervioso, e incluso la muerte.

Por muchos años la gente confió en los sistemas de estatura/peso para determinar el **peso corporal recomendado**, pero hoy en día se sabe que estas tablas resultan muy inexactas para muchos individuos. Estas tablas, aparecidas por primera vez en 1912, estaban basadas en pesos promedios (incluyendo los zapatos y la ropa) de hombres y mujeres que obtenían pólizas de seguros de vida entre 1888 y 1905. El peso recomendado con base en las tablas de estatura/peso se obtiene a partir del género, la estatura y el tamaño del cuerpo. Debido a que ninguna guía científica determina este último factor, ¡la mayoría de la gente lo determinaba con base en la columna donde el peso se aproximara más a su propio peso!

La manera adecuada de determinar el peso recomendado es investigar qué porcentaje del peso total del cuerpo es grasa y qué porcentaje es tejido muscular (composición corporal). Una vez que se conoce el porcentaje de grasa, es posible calcular el peso recomendado a partir de la grasa corporal recomendada.

La obesidad se relaciona con un exceso de grasa corporal. Si el peso es el único criterio, se puede considerar con facilidad entonces que un individuo tiene sobrepeso según las tablas de estatura/peso sin que éste resulte necesariamente obeso. Ejemplos comunes de este tipo de casos son los jugadores de fútbol americano, los fisicoculturistas, los levantadores de pesas, y otros atletas con una gran musculatura. Algunos atletas que parecieran tener 20 o 30 libras (14 kg) de sobrepeso en realidad tienen poca grasa corporal.

En el otro lado del espectro, algunas personas que pesan muy poco y que son consideradas por mucha gente como "delgadas o con bajo peso en realidad pueden ser clasificadas como obesas debido a su alto contenido de grasa corporal. Las personas con un peso muy bajo, por ejemplo 100 libras (45 kg), pero con más de 30% de grasa (cerca de una tercera parte de su peso total) constituyen casos raros. Este tipo de personas son a menudo sedentarias o se encuentran haciendo dietas en forma constante con el objeto de reducir su peso corporal o su talla. Tanto la inactividad física como un balance calórico negativo conducen a una pérdida de la masa muscular del cuerpo o masa magra (ver el capítulo 6). Por consiguiente, el peso por sí solo no revela totalmente la verdad.

▶ Determinación de la composición corporal

La composición corporal se puede valorar mediante varios procedimientos. Las técnicas más comunes son el grueso de la piel, las medidas de la dimensión, el peso hidrostático o bajo el agua y el desplazamiento aéreo. El peso hidrostático o bajo el agua es empleado con más frecuencia en las áreas de laboratorio e investigación. Todos estos procedimientos producen cantidades estimadas de la grasa corporal; así pues, cada técnica puede arrojar valores ligeramente distintos. Por consiguiente, al momento de valorar la composición corporal, se debe utilizar la misma técnica para poder comparar el examen previo con el posterior.

Se disponen de técnicas más sofisticadas para valorar la composición corporal, pero el equipo es costoso y la gente no puede acceder a él con facilidad. Tales procedimientos son empleados mayormente en instituciones médicas y de investigación. Además del tejido muscular y la grasa corporal, algunos de estos métodos proporcionan información sobre la cantidad total de agua del cuerpo y la estructura ósea. Entre estas técnicas se encuentran la impedancia bioeléctrica, el desplazamiento de aire, la imagen de resonancia magnética (MRI), la absorciometría de la energía dual de los rayos X (DEXA), la tomografía por computadora (CT) y la conductividad eléctrica total del cuerpo (TOBEC). La técnica que explicaremos aquí es la del grueso de la piel. Otras técnicas

▶ TÉRMINOS CLAVE

Composición corporal: Los componentes grasos y no grasos del cuerpo humano.

Porcentaje de grasa corporal (masa grasosa): El componente graso del cuerpo.

Masa magra: El componente no graso del cuerpo.

Grasa esencial: La grasa corporal necesaria para llevar a cabos las funciones fisiológicas normales.

Grasa almacenada: La grasa corporal almacenada en el tejido adiposo.

Peso corporal recomendado: El peso que no parece representar ningún daño a la salud del ser humano.

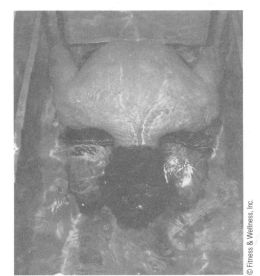

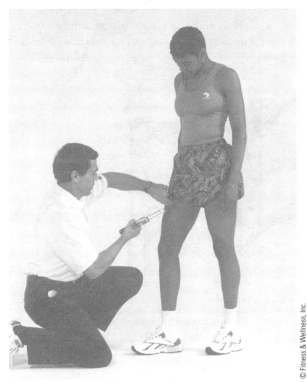

Técnica del grueso de la piel utilizada para valorar la composición corporal.

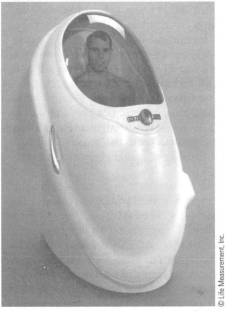

Técnicas de peso hidrostático (arriba) y desplazamiento del aire (abajo) empleadas en la determinación de la composición corporal.

para valorar el exceso de peso son el índice de masa corporal y el índice cintura/cadera, las cuales se tratarán también en esta sección.

Grueso del pliegue de la piel

La determinación de la composición corporal se realiza con frecuencia mediante el grueso de la piel. Esta técnica se basa en el principio de que alrededor de la mitad del tejido grasoso del cuerpo se encuentra directamente debajo de la piel. Cálculos válidos y confiables que se han hecho sobre este tejido constituyen buenos indicadores del porcentaje de grasa corporal.

La prueba se lleva a cabo con la ayuda de calibradores de presión. A fin de reflejar el porcentaje total de grasa, se miden las siguientes áreas:

En las mujeres: Los tríceps, el *suprailium* y los muslos.

En los hombres: El pecho, el abdomen y los muslos.

Todas las medidas se toman del lado derecho del cuerpo mientras que la persona está parada. Las señales anatómicas correctas para esta prueba se muestran en la figura 2.5 y son las siguientes:

Pecho: Un pliegue diagonal entre el pliegue del hombro y el pezón.

Abdomen: Un pliegue vertical situado a alrededor de 1 pulgada (2.5 cm) del lado derecho del ombligo.

Tríceps: Un pliegue vertical atrás de la parte superior del brazo, entre el hombro y el brazo.

Muslo: Un pliegue vertical frente al muslo, entre la rodilla y la cadera.

Suprailium: Un pliegue diagonal por arriba de la cresta del *ilium* (a un lado de la cadera).

Figura **2.5** *Señales anatómicas en la medición de los pliegues.*

MEDIDA DEL PLIEGUE

1. Seleccione las áreas anatómicas adecuadas. En los hombres, utilice los pliegues del pecho, el abdomen y el muslo. En las mujeres, los pliegues de los tríceps, el *suprailium* y el muslo. Tome todas las medidas del lado derecho del cuerpo mientras que la persona está parada.

2. Mida cada área sujetando de manera firme con el pulgar y el dedo índice un grosor doble de piel y jalando el doblez para separarlo ligeramente del tejido muscular. Mantenga el calibrador en posición perpendicular al pliegue y tome la medida a una pulgada y media debajo de su dedo. Mida cada área tres veces y redondee los valores a 0.1 o 0.5 milímetros más próximos. Registre el promedio de los dos valores más próximos y asiéntelo como el valor final. Tome las medidas de manera inmediata para evitar una compresión excesiva del pliegue. Libere y vuelva a plegar la piel cada vez que realice una medida.

3. En la pre y posvaloración, lleve a cabo las medidas a la misma hora del día. El mejor momento es temprano por la mañana para evitar los cambios de hidratación derivados del ejercicio o las actividades físicas.

4. Obtenga el porcentaje de grasa mediante la suma de las tres medidas del grosor de la piel y observe los valores respectivos.

Por ejemplo, si las medidas de una mujer de 18 años son: (a) tríceps = 16, (b) *suprailium* = 4 y (c) muslo = 30 (total = 50). El porcentaje de grasa corporal es de 20.6 por ciento.

Pecho
(pliegue diagonal entre el pliegue del hombro y el pezón)

Abdomen
(pliegue vertical a cerca de 1" (2.5 cm) del lado derecho del ombligo)

Tríceps
(pliegue vertical en la parte anterior del brazo, entre el hombro y el brazo)

Suprailium
(pliegue diagonal por arriba de la cresta del ilium, en un lado de la cadera)

Muslo
(pliegue vertical frente al muslo, entre la rodilla y la cadera)

Cada lado se mide sujetando un grosor doble de la piel de manera firme con los dedos pulgar e índice, y jalando el pliegue para separarlo ligeramente del tejido muscular. Mantenga los calibradores en posición perpendicular al pliegue y tome las medidas a ½″ debajo de sus dedos. Mida cada área tres veces y redondee los valores a 0.1 o 0.5 milímetros más próximos. Registre el promedio de las dos medidas como el valor final. Tome las medidas en forma inmediata para evitar la compresión excesiva del pliegue. Es necesario que libere y sujete de nuevo la piel al momento de tomar otra medida. El día de la prueba vista shorts, una playera holgada (no vista leotardos), y no se aplique loción.

Después de determinar el valor promedio para cada área, el porcentaje de grasa se puede obtener mediante la suma de las tres medidas del grosor de la piel. Observe los valores respectivos para las mujeres en la tabla 2.9, para los hombres menores de 40 años en la tabla 2.10 y para los hombres mayores de 40 en la tabla 2.11. Registre sus resultados en la actividad 2.1, examen previo, página 47. Posteriormente calcule su peso corporal recomendado mediante los valores proporcionados en la tabla 2.12 y la forma de cálculo de la actividad 2.2, página 49.

Los valores porcentuales de grasa corporal recomendada de la tabla 2.12 incluyen la grasa esencial y la grasa almacenada que comentamos con anterioriрad. Por ejemplo, el nivel de grasa corporal recomendada para las mujeres menores de 30 años es de 17 a 25%. Esto indica que sólo de 5 a 13% de la grasa total recomendada es grasa almacenada y el otro 12% es grasa esencial. El porcentaje recomendado se seleccionó con base en estudios que indican que se requiere cierto nivel de grasa almacenada para una salud óptima y una mayor longevidad.

Los porcentajes de grasa corporal recomendada que se seleccionaron en este libro incorporan las recomendaciones de la mayoría de los expertos en ejercicio y salud de Estados Unidos. Si desea tener sólo un peso como objetivo, puede seleccionar entonces su peso corporal según su preferencia personal, con la única condición de que éste se encuentre dentro del rango recomendado. El valor más bajo del rango corresponde al estándar de condición física, mientras que el más alto representa el estándar de condición saludable.

Tabla **2.9** *Cálculos de porcentaje de grasa en mujeres con base en el grosor de la piel en los tríceps, el* suprailium *y el muslo.*

SUMA DE LAS TRES MEDICIONES	MENOR DE 22	DE 23 A 27	DE 28 A 32	DE 33 A 37	DE 38 A 42	DE 43 A 47	DE 48 A 52	DE 53 A 57	MAYOR DE 58
				EDAD					
23– 25	9.7	9.9	10.2	10.4	10.7	10.9	11.2	11.4	11.7
26– 28	11.0	11.2	11.5	11.7	12.0	12.3	12.5	12.7	13.0
29– 31	12.3	12.5	12.8	13.0	13.3	13.5	13.8	14.0	14.3
32– 34	13.6	13.8	14.0	14.3	14.5	14.8	15.0	15.3	15.5
35– 37	14.8	15.0	15.3	15.5	15.8	16.0	16.3	16.5	16.8
38– 40	16.0	16.3	16.5	16.7	17.0	17.2	17.5	17.7	18.0
41– 43	17.2	17.4	17.7	17.9	18.2	18.4	18.7	18.9	19.2
44– 46	18.3	18.6	18.8	19.1	19.3	19.6	19.8	20.1	20.3
47– 49	19.5	19.7	20.0	20.2	20.5	20.7	21.0	21.2	21.5
50– 52	20.6	20.8	21.1	21.3	21.6	21.8	22.1	22.3	22.6
53– 55	21.7	21.9	22.1	22.4	22.6	22.9	23.1	23.4	23.6
56– 58	22.7	23.0	23.2	23.4	23.7	23.9	24.2	24.4	24.7
59– 61	23.7	24.0	24.2	24.5	24.7	25.0	25.2	25.5	25.7
62– 64	24.7	25.0	25.2	25.5	25.7	26.0	26.2	26.4	26.7
65– 67	25.7	25.9	26.2	26.4	26.7	26.9	27.2	27.4	27.7
68– 70	26.6	26.9	27.1	27.4	27.6	27.9	28.1	28.4	28.6
71– 73	27.5	27.8	28.0	28.3	28.5	28.8	29.0	29.3	29.5
74– 76	28.4	28.7	28.9	29.2	29.4	29.7	29.9	30.2	30.4
77– 79	29.3	29.5	29.8	30.0	30.3	30.5	30.8	31.0	31.3
80– 82	30.1	30.4	30.6	30.9	31.1	31.4	31.6	31.9	32.1
83– 85	30.9	31.2	31.4	31.7	31.9	32.2	32.4	32.7	32.9
86– 88	31.7	32.0	32.2	32.5	32.7	32.9	33.2	33.4	33.7
89– 91	32.5	32.7	33.0	33.2	33.5	33.7	33.9	34.2	34.4
92– 94	33.2	33.4	33.7	33.9	34.2	34.4	34.7	34.9	35.2
95– 97	33.9	34.1	34.4	34.6	34.9	35.1	35.4	35.6	35.9
98–100	34.6	34.8	35.1	35.3	35.5	35.8	36.0	36.3	36.5
101–103	35.2	35.4	35.7	35.9	36.2	36.4	36.7	36.9	37.2
104–106	35.8	36.1	36.3	36.6	36.8	37.1	37.3	37.5	37.8
107–109	36.4	36.7	36.9	37.1	37.4	37.6	37.9	38.1	38.4
110–112	37.0	37.2	37.5	37.7	38.0	38.2	38.5	38.7	38.9
113–115	37.5	37.8	38.0	38.2	38.5	38.7	39.0	39.2	39.5
116–118	38.0	38.3	38.5	38.8	39.0	39.3	39.5	39.7	40.0
119–121	38.5	38.7	39.0	39.2	39.5	39.7	40.0	40.2	40.5
122–124	39.0	39.2	39.4	39.7	39.9	40.2	40.4	40.7	40.9
125–127	39.4	39.6	39.9	40.1	40.4	40.6	40.9	41.1	41.4
128–130	39.8	40.0	40.3	40.5	40.8	41.0	41.3	41.5	41.8

La densidad corporal se calcula con base en la ecuación generalizada para predecir la densidad corporal de las mujeres desarrollada por A. S. Jackson, M. L. Pollock y A. Ward, publicada en *Medicine and Science in Sports and Exercise*, 12 (1980), 175-182. El porcentaje de grasa corporal se determina a partir de la densidad corporal aproximada empleando la fórmula Siri.

Tabla **2.10** *Cálculos de porcentaje de grasa en hombres menores de 40 años con base en el grosor de la piel en el pecho, el abdomen y el muslo.*

SUMA DE LAS TRES MEDICIONES	MENOR DE 19	DE 20 A 22	DE 23 A 25	DE 26 A 28	DE 29 A 31	DE 32 A 34	DE 35 A 37	DE 38 A 40
				EDAD				
8– 10	0.9	1.3	1.6	2.0	2.3	2.7	3.0	3.3
11– 13	1.9	2.3	2.6	3.0	3.3	3.7	4.0	4.3
14– 16	2.9	3.3	3.6	3.9	4.3	4.6	5.0	5.3
17– 19	3.9	4.2	4.6	4.9	5.3	5.6	6.0	6.3
20– 22	4.8	5.2	5.5	5.9	6.2	6.6	6.9	7.3
23– 25	5.8	6.2	6.5	6.8	7.2	7.5	7.9	8.2
26– 28	6.8	7.1	7.5	7.8	8.1	8.5	8.8	9.2
29– 31	7.7	8.0	8.4	8.7	9.1	9.4	9.8	10.1
32– 34	8.6	9.0	9.3	9.7	10.0	10.4	10.7	11.1
35– 37	9.5	9.9	10.2	10.6	10.9	11.3	11.6	12.0
38– 40	10.5	10.8	11.2	11.5	11.8	12.2	12.5	12.9
41– 43	11.4	11.7	12.1	12.4	12.7	13.1	13.4	13.8
44– 46	12.2	12.6	12.9	13.3	13.6	14.0	14.3	14.7
47– 49	13.1	13.5	13.8	14.2	14.5	14.9	15.2	15.5
50– 52	14.0	14.3	14.7	15.0	15.4	15.7	16.1	16.4
53– 55	14.8	15.2	15.5	15.9	16.2	16.6	16.9	17.3
56– 58	15.7	16.0	16.4	16.7	17.1	17.4	17.8	18.1
59– 61	16.5	16.9	17.2	17.6	17.9	18.3	18.6	19.0
62– 64	17.4	17.7	18.1	18.4	18.8	19.1	19.4	19.8
65– 67	18.2	18.5	18.9	19.2	19.6	19.9	20.3	20.6
68– 70	19.0	19.3	19.7	20.0	20.4	20.7	21.1	21.4
71– 73	19.8	20.1	20.5	20.8	21.2	21.5	21.9	22.2
74– 76	20.6	20.9	21.3	21.6	22.0	22.2	22.7	23.0
77– 79	21.4	21.7	22.1	22.4	22.8	23.1	23.4	23.8
80– 82	22.1	22.5	22.8	23.2	23.5	23.9	24.2	24.6
83– 85	22.9	23.2	23.6	23.9	24.3	24.6	25.0	25.3
86– 88	23.6	24.0	24.3	24.7	25.0	25.4	25.7	26.1
89– 91	24.4	24.7	25.1	25.4	25.8	26.1	26.5	26.8
92– 94	25.1	25.5	25.8	26.2	26.5	26.9	27.2	27.5
95– 97	25.8	26.2	26.5	26.9	27.2	27.6	27.9	28.3
98–100	26.6	26.9	27.3	27.6	27.9	28.3	28.6	29.0
101–103	27.3	27.6	28.0	28.3	28.6	29.0	29.3	29.7
104–106	27.9	28.3	28.6	29.0	29.3	29.7	30.0	30.4
107–109	28.6	29.0	29.3	29.7	30.0	30.4	30.7	31.1
110–112	29.3	29.6	30.0	30.3	30.7	31.0	31.4	31.7
113–115	30.0	30.3	30.7	31.0	31.3	31.7	32.0	32.4
116–118	30.6	31.0	31.3	31.6	32.0	32.3	32.7	33.0
119–121	31.3	31.6	32.0	32.3	32.6	33.0	33.3	33.7
122–124	31.9	32.2	32.6	32.9	33.3	33.6	34.0	34.3
125–127	32.5	32.9	33.2	33.5	33.9	34.2	34.6	34.9
128–130	33.1	33.5	33.8	34.2	34.5	34.9	35.2	35.5

La densidad corporal se calcula con base en la ecuación generalizada para predecir la densidad corporal de los hombres desarrollada por A. S. Jackson y M. L. Pollock, *British Journal of Nutrition*, 40 (1978), 497-504. El porcentaje de grasa corporal se determina a partir de la densidad corporal aproximada empleando la fórmula Siri.

Tabla **2.11** *Cálculos de porcentaje de grasa en hombres mayores de 40 años con base en el grosor de la piel en el pecho, el abdomen y el muslo.*

	EDAD							
SUMA DE LAS TRES MEDICIONES	DE 41 A 43	DE 44 A 46	DE 47 A 49	DE 50 A 52	DE 53 A 55	DE 56 A 58	DE 59 A 61	MAYOR DE 62
8– 10	3.7	4.0	4.4	4.7	5.1	5.4	5.8	6.1
11– 13	4.7	5.0	5.4	5.7	6.1	6.4	6.8	7.1
14– 16	5.7	6.0	6.4	6.7	7.1	7.4	7.8	8.1
17– 19	6.7	7.0	7.4	7.7	8.1	8.4	8.7	9.1
20– 22	7.6	8.0	8.3	8.7	9.0	9.4	9.7	10.1
23– 25	8.6	8.9	9.3	9.6	10.0	10.3	10.7	11.0
26– 28	9.5	9.9	10.2	10.6	10.9	11.3	11.6	12.0
29– 31	10.5	10.8	11.2	11.5	11.9	12.2	12.6	12.9
32– 34	11.4	11.8	12.1	12.4	12.8	13.1	13.5	13.8
35– 37	12.3	12.7	13.0	13.4	13.7	14.1	14.4	14.8
38– 40	13.2	13.6	13.9	14.3	14.6	15.0	15.3	15.7
41– 43	14.1	14.5	14.8	15.2	15.5	15.9	16.2	16.6
44– 46	15.0	15.4	15.7	16.1	16.4	16.8	17.1	17.5
47– 49	15.9	16.2	16.6	16.9	17.3	17.6	18.0	18.3
50– 52	16.8	17.1	17.5	17.8	18.2	18.5	18.8	19.2
53– 55	17.6	18.0	18.3	18.7	19.0	19.4	19.7	20.1
56– 58	18.5	18.8	19.2	19.5	19.9	20.2	20.6	20.9
59– 61	19.3	19.7	20.0	20.4	20.7	21.0	21.4	21.7
62– 64	20.1	20.5	20.8	21.2	21.5	21.9	22.2	22.6
65– 67	21.0	21.3	21.7	22.0	22.4	22.7	23.0	23.4
68– 70	21.8	22.1	22.5	22.8	23.2	23.5	23.9	24.2
71– 73	22.6	22.9	23.3	23.6	24.0	24.3	24.7	25.0
74– 76	23.4	23.7	24.1	24.4	24.8	25.1	25.4	25.8
77– 79	24.1	24.5	24.8	25.2	25.5	25.9	26.2	26.6
80– 82	24.9	25.3	25.6	26.0	26.3	26.6	27.0	27.3
83– 85	25.7	26.0	26.4	26.7	27.1	27.4	27.8	28.1
86– 88	26.4	26.8	27.1	27.5	27.8	28.2	28.5	28.9
89– 91	27.2	27.5	27.9	28.2	28.6	28.9	29.2	29.6
92– 94	27.9	28.2	28.6	28.9	29.3	29.6	30.0	30.3
95– 97	28.6	29.0	29.3	29.7	30.0	30.4	30.7	31.1
98–100	29.3	29.7	30.0	30.4	30.7	31.1	31.4	31.8
101–103	30.0	30.4	30.7	31.1	31.4	31.8	32.1	32.5
104–106	30.7	31.1	31.4	31.8	32.1	32.5	32.8	33.2
107–109	31.4	31.8	32.1	32.4	32.8	33.1	33.5	33.8
110–112	32.1	32.4	32.8	33.1	33.5	33.8	34.2	34.5
113–115	32.7	33.1	33.4	33.8	34.1	34.5	34.8	35.2
116–118	33.4	33.7	34.1	34.4	34.8	35.1	35.5	35.8
119–121	34.0	34.4	34.7	35.1	35.4	35.8	36.1	36.5
122–124	34.7	35.0	35.4	35.7	36.1	36.4	36.7	37.1
125–127	35.3	35.6	36.0	36.3	36.7	37.0	37.4	37.7
128–130	35.9	36.2	36.6	36.9	37.3	37.6	38.0	38.5

La densidad corporal se calcula con base en la ecuación generalizada para predecir la densidad corporal de los hombres desarrollada por A. S. Jackson y M. L. Pollock, *British Journal of Nutrition*, 40 (1978), 497-504. El porcentaje de grasa corporal se determina a partir de la densidad corporal aproximada empleando la fórmula Siri.

Tabla **2.12** *Composición corporal recomendada según el porcentaje de grasa corporal.*

EDAD	HOMBRES	MUJERES
≤29	12–20%	17–25%
30–49	13–21%	18–26%
≥50	14–22%	19–27%

■ Estándar de condición física alta
■ Condición saludable y estándar con base en criterios

Índice de masa corporal

Otra técnica que los científicos utilizan para determinar la delgadez o la gordura excesiva es el **índice de masa corporal (IMC)**. Este índice incorpora la estatura y el peso para calcular los valores críticos de grasa a partir de los cuales se incrementa el riesgo de enfermedades. El IMC se calcula dividiendo el peso en kilogramos entre la estatura en metros al cuadrado, o bien, multiplicando su peso en libras por 705 y dividiendo esta cifra entre la estatura en pulgadas al cuadrado. Por ejemplo, el IMC de un individuo que pesa 172 libras (78 kg) y que mide 67 pulgadas (1.7 metros) sería 27, es decir $[78 \div (1.7)^2]$ o $[172 \times 705 \div (67)^2]$.

Puede calcular y registrar su propio IMC en la forma que se proporciona en la actividad 2.2 al final del capítulo. También puede obtener su IMC a partir de los pesos y estaturas seleccionadas que se encuentran en la tabla 2.13.

Según el IMC, el riesgo más bajo de enfermedades crónicas se halla en el rango que va del 22 al 25 (ver la tabla 2.14). Se considera que un individuo tiene sobrepeso cuando está entre el 25 y 30. Los IMC por arriba de 30 están clasificados como obesidad y por debajo de 20 como bajo peso.

El IMC resulta una herramienta útil para evaluar a la población en general, pero, como sucede con las tablas de estatura/peso, no diferencia entre grasa y masa muscular corporal o donde la mayor parte de la grasa se localiza (ver índice cintura/cadera, página 44). Con el IMC, los individuos que realizan fortalecimiento muscular o los atletas con una gran cantidad de masa muscular (como los fisicoculturistas o los jugadores de fútbol americano) pueden caer con facilidad en las categorías de riesgo moderado o incluso alto. Por consiguiente, la composición corporal y las proporciones de cintura y cadera constituyen mejores procedimientos para determinar los riesgos en la salud y el peso corporal recomendado.

TÉRMINO CLAVE

Índice de masa corporal (IMC): Índice que incorpora la estatura y el peso para calcular valores críticos de grasa a partir de los cuales el riesgo de enfermedades se incrementa.

Tabla **2.13** *Índice de masa corporal.*

Determine su IMC mediante el número donde su peso y su estatura se intersecten en la tabla. Según sus resultados, observe su riesgo de padecer enfermedades en la tabla 2.14.

Altura \ Peso	110	115	120	125	130	135	140	145	150	155	160	165	170	175	180	185	190	195	200	205	210	215	220	225	230	235	240	245	250
5'0"	21	22	23	24	25	26	27	28	29	30	31	32	33	34	35	36	37	38	39	40	41	42	43	44	45	46	47	48	49
5'1"	21	22	23	24	25	26	26	27	28	29	30	31	32	33	34	35	36	37	38	39	40	41	42	43	43	44	45	46	47
5'2"	20	21	22	23	24	25	26	27	27	28	29	30	31	32	33	34	35	36	37	37	38	39	40	41	42	43	44	45	46
5'3"	19	20	21	22	23	24	25	26	27	27	28	29	30	31	32	33	34	35	35	36	37	38	39	40	41	42	43	43	44
5'4"	19	20	21	21	22	23	24	25	26	27	27	28	29	30	31	32	33	33	34	35	36	37	38	39	39	40	41	42	43
5'5"	18	19	20	21	22	22	23	24	25	26	27	27	28	29	30	31	31	32	33	34	35	36	37	37	38	39	40	41	42
5'6"	18	19	19	20	21	22	23	23	24	25	26	27	27	28	29	30	31	31	32	33	34	35	36	36	37	38	39	40	40
5'7"	17	18	19	20	20	21	22	23	23	24	25	26	27	27	28	29	30	31	31	32	33	34	34	35	36	37	38	38	39
5'8"	17	17	18	19	20	21	21	22	23	24	24	25	26	27	27	28	29	30	30	31	32	33	33	34	35	36	36	37	38
5'9"	16	17	18	18	19	20	21	21	22	23	24	24	25	26	27	27	28	29	30	30	31	32	32	33	34	35	35	36	37
5'10"	16	17	17	18	19	19	20	21	22	22	23	24	24	25	26	27	27	28	29	30	30	31	32	32	33	34	34	35	36
5'11"	15	16	17	17	18	19	20	20	21	22	22	23	24	24	25	26	26	27	28	29	29	30	31	31	32	33	33	34	35
6'0"	15	16	16	17	18	18	19	20	20	21	22	23	23	24	24	25	26	26	27	28	28	29	30	31	31	32	33	33	34
6'1"	15	15	16	16	17	18	18	19	20	20	21	22	22	23	24	24	25	26	26	27	28	28	29	30	30	31	32	32	33
6'2"	14	15	15	16	17	17	18	19	19	20	21	21	22	23	23	24	24	25	26	26	27	28	28	29	30	30	31	31	32
6'3"	14	14	15	16	16	17	17	18	19	19	20	21	21	22	22	23	24	24	25	26	26	27	27	28	29	29	30	31	31
6'4"	13	14	15	15	16	16	17	18	18	19	19	20	21	21	22	23	23	24	24	25	26	26	27	27	28	29	29	30	30

Tabla **2.14** *Riesgo de enfermedades con base en el índice de masa corporal (IMC).*

IMC	RIESGO DE ENFERMEDAD
<20.00	Moderado a muy alto
20.00 a 21.99	Bajo
22.00 a 24.99	Muy bajo
25.00 a 29.99	Bajo
30.00 a 34.99	Moderado
35.00 a 39.99	Alto
≥ 40.00	Muy alto

Proporciones de cintura y cadera

La evidencia científica sugiere que el modo en el que la gente almacena grasa puede influir en el riesgo de padecer enfermedades. Algunos individuos tienden a almacenar altas cantidades de grasa en el área abdominal, mientras que otros la almacenan principalmente alrededor de las caderas y los muslos (grasa glúteo femoral).

Los datos indican que los individuos obesos con una gran cantidad de grasa abdominal tienen mayor riesgo de padecer enfermedades coronarias, paros cardiacos por congestión, hipertensión, infartos y diabetes, que los individuos obesos que almacenan grasa especialmente en las caderas y los muslos. Las pruebas indican también que entre los individuos con un alto nivel de grasa abdominal, aquellos cuyos depósitos de grasa se encuentran alrededor de los órganos internos (grasa de las vísceras) tienen un riesgo aún mayor que aquellos cuya grasa abdominal se encuentra principalmente debajo de la piel (grasa subcutánea).

Debido al incremento de riesgos de padecer enfermedades en los individuos que tienden a almacenar grandes cantidades de grasa en el área abdominal en lugar de las caderas o los muslos, la prueba de **índice cintura/cadera** se diseñó para calcular dichos riesgos. El panel sugiere que los hombres cuyo índice cintura/cadera es 1.0 o mayor a éste necesitan perder peso. Las mujeres, en cambio, necesitan perder peso si el índice es 0.85 o mayor a esta cifra. El índice cintura/cadera de un hombre con una cintura de 40" (102 cm) y una cadera de 38" (96.5 cm) es 1.05 (40 × 38). Dicho índice puede indicar un incremento en el riesgo de enfermedades. Con la ayuda de una cinta de medir sencilla, puede determinar su propio índice de cintura/cadera y registrar los resultados en la actividad 2.2, página 49.

Pensamiento crítico

¿Cómo se siente con peso actual?, ¿de qué manera influye la sociedad en el modo en que usted se percibe a sí mismo en términos de su peso?, ¿los resultados de sus medidas de composición corporal lo hicieron sentir diferente con relación a la forma en que percibe su peso e imagen actuales?

Efectos del ejercicio y la dieta en la composición corporal

Si lleva a cabo una dieta y un programa de ejercicios, deberá repetir las medidas de composición corporal alrededor de una vez al mes con el objetivo de revisar los cambios en el tejido magro y graso. Esto es importante debido a que la masa magra se ve afectada por los programas de reducción de peso, así como también por la actividad física. Un balance negativo de calorías conduce indudablemente a una disminución de la masa magra. Se explicarán a detalle estos efectos en el capítulo 6. A medida que su masa muscular cambie, su peso corporal recomendado lo hará también.

Los cambios en la composición corporal derivados de un programa de ejercicios y de control de peso se ilustran mediante un curso de verano de aeróbicos de seis semanas de duración. Los estudiantes participaron en rutinas aeróbicas de baile cuatro veces a la semana, 60 minutos cada sesión. En el primer y en el último día de la clase, se evaluaron diversos parámetros fisiológicos, entre ellos, la composición corporal. Asimismo, se les proporcionó a los estudiantes información sobre dieta y nutrición y cada uno de ellos siguió su propio programa de pérdida y control de peso. Al término de las seis sema-

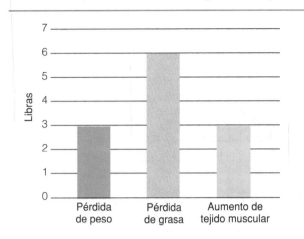

Figura **2.6** *Efectos de un programa de aeróbicos de 6 semanas de duración en la composición corporal.*

Fuente: "Fitness Benefits of Aerobic Dance", de W. W. K. Hoeger. Información sin publicar, University of Texas of the Permian Basin, 1985.

nas, el promedio de pérdida de peso de toda la clase era sólo de 3 libras (1.3 kg). Sin embargo, cuando se valoró la composición corporal, los miembros de la clase se sorprendieron al saber que la pérdida promedio de grasa era en realidad de 6 libras (2.6 kg), acompañadas de un incremento de 3 libras en la masa muscular (ver la figura 2.6).

TÉRMINO CLAVE

Índice cintura/cadera: Medida que sirve para valorar el riesgo potencial de enfermedades con base en la distribución de la grasa corporal.

INTERACCIÓN EN LA RED

Calcule su IMC mediante su estatura y su peso. El IMC, es decir, el índice de masa corporal, es una relación entre el peso y la estatura, una fórmula matemática que se correlaciona con la grasa corporal. El IMC predice mejor el riesgo de enfermedades que el peso corporal solo. Este sitio le ofrece además herramientas para calcular su peso y su ritmo cardiaco ideales.

http://www.halls.md/body-mass-index/bmi.htm

DETERMINE SU CONOCIMIENTO

Evalúe su conocimiento de los conceptos presentados en este capítulo mediante esta sección y practique las opciones de las series de preguntas en su Profile Plus CD-ROM.

1. El perfil metabólico se usa en relación con
   a. la sensibilidad a la insulina.
   b. la tolerancia a la glucosa.
   c. los niveles de colesterol.
   d. enfermedad cardiovascular.
   e. todas las respuestas anteriores son correctas.

2. La resistencia cardiorrespiratoria está determinada por
   a. la cantidad de oxígeno que el cuerpo es capaz de utilizar por minuto de actividad física.
   b. el tiempo que le toma al ritmo cardiaco regresar a 120 lpm después de la prueba de una milla y media.
   c. la diferencia entre el máximo ritmo cardiaco y el ritmo cardiaco durante un estado de reposo.
   d. el producto del ritmo cardiaco y de la presión arterial durante un estado de reposo *versus* el ejercicio.
   e. el tiempo que le toma a una persona lograr un ritmo cardiaco de entre 120 y 170 lpm durante la prueba de caminar una milla.

3. Un rango "excelente" de condición cardiorrespiratoria en ml/kg/min para los jóvenes adultos del sexo masculino es de cerca de
   a. 10.
   b. 20.
   c. 30.
   d. 40.
   e. 50.

4. ¿Cuál de los siguientes parámetros es empleado para calcular la captación máxima de oxígeno según la prueba de una milla?
   a. peso corporal.
   b. género.
   c. tiempo total realizado en la prueba de una milla.
   d. el ritmo cardiaco durante el ejercicio.
   e. todas las respuestas anteriores se emplean para calcular el $VO_{2máx}$.

5. A la habilidad de un músculo de ejercer una fuerza submáxima repetitivamente durante cierto tiempo se le conoce como
   a. fuerza muscular.
   b. entrenamiento.
   c. resistencia muscular.
   d. entrenamiento isokinético.
   e. entrenamiento isométrico.

6. Un porcentaje de 70 sitúa a un individuo en la categoría de condición física _____ .
   a. excelente.
   b. buena.
   c. promedio.
   d. regular.
   e. mala.

7. La flexibilidad muscular se define como
   a. la capacidad de las articulaciones y los músculos de trabajar de manera sincronizada.
   b. la habilidad de una articulación de moverse libremente a través de su rango completo de movilidad.
   c. la capacidad de los músculos de estirarse más allá de la longitud normal que tienen durante el estado de reposo, sin que sufran daños.
   d. la capacidad de los músculos de regresar a su longitud normal después de la aplicación de una fuerza de estiramiento.
   e. las limitaciones de los músculos conforme las articulaciones se mueven a través de sus planos normales.

8. Durante la posición inicial de la prueba modificada de extensión
   a. las caderas, la espalda y la cabeza se apoyan en la pared.
   b. se mide la distancia que hay de las caderas a los pies.
   c. empuña sus manos.
   d. se estira hacia delante lo más que pueda sobre el indicador de distancia.
   e. todas las anteriores son correctas.

9. La grasa esencial en las mujeres es de
   a. 3%.
   b. 5%.
   c. 10%.
   d. 12%.
   e. 17%.

10. ¿Cuál de las siguientes no es una técnica empleada en la determinación de la grasa corporal?
   a. peso hidrostático.
   b. grosor de la piel.
   c. índice de masa corporal.
   d. medidas de circunferencia.

Las respuestas correctas se encuentran en la página 255.

Perfil de condición física personal: Examen previo

Fecha _____   Curso _____   Sección _____

Nombre _____   Edad _____ Hombre _____ Mujer _____

Peso corporal _____

Componente de condición física	Información del examen	Resultados del examen	Clasificación	Meta
Resistencia cardiorrespiratoria	**Tiempo**	$VO_{2máx}$		$VO_{2máx}$
Correr una milla y media	____ : ____	____ . ____ _____		____ . ____
	Tiempo			
Caminar una milla	____ : ____			
	Ritmo cardiaco	$VO_{2máx}$		$VO_{2máx}$
	_____	____ . ____ _____		____ . ____
Fuerza/resistencia musculares	**Repeticiones**	**Porcentaje**		
Saltos de banco	_____	_____	_____	_____
Inclinación/plancha modificada	_____	_____	_____	_____
Posición encogida/abdominales	_____	_____	_____	_____
Categoría de condición física general			_____	
Flexibilidad muscular	**Pulgadas**	**Porcentaje**		
Extensión modificada	_____	_____	_____	_____
Rotación del cuerpo	_____	_____	_____	_____
Categoría de condición física general			_____	
Composición corporal	**mm**			
Índice de masa corporal (IMC)	_____		_____	_____
Índice cintura/cadera	_____		_____	_____
Pecho/tríceps	_____			
Abdomen/*suprailium*	_____			
Muslo	_____			
Suma de las tres mediciones	_____			
Porcentaje de grasa corporal		_____ _____		_____
Masa muscular (libras)		_____		_____

_____   _____
Firma del alumno   Firma del instructor

Perfil de condición física personal: Examen previo

Fecha _____ Curso _____ Sección _____

Nombre _____ Edad _____ Hombre _____ Mujer _____

Peso corporal _____

Componente de condición física	Información del examen	Resultados del examen	Clasificación	Nueva meta
Resistencia cardiorrespiratoria	**Tiempo**	$VO_{2máx}$		$VO_{2máx}$
Correr una milla y media	____ : ____	____ . ____	_____	____ . ____
	Tiempo			
Caminar una milla	____ : ____			
	Ritmo cardiaco	$VO_{2máx}$		$VO_{2máx}$
	_____	____ . ____	_____	____ . ____
Fuerza/resistencia musculares	**Repeticiones**	**Porcentaje**		
Saltos de banco	_____	_____	_____	_____
Inclinación/plancha modificada	_____	_____	_____	_____
Posición encogida/abdominales	_____	_____	_____	_____
Categoría de condición física general			_____	
Flexibilidad muscular	**Pulgadas**	**Porcentaje**		
Extensión modificada	_____	_____	_____	
Rotación del cuerpo	_____	_____	_____	_____
Categoría de condición física general			_____	
Composición corporal	**mm**			
Índice de masa corporal (IMC)	_____		_____	_____
Índice cintura/cadera	_____		_____	_____
Pecho/tríceps	_____			
Abdomen/*suprailium*	_____			
Muslo	_____			
Suma de las tres mediciones	_____			
Porcentaje de grasa corporal			_____ _____	_____
Masa muscular (libras)		_____		_____

_____   _____
Firma del alumno   Firma del instructor

Forma de cálculo para el peso corporal recomendado, el índice de masa corporal (IMC) y el índice cintura/cadera

Nombre _____   Fecha _____

Curso _____   Sección _____

Determinación del peso corporal recomendado

A.   Peso actual (PA): _____ libras

B.   Porcentaje actual de grasa (%G): _____ %

C.   Peso de grasa (PG) = PA $\times$ %G* = _____ $\times$ _____ = _____ libras

D.   Masa magra (MM) = PA $-$ PG = _____ $-$ _____ = _____ libras

E.   Edad: _____

F.   Rango de porcentaje de grasa (RPG) recomendado (ver la tabla 2.12, página 43):

Punto bajo del rango de porcentaje de grasa recomendado (PBPG): _____ % (estándar de condición física)

Punto alto del rango de porcentaje de grasa recomendado (PAPG): _____ % (estándar de condición física)

G.   Rango de peso corporal recomendado:

Punto bajo del rango de peso corporal recomendado (PBPC) = MM $\div$ (1.0 $-$ PBPG*)

PBPC = _____ $\div$ (1.0 $-$ _____) = _____ libras

Punto alto del rango de peso corporal recomendado (PAPC) = MM $\div$ (1.0 $-$ APG*)

PAPC = _____ $\div$ (1.0 $-$ _____) = _____ libras

Rango de peso corporal recomendado: _____ a _____ libras

---

*Exprese los porcentajes en forma decimal (por ejemplo 25% = 0.25)

Índice de masa corporal*

Fecha: _____ _____

Peso (libras): _____ _____

Estatura (pulgadas): _____ _____

IMC:* _____ _____

Riesgo de enfermedad: _____ _____

*IMC = [Peso en libras $\times$ 705 $\div$ (Estatura en pulgadas)^2]
*IMC = [Peso en kilogramos $\div$ (Estatura en metros)^2]

Índice de cintura/cadera

Fecha: _____ _____

Cintura (pulgadas): _____ _____

Cadera (pulgadas): _____ _____

Índice (cintura $\div$ cadera): _____ _____

Riesgo de enfermedad: _____ _____

Conclusiones y metas de la composición corporal

Comente de manera breve su opinión acerca de sus resultados de composición corporal y peso recomendado. ¿Piensa reducir su porcentaje de grasa corporal e incrementar su masa muscular? Si es así, indique cómo planea alcanzar dichos objetivos.

_____

_____

_____

_____

_____

_____

El ejercicio es lo más cercano a la píldora milagrosa que todo mundo desea hallar porque conlleva la pérdida de peso, el control del apetito, mejora el estado de ánimo y la autoestima, proporciona una inyección de energía; además, propicia una mayor longevidad al disminuir el riesgo de enfermedades del corazón, la diabetes, los infartos, la osteoporosis y las incapacidades crónicas.[1]

Prescripción de ejercicio

OBJETIVOS

- Determinar si está listo o no para iniciar un programa de ejercicios.
- Aprender los factores que gobiernan la prescripción de ejercicios cardiorrespiratorios: La intensidad, el modo, la duración y la frecuencia.
- Entender las variables que gobiernan el desarrollo de la fuerza y resistencia muscular: El modo, la resistencia, las series de repeticiones y la frecuencia.
- Reconocer los factores que contribuyen al desarrollo de la flexibilidad muscular: El modo, la intensidad, las repeticiones y la frecuencia.
- Aprender a redactar programas personalizados de ejercicios cardiorrespiratorios, de fortalecimiento y de flexibilidad.
- Conocer un programa de prevención y rehabilitación del dolor de espalda baja.
- Aprender algunas formas de comprometerse a realizar ejercicio de manera permanente.
- Ser capaz de establecer metas para mejorar la condición física.

Revise si está listo o no para empezar un programa de ejercicios mediante la actividad de su CD-ROM sobre la aprobación de la prescripción para hacer ejercicio.

51

Una historia inspiradora que ilustra lo que una buena condición física es capaz de hacer por la salud y bienestar de una persona es la de George Snell de Sandy, Utah. A la edad de 45 años, Snell pesaba cerca de 400 libras (181 kg), su presión arterial era de 220/180, había perdido la vista debido a la diabetes, que él no sabía que padecía y su nivel de glucosa en la sangre (azúcar) era de 487. Determinado a hacer algo para mejorar su condición física y médica, Snell empezó un programa que contemplaba las actividades de caminar y trotar. Después de cerca de ocho meses de acondicionamiento físico, había perdido casi 200 libras (90.7 kg), recuperó la vista, su nivel de glucosa bajó a 67 y dejó de tomar medicamentos. Dos meses después —menos de 10 meses de haber iniciado su programa personal de ejercicios— logró completar su primer maratón, ¡un trayecto de 26.2 millas (42.16 km)!

Los resultados de algunas investigaciones establecen que llevar a cabo un programa permanente de ejercicios contribuye en gran medida a una buena salud. No obstante, muchos individuos que se ejercitan en forma regular se sorprenden al saber que, cuando se someten a una serie de pruebas de acondicionamiento, no tienen una condición física tan buena como ellos pensaban. A pesar de ejercitarse de manera regular, es probable que no sigan los principios básicos de la prescripción de ejercicio. Por lo tanto, no consiguen beneficios significativos.

Para obtener resultados óptimos, es necesario que todos los programas sean personalizados. Nuestros cuerpos no son iguales y las necesidades y niveles de condición física varían entre los individuos. En este capítulo se le

Una buena condición cardiorrespiratoria es esencial para disfrutar una buena calidad de vida.

proporcionarán las guías necesarias para establecer un programa personalizado de ejercicios cardiorrespiratorios, de fortalecimiento y flexibilidad a fin de que promueva y mantenga su condición y bienestar físicos. Asimismo, en el capítulo 6 se le proporciona información sobre el manejo de peso para poder tener la composición corporal recomendada (el cuarto componente de la condición física).

Aptitud para el ejercicio

Según el inspector general de sanidad de Estados Unidos, más de 60% de los adultos de ese país no cumplen con la cantidad recomendada de actividad física. Sólo cerca de 20% de las personas que hacen ejercicio son capaces de lograr un estándar alto de condición física.[2] Más de la mitad de aquellos que comienzan a hacer ejercicio desertan durante los primeros seis meses del programa. Los psicólogos del deporte están tratando de averiguar la razón de que algunas personas se ejerciten de manera habitual y otras no. Todos los beneficios del ejercicio no tendrán ningún efecto a menos que la gente se comprometa a llevar a cabo un programa permanente de actividad física (ver Modificación de la conducta en el capítulo 1).

Si no hace ejercicio en la actualidad, ¿está dispuesto a intentarlo? El primer paso es decidir de manera positiva que lo intentará. Para ayudarlo a tomar esta decisión, observe la actividad 3.1. Realice una lista de las ventajas y desventajas de incorporar al ejercicio en su estilo de vida. Su lista de ventajas puede incluir aspectos tales como:

Me hará sentir mejor.
Mejorará mi autoestima.
Bajaré de peso.
Tendré más energía.
Disminuirá mi riesgo de padecer enfermedades crónicas.

Su lista de desventajas puede incluir:

No quiero perder el tiempo.
Estoy muy gordo.
No hay un buen lugar donde pueda hacer ejercicio.
No tengo la fuerza de voluntad para hacerlo.

Si las ventajas superan a las desventajas, le será más fácil intentarlo.

En la actividad 3.1 se incluye un cuestionario que puede proporcionarle respuestas acerca de su aptitud para iniciar un programa de ejercicios. Lea cada enunciado de manera detenida y elija el número que describe mejor su opinión. Sea totalmente honesto en sus respuestas. Se le evaluará con base en cuatro categorías: Dominio (autocontrol), actitud, salud y compromiso. Mientras más alto sea su resultado en cualquier categoría —por ejemplo, en dominio—, dicha razón resultará la más importante para que usted se decida a hacer ejercicio.

Los resultados pueden variar de cuatro a 16. Un resultado de 12 o más alto es un fuerte indicador de que dicho factor es importante en su caso, mientras que un resultado de ocho o menor a éste constituye un indicador bajo. Si obtiene 12 o más puntos en cada categoría, las probabilidades de que inicie y continúe un programa de ejercicios son buenas. Si no obtiene al menos 12 puntos en tres categorías, sus probabilidades de tener un buen desempeño en el ejercicio pueden ser muy escasas. Necesita informarse mejor sobre los beneficios, por lo que hacer ejercicio de nuevo puede resultar de ayuda. Más adelante en este capítulo se le proporcionarán consejos sobre cómo lograr un mayor compromiso con el ejercicio.

Prescripciones de ejercicio

Con el fin de entender mejor el modo en el que la condición física en general puede ser desarrollada, es necesario que nos familiaricemos con las guías que gobiernan las prescripciones de ejercicios para la resistencia cardiovascular, la fuerza y resistencia musculares y la flexibilidad corporal. En la pirámide de la actividad física de la figura 3.1 se proporciona un resumen muy breve de estas guías. En las siguientes secciones de este capítulo se explicarán con más detalle.

Resistencia cardiorrespiratoria

Un programa de resistencia cardiorrespiratoria saludable contribuye enormemente fortalecer y mantener una buena salud. De los cuatro componentes de la condición física relacionada con la salud, la resistencia cardiorrespiratoria es la más importante —excepto durante la vejez, cuando la fuerza parece ser más crítica. A pesar de que se requieren ciertos niveles de fuerza muscular y flexibilidad para realizar las **actividades diarias**, una persona puede arreglárselas sin mucha fuerza o flexibilidad. Sin embargo, no es posible que pueda vivir si no tiene un buen sistema cardiorrespiratorio.

Figura **3.1** *Pirámide de la actividad física.*

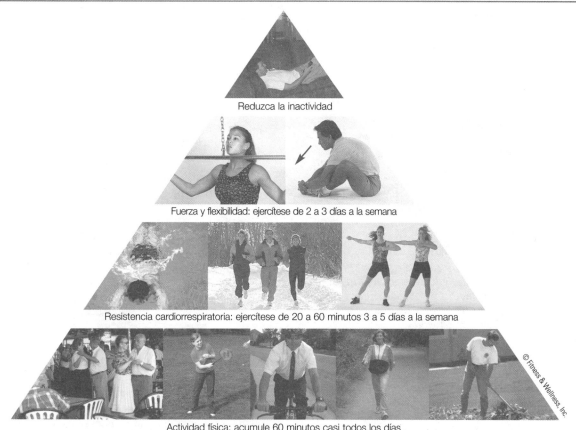

Reduzca la inactividad

Fuerza y flexibilidad: ejercítese de 2 a 3 días a la semana

Resistencia cardiorrespiratoria: ejercítese de 20 a 60 minutos 3 a 5 días a la semana

Actividad física: acumule 60 minutos casi todos los días

© Fitness & Wellness, Inc.

☞ Prescripción de ejercicio cardiorrespiratorio

El objetivo del ejercicio aeróbico es mejorar la capacidad del sistema cardiorrespiratorio. Para lograrlo, el músculo del corazón tiene que estar recargado como cualquier otro músculo del cuerpo. Así como los bíceps del brazo son desarrollados mediante ejercicios de fortalecimiento, el músculo del corazón debe ejercitarse para que aumente en tamaño, fuerza y eficiencia.

Para comprender mejor la forma en que el sistema cardiorrespiratorio debe desarrollarse, es necesario que nos familiaricemos con cuatro factores relacionados con el ejercicio aeróbico: la intensidad, el modo, la duración y la frecuencia. El American College of Sports Medecine (ACSM) recomienda que los hombres aparentemente sanos mayores de 45 años y las mujeres mayores de 55 se sometan a un examen médico y a uno de diagnóstico para determinar su nivel de estrés antes de que realicen un **ejercicio vigoroso**.[3]

Intensidad del ejercicio

Los músculos deben ejercitarse a fin de que puedan desarrollarse. Mientras que el estímulo de ejercitación para

desarrollar los músculos de los bíceps se puede lograr mediante el levantamiento de pesas, el estímulo para el sistema cardiorrespiratorio consiste en hacer que el corazón bombee a un ritmo mayor por cierto tiempo. El desarrollo cardiorrespiratorio ocurre cuando el corazón se encuentra trabajando entre 40/50%, y 85% del ritmo cardiaco en reserva.[4] La intensidad de ejercitación de 40 a 50% es para individuos que no están en forma. Sin embargo, los incrementos en la captación máxima de oxígeno ($VO_{2máx}$) se aceleran cuando el corazón trabaja a un porcentaje cercano al 85% del **ritmo cardiaco en reserva**. Por tal motivo, muchos expertos prescriben entre 60 y

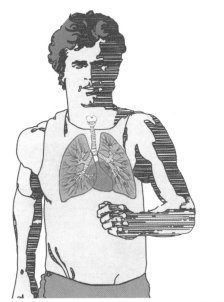

La resistencia cardiorrespiratoria es la habilidad del corazón, los pulmones y los vasos sanguíneos de llevar cantidades adecuadas de oxígeno a las células a fin de satisfacer las demandas de una actividad física prolongada.

© Fitness & Wellness, Inc.

85%. La **intensidad del ejercicio** puede ser calculada con facilidad, mientras que la ejercitación puede ser revisada tomando el pulso. Para determinar la intensidad del ejercicio o la **zona de ejercitación cardiorrespiratoria**, siga los siguientes pasos:

1. Calcule su máximo ritmo cardiaco (MRC) según la siguiente fórmula:

$$MRC = 220 \text{ menos la edad } (220 - \text{edad})$$

2. Revise su ritmo cardiaco en estado de reposo (RCER) por cierto tiempo después de haber estado sentado con tranquilidad de 15 a 20 minutos. Puede tomar su pulso por 30 segundos y multiplicarlo por 2, o tomarlo durante 1 minuto completo. Como se explicó en el capítulo 2, puede revisar su pulso colocando dos o tres dedos en su muñeca, sobre la arteria radial, o sobre la arteria carótida de su cuello.

3. Determine el ritmo cardiaco en reserva (RCR) restando el ritmo cardiaco en estado de reposo del máximo ritmo cardiaco (RCR = MRC − RCER).

4. Calcule las intensidades de ejercitación (IE) a un 40, 50, 60 y 85%. Multiplique el ritmo cardiaco en reserva por los porcentajes respectivos de 40, 50, 60 y 85, y después sume el ritmo cardiaco en estado de reposo a cada uno de estos cuatro valores (por ejemplo, 85% IE = RCR × 0.85 + RCER).

Ejemplo. Las intensidades de 40, 50, 60 y 85% para un joven de 20 años con un ritmo cardiaco en reserva de 68 latidos por minuto (lpm) serían:

MRC: 220 − 20 = 200 lpm

RCER: = 68 lpm
RCR: 200 − 68 = 132 latidos
40% IE = (132 × 0.40) + 68 = 121 lpm
50% IE = (132 × 0.50) + 68 = 134 lpm
60% IE = (132 × 0.60) + 68 = 147 lpm
85% IE = (132 × 0.85) + 68 = 180 lpm
Zona de ejercitación de intensidad cardiorrespiratoria baja: 121 a 134 lpm
Zona de ejercitación de intensidad cardiorrespiratoria moderada: 134 a 147 lpm
Zona de ejercitación de intensidad cardiorrespiratoria alta (óptima): 147 a 180 lpm

Cuando hace ejercicio para mejorar el sistema cardiorrespiratorio debe mantener el ritmo cardiaco entre las intensidades de ejercitación de 60 y 85% a fin de obtener un desarrollo adecuado. Si ha estado físicamente inactivo, debe ejercitarse alrededor de 40 a 50 % de la intensidad durante las primeras 6 u 8 semanas del programa. Después de este tiempo, debe ejercitarse alrededor de 60 y 85% de la intensidad de ejercitación.

Para determinar la intensidad de ejercitación de su propio programa, necesita considerar sus propias metas para tener una mejor condición física. Los individuos que se ejercitan alrededor de 50% de la intensidad de ejercitación obtienen beneficios significativos en su salud, sobre todo, un mejor perfil metabólico (ver el tema Estándar de condición saludable y la figura 2.1 de la página 24 en el capítulo 2). Sin embargo, ejercitarse a este porcentaje más bajo lo podría situar únicamente en las categorías de condición física "promedio" o moderada (ver la tabla 2.2 de la página 28). Ejercitarse a una intensidad más baja reduce el riesgo de muerte por padecimientos cardiovasculares (condición saludable), pero no le permitirá acceder a una calificación de condición cardiorrespiratoria "buena" o "excelente" (el estándar de condición física). Estas calificaciones se obtienen ejercitándose a un porcentaje cercano al 85 por ciento.

Después de unas cuantas semanas de ejercitación, puede llegar a tener un ritmo cardiaco en estado de reposo considerablemente más bajo (de 10 a 20 latidos menos de 8 a 12 semanas). Por consiguiente, debe calcular su zona de ejercitación cardiorrespiratoria de manera periódica utilizando la forma provista en la actividad 3.2, página 73. Una vez que haya logrado un nivel ideal de resistencia cardiorrespiratoria, ejercitarse en el rango de 60 al 85% le permitirá mantener su nivel de condición física.

Durante las primeras semanas del programa, debe revisar su ritmo cardiaco de manera regular para asegurarse de que se está ejercitando en la zona adecuada. Espere hasta que hayan transcurrido 5 minutos de que inició la sesión de ejercicios para revisar su ritmo cardiaco. Cuando lo haya hecho, cuente su pulso durante 10 segundos y después multiplíquelo por seis para obtener el pulso por minuto del ritmo cardiaco. Éste permanecerá en el mismo nivel por cerca de 15 segundos después del ejercicio. Después de 15 segundos, su ritmo bajará con rapidez. No trate de detenerse durante su serie de ejercicios para revisar su pulso. Si el ritmo cardiaco está muy bajo, incremente la intensidad del ejercicio. Si está muy alto, vaya más despacio.

Para desarrollar el sistema cardiorrespiratorio no tiene que ejercitarse por arriba del rango de 85%. Desde el punto de vista de la condición física, ejercitarse por arriba de este porcentaje no le proporcionará beneficios extra y, de hecho, puede resultar peligroso para algunos individuos. En el caso de las personas con poca condición física o en los adultos mayores, la ejercitación cardiorrespiratoria debe llevarse a cabo alrededor del rango de 50% para evitar problemas potenciales asociados con el ejercicio de alta intensidad.

Modo de ejercicio

El **modo de ejercicio** que desarrolla el sistema cardiorrespiratorio tiene que ser de naturaleza aeróbica. El **ejercicio aeróbico** involucra a los principales grupos de músculos del cuerpo. Conforme la cantidad de masa muscular que se ejercita se incrementa, la efectividad del ejercicio de contribuir al desarrollo cardiorrespiratorio también se incrementa.

Una vez que ha establecido su zona de ejercitación cardiorrespiratoria, cualquier actividad o combinación de actividades que hagan que su ritmo cardiaco llegue a esa zona y que se mantenga en ella mientras se ejercita le proporcionarán un desarrollo adecuado. Ejemplos de estas actividades son caminar, trotar, nadar, hacer aeróbicos acuáticos, ski a campo traviesa, escalar, ciclismo, squash, subir las escaleras, bicicleta estacionaria o la caminadora.

La actividad que elija debe basarse en su preferencia personal —lo que usted disfrute hacer más—, así como en sus limitaciones físicas. Las actividades de bajo impacto disminuyen de manera significativa el riesgo de sufrir daños físicos, pues, en el caso de los principiantes, la mayoría de éstos se relaciona con las actividades de alto impacto. En el caso de los individuos que han estado inactivos, se recomienda que realicen ejercicios generales de fortalecimiento (ver la página 57) antes de iniciar un programa de ejercicios aeróbicos. Este tipo de acondicionamiento reducirá la incidencia de daños físicos en forma significativa.

La cantidad de fuerza o flexibilidad que una persona desarrolla a través de distintas actividades varía pero, con respecto al desarrollo cardiorrespiratorio, el corazón no sabe si usted está caminando, nadando o andando en bicicleta. Todo lo que sabe es que tiene que bombear a cierto ritmo y en tanto éste se encuentre en el nivel deseado, su condición cardiorrespiratoria mejorará. Desde el punto de vista de una condición saludable, la ejercitación en el punto más bajo de la zona cardiorrespiratoria genera beneficios óptimos en la salud. Sin embargo, si el ritmo cardiaco se acerca al punto más alto de la zona de ejercitación cardiorrespiratoria, mayores serán las mejoras en cuanto al $VO_{2máx}$ (condición física alta).

Duración del ejercicio

Con respecto a la **duración del ejercicio**, la recomendación general es que la persona se ejercite entre 20 y 60 minutos por sesión. La duración se basa en la intensidad con la que la persona se ejercita. Si la ejercitación se hace alrededor del rango de 85%, son suficientes 20 minutos de ejercicio. En una intensidad de 40 a 50%, la persona debe ejercitarse por lo menos 30 minutos. Como se mencionó en el tema de la intensidad del ejercicio, las personas con poca condición física, así como los adultos mayores, deben ejercitarse a un porcentaje más bajo; por consiguiente, la actividad que realicen debe durar más tiempo.

A pesar de que la mayoría de los expertos recomiendan de 20 a 60 minutos de ejercicio aeróbico continuo por sesión, investigaciones más recientes sugieren que 30 minutos o más de actividad física de intensidad moderada pueden proporcionar beneficios sustanciales en la salud.[5] Otras investigaciones indican que tres sesiones de 10 minutos de ejercicio al día (separadas por al menos 4 horas), a un máximo ritmo cardiaco de alrededor de 70%, generan también beneficios en la salud.[6] Aunque el aumento de $VO_{2máx}$ con este programa no es tan grande (57%) como con el que se obtiene mediante una serie de ejercicios continuos de 30 minutos al día, los investigadores han concluido que el ejercicio de intensidad moderada, realizado durante 10 minutos tres veces al día, beneficia al sistema cardiorrespiratorio de manera significativa.

Los resultados de estas investigaciones son relevantes debido a que la gente a menudo arguye la falta de tiempo como principal razón para no hacer ejercicio. Muchas personas piensan que tienen que ejercitarse por al menos 20 minutos continuos a fin de obtener beneficios en su salud. Si bien se recomiendan de 20 a 60 minutos, las sesiones cortas e intermitentes de ejercicio benefician también al sistema cardiorrespiratorio.

Desde el punto de vista del control de peso, el Institute of Medicine of the National Academy of Sciences recomienda que se lleven a cabo 60 minutos de actividad física de intensidad moderada al día.[7] Esta recomendación se basa en el hecho de que la gente que mantiene un peso saludable realiza comúnmente 1 hora de actividad física diaria. Si le preocupa la falta de tiempo, entonces haga todos los días ejercicios de alta intensidad por 30

TÉRMINOS CLAVE

Intensidad del ejercicio: La cantidad de esfuerzo físico que una persona tendrá que realizar para mejorar su resistencia cardiorrespiratoria.

Zona de ejercitación cardiorrespiratoria: El rango de intensidad al que una persona deberá ejercitarse para desarrollar su sistema cardiorrespiratorio.

Modo de ejercicio: Forma de ejercicio (por ejemplo, aeróbico).

Ejercicio aeróbico: Actividad que requiere oxígeno para producir la energía necesaria para desempeñarla.

Duración del ejercicio: La cantidad de tiempo, por sesión, que se emplea para hacer ejercicio.

minutos, con lo cual puede llegar a quemar la cantidad de calorías que se queman en 60 minutos de ejercicio moderado (ver "Ejercicio de baja intensidad en comparación con los ejercicios de alta intensidad en la pérdida de peso", capítulo 6, página 130), pero sólo 15% de los adultos en Estados Unidos se ejercitan normalmente a un nivel de intensidad alto.

Las sesiones de ejercicio siempre deben estar precedidas por un **calentamiento** de 5 minutos y seguidas de una rutina de **relajación** de 5 minutos también. El calentamiento debe consistir de calistenia general, estiramiento o ejercicios de un nivel de intensidad menor que los que se pretenden llevar a cabo. La relajación presupone la disminución gradual de la intensidad del ejercicio. Detenerse de manera abrupta ocasiona que la sangre se estanque en las partes del cuerpo que se ejercitaron, con lo que se aminora el regreso de la sangre al corazón. Esto puede provocar mareos, desmayos e incluso anormalidades cardiacas.

Frecuencia del ejercicio

En general, se recomienda una **frecuencia** de tres a cinco sesiones de ejercicio de 20 a 60 minutos por semana para mejorar el $VO_{2máx}$. Los beneficios resultarán mínimos si se hace ejercicio por más de cinco días a la semana.

Para aquellos individuos que llevan a cabo un programa para perder peso, se recomiendan sesiones de 60 minutos de ejercicios de intensidad baja a moderada, los cuales se pueden realizar cinco o seis días a la semana.[8] Las sesiones de ejercicio más largas incrementan el gasto calórico, con lo cual se reduce peso más rápido (ver el capítulo 6). Las investigaciones indican también que con tan sólo tres sesiones de 20 a 30 minutos a la semana, de manera no secuenciada, se podrá mantener una buena condición cardiorrespiratoria ($VO_{2máx}$) en tanto que el ritmo cardiaco se encuentre en la zona adecuada (de 60 a 85 por ciento).

Aunque tres sesiones a la semana mantendrán la condición cardiorrespiratoria, no podemos pasar por alto el hecho de que la actividad física diaria previene las enfermedades y mejora la calidad de vida. A principios de la década de los noventa, el American College of Sports Medecine, el U.S. Centers for Disease Control and Prevention y el President's Council on Physical Fitness and Sports recomendaban que cada individuo hiciera, casi a diario, por lo menos 30 minutos de actividad física de moderada a intensa. Ejemplos de actividades físicas moderadas son caminar, empujar una carreola, andar en bicicleta, voleibol, natación, baile a un rimo rápido, barrer las hojas en otoño, lavar el automóvil, hacer las labores del hogar y la jardinería.

Esta recomendación fue respaldada por el inspector de salud pública de Estados Unidos en su reporte de 1996 sobre "Physical Activity and Health"[9] y por las "Dietary Guideliness for Americans"[10] del 2000. El reporte del inspector de salud establece que los estadounidenses pueden mejorar su salud y calidad de vida en forma substancial si incluyen actividades físicas moderadas casi, o mejor aún, todos los días de la semana. Además, estable-

Figura **3.2** *Guía de prescripción de ejercicio cardiorrespiratorio.*

Actividad:	Aeróbica (ejemplos: Caminar, trotar, andar en bicicleta, nadar, los aeróbicos, el squash, el fútbol soccer, subir las escaleras).
Intensidad:	40%/50%-85% de la reserva de ritmo cardiaco.
Duración:	20-60 minutos de actividad aeróbica continua.
Frecuencia:	Tres a cinco días a la semana.

Con base en la información sobre la cantidad y calidad de ejercicio recomendadas para el desarrollo y mantenimiento de la condición cardiorrespiratoria y muscular de los adultos sanos proporcionada por el American College of Sports Medicine, *Medical Science Sports Exercise*, 30 (1998), 975-991.

ce que nadie, incluidos los adultos mayores, es demasiado viejo para disfrutar de los beneficios que conlleva una actividad física regular.

A fin de tener una condición física y una salud mejores, es necesario llevar a cabo actividades físicas de manera regular. Según el doctor William Haskell, de la Universidad de Stanford: "Se debe considerar a la actividad física como una medicina, por lo que resulta necesario tomar una dosis de ésta a diario". Muchos de los beneficios del ejercicio y de las actividades físicas se reducen después de dos semanas de una disminución substancial de actividad física. Por lo tanto, los beneficios se pierden después de dos a ocho meses de inactividad.

En la figura 3.2 se proporciona un resumen de las guías de prescripción de ejercicio cardiorrespiratorio, según el American College of Sports Medicine. Idealmente, para conseguir los beneficios del ejercicio tanto de una condición física alta como de una condición saludable, un individuo requiere ejercitarse tres veces por semana como mínimo en la zona apropiada para mantener una condición física alta, así como de tres a cuatro veces adicionales por semana de actividades moderadas a fin de disfrutar de los beneficios de una condición física saludable. Todas las sesiones de ejercicios/actividades deben durar cerca de 30 minutos. La forma provista en la actividad 3.3, página 78, le ayudará a llevar una bitácora de sus actividades cardiorrespiratorias (aeróbicas).

Pensamiento crítico

Hace un año Kate inició un programa de ejercicios con el objetivo de perder peso y mejorar su imagen corporal. Hoy en día corre más de 6 millas (10 km) todos los días, hace escaladora y aparatos elípticos, se ejercita a diario, realiza aeróbicos con banco tres veces a la semana y juega tenis y squash dos veces a la semana también.

Evalúe el programa de Kate. ¿Qué sugiere para mejorarlo?

Resistencia y fuerza musculares

La capacidad de los músculos de ejercer fuerza aumenta o disminuye conforme las demandas que el sistema muscular debe cumplir. Si células musculares específicas son sobrecargadas más allá de su uso normal, como sucede en los programas de acondicionamiento muscular, éstas incrementan su tamaño (hipertrofia), fuerza o resistencia, o alguna combinación de estos elementos. Si las demandas disminuyen, como ocurre con el sedentarismo o con el reposo que se recomienda guardar después de un accidente o enfermedad, estas células disminuyen en tamaño (hipotrofia) y pierden fuerza.

Principio de sobrecarga

El **principio de sobrecarga** establece que, a fin de que la fuerza y resistencia mejoren, las demandas impuestas al cuerpo humano deben incrementarse en forma sistemática y progresiva durante cierto tiempo, y que la **resistencia** (el peso levantado) debe ser de una magnitud lo suficientemente significativa como para producir un desarrollo. En términos más simples, como sucede con otros órganos y sistemas del cuerpo humano, los músculos se deben sobrecargar más allá de lo acostumbrado a fin de incrementar su capacidad física.

Especificidad de la ejercitación

La fuerza muscular es la habilidad de ejercer una fuerza máxima contra la resistencia. La resistencia muscular (también conocida como resistencia muscular localizada) es la habilidad de un músculo de ejercer una fuerza submáxima de manera repetida durante cierto tiempo. Ambos componentes requieren una **especificidad de ejercitación**.

Como se tratará más adelante en este capítulo, un individuo que intenta aumentar su fuerza muscular requiere un programa que consista de unas cuantas repeticiones y que se aproxime a una resistencia máxima. A fin de aumentar la resistencia muscular, el programa de fortalecimiento consiste principalmente de varias repeticiones realizadas con una resistencia más baja. De manera similar, para aumentar la fuerza isométrica (estática) en lugar de la dinámica, un individuo debe utilizar los procedimientos de ejercitación estáticos o dinámicos correspondientes a fin de lograr los resultados adecuados.

De igual forma, si una persona intenta mejorar un movimiento o habilidad específica mediante el fortalecimiento muscular, es necesario que los ejercicios de ejercitación de la fuerza que se hayan elegido se parezcan tanto como sea posible al movimiento o habilidad que se desea mejorar.

Prescripción de ejercitación de la fuerza

Tal y como sucede con la prescripción de ejercicios cardiorrespiratorio, se requiere considerar varios factores o variables para poder mejorar la fuerza y resistencia musculares. Estos factores son: El modo, la resistencia, las series de repeticiones y la frecuencia del ejercicio.

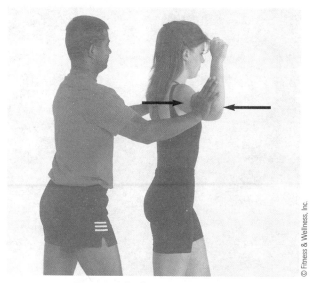

© Fitness & Wellness, Inc.

Ejercicio de fuerza isométrica.

Modo de ejercitación

Se utilizan dos métodos básicos de ejercitación para mejorar la fuerza: Isométrico y dinámico. El **ejercicio isométrico** consiste en empujar o jalar objetos inamovibles, mientras que el **dinámico** requiere movimiento por medio de la contracción muscular, por ejemplo, extender las rodillas con resistencia (peso) en los tobillos.

Hace varios años se utilizaba el ejercicio isométrico en forma muy regular; sin embargo, su popularidad ha decaído en los últimos años. Debido a que los beneficios en la fuerza corporal mediante el ejercicio isométrico dependen del ángulo de la contracción muscular, este tipo de ejercitación aún resulta benéfico en los deportes, como la gimnasia, que requieren contracciones estáticas regulares en las rutinas.

TÉRMINOS CLAVE

Calentamiento: Periodo que precede al ejercicio cuando este último inicia lentamente.

Relajación: Periodo al final de una sesión de ejercicio, es decir, cuando este último va disminuyendo.

Frecuencia del ejercicio: El número de veces que una persona lleva a cabo una sesión de ejercicios.

Principio de sobrecarga: Concepto de ejercicio que mantiene que las demandas que se le imponen al sistema del cuerpo deben incrementarse sistemática y progresivamente durante cierto tiempo para generar una adaptación fisiológica.

Resistencia: Cantidad de peso que se levanta.

Especificidad de la ejercitación: Principio que sostiene que, para que un músculo aumente en fuerza o resistencia, el programa de ejercicios debe ser específico para poder obtener los efectos deseados.

Ejercicio isométrico: Ejercicios de fuerza que conllevan una contracción muscular que genera poco o ningún movimiento.

Ejercicio dinámico: Ejercicios de fuerza que involucran una contracción muscular con movimiento.

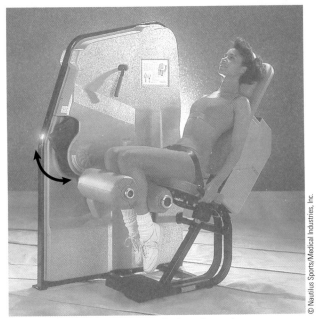

Ejercicio dinámico de fortalecimiento.

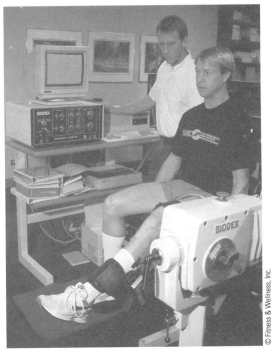

Ejercicio isokinético de fortalecimiento.

El ejercicio dinámico (antes llamado isotónico) puede realizarse sin pesas o con **pesas libres** (barra con pesas o mancuernas), aparatos de **resistencia fija**, de **resistencia variable** y equipo **isokinético**. Cuando se llevan a cabo ejercicios dinámicos sin pesas (por ejemplo, jalar y empujar), con pesas, o bien, con aparatos de resistencia fija, una resistencia constante (peso) se mueve a través del rango completo de movilidad de una articulación. La mayor resistencia que puede ser levantada iguala el peso máximo que puede moverse en el ángulo más débil de la articulación, debido a cambios en la longitud del músculo y al ángulo de levantamiento conforme la articulación se mueve a través de su rango de movilidad.

A medida que los ejercicios de fortalecimiento adquirieron mayor popularidad, se desarrollaron nuevos aparatos para realizarlos. Dicha tecnología conllevaba ejercitación tanto isokinética como de resistencia variable. Estos programas requieren aparatos especiales equipados con recursos mecánicos que proporcionen diversas cantidades de resistencia con el propósito de sobrecargar los grupos de músculos al máximo a través del rango completo de movilidad. Una característica distintiva del ejercicio isokinético es que la velocidad de la contracción muscular se mantiene constante debido a que el aparato provee resistencia que se opone a la fuerza del individuo a través del rango de movilidad. Como el equipo para la ejercitación isokinética es muy costoso, este tipo de programa está comúnmente reservado para propósitos clínicos (terapia física), laboratorios de investigación y ciertos deportes profesionales.

La ejercitación dinámica cuenta con dos fases de acción: la **resistencia positiva** o **concéntrica** y la **resistencia negativa** o **excéntrica**. En la primera fase (**concéntrica**), el músculo se hace pequeño a medida que se contrae para poder superar la resistencia. Por ejemplo, durante un ejercicio de presión, cuando la resistencia se levanta desde el pecho hasta que los brazos se extienden por completo, el músculo del tríceps del brazo se contrae y se hace pequeño para poder extender el codo. Durante la fase **excéntrica**, el músculo se alarga a medida que se contrae. En el caso de un ejercicio de presión, el mismo músculo del tríceps se contrae a fin de disminuir la resistencia durante la flexión del codo, pero se alarga debido al estirón que conlleva la resistencia.

Las contracciones excéntricas del músculo nos permiten bajar las pesas de manera gradual, suave y controlada. Sin estas contracciones, dejaríamos caer las pesas en forma abrupta. Debido a que los mismos músculos trabajan cuando levanta o baja una resistencia, debe asegurarse de ejecutar siempre ambas acciones de manera controlada pues, de no ser así, no se consiguen grandes beneficios y, por tanto, el riesgo de sufrir daños se incrementa.

El modo de ejercitación depende principalmente del tipo de equipo disponible y el objetivo específico del programa. El ejercicio dinámico constituye el modo más popular de ejercitación de la fuerza. Su principal ventaja es que se gana fuerza a través del rango completo de movilidad. La mayoría de las actividades diarias son dinámicas por naturaleza. Constantemente levantamos, empujamos o jalamos objetos, lo cual requiere fuerza a través de un rango dado de movilidad. Otra ventaja del ejercicio dinámico es que los beneficios se miden con facilidad mediante la cantidad de peso que se levanta.

Los beneficios de la ejercitación isokinética o de resistencia variable son similares a aquellos que se obtienen con otros métodos de ejercicio dinámico. En teoría, el fortalecimiento muscular resulta mejor porque se aplica una resistencia máxima a través del rango completo de movilidad. Sin embargo, no se ha probado que este tipo de ejercitación sea más efectiva que otros tipos de ejercitación dinámica. Una posible ventaja es que se puede duplicar de manera más fácil velocidades específicas en varias habilidades deportivas mediante el ejercicio isokinético, el cual, por otro lado, puede mejorar el desempeño (especificidad de la ejercitación). Una desventaja es que no todo el mundo puede acceder a este tipo de equipo.

Las barras de pesas con una viga horizontal (pesas libres) eran los aparatos de ejercicio más populares y accesibles durante la primera mitad del siglo XX. Los aparatos de fortalecimiento muscular se desarrollaron a mediados de este siglo, pero no se volvieron populares sino hasta la década de los setenta. Con el advenimiento de estos aparatos, así como con sus subsecuentes avances, se desató un debate sobre cuál de las dos modalidades de ejercicio era mejor.

Las pesas libres requieren que el individuo equilibre la resistencia a través del movimiento completo de levantamiento. De esta manera, se puede concluir que estas pesas constituyen la mejor modalidad porque involucran a otros músculos estabilizadores a fin de equilibrar la resistencia conforme ésta se mueve a través de su rango de movilidad. Sin embargo, no se ha probado ninguna diferencia en cuanto al desarrollo muscular entre las dos modalidades de ejercicio. Aunque cada una de ellas tiene sus ventajas y desventajas, los músculos no saben si la fuente de resistencia es una barra, unas pesas, un aparato universal de gimnasio, un aparato Nautilus o un simple bloque de concreto. Lo que determina el nivel de desarrollo de fuerza de un individuo es la calidad del programa y el esfuerzo personal, y no el tipo de equipo utilizado.

Resistencia

La resistencia en los ejercicios de fortalecimiento es el equivalente de la intensidad en la prescripción de ejercicios cardiorrespiratorios. Ésta depende de si la persona intenta desarrollar fuerza o resistencia muscular.

Para estimular el desarrollo de la fuerza, se recomienda una resistencia de cerca de 80% de la capacidad máxima. Por ejemplo, una persona cuya repetición máxima (1 RM) en un ejercicio dado es de 150 libras (68 kg) debe trabajar con al menos 120 libras (54.5 kg) (150 × 0.80). Utilizar menos de 80% fomentará más la resistencia que la fuerza muscular. El factor del tiempo implicado de manera constante en la determinación de la 1 RM en cada levantamiento para asegurarse de trabajar por arriba de 80% es prohibitivo. Por consiguiente, una regla ampliamente aceptada por los autores y entrenadores es que los individuos deben llevar a cabo entre tres y 12 repeticiones (3 a 12 RM) para conseguir un fortalecimiento adecuado de los músculos.

Por ejemplo, si una persona se ejercita con una resistencia de 120 libras (54 kg) y no puede levantarla por más de 12 veces, el estímulo de ejercitación es el adecuado para el desarrollo de la fuerza muscular. Una vez que el individuo puede levantarla por más de 12 veces, se debe incrementar la resistencia de 5 a 10 libras (4.5 kg), por lo que, de nueva cuenta, el individuo debe realizar 12 repeticiones. Ejercitarse con más de 12 repeticiones permite, principalmente, el desarrollo de la resistencia muscular. Por ejemplo, un individuo que se ejercita con 20 repeticiones máximas o con número de repeticiones cercano a éste, logrará incrementar su resistencia muscular en los grupos de músculos que trabajan durante el ejercicio.

Las investigaciones sobre la fuerza indican que si un individuo se ejercita a 1 RM, mayores serán los resultados. Una desventaja de trabajar de manera constante a 1 RM o a un número cercano a éste es que se incrementan los riesgos de sufrir daños. Los atletas altamente entrenados que intentan obtener un desarrollo máximo de fuerza llevan a cabo de 1 a 6 RM. Al parecer, ejercitarse alrededor de las 10 RM genera los mejores resultados en cuanto a la **hipertrofia muscular**.

Los entrenadores suelen trabajar con niveles moderados de resistencia (60 a 85% de la 1 RM) y realizar de ocho a 20 repeticiones hasta llegar casi a fatigarse. Un objetivo principal del levantamiento de pesas es aumentar el tamaño de los músculos. La resistencia moderada hace que el flujo sanguíneo llegue a los músculos, que aumente el volumen muscular y que los músculos se vean más grandes de lo que son cuando están en reposo.

En cuanto a la condición saludable, se recomiendan de 6 a 12 RM. Vivimos en un mundo "dinámico" en el que se requieren tanto la fuerza como la resistencia mus-

◤ TÉRMINOS CLAVE ◥

Pesas libres: Barras y pesas.

Resistencia fija: Ejercicio con equipo de fortalecimiento muscular que proporciona una cantidad constante de resistencia a través del rango de movilidad.

Resistencia variable: Ejercicio que utiliza un equipo especial con recursos mecánicos que proporcionan diferentes cantidades de resistencia a través del rango de movilidad.

Isokinético: Fortalecimiento muscular en el que el equipo acomoda la resistencia para que ésta corresponda a la fuerza del individuo. Asimismo, mantiene la velocidad de manera constante a través del rango completo de movilidad.

Resistencia positiva: La fase concéntrica, de levantamiento o empuje, de una repetición durante la realización de ejercicios de fortalecimiento muscular.

Resistencia negativa: La fase excéntrica de una repetición durante la realización de ejercicios de fortalecimiento muscular.

Concéntrico: Acortamiento del músculo durante la contracción muscular.

Excéntrico: Alargamiento del músculo durante la contracción muscular.

Hipertrofia muscular: Incremento de la masa y tamaño muscular.

culares para tener una existencia placentera. Por lo tanto, tal parece que ejercitarse cerca de las 10 RM mejora el desempeño en general. En el caso de los adultos mayores o más débiles (50 a 60 años o más), de 10 a 15 repeticiones son las más apropiadas.

Se debe mencionar que una cierta resistencia (por ejemplo, 50 libras, 22.6 kg) es rara vez la misma en dos aparatos distintos, o bien, entre pesas distintas. La industria no tiene un procedimiento de calibración estándar para los equipos de fortalecimiento muscular. En consecuencia, si levanta cierto peso mediante pesas libres o en cierto aparato, es posible que sea o no capaz de levantar la misma cantidad de peso en un equipo distinto.

Serie de repeticiones

El fortalecimiento muscular se realiza con base en la **serie de repeticiones**. Por ejemplo, un individuo que levanta 120 libras (54.4 kg) ocho veces lleva a cabo un conjunto de ocho repeticiones (1/8/120). Cuando se realizan un máximo de ocho a 12 repeticiones se recomiendan tres series por ejercicio. Debido a las características de la fibra muscular, un individuo puede hacer sólo un número limitado de series. Conforme el número de serie se incrementa, también aumenta el grado de fatiga muscular y el tiempo de recuperación. El desarrollo muscular puede disminuir si se realizan demasiadas series de repeticiones.

En el caso de los principiantes se sugiere que en su primer año de entrenamiento realicen tres series pesadas, con el máximo número de repeticiones, precedidas por una o dos series ligeras de calentamiento en las que se emplee cerca de 50% de la 1 RM (no se requieren series de calentamiento en los ejercicios siguientes que utilicen el mismo grupo de músculos). Debido a las resistencias más bajas utilizadas en el levantamiento de pesas, se pueden llevar a cabo de cuatro a ocho series por cada ejercicio.

Para hacer que un programa sea más efectivo en cuanto al tiempo, es posible alternar dos o tres ejercicios que requieran diferentes grupos de músculos. De esta manera, la persona no tendrá que esperar de dos a tres minutos antes de proceder con una nueva serie de ejercicios diferentes. Por ejemplo, en un ejercicio de presión, la extensión de las piernas y las abdominales se pueden combinar para que la persona pase casi de manera directa de una serie a otra. Los levantadores de pesas no deben descansar por más de un minuto a fin de que puedan aumentar el efecto de volumen. Para evitar sentirse adolorido o que los músculos se engarroten, los principiantes se deben ejercitar gradualmente hasta alcanzar las tres series de repeticiones máximas. Esto se puede lograr si se realiza sólo una serie de cada ejercicio con una resistencia más ligera durante el primer día. Durante la segunda sesión, se pueden realizar dos series de cada ejercicio, la primera con una resistencia ligera y la segunda con una regular. En la tercera sesión, se pueden llevar a cabo tres series, una ligera y las otras dos más pesadas. Después de esto, una persona debe ser capaz de realizar las tres series completas en forma pesada.

Figura **3.3** *Guía de ejercicios de fortalecimiento.*

Modo:	De ocho a 10 ejercicios dinámicos de fortalecimiento que incluyan los principales grupos de músculos.
Resistencia:	Suficiente resistencia para realizar de ocho a 12 repeticiones hasta casi alcanzar el agotamiento (10 a 15 repeticiones en el caso de individuos mayores o más débiles).
Series:	Una serie como mínimo.
Frecuencia:	Al menos dos veces a la semana.

Con base en la información sobre la cantidad y calidad de ejercicio recomendadas para el desarrollo y mantenimiento de la condición cardiorrespiratoria y muscular de los adultos sanos proporcionada por el American College of Sports Medicine, *Medical Science Sports Exercise*, 30 (1998), 975-991.

Frecuencia del ejercicio

El fortalecimiento muscular se debe hacer ya sea con un trabajo total del cuerpo dos o tres veces a la semana, o con más frecuencia si se utiliza una rutina por partes (la parte superior del cuerpo un día y la parte inferior al día siguiente). Después de un trabajo máximo de fortalecimiento, los músculos deben descansar por cerca de 48 horas para permitir que se recuperen de manera adecuada. Si no se recupera por completo en dos o tres días, es muy probable entonces que la persona se esté ejercitando de más y que, por tanto, no pueda alcanzar todos los beneficios del programa. En ese caso, se recomienda la disminución del número total de series o ejercicios, o bien ambos, que se realizaron en la sesión anterior.

En la figura 3.3 se proporciona un resumen de las guías de fortalecimiento muscular para una condición saludable mejor. Un fortalecimiento significativo de los músculos requiere un mínimo de ocho semanas de ejercicio consecutivo. Después de alcanzar el nivel recomendado de fuerza, una sesión de ejercicio a la semana será suficiente para mantener el nuevo nivel de fuerza.

La frecuencia de los ejercicios de fortalecimiento para los levantadores de pesas varía de un individuo a otro. Como utilizan resistencias moderadas, resulta común la realización de rutinas diarias o que se llevan a cabo incluso dos veces al día. La frecuencia depende de la cantidad de resistencia, número de series realizadas por sesión, y de la habilidad del individuo de recuperarse de la serie anterior de ejercicios (ver la tabla 3.1). Este último factor se encuentra determinado a menudo por el nivel de acondicionamiento.

Tabla **3.1** *Guía para varios programas de ejercicios de fortalecimiento.*

PROGRAMA DE FORTALE- CIMIENTO	RESIS- TENCIA	SERIES	DESCANSO ENTRE SERIES*	FRECUENCIA (RUTINAS A LA SEMANA)**
Condición saludable	8–12 repts. máx.	3	2 min	2–3
Fuerza máxima	1–6 repts. máx.	3–6	3 min	2–3
Resistencia muscular	10–30 repts.	3–6	2 min	3–6
Desarrollo corporal	8–20 repts. cercano al máx.	3–8	hasta 1 min	4–12

* La recuperación entre series se puede disminuir si se alternan ejercicios en los que se empleen todos los grupos de músculos.

** Las sesiones semanales de ejercicio se pueden aumentar utilizando una rutina por partes, es decir, en donde se trabaje la parte inferior o la superior del cuerpo.

Ejercicios de fortalecimiento muscular

Se han desarrollado dos programas de fortalecimiento muscular, los cuales se presentan en el apéndice A, para un trabajo corporal completo. En el primero, "Ejercicios de fortalecimiento muscular sin pesas" (ejercicios del 1 al 15), se requiere sólo un mínimo de equipo: Puede realizar este programa en su propia casa, ya que su peso corporal se utiliza como la resistencia principal para la mayoría de los ejercicios. Tan sólo unos cuantos requieren la ayuda de un compañero o algunos implementos básicos que puede encontrar en su propia casa para poder tener una mayor resistencia.

Asimismo, este programa (ejercicios del 16 al 27) requiere aparatos como los que se muestran en las diversas fotografías. Algunos de estos ejercicios se pueden realizar también con pesas libres.

Guía de ejercicios de fortalecimiento muscular

A fin de diseñar su programa de fortalecimiento muscular, es necesario que tenga en cuenta los siguientes puntos:

1. Seleccione los ejercicios que involucren a todos los grupos principales de músculos: Pecho, hombros, espalda, piernas, brazos, cadera y torso.
2. Nunca levante pesas solo. Acompáñese siempre de un compañero que pueda ejercitarse con usted en caso de que necesite un observador o alguien que le ayude por si llegara a sufrir un daño. Cuando se emplean pesas libres, se recomiendan uno o dos observadores para ciertos ejercicios (ejercicios de barras, cuclillas, ejercicios de presión por encima de la cabeza).
3. Realice una rutina de calentamiento antes de levantar pesas mediante una actividad aeróbica que vaya de una intensidad ligera a una moderada (cinco a siete minutos), así como algunos ejercicios suaves de estiramiento por unos cuantos minutos.

4. Ejercite primero los grupos musculares más grandes como los que se encuentran en el pecho, espalda y piernas. Después proceda con los grupos más pequeños (brazos, abdomen, tobillos, cuello). Los ejercicios de presión con barras trabajan el pecho, los hombros y la parte superior de los brazos (tríceps), mientras que la extensión de los tríceps hace trabajar sólo la parte trasera de los brazos.
5. Ejercítese oponiendo los grupos de músculos a fin de lograr un trabajo equilibrado. Si trabaja el pecho (ejercicio de presión con barra), trabaje también la espalda (movimientos de remo). Si trabaja los bíceps (encogimiento de los brazos), trabaje también los tríceps (extensión de los tríceps).
6. Lleve a cabo todos los ejercicios de manera controlada. Evite los movimientos rápidos o repentinos y no lance el cuerpo completo al momento de levantar, pues esto podría aumentar el riesgo de daños musculares y disminuir la efectividad del ejercicio. No arquee la espalda cuando levante peso.
7. Lleve a cabo cada ejercicio a través de todo el rango posible de movilidad.
8. Respire en forma natural y no contenga la respiración mientras levanta la resistencia (peso). Inhale durante la fase excéntrica (es decir, al bajar el peso) y exhale durante la fase concéntrica (al levantar o empujar el peso hacia arriba). Practique una respiración adecuada mediante pesas ligeras cuando aprenda un nuevo ejercicio.
9. Evite mantener la respiración al momento de estirarse para levantar un peso, ya que al hacerlo se incrementa de manera significativa la presión dentro del pecho y la cavidad abdominal, lo cual hace casi imposible que la sangre en las venas regrese al corazón. Si bien resulta raro, una presión intratorácica alta y repentina puede ocasionar mareos, desfallecimientos, infartos, ataques al corazón o hernias.
10. Con base en el programa seleccionado, permita un tiempo adecuado de recuperación entre cada serie de ejercicios (ver la tabla 3.1).
11. Deje de ejercitarse si experimenta un dolor o molestia inusuales. Las cargas de tensión alta que se emplean en los ejercicios de fortalecimiento pueden exacerbar los daños potenciales. Las molestias o el dolor son señales de que debe parar de ejercitarse y determinar qué es lo que no está bien. Asegúrese de evaluar su condición de manera apropiada antes de continuar ejercitándose.
12. Estírese por unos cuantos minutos al finalizar cada sesión de fortalecimiento para ayudar a que los músculos regresen a la longitud que tenían en el estado de reposo y para disminuir el estado dolorido y el riesgo de daños.

Fortalecimiento de la parte central del cuerpo

El tronco (columna vertebral) y la pelvis se conocen como la parte central del cuerpo. Los músculos de estas partes

TÉRMINO CLAVE

Serie: Número de repeticiones que se llevan a cabo en un ejercicio determinado.

del cuerpo incluyen los músculos abdominales (los oblicuos recto, transverso, interno y externo), los músculos de la cadera (delantera y trasera) y los músculos de la columna vertebral (los músculos de la espalda alta y baja). Estos grupos de músculos son responsables de mantener la estabilidad de la columna vertebral y la pelvis.

Muchos de los principales grupos musculares de las piernas, los hombros y los brazos están ligados a la parte central. Si ésta es fuerte, la persona podrá realizar las actividades de la vida diaria con mayor soltura, mejorar su desempeño deportivo a través de una transferencia de energía más efectiva de las partes grandes a las partes pequeñas del cuerpo, y disminuir la incidencia de dolor de espalda baja.

Hace poco que el interés por los programas de fortalecimiento de la parte central del cuerpo se ha ido incrementando. Un objetivo principal de este tipo de fortalecimiento es ejercitar los músculos abdominales y de la espalda baja de manera simultánea. Asimismo, el tiempo de ejercitación de los músculos de la espalda baja debe ser igual al de los músculos abdominales. Además del aumento de la estabilidad, el fortalecimiento de la parte central mejora el equilibrio dinámico, el cual se requiere a menudo durante la actividad física y los deportes.

Los ejercicios de fortalecimiento de la parte central incluyen las abdominales, subir y bajar la pelvis, sostener el cuerpo con un brazo, las posiciones tendida y supina, la presión con las piernas, el uso de la barra, sentarse e inclinarse hacia atrás, y la extensión de la espalda (ejercicios 4, 11, 12, 13, 14, 15, 19, 21, 25 y 27 del apéndice A) y movimientos pélvicos en el sentido del reloj (ejercicio 50 del apéndice C, página 234).

Cuando se fortalece la parte central del cuerpo en los programas de acondicionamiento atlético, los atletas tratan de emular las habilidades dinámicas características de su deporte. Para poder hacerlo utilizan equipo especial como tablas de equilibrio, pelotas para estabilizarse y cojines de espuma. El uso de este equipo les permite a los atletas ejercitar la parte central de cuerpo mientras buscan el equilibrio y la estabilidad de una manera deportiva específica.[11]

► Diseño de su propio programa de fortalecimiento

Las guía de pre-ejercicio en el cuestionario de "Aprobación para la realización de ejercicio" (ver la actividad 1.2, página 21) también aplican para los ejercicios de fortalecimiento. Si le preocupa su estado de salud actual para realizar ejercicios de fortalecimiento de manera segura, consulte a un médico antes de iniciar. Este tipo de ejercicios no se recomienda a personas con enfermedades cardiacas.

Dependiendo de las facilidades de las que disponga, elija uno de los dos programas de ejercicio que se proporcionan en el apéndice A. La resistencia y el número de repeticiones que realice deben estar en función de lo que desee realizar, es decir, aumentar la fuerza muscular o la resistencia muscular. Realice hasta 12 RM para adquirir fuerza o más de 12 para la resistencia muscular. Como se señaló, tres sesiones por semana de manera no consecutiva resultan ideales para un desarrollo adecuado. Debido a que se requieren tanto la fuerza como la resistencia en las actividades diarias, se recomiendan tres series de alrededor de 12 RM para cada ejercicio. Al hacerlo, adquirirá una buena fuerza muscular y estará cerca del umbral de resistencia.

Tal vez los únicos ejercicios que requieren más de 12 repeticiones son los del grupo abdominal. Los músculos **abdominales** son considerados principalmente músculos de postura o antigravedad. Por consiguiente, se requiere un poco más de resistencia. En el trabajo abdominal se recomienda realizar cerca de 20 repeticiones por serie. Puede utilizar la actividad 3.2, página 73, para diseñar su programa de fortalecimiento muscular. Una vez que lo inicie, puede utilizar la forma que se proporciona en la actividad 3.3, página 77, para mantener un registro de su programa.

Si le preocupa el tiempo para poder llevarlo a cabo, el American College of Sports Medicine recomienda como mínimo una serie de ocho a 12 repeticiones realizadas hasta el grado de fatiga, utilizando de ocho a 10 ejercicios que involucren a los principales grupos musculares del cuerpo[12] (ver la actividad 3.2, página 74). Las sesiones de ejercitación deben realizarse dos veces a la semana (ver la figura 3.3). Esta recomendación se basa en investigaciones que han demostrado que este tipo de ejercitación genera de 70 a 80% de los progresos observados en otros programas en donde se utilizan tres series de cerca de 10 RM.

► Flexibilidad muscular

Mejorar y mantener siempre un buen rango de movilidad de las articulaciones es importante para fortalecer la salud y la calidad de vida. No obstante, los profesionales de la salud y los entrenadores en general han subestimado y descuidado la flexibilidad.

Los factores que afectan de manera significativa a la flexibilidad son el sedentarismo y la falta de actividad física. A medida que esta última disminuye, los músculos pierden elasticidad y los tendones y ligamentos se estrechan y acortan. La edad reduce también la capacidad de extensión del tejido suave, con lo que se disminuye la flexibilidad.

En general, los ejercicios de flexibilidad para mejorar el rango de movilidad de las articulaciones se llevan a cabo mediante un trabajo aeróbico. Los ejercicios de estiramiento parecen resultar más efectivos cuando la persona realiza rutinas apropiadas de calentamiento. Las temperaturas frías en los músculos disminuyen el rango de movilidad de las articulaciones. Los cambios en la temperatura de los músculos pueden llegar a aumentar o disminuir la flexibilidad hasta en 20%. Debido a los efectos de la temperatura muscular en la flexibilidad, muchas personas prefieren realizan ejercicios de estiramiento después de la fase aeróbica de su rutina de ejercicios.

► Prescripción de flexibilidad muscular

La carga y especificidad de los principios del ejercicio se aplican al desarrollo de la flexibilidad muscular. Para aumentar el rango total de movilidad de una articulación,

El desempeño de las habilidades motoras complejas se mejora mediante una buena flexibilidad.

es necesario que los músculos específicos que rodean a una articulación se estiren en forma progresiva más allá de su extensión acostumbrada. Los factores de modo, intensidad, serie de **repeticiones** y frecuencia del ejercicio se pueden aplicar también a un programa de flexibilidad.

Modo de ejercicio

Tres tipos de ejercicios de estiramiento promueven la flexibilidad:

1. Estiramiento balístico.
2. Estiramiento lento y sostenido.
3. Estiramiento de facilitación propioceptiva neuromuscular (FPN).

Aunque los tres modos son efectivos en el desarrollo de una mejor flexibilidad, cada uno tiene ciertas ventajas. Los ejercicios de **estiramiento balístico** (o **dinámico**) proporcionan la fuerza necesaria para alargar los músculos. Si bien este tipo de estiramiento ayuda a desarrollar la flexibilidad, las acciones balísticas pueden ocasionar dolores y daños musculares como resultado de pequeñas rasgaduras del tejido suave.

Se deben tomar precauciones para no estirar demasiado los ligamentos ya que éstos pueden sufrir elongación plástica (permanente). Si la fuerza de estiramiento no se controla, como sucede en los movimientos rápidos o repentinos, los ligamentos pueden llegar a estirarse demasiado con gran facilidad. Esto, a su vez, conduce a articulaciones excesivamente flojas, lo que aumenta el riesgo de daños como la dislocación y la subluxación (dislocación parcial). Sin embargo, los estiramientos balísticos lentos, suaves y controlados (en lugar de los movimientos repentinos, rápidos e irregulares) resultan más efectivos en el desarrollo de la flexibilidad; además, la mayoría de los individuos pueden llevarlos a cabo en forma segura.

El **estiramiento lento sostenido** hace que los músculos se relajen, así que se puede lograr con ello una mayor

extensión. Este tipo de estiramiento genera muy poco dolor y presenta un bajo riesgo en cuanto a lastimaduras. Los ejercicios de este tipo se utilizan con más frecuencia y se recomiendan para los programas de desarrollo de la flexibilidad.

El estiramiento de **facilitación propioceptiva neuromuscular (FPN)** se ha vuelto muy popular en los últimos años. Esta técnica, basada en el método de "contracción-relajación" requiere la asistencia de otra persona. El procedimiento es el siguiente:

1. La persona que asiste en el ejercicio proporciona una fuerza inicial al empujar lentamente en la dirección del estiramiento deseado. El estiramiento inicial no cubre el rango total de movilidad.
2. La persona que realiza el ejercicio aplica fuerza en la dirección opuesta al estiramiento, es decir, contra el asistente, quien trata de mantener el grado inicial de estiramiento tanto como le sea posible. Se realiza una contracción isométrica en ese ángulo.
3. Después de unos cuantos segundos (5-6 segundos) de contracción isométrica, los músculos que están siendo estirados deben relajarse por completo. Posteriormente, el asistente aumenta con lentitud el grado de estiramiento hasta lograr un ángulo mayor.
4. Se repite la contracción isométrica, y después los músculos se deben relajar de nuevo. El asistente puede entonces aumentar lentamente el grado de estiramiento una vez más.
5. Se repiten los pasos del 1 al 4 de dos a cinco veces hasta que la persona que realiza el ejercicio se sienta cómoda. En el último intento, debe mantenerse la posición de estiramiento final de 10 a 30 segundos.

En teoría, con la técnica del FPN, la contracción isométrica ayuda a relajar los músculos que están siendo estirados, lo cual tiene como resultado músculos más largos. Algunos profesionales del ejercicio creen que el FPN es más efectivo que el estiramiento lento y sostenido.

Otro beneficio del FPN es el aumento de fuerza en los músculos que están siendo trabajados. Se han demostrado aumentos aproximados en cuanto a la fuerza absoluta y la resistencia de los músculos después de 12 semanas de FPN. Estos aumentos se atribuyen a las contracciones isométricas que se llevan a cabo durante esta técnica. Sin embargo, las desventajas del FPN son que se experimenta

TÉRMINOS CLAVE

Repeticiones: El número de veces que se realiza un movimiento.

Estiramiento balístico (o dinámico): Ejercicios que se llevan a cabo mediante movimientos rápidos, repentinos e irregulares.

Estiramiento lento sostenido: Técnica en la que los músculos se alargan en forma gradual a través del rango completo de movilidad de una articulación y en la que la posición final se mantiene por unos cuantos segundos.

Facilitación propioceptiva neuromuscular (FPN): Técnica de estiramiento en la que los músculos se estiran de manera progresiva mediante contracciones isométricas intermitentes.

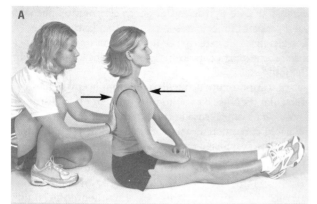

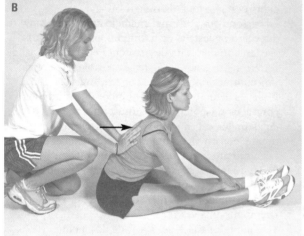

*Técnica de estiramiento de facilitación
propioceptiva neuromuscular (FPN):
(A) fase isométrica y (B) fase de estiramiento.*

un mayor dolor, es necesaria la asistencia de otra persona y se requiere más tiempo para realizar cada sesión.

Intensidad del ejercicio

En los ejercicios de flexibilidad, la **intensidad** del estiramiento debe llegar sólo al grado de una molestia regular. El dolor excesivo es señal de que la carga es demasiado alta y que, por tanto, puede generar un daño muscular. Todo tipo de estiramiento se debe realizar ligeramente por debajo del umbral del dolor. Una vez que los individuos llegan a este punto, deben tratar de relajar los músculos que están siendo trabajados lo más posible. Después de completar el estiramiento, la parte del cuerpo que se trabajó debe regresar en forma gradual al punto inicial.

El tiempo que se requiere para cada sesión de desarrollo de la flexibilidad se basa en el número de repeticiones que se realicen y en el tiempo que se mantiene cada repetición (posición final de estiramiento). La recomendación general es que cada ejercicio se realice al menos cuatro veces, manteniendo la posición final de 10 a 30 segundos cada vez. Conforme la flexibilidad aumenta, la persona puede ir aumentando de manera gradual el tiempo que mantiene cada repetición, hasta un máximo de 1 minuto. Las personas que son propensas a daños musculares deben limitar cada estiramiento a 20 segundos.

Figura **3.4** *Guía de desarrollo de la flexibilidad.*

Modo:	Estiramiento estático o dinámico (balístico lento o facilitación propioceptiva neuromuscular) a fin de incluir todas las articulaciones principales del cuerpo.
Intensidad:	Estírese hasta que sienta una molestia ligera.
Repeticiones:	Repita cada ejercicio al menos cuatro veces y mantenga la posición final de estiramiento de 10 a 30 segundos.
Frecuencia:	2-3 días a la semana.

Con base en la información sobre la cantidad y calidad de ejercicio recomendadas para el desarrollo y mantenimiento de la condición cardiorrespiratoria y muscular de los adultos sanos proporcionada por el American College of Sports Medicine, *Medical Science Sports Exercise*, 30 (1998), 975-991.

Frecuencia del ejercicio

Los ejercicios de flexibilidad se deben llevar a cabo de cinco a seis veces a la semana durante las primeras etapas del programa. Después de un mínimo de seis a ocho semanas de ejercicios de estiramiento realizados casi a diario, los niveles de flexibilidad se pueden mantener con tan sólo dos o tres sesiones a la semana y con alrededor de tres repeticiones de 10 a 15 segundos cada una. En la figura 3.4 se proporciona un resumen de las guías de desarrollo de la flexibilidad.

▶ ¿Cuándo realizar ejercicios de estiramiento?

Mucha gente no diferencia entre la fase de calentamiento y los ejercicios de estiramiento. La fase de calentamiento significa empezar una rutina con actividades como caminar, trotar o calistenia ligera; mientras que el estiramiento implica el movimiento de las articulaciones a través de su rango completo de movilidad.

Antes de realizar los ejercicios de flexibilidad, se deben calentar los músculos de manera apropiada. Al no hacerlo se incrementa el riesgo de sufrir tirones y desgarramientos musculares. Las encuestas muestran que los individuos que realizan ejercicios de estiramiento antes de una rutina sin un calentamiento adecuado tienen mayores probabilidades de sufrir daños musculares que aquellos que no realizan ejercicios de estiramiento.

Un buen momento para hacer ejercicios de flexibilidad es después de una rutina de aeróbicos. Una temperatura corporal alta ayuda en sí misma a aumentar el rango de movilidad de las articulaciones. Además, los músculos se encuentran fatigados después del ejercicio y, en ese estado, los músculos tienden a acortarse, lo que puede conllevar dolores y espasmos. Los ejercicios de estiramiento contribuyen a que los músculos fatigados reestablezcan la longitud normal que tienen en estado de reposo y previenen dolores innecesarios.

▶ Diseño de un programa de flexibilidad

Para mejorar la flexibilidad del cuerpo, cada grupo principal de músculos debe someterse a al menos un ejercicio de estiramiento. En el apéndice B se presenta una serie completa de ejercicios para desarrollar la flexibilidad muscular. Tal vez no sea capaz de mantener una posición final de estiramiento con algunos de estos ejercicios (como inclinaciones laterales de cabeza o círculos con los brazos); sin embargo, debe continuar realizando el ejercicio a través del rango completo de movilidad de la articulación. Dependiendo del número y duración de las repeticiones, una rutina completa deberá durar entre 15 y 30 minutos.

Pensamiento crítico

Considere detenidamente la relevancia de los ejercicios de estiramiento en su programa personal de acondicionamiento físico a lo largo de los años. ¿Qué tanta importancia le da a estos ejercicios?, ¿ha mejorado su condición por medio de un programa de ejercicios de estiramiento, o bien, algunos ejercicios específicos han contribuido a su salud y bienestar?

◣ Sistema de ejercicio de Pilates

En años recientes los ejercicios de **Pilates** han adquirido mucha popularidad. En un principio, el sistema de Pilates era utilizado principalmente por los bailarines; sin embargo hoy en día un gran número de deportistas, pacientes en rehabilitación, modelos, actores, e incluso atletas profesionales, están adoptando este tipo de modalidad de ejercicio. En la actualidad, los lugares de entrenamiento, los cursos en universidades y las clases de Pilates en clubes deportivos se encuentran distribuidos por todo el territorio estadounidense.

Este sistema fue desarrollado originalmente en la década de los veinte por un terapeuta físico alemán, Joseph Pilates. Los ejercicios están diseñados para ayudar a fortalecer la parte central del cuerpo mediante el desarrollo de la estabilidad pélvica y el control abdominal (junto con determinados patrones de respiración). Los ejercicios de Pilates se llevan a cabo ya sea en una colchoneta (piso) o utilizando equipo especializado para aumentar la fuerza y la flexibilidad de los músculos de la postura. El objetivo es mejorar la longitud y el tono muscular (cuerpo flexible), en lugar de aumentar el tamaño del músculo (hipertrofia). Los ejercicios se realizan en forma lenta, controlada y precisa. Si se llevan a cabo de manera apropiada, los ejercicios de Pilates requieren una concentración intensa. La ejercitación inicial con este sistema se debe realizar bajo la supervisión de instructores certificados, con experiencia en la enseñanza de éste.

Las metas del sistema de Pilates incluyen mejorar la flexibilidad, el tono muscular, la postura, el soporte de la columna vertebral, el equilibrio corporal, la salud de la espalda baja, el desempeño deportivo y la conciencia de la relación cuerpo-mente. El programa de Pilates también se utiliza para perder peso, incrementar el tejido muscular y manejar el estrés. Aunque los programas de Pilates son populares, se requiere más investigación para poder corroborar los beneficios atribuidos a este sistema.

◣ Prevenir y rehabilitar el dolor de espalda baja

Son muy pocas las personas que no sufren de dolor de espalda baja en algún momento de su vida. Alrededor de 60 a 90% de los estadounidenses llegará a sufrir alguna vez de dolor crónico de espalda.[13] Al año más de 75 millones de personas indican haber padecido este dolor.

Este padecimiento se considera crónico si persiste por más de tres meses. Cerca de 80% de las veces, el dolor de espalda se puede prevenir. Éste es originado por: (a) la inactividad física, (b) los hábitos malos de postura y mecánica corporal o (c) por el peso corporal excesivo.

Si bien la gente suele considerar el dolor de espalda como un problema del esqueleto, la curvatura, alineación y movimiento de la columna vertebral son controlados por los músculos que la rodean. La falta de actividad física constituye la razón más común del dolor crónico de espalda. Uno de los factores principales que genera este dolor es permanecer sentado por largos periodos, lo que ocasiona que los músculos de la espalda se hagan pequeños, se engarroten y se debiliten.

El deterioro y la debilitación de los músculos abdominales y de los glúteos, junto con el estado tenso de los músculos de la espalda baja (*erector spinae*), genera una mala inclinación de la pelvis (figura 3.5). Esta inclinación implica una presión extra para la columna vertebral, lo cual ocasiona dolor en la espalda. La acumulación de grasa alrededor de la sección media del cuerpo contribuye a la inclinación progresiva de la pelvis, lo que agrava más este padecimiento.

El dolor de espalda se asocia en muchos casos con una mala postura y una mecánica corporal inapropiada (las posiciones del cuerpo en todas las actividades de la vida diaria, en las que se incluyen dormir, sentarse, pararse, caminar, manejar, trabajar y hacer ejercicio). Una postura incorrecta y una inadecuada mecánica corporal, como se explica en la figura 3.6, aumentan la tensión en la espalda, así como en otros huesos, articulaciones, músculos y ligamentos.

El dolor de espalda puede reducirse de manera significativa si se incluyen algunos ejercicios específicos de estiramiento y fortalecimiento en un programa regular de acondicionamiento físico. En la mayoría de los casos, el dolor de espalda se presenta sólo con el movimiento o la actividad física. Si el dolor es severo y persiste incluso cuando se está en reposo, el primer paso es consultar a un médico. Éste podrá eliminar cualquier daño en los discos y prescribir un descanso adecuado utilizando varias almohadas bajo las rodillas para conseguir un mayor soporte en las piernas (ver la figura 3.6). Esta posición ayuda a liberar los espasmos musculares mediante el estiramiento de los músculos que se encuentran implicados. Además, un médico puede prescribir un relajante muscular o un medicamento antinflamatorio (o ambos), así como algún tipo de terapia física.

TÉRMINOS CLAVE

Intensidad (en los ejercicios de flexibilidad): Grado de estiramiento.

Pilates: Ejercicios que ayudan a fortalecer la parte central del cuerpo mediante el desarrollo de la estabilidad pélvica y el control abdominal, junto con ciertos patrones de respiración.

Figura **3.5** *Alineación pélvica incorrecta (izquierda) y correcta (derecha).*

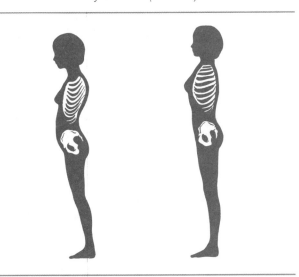

En la mayoría de los casos de dolor de espalda, incluso cuando éste es severo, la gente se siente mejor en unos cuantos días o semanas sin la necesidad de un tratamiento profesional.[14] Para aliviar los síntomas, puede utilizar panaceas y compresas frías o calientes. Asimismo, debe permanecer activo para evitar un mayor debilitamiento de los músculos. Se recomiendan también actividades de bajo impacto como caminar, nadar, aeróbicos acuáticos y el ciclismo. Una vez que el dolor ha cesado en el estado de reposo, es necesario empezar a corregir la falta de equilibrio muscular estirando los músculos en tensión y fortaleciendo los músculos débiles. Los ejercicios de estiramiento siempre se realizan primero.

Si no hay signos de enfermedad o de daños, tales como el dolor o el entumecimiento de las piernas, una hernia o fracturas, la manipulación de la columna vertebral por un quiropráctico u otro profesional de la salud puede aliviar el dolor. La Federal Agency for Health Care Policy and Research ha apoyado la manipulación de la columna como una modalidad de tratamiento para el dolor de espalda baja. Las guías sugieren que esta manipulación puede ayudar a aliviar el dolor o las molestias durante las primeras semanas en las que se presentó el periodo crítico de dolor. En general, se puede ver resultados después de 10 tratamientos. La gente que ha presentado un dolor crónico por más de seis meses debe evitar la manipulación de la columna hasta que se haya sometido a un examen médico completo.

En el apéndice C, páginas 233-234, se proporcionan diversos ejercicios para prevenir y rehabilitar el síndrome de dolor de espalda. Dichos ejercicios se pueden llevar a cabo todos los días dos veces, o más, en el caso de que la persona padezca dolor de espalda. En condiciones normales, la realización de estos ejercicios de tres a cuatro veces por semana es suficiente para prevenir el síndrome.

El estrés psicológico puede también ocasionar dolor de espalda.[15] El estrés excesivo provoca que los músculos se contraigan. En el caso de la espalda baja, la tensión frecuente de los músculos puede hacer que la espalda se desalinee y que los vasos sanguíneos que suministran oxígeno y nutrientes a la espalda se estrechen. Si padece de estrés excesivo y dolor de espalda al mismo tiempo, un manejo adecuado del estrés (ver el capítulo 7) debe formar parte de su programa de cuidado de la espalda.

▶ Ejercicios contraindicados

La mayoría de los ejercicios de fuerza y flexibilidad son relativamente seguros de realizar, pero incluso éstos pueden resultar peligrosos si no se llevan a cabo de manera adecuada. Algunos ejercicios son seguros de realizar de manera ocasional pero, cuando se ejecutan en forma repetida, pueden causar traumas y daños musculares. Si ya presenta ciertos padecimientos de los músculos o las articulaciones (daños o luxaciones anteriores), éstos pueden aumentar más el riesgo de daños al momento de realizar determinados ejercicios. Conforme desarrolle su programa, se recomienda que siga las descripciones y las guías de los ejercicios proporcionados en este libro.

No se recomiendan ciertos ejercicios debido a que éstos representan un riesgo potencialmente alto. Dichos ejercicios se llevan a cabo en talleres televisados y en algunas clases de acondicionamiento físico. Los **ejercicios contraindicados** pueden ocasionar daños debido a la tensión excesiva que se aplica sobre los músculos y las articulaciones —en particular, la columna, la espalda baja, las rodillas, el cuello y los hombros.

En el apéndice D se presentan los ejercicios contraindicados. Debajo de cada uno de ellos se presentan como alternativa ejercicios seguros, los cuales se ilustran en el apéndice A (ejercicios de fuerza), páginas 221-230, y el apéndice B (ejercicios de flexibilidad), páginas 231-233. En circunstancias aisladas, un terapeuta médico especializado podría seleccionar uno o algunos de los ejercicios contraindicados para tratar un determinado daño o discapacidad en un ambiente totalmente supervisado. A menos que un médico le indique hacerlos, es mejor que realice su selección a partir de los ejercicios seguros.

▶ Consejos para comprometerse a llevar a cabo su programa de ejercicios

Adoptar nuevos hábitos de conducta en la rutina diaria le lleva a la mayor parte de la gente meses o incluso más tiempo para poder lograrlo. Un programa de ejercicios no es la excepción. Es posible que la inclusión del ejercicio en el estilo de vida de una persona requiera restricción, es decir, una modificación de la conducta.

Figura **3.6** *Su espalda y cómo cuidar de ella.*

CÓMO PERMANECER DE PIE SIN QUE SU ESPALDA SE FATIGUE

Para prevenir la tensión y el dolor corporales en las actividades diarias, el cambio de una labor a otra antes de sentir fatiga puede proporcionar descanso. De manera que puede recostarse entre una actividad y otra y debe revisar con frecuencia la posición de su cuerpo: Suma el abdomen, enderece su espalda y doble en forma ligera las rodillas.

No de esta forma

El uso de un banco para los pies alivia la lordosis.

No de esta forma

Doble las rodillas y la cadera, no la cintura.

No de esta forma

Mantenga los objetos pesados cerca de usted.

No de esta forma

Nunca se incline hacia delante sin antes doblar las rodillas.

CÓMO POSICIONAR SU ESPALDA MIENTRAS DUERME

Para tener una posición adecuada es esencial el uso de un colchón firme. Las camas que se venden en el mercado o que se hacen en casa pueden utilizarse con colchones suaves. De preferencia deben estar hechas de triplay de 3/4 pulgadas. Una mala postura al dormir intensifica la lordosis y provoca no sólo dolor de espalda, sino también entumecimiento y hormigueo en brazos y piernas.

Incorrecto:
Dormir por completo boca arriba empeora la lordosis.

El uso de almohadas altas tensa el cuello, los brazos y los hombros.

Dormir boca abajo intensifica la lordosis, tensa el cuello y los hombros.

Doblar la cadera y rodilla no alivia la lordosis.

Correcto:
Dormir de lado con las rodillas dobladas endereza el cuello en forma efectiva. Emplee una almohada en posición recta para apoyar el cuello, en especial si los hombros son anchos.

Dormir boca arriba proporciona descanso y resulta adecuado si se apoyan las rodillas de manera apropiada.

Levante el colchón ocho pulgadas para evitar dormir sobre el abdomen.

Es recomendable una disposición adecuada de las almohadas al momento de descansar o leer en la cama.

CÓMO SENTARSE DE MANERA CORRECTA

El mejor amigo de la espalda es una silla dura y recta. Si no la puede conseguir con tales características, aprenda a sentarse en cualquier tipo de silla. <u>Corregir la postura para evitar hundirse en la silla</u>: Eche la cabeza hacia atrás, después inclínela hacia delante. Esto fortalecerá su espalda. Enseguida apriete los músculos del abdomen para levantar el pecho. Revise su postura con frecuencia.

Alivie la tensión sentándose hacia delante, enderece su espalda apretando los músculos abdominales y cruce las piernas.

Emplee un banco para descansar sus pies pues esto alivia la lordosis. El objetivo es hacer que las rodillas estén por arriba de las caderas.

Corrija su postura mientras maneja: Manténgase cerca de los pedales. Utilice el cinturón de seguridad o un respaldo firme, el cual está disponible en el mercado.

El hundimiento en el sofá mientras ve la T.V. le genera a la larga una joroba, tensa el cuello y los hombros.

Se incrementa la lordosis si la silla es demasiado alta.

Mantenga el cuello y la espalda en posición recta tanto como le sea posible. Inclínese hacia delante con las caderas.

Sentarse lejos de los pedales enfatiza la curvatura de la espalda baja.

No se recomienda una postura tensa al leer. Encoger el cuerpo tensa los músculos del cuello y de la nuca.

Diferentes cosas motivan a personas diferentes a iniciar o continuar un programa de ejercicios. Sin importar su motivo inicial, necesita ahora planear formas de hacer que su desempeño resulte divertido. El aspecto psicológico detrás de esto resulta sencillo: Si disfruta realizando una actividad, continuará llevándola a cabo.

Tal vez las primeras semanas sean las más difíciles, pero donde hay voluntad, hay una solución. Una vez que empiece a notar los cambios positivos, ya no resultará tan difícil. Muy pronto desarrollará el hábito de hacer ejercicio, lo cual le será profundamente gratificante y le brindará un sentido de logro. Las siguientes sugerencias han sido empleadas de manera exitosa para ayudar a las personas a cambiar su comportamiento e incorporar a su vida diaria un programa de ejercicios:

1. Reserve un tiempo para hacer ejercicio. Si no lo planea, es muy probable que su desempeño sea irregular. Cada semana, con tinta roja, programe su horario de ejercicios en una libreta. Considere su hora de ejercicio como "sagrada", pues ésta debe tener la misma prioridad que le daría a la escuela o a la actividad de negocios más importante. Si tiene demasiadas ocupaciones o su horario de trabajo es muy impredecible, intente acumular 30 minutos de actividad diaria mediante tres sesiones separadas de 10 minutos cada una. Lea su correo electrónico mientras camina, utilice las escaleras en lugar del elevador, saque a pasear a su perro o realice ejercicio en una bicicleta estacionaria mientras ve la T.V. Si las actividades físicas están enfocadas al manejo de su peso, se requerirá entonces una mayor planeación para asegurarse de que acumule los 60 minutos de actividad física diaria (el capítulo 6 está dedicado al manejo del peso).

2. Ejercítese a una hora temprana del día, cuando se sienta menos cansado y las posibilidades de interrumpir su rutina de ejercicios sean mínimas; de esa manera, será menos probable que rompa con sus sesiones de ejercicio.

3. Seleccione las actividades aeróbicas que más disfrute. El ejercicio debe ser igual de divertido que su pasatiempo favorito. Si elige una actividad que no disfruta, se sentirá desmotivado y sin ganas de hacer ejercicio. No tema probar una nueva actividad, incluso si ello implica aprender nuevas habilidades.

4. Combine diferentes actividades. Se puede ejercitar con dos o tres actividades diferentes durante la misma semana. Este **ejercicio cruzado** puede frenar la rutina de repetir la misma actividad todos los días. Intente deportes que pueda practicar toda la vida. Muchos deportes de resistencia como squash, básquetbol, fútbol soccer, bádminton, patinaje, ski a campo traviesa y surf, pueden representar un buen paréntesis en su rutina de ejercicios.

5. Utilice las prendas de vestir adecuadas y el equipo apropiado para hacer ejercicio. Un mal par de tenis, por ejemplo, puede hacer que usted tienda a lastimarse, lo cual lo desalentará desde un principio.

6. Hágase de un amigo o de un grupo de amigos con los que pueda ejercitarse. La interacción social hará del ejercicio una actividad más enriquecedora. Además, le resultará más difícil abandonar el ejercicio si alguien más está esperando ir con usted.

7. Establezca metas y compártalas con otros. Desertar es más difícil cuando alguien más sabe lo que usted desea alcanzar. Cuando logre una meta, recompénsese con un nuevo par de tenis o un traje deportivo.

8. Adquiera un podómetro (contador de pasos) e intente acumular 10 000 pasos al día. Estos pasos pueden combinar todas las formas de su actividad física diaria.

9. No se haga adicto al ejercicio: Aprenda a escuchar a su cuerpo. El exceso de ejercicio puede conducir a una fatiga crónica o a diversos daños. Debe disfrutar el ejercicio y en el proceso debe detenerse a oler las flores.

10. Haga ejercicio en distintos lugares o servicios públicos. Esto le añadirá variedad a su rutina.

11. Ejercítese al compás de la música. La gente que escucha música con un ritmo rápido tiende a ejercitarse en forma más vigorosa y prolongada. Sin embargo, utilizar audífonos en espacios exteriores puede resultar peligroso. No se aconseja utilizarlos incluso en espacios interiores, ya que necesita estar al tanto de lo que lo rodea.

12. Evalúese de manera periódica: Lograr una categoría de condición física más alta representa un premio en sí mismo.

13. Escuche a su cuerpo. Deje de ejercitarse si llega a sufrir dolor o una molestia inusual, ya que estos factores indican un daño potencial. Si se lastima, no continúe con la rutina sino hasta que se encuentre del todo recuperado. Puede alternar actividades a fin de no lastimarse aún más (por ejemplo, nadar en lugar de trotar).

14. Si surge un problema de salud, consulte a un médico. Si duda en hacerlo, recuerde que es mejor sentirse seguro que sentirse avergonzado.

15. Lleve un registro regular de sus actividades.

Si bien la evaluación de la condición física es importante para determinar los cambios en la capacidad física, se debe poner atención al compromiso existente con el programa. Una actividad física regular es la llave a una mejor salud y calidad de vida (ver "Estándar de condición saludable" en el capítulo 2, página 24). Las bitácoras permiten documentar de manera cuidadosa su desempeño en los programas de ejercicios, supervisar su progreso y compararlo con el de los meses o años anteriores. La actividad 3.3, páginas 77-80, contiene hojas de una bitácora a fin de que pueda supervisar su resistencia cardiorrespiratoria, fuerza muscular y los programas de flexibilidad muscular. Se recomienda de manera amplia que lleve un registro detallado de todas sus actividades. O bien, puede hacerlo mediante la bitácora del programa de software del CD ROM que acompaña a este libro.

▸ Establecimiento de metas de ejercicio

Antes de que inicie el siguiente capítulo, considere sus metas de ejercicio. En las últimas décadas nos hemos ido acostumbrando a las "soluciones rápidas", es decir, desde la comida rápida hasta el servicio de tintorería de una hora. No obstante, obtener una buena condición física no se soluciona en forma rápida, ya que requiere tiempo y dedicación; así que, únicamente aquellos que se comprometen y que son persistentes conseguirán disfrutar de los beneficios. Tal y como se describió en el capítulo 1, el establecimiento de metas reales guiará su programa. En la actividad 3.3, página 77, se ofrece una forma que le ayudará a determinar sus metas. Tómese el tiempo y, ya sea que lo haga usted mismo o con la ayuda de su instructor, llene dicha forma.

Cuando se disponga a escribirlas, base sus metas en los resultados que obtuvo en su prueba inicial de condición física (examen previo). Por ejemplo, si su categoría cardiorrespiratoria fue "mala" en esta prueba, no debe esperar entonces pasar a la categoría de "excelente" en poco menos de tres meses. Cuando sea posible, sus metas se deben poder medir. Una meta que simplemente establece "mejorar mi resistencia cardiorrespiratoria" no resulta tan mensurable como la siguiente meta, "mejorar mi condición cardiorrespiratoria a fin de alcanzar la categoría de 'buena'", o bien, "completar el trayecto de una milla y media en menos de 11 minutos".

Después de determinar cada meta, necesitará también objetivos mensurables para poder alcanzarla. Tales objetivos constituirán el plan real de acción para lograr sus metas. Un ejemplo de objetivos para cumplir con la meta de desarrollar la resistencia cardiorrespiratoria sería:

1. Trotar como modo de ejercicio.
2. Trotar a las 10 a.m. cinco veces a la semana,
3. Trotar alrededor de la campiña.
4. Trotar por 30 minutos en cada sesión.
5. Supervisar el ritmo cardiaco de manera regular durante el ejercicio.
6. Realizar la prueba de una milla y media una vez al mes.

El establecimiento de metas realistas le permitirá diseñar y orientar su programa de ejercicios.

No siempre cumplirá con sus objetivos específicos. Si es así, su meta podría estar fuera de su alcance. Reevalúe sus objetivos y realice los ajustes necesarios. Si establece metas poco realistas al principio de su programa de ejercicios, sea flexible con usted mismo y reconsidere su plan de acción, pero no lo abandone. Al reconsiderarlo no significa que haya fracasado. Esto le sucede sólo a aquellos que dejan de intentarlo, mientras que el éxito es para aquellos que son comprometidos y persistentes.

TÉRMINO CLAVE

Ejercicio cruzado: Combinar diferentes actividades aeróbicas para desarrollar o mantener la resistencia cardiorrespiratoria.

INTERACCIÓN EN LA RED

Mapa y explicación de los ejercicios de fortalecimiento muscular. Este sitio ofrece un mapa anatómico de los músculos del cuerpo. Haga clic en un músculo para acceder a los ejercicios específicamente diseñados para fortalecer dicho músculo en particular. Se acompaña además de un video y de información sobre seguridad.
http://www.global-fitness.com/strength/s_map.html

Consultor de condición deportiva. Este sitio ofrece una serie de pruebas sobre la condición física. Haga clic en las pruebas de flexibilidad para acceder a la pruebas de extensión, rotación del torso o flexibilidad de la ingle.
http://www.sport-fitness-advisor.com/fitnesstests.html

DETERMINE SU CONOCIMIENTO

Evalúe su conocimiento de los conceptos presentados en este capítulo mediante esta sección y practique las opciones de las series de preguntas en su Profile Plus CD-ROM.

1. La zona de ejercitación cardiorrespiratoria óptima o de intensidad alta para un individuo de 22 años con un ritmo cardiaco en estado de reposo de 68 lpm es
   a. de 120 a 148.
   b. de 132 a 156.
   c. de 138 a 164.
   d. de 146 a 179.
   e. de 154 a 188.

2. ¿Cuál de las siguientes actividades no contribuye al desarrollo de la resistencia cardiorrespiratoria?
   a. aeróbicos de bajo impacto.
   b. trotar.
   c. una carrera de 400 yardas.
   d. el squash.
   e. todas las actividades mencionadas contribuyen a su desarrollo.

3. La duración de cada sesión de ejercicios cardiorrespiratorios es
   a. de 10 a 20 minutos.
   b. de 15 a 30 minutos.
   c. de 20 a 60 minutos.
   d. de 45 a 70 minutos.
   e. de 60 a 120 minutos.

4. Durante una contracción muscular excéntrica,
   a. el músculo se hace pequeño conforme supera la resistencia.
   b. hay poco o ningún movimiento durante la contracción.
   c. una articulación se tiene que mover a través del rango de movilidad.
   d. el músculo se estira conforme se contrae.
   e. la velocidad se mantiene constante a lo largo del rango de movilidad.

5. El concepto de ejercicio que establece que las demandas impuestas a un sistema se deben incrementar de manera sistemática y progresiva durante un periodo para generar una adaptación psicológica se le conoce como
   a. el principio de sobrecarga.
   b. ejercicios de resistencia positiva.
   c. especificidad del ejercicio.
   d. ejercicios de resistencia variable.
   e. resistencia progresiva.

6. Con respecto a la condición saludable, durante los ejercicios de fortalecimiento cada serie debe llevarse a cabo entre
   a. 1 y 6 repeticiones máximo.
   b. 4 y 10 repeticiones máximo.
   c. 8 y 12 repeticiones máximo.
   d. 8 y 20 repeticiones máximo.
   e. 10 y 30 repeticiones máximo.

7. ¿Cuál de los siguientes no es un modo de estiramiento?
   a. elongación elástica.
   b. facilitación propioceptiva neuromuscular.
   c. estiramiento balístico.
   d. estiramiento lento y sostenido.
   e. todos son modos de estiramiento.

8. Cuando realiza este tipo de ejercicios, el grado de estiramiento debe
   a. realizarse a través del arco completo de movimiento.
   b. estar cerca de 80% de la capacidad.
   c. llevarse a cabo hasta sentir una ligera molestia.
   d. aplicarse hasta que el músculo o músculos empiecen a temblar.
   e. incrementarse de manera progresiva hasta lograr el estiramiento deseado.

9. El dolor de espalda baja se asocia con
   a. la inactividad física.
   b. una mala postura.
   c. exceso de peso corporal.
   d. una mecánica inadecuada del cuerpo.
   e. todas las opciones son correctas.

10. Una meta resulta efectiva cuando
    a. se escribe.
    b. es mensurable.
    c. es específica en términos de tiempo.
    d. es supervisada.
    e. todas las opciones son correctas.

Las respuestas correctas están en la página 255.

Disposición para el ejercicio

Nombre _____   Fecha _____

Curso _____   Sección _____

Lista de las ventajas de iniciar un programa de ejercicios.

1. _____

2. _____

3. _____

4. _____

5. _____

6. _____

7. _____

8. _____

9. _____

10. _____

Lista de las desventajas de iniciar un programa de ejercicios.

1. _____

2. _____

3. _____

4. _____

5. _____

6. _____

7. _____

8. _____

9. _____

10. _____

Cuestionario sobre la disposición para hacer ejercicio

Instrucciones

Lea con detenimiento cada enunciado y marque el número que mejor describe su opinión sobre cada uno. Por favor, sea completamente honesto en sus respuestas.

	Completamente de acuerdo	Más o menos de acuerdo	Más o menos en desacuerdo	Completamente en desacuerdo
1. Puedo caminar, andar en bicicleta (o silla de ruedas), nadar o caminar en una alberca poco profunda.	4	3	2	1
2. Disfruto el ejercicio.	4	3	2	1
3. Creo que el ejercicio contribuye a disminuir tanto el riesgo de enfermedades como la muerte prematura.	4	3	2	1
4. Creo que el ejercicio contribuye a mejorar la salud.	4	3	2	1
5. Anteriormente llevé a cabo un programa de ejercicios.	4	3	2	1
6. He sabido lo que es sentirse en forma.	4	3	2	1
7. Me puedo visualizar estando en forma.	4	3	2	1
8. Contemplo la realización de un programa de ejercicios.	4	3	2	1
9. Estoy dispuesto a dejar de contemplarlo e intentar hacer ejercicio por unas semanas.	4	3	2	1
10. Estoy dispuesto a reservar tiempo al menos tres veces a la semana para hacer ejercicio.	4	3	2	1
11. Puedo encontrar un lugar donde ejercitarme (la calle, un parque, un gimnasio, un club deportivo).	4	3	2	1
12. Puedo encontrar a otras personas a las que les gustaría ejercitarse conmigo.	4	3	2	1
13. Haré ejercicio cuando esté de mal humor, fatigado, e incluso cuando haya mal clima.	4	3	2	1
14. Estoy dispuesto a gastar una pequeña cantidad de dinero para adquirir prendas deportivas (tenis, shorts, leotardos o traje de baño).	4	3	2	1
15. Si tengo dudas acerca de mi estado actual de salud, consultaré a un médico antes de iniciar un programa de ejercicios.	4	3	2	1
16. El ejercicio me hará sentir mejor y mejorará mi calidad de vida.	4	3	2	1

Calificación de su prueba:

Este cuestionario le permite examinar su disposición para hacer ejercicio. Se le ha evaluado en cuatro categorías: Dominio (autocontrol), actitud, salud y compromiso. El dominio indica que usted puede estar en control de su programa de ejercicios. La actitud examina su disposición mental hacia el ejercicio. La salud proporciona evidencia de los beneficios del ejercicio en el bienestar. El compromiso muestra la dedicación y la resolución para llevar a cabo el programa. Escriba el número que marcó después de cada enunciado en los espacios correspondientes que se proporcionan abajo. Sume los resultados de cada línea para obtener su resultado total. Los resultados pueden variar de 4 a 16. Un resultado de 12 o arriba de éste constituye un fuerte indicador de que dicho factor es muy importante para usted, mientras que uno de 8 o menor a éste indica lo contrario. Si obtuvo 12 o más puntos en cada categoría, las probabilidades de que inicie y se incorpore a un programa de ejercicios son buenas. Si no obtiene al menos 12 puntos en tres categorías, sus probabilidades serán pocas. En ese caso, necesitará informarse mejor sobre los beneficios del ejercicio y es posible que requiera, además, un proceso de modificación de la conducta.

Dominio: 1. _____ + 5. _____ + 6. _____ + 9. _____ = _____

Actitud: 2. _____ + 7. _____ + 8. _____ + 13. _____ = _____

Salud: 3. _____ + 4. _____ + 15. _____ + 16. _____ = _____

Compromiso: 10. _____ + 11. _____ + 12. _____ + 14. _____ = _____

Formas de prescripción de ejercicio

Nombre _____   Fecha _____

Curso _____   Sección _____

I. Prescripción de ejercicio cardiorrespiratorio

Intensidad del ejercicio

1. Calcule su máximo ritmo cardiaco (MRC)

   MRC = 220 menos la edad (220 − edad)

   MRC = [_____] − [_____] = [_____] lpm

2. Ritmo cardiaco en estado de reposo (RCER) = [_____] lpm

3. Ritmo cardiaco en reserva (RCR) = MRC − RCER

   RCR = [_____] − [_____] = [_____] latidos

4. Intensidad de ejercitación (IE) = RCR × % IE + RCER

   40% IE = [_____] × 0.40 + [_____] = [_____] lpm

   50% IE = [_____] × 0.50 + [_____] = [_____] lpm

   60% IE = [_____] × 0.60 + [_____] = [_____] lpm

   85% IE = [_____] × 0.85 + [_____] = [_____] lpm

5. Zona de ejercitación cardiorrespiratoria. La zona de ejercitación cardiorrespiratoria se encuentra entre el 60 y 85% de las intensidades de ejercitación. Sin embargo, los adultos mayores, los individuos que han estado físicamente inactivos o que se encuentran ubicados en las categorías de condición cardiorrespiratoria mala o regular, deben seguir una intensidad de ejercitación de 40 a 50% durante las primeras semanas del programa de ejercicios.

   Zona de ejercitación de intensidad cardiorrespiratoria baja: [_____] (40% IE) a [_____] (50% IE)

   Zona de ejercitación de intensidad cardiorrespiratoria moderada: [_____] (50% IE) a [_____] (60% IE)

   Zona de ejercitación de intensidad cardiorrespiratoria alta: [_____] (60% IE) a [_____] (85% IE)

Modo de ejercicio: Enliste alguna actividad o combinación de actividades aeróbicas que utilizará en su programa de ejercitación cardiorrespiratoria:

_____

Duración del ejercicio: Indique la duración de sus sesiones de ejercicio: _____ minutos

Frecuencia del ejercicio: Indique los días que hará ejercicio: _____

Firma del alumno: _____   Fecha: _____

II. Prescripción de ejercicios de fortalecimiento

Diseñe su propio programa de ejercicios de fortalecimiento utilizando un mínimo de ocho ejercicios. Indique el número de series, repeticiones y resistencia aproximada que utilizará. Además, establezca los días de la semana, el tiempo y la facilidades que emplearán en dicho programa.

Días de fortalecimiento muscular: L ☐   M ☐   M ☐   J ☐   V ☐   S ☐   D ☐

Hora del día: ☐   Facilidad: ☐

Ejercicio	**Series / Repts. / Resistencia**
1.	
2.	
3.	
4.	
5.	
6.	
7.	
8.	
9.	
10.	
11.	
12.	
13.	
14.	
15.	
16.	

Formas de prescripción de ejercicio
(continuación)

Nombre	Fecha
Curso	Sección

III. Prescripción de flexibilidad muscular

Realice todos los ejercicios de flexibilidad recomendados que se proporcionan en las páginas 231-234. Utilice una combinación de las técnicas de facilitación propioceptiva neuromuscular y estiramiento lento y sostenido. Indique la técnica o técnicas empleadas para cada ejercicio y, en los casos donde sea necesario, el número de repeticiones realizadas, así como el tiempo durante el cual se mantuvo el grado final de estiramiento.

Horario de estiramiento (indique días, tiempo y lugar donde llevará a cabo los ejercicios):

Días de la ejercitación de la flexibilidad: L ☐   M ☐   M ☐   J ☐   V ☐   S ☐   D ☐

Hora del día: ☐   Lugar: ☐

Ejercicios de estiramiento

Ejercicios	Técnica de estiramiento	Repeticiones	Duración del estiramiento final
Inclinación lateral de cabeza			NA*
Círculos con los brazos			NA
Estiramiento a los lados			
Rotación del cuerpo			
Estiramiento del pecho			
Hiperextensión de los hombros			
Rotación de los hombros			NA
Estiramiento de los cuadríceps			
Estiramiento del talón de Aquiles			
Estiramiento de los aductores			
Estiramiento de los aductores en posición sentada			
Estiramiento hasta tocar las puntas de los pies			
Estiramiento de los tríceps			

*No aplica

IV. Programa de acondicionamiento de la espalda baja

Realice todos los ejercicios recomendados para la prevención y rehabilitación del dolor de espalda baja que se proporcionan en el apéndice C, páginas 233-234. Indique el número de repeticiones que se realizaron en cada ejercicio.

Ejercicio	Repeticiones
Estiramiento de los flexores de la cadera	
Estiramiento de rodilla en dirección al pecho	
Estiramiento de ambas rodillas en dirección al pecho	
Estiramiento de inclinación hacia los pies	
Estiramiento hasta tocar las puntas de los pies	
Estiramiento de los glúteos	
Estiramiento de la espalda	
Rotación del torso y estiramiento de la espalda baja	
Inclinación de la pelvis	
Estiramiento en posición de gato	
Abdominales	

Mecánica corporal adecuada

Realice las siguientes acciones utilizando las recomendaciones sobre la mecánica corporal que se proporcionan en la figura 3.6 (página 67). Marque cada recuadro conforme vaya realizando cada acción:

☐ Posición parada   ☐ Posición de descanso cuando se presenta dolor o cansancio de espalda

☐ Posición sentada   ☐ Levantar un objeto

☐ Posición en la cama

Modificación de la conducta

Utilizando la figura 3.6 de la página 67 indique los cambios que necesita hacer en sus actividades diarias para mejor su postura, su mecánica corporal y prevenir el dolor de espalda baja.

_____

_____

_____

_____

_____

_____

Forma para establecer metas y bitácora de ejercicio

Nombre _____   Fecha _____

Curso _____   Sección _____

I. Instrucciones

Indique su meta general para los cuatro componentes de la condición física relacionados con la salud y escriba los objetivos específicos que empleará para cumplir estas metas en las próximas semanas.

Meta de resistencia cardiorrespiratoria: _____

Objetivos específicos:

1. _____

2. _____

3. _____

Meta de fuerza/resistencia muscular: _____

Objetivos específicos:

1. _____

2. _____

3. _____

Meta de composición corporal: _____

Objetivos específicos:

1. _____

2. _____

3. _____

Meta de composición corporal: _____

Objetivos específicos:

1. _____

2. _____

3. _____

_____   _____
Mi firma   Firma del testigo

_____   _____
Fecha   Día en que se cumplieron todas las metas

Bitácora de ejercicios

Nombre: _____ Curso: _____ Sección: _____

II. Bitácora de ejercicios aeróbicos

Fecha	Peso corporal	Ritmo cardiaco durante el ejercicio	Tipo de ejercicio	Distancia en millas	Tiempo Hrs./Min.
1					
2					
3					
4					
5					
6					
7					
8					
9					
10					
11					
12					
13					
14					
15					
16					
17					
18					
19					
20					
21					
22					
23					
24					
25					
26					
27					
28					
29					
30					
31					
			Total		

Bitácora de ejercicios
(*continuación*)

Nombre: Curso: Sección:

III. Bitácora de ejercicios de fortalecimiento

Fecha							
Ejercicio	Se/Repts/Res*	Se/Repts/Res*	Se/Repts/Res*	Se/Repts/Res*	Se/Repts/Res*	Se/Repts/Res*	Se/Repts/Res*

*Se/Repts/Res = series, repeticiones y resistencia (ejemplo 1/6/125 = 1 serie de 6 repeticiones con 125 libras)

Bitácora de ejercicios

Nombre: _____ Curso: _____ Sección: _____

IV. Bitácora de flexibilidad

Fecha	Número de ejercicios realizados	Técnica de estiramiento	Número de repeticiones	Duración del estiramiento final
1				
2				
3				
4				
5				
6				
7				
8				
9				
10				
11				
12				
13				
14				
15				
16				
17				
18				
19				
20				
21				
22				
23				
24				
25				
26				
27				
28				
29				
30				
31				

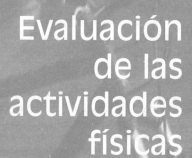

C A P Í T U L O 4

Evaluación de las actividades físicas

© Peter Griffith/ Masterfile

81

O B J E T I V O S

- Aprender los beneficios y ventajas de elegir determinadas actividades aeróbicas.
- Aprender a calificar los beneficios de las actividades aeróbicas.
- Evaluar los beneficios de las actividades relacionadas con la habilidad.
- Entender las implicaciones de una rutina aeróbica estándar.
- Aprender formas para fortalecer las rutinas aeróbicas.

Evalúe sus niveles de condición física relacionada con las habilidades mediante la actividad de su CD-ROM.

Uno de los aspectos divertidos del ejercicio es que existe una gran variedad de actividades de dónde escoger. Puede elegir una de ellas o una combinación de éstas e incorporarlas en su programa. Su elección debe basarse en la conveniencia, la disponibilidad y en su gusto personal.

◣ Actividades aeróbicas

La mayoría de las personas que hacen ejercicio eligen realizar una sola actividad, ya sea caminar, nadar o trotar. Sin embargo, ninguna actividad por sí sola desarrolla una condición física total. Muchas actividades contribuyen al desarrollo cardiorrespiratorio, pero su contribución a otros elementos de la condición física es limitado y varía de una actividad a otra. Para obtener una condición física total, las actividades aeróbicas deben complementarse con ejercicios de fuerza y flexibilidad. El **ejercicio cruzado** puede añadir diversión al programa, disminuir el riesgo de sufrir daños debido a la ejercitación con una sola actividad y romper la monotonía.

Las sesiones de ejercicio deben resultar convenientes: para disfrutar del ejercicio debe elegir un momento del día en el que no tenga prisa por hacer alguna otra actividad y, de preferencia, en un lugar cercano. A nadie le resulta agradable cruzar la ciudad para llegar al gimnasio, al club deportivo, a la alberca o a un lugar donde se pueda correr. Si estacionarse es un problema, se podía desanimar muy pronto y, por tanto, abandonar su programa. Este tipo de factores se utilizan con frecuencia como excusa para no continuar haciendo ejercicio.

▶ Caminar

La forma de ejercicio más natural, fácil, segura y económica es caminar. Por años, muchos entrenadores creyeron que caminar no era un ejercicio lo suficientemente vigoroso como para mejorar el funcionamiento cardiorrespiratorio. Una caminata rápida a una velocidad de 4 millas (6.4 km) o más por hora mejora la condición cardiorrespiratoria. En cuanto a la salud, un programa regular de ejercicios puede prolongar la vida de manera significativa (ver el tema de enfermedades cardiovasculares en el capítulo 8).

Caminar es el ejercicio aeróbico más natural. El uso de cinturones de tensión (derecha) aumenta la intensidad del ejercicio al caminar.

A pesar de que caminar lleva más tiempo que trotar, el gasto de calorías que se genera con una caminata rápida es tan sólo 10% menos que abarcar, trotando, la misma distancia.

Caminar es quizá la mejor actividad para comenzar un programa de acondicionamiento del sistema cardiorrespiratorio. Las personas inactivas deben empezar con caminatas de una milla, de cuatro a cinco veces por semana. Se puede aumentar el tiempo de manera gradual añadiendo cinco minutos cada semana. Después de tres a cuatro semanas de acondicionamiento, una persona debe ser capaz de caminar 2 millas (3.2 km) al ritmo de 4 millas por hora (6.4 km/h), cinco veces a la semana. Caminar una mayor distancia y balancear los brazos más rápido de lo normal conlleva mayores beneficios aeróbicos: Pesas ligeras en las manos, una mochila (de 4 a 6 libras o aproximadamente 2.7 kg) o cinturones de tensión que agreguen peso a la parte superior del cuerpo (brazos) contribuyen también a la intensidad de esta actividad. Debido a la carga adicional impuesta al sistema cardiorrespiratorio, no se recomiendan cargas o peso extra en el caso de personas que presentan o tienen riesgo de padecer una enfermedad cardiovascular.

Caminar en el agua a un nivel profundo constituye una forma excelente de actividad aeróbica, en particular en el caso de las personas que tienen problemas de espalda o en las piernas. Debido al vaivén del agua, los individuos que se sumergen en el agua al nivel de las axilas pesan sólo de 10 a 20% de su peso fuera del agua. La resistencia que el agua crea mientras la persona camina en la alberca contribuye a la intensidad de la actividad y proporciona una buena rutina cardiorrespiratoria.

▶ Caminar en el campo

Caminar en el campo es una excelente actividad para toda la familia, especialmente durante las vacaciones de

Una caminata por el campo de ocho horas puede quemar igual número de calorías que caminar o trotar un trayecto de 20 millas (32.1 km).

verano. Mucha gente se siente culpable si no es capaz de continuar su rutina de ejercicios durante este periodo. La intensidad de caminar en el campo, en un terreno irregular, es mayor que caminar en un terreno plano. Una caminata en el campo de ocho horas puede llegar a quemar tantas calorías como caminar o trotar en un trayecto de 20 millas (32.1 km).

Otro beneficio de caminar en el campo es el efecto relajante del hermoso paisaje. Ésta es una actividad ideal para las personas que tienen mucho estrés y que viven cerca de un bosque o una colina. Un día pesado en la oficina puede desvanecerse con rapidez ante la tranquilidad y belleza del paisaje.

▶ Trotar

Trotar es la forma más popular de ejercicio aeróbico. Junto con la caminata, es una de las formas de ejercicio más

Trotar es la forma más popular de ejercicio.

disponibles, es decir, es posible hallar con facilidad lugares donde realizar esta actividad. El único requisito para prevenir lesiones es un buen par de tenis, especiales para trotar.

La popularidad de este ejercicio en Estados Unidos empezó poco después de la publicación del libro Aerobics de 1968 del doctor Kenneth Cooper. A mediados de los 70 el libro de Jim Fixx, *Complete Book of Running*, contribuyó aún más al auge fenomenal de este ejercicio como el modo predominante en dicho país.

Trotar de tres a cinco veces a la semana es una de las formas más rápidas de mejorar la condición cardiorrespiratoria. Sin embargo, el riesgo de lesionarse, sobre todo en el caso de los principiantes, es mayor con el ejercicio de trotar que con el de caminar. Para una condición apropiada, los programas que incluyan esta actividad deben empezar con uno o dos semanas de caminata. Conforme la condición mejora, se pueden combinar las dos actividades si se aumenta la sesión de trotar de manera gradual hasta que comprenda de 20 a 30 minutos completos.

Mucha gente abusa realizando esta actividad: Corre muy rápido o a grandes distancias. Algunos piensan que si un poco es bueno, más es mejor todavía. Sin embargo, esto último no aplica a la resistencia cardiorrespiratoria. Como se indicó en el tema de "Frecuencia del ejercicio" en la página 56 del capítulo 3, el beneficio aeróbico de ejercitarse más de 30 minutos cinco veces a la semana resulta mínimo. Además, el riesgo de lesionarse aumenta en forma significativa a medida que la velocidad (correr en lugar de trotar) y la distancia aumentan también. Trotar cerca de 15 millas (24.14 km) a la semana es suficiente para alcanzar un nivel excelente de condición cardiorrespiratoria.

Es vital utilizar un buen par de tenis especiales para trotar, pues muchos problemas de rodillas, pies y piernas se originan a partir de que los tenis no son de la talla adecuada o están muy desgastados. Un buen par de tenis debe ofrecer estabilidad lateral, es decir, no inclinarse a los lados al momento de que la persona camina sobre una superficie plana. El zapato debe doblarse también en la parte del talón, no en la suela. Debe reemplazar los tenis desgastados. Después de 500 millas (804 km) de uso, los tenis pierden cerca de la tercera parte de su capacidad de absorber el impacto. Si de repente tiene problemas, revise sus tenis de inmediato pues podría ser tiempo de reemplazarlos.

Por razones de seguridad, debe alejarse de las carreteras de alta velocidad, no llevar audífonos y correr o trotar en dirección opuesta al tránsito de modo que pueda observar las luces de los automóviles. En la noche, debe vestir prendas vistosas o fluorescentes en diferentes partes del cuerpo. Portar una luz intermitente es mejor que vestir con material fluorescente porque los automovilistas pueden verla a una mayor distancia. Además, evite caminar o trotar en áreas poco conocidas: Investigue siempre qué tan seguras son.

Una forma alternativa de trotar, especialmente para las personas con ciertos padecimientos, como dolor de espalda o sobrepeso, es caminar en el agua. Esto conlleva correr y pedalear. Este ejercicio en el agua es casi tan extenuante como correr en una superficie normal, pues los movimientos se acentúan por medio de la agitación vigorosa de brazos y piernas a través de su rango completo de movilidad. Los individuos portan a menudo un chaleco salvavidas para mantener su cuerpo en la posición correcta. Muchos atletas profesionales entrenan en el agua para disminuir el deterioro en el cuerpo originado por correr a grandes distancias. Estos atletas han sido capaces de mantener un índice alto de captación máxima de oxígeno mediante programas rigurosos que incluyen correr en el agua.

➤ Aeróbicos

Se considera que los aeróbicos, antes conocidos como **baile aeróbico**, es la forma de ejercicio más común realizada por las mujeres en Estados Unidos. Las rutinas consisten de una combinación de dar pasos, caminar, trotar, saltar, golpear y de movimientos de brazos al ritmo de la música. Es una forma divertida de ejercitarse y promover el desarrollo cardiorrespiratorio al mismo tiempo.

Los aeróbicos fueron desarrollados a principios de la década de los setenta por Jacki Sorenson como un programa de ejercicios para las esposas de los integrantes de la Fuerza Aérea en Puerto Rico. Aunque primero se le consideró una moda, es una forma legítima de ejercicio, la cual es practicada por más de 20 millones de personas de todas las edades. Los aeróbicos son parte de los programas escolares, los centros deportivos y recreativos.

Los **aeróbicos de alto impacto (AAH)** constituyen la forma tradicional de este ejercicio. Los movimientos gene-

TÉRMINOS CLAVE

Ejercicio cruzado: Combinación de actividades aeróbicas que contribuyen al mejoramiento general de la condición física.

Baile aeróbico: Serie de rutinas de ejercicio que lleva a cabo con música y que hoy en día se conoce mejor bajo el nombre de aeróbicos.

Aeróbicos de alto impacto (AAH): Ejercicios que incorporan movimientos en los que ambos pies se despegan de manera momentánea del piso al mismo tiempo.

Los aeróbicos son la forma de ejercicio más popular entre las mujeres de Estados Unidos.

Aeróbicos en banco con un cinturón de resistencia en forma de cuerda para intensificar el trabajo de la parte superior del cuerpo.

ran una gran cantidad de fuerza vertical en los pies cuando éstos están en contacto con el piso. Es recomendable realizar un ejercicio adecuado con las piernas a través de otras formas de ejercicios aeróbicos para mantener el peso (como caminar a paso rápido y trotar, así como ejercicios de fortalecimiento) antes de hacer una rutina de AAH.

AAH es una actividad intensa, por lo que produce el índice más alto de daños: Espinillas lastimadas, fracturas, dolor de espalda baja y dolores en los tendones son comunes en los individuos que llevan a cabo AAH en forma vigorosa. Estos daños son originados por el impacto constante de los pies en superficies firmes. Como resultado, se han desarrollado varias formas alternas de aeróbicos.

En los **aeróbicos de bajo impacto (ABI)**, el impacto es menor porque cada pie entra en contacto con el piso de manera separada; sin embargo, la intensidad recomendada de ejercicio es más difícil de mantener que con AAH. Para ayudar a elevar el ritmo cardiaco durante el ejercicio, se deben acentuar todos los movimientos de los brazos, así como las acciones para mantener el peso que disminuyen el centro de gravedad. El movimiento sostenido a lo largo del programa es también crucial para mantener el ritmo cardiaco en la zona cardiorrespiratoria adecuada.

Una tercera modalidad de este ejercicio es los **aeróbicos en banco (AB)**, en la cual los individuos suben y bajan de un banco. La altura de éste oscila entre las 2 y 10 pulgadas (25 cm). El AB le añade otra dimensión a un programa de aeróbicos y, como se hizo notar con anterioridad, la variedad agrega diversión a las rutinas aeróbicas. Este tipo de ejercicio es considerado una actividad de alta intensidad, pero de bajo impacto. La intensidad se puede controlar fácilmente por medio de la altura del banco. Los bancos o bases se pueden apilar en forma segura a fin de ajustar su altura. Se recomienda que los principiantes utilicen la altura más baja y que después avancen en forma gradual a un banco más alto. Esto disminuirá el riesgo de lesionarse. Si bien un pie está siempre en contacto con el piso o el banco durante el ejercicio, no se recomienda que lo realicen aquellas personas con problemas en los tobillos, las rodillas o la cadera.

Otras modalidades de aeróbicos incluyen una combinación de AAH y ABI, así como también **aeróbicos de impacto moderado (AIM)**. Estos últimos incorporan el **ejercicio pliométrico**, el cual es utilizado con frecuencia por los atletas de salto (de altura, distancia y de modalidad triple) y por los atletas de deportes que requieren una habilidad rápida para saltar, como el básquetbol y la gimnasia.

Con AIM, un pie está en contacto con el piso la mayor parte del tiempo. Sin embargo, los individuos intentan recuperarse continuamente de todas las acciones de flexión de la parte inferior del cuerpo, lo cual se hace extendiendo las articulaciones de la cadera, la rodilla y el tobillo de manera rápida y sin permitir que el pie (o los pies) se despeguen del piso. Estos movimientos rápidos hacen que la intensidad de ejercicio con AIM sea muy alta.

⮞ Nadar

Nadar, otra forma excelente de ejercicio aeróbico, involucra muchos de los grupos principales de músculos. Esto proporciona un buen estímulo de ejercicio para el corazón y los pulmones. Nadar es una excelente opción de ejercicio para los individuos que no pueden trotar o caminar por largos periodos.

En comparación con otras actividades, el riesgo de lesionarse es bajo. El medio acuático ayuda a apoyar el cuerpo liberando la presión de los huesos y las articulaciones en las extremidades inferiores y en la espalda. Los índices máximos de ritmo cardiaco al nadar son alrededor de 10 a 13 latidos por minuto (lpm) más bajos que al correr. Se cree que la posición horizontal del cuerpo contribuye a distribuir el flujo sanguíneo por todo el cuerpo, con lo cual se disminuye la demanda en el sistema cardiorrespiratorio. Al parecer las temperaturas medias del agua y el contacto directo con ésta ayudan a disipar el calor corporal en forma más eficiente, con lo cual se disminuye la tensión en el cuerpo.

Algunos especialistas del ejercicio recomiendan que esta diferencia en el ritmo cardiaco máximo (de 10 a 13 lpm) se sustraiga antes de determinar las intensidades cardiorrespiratorios durante el entrenamiento. Por ejemplo, el máximo ritmo cardiaco al nadar en el caso de una

Nadar es una actividad en la que difícilmente se puede llegar a lesionar.

persona de 20 años sería de cerca de 187 lpm (220 – 20 –13). Los estudios no son concluyentes en cuanto a si esta disminución del ritmo cardiaco en el agua ocurre también en intensidades submáximas por debajo de 70% del máximo ritmo cardiaco[1]. No obstante, se podría decir que los individuos aparentemente sanos son capaces de lograr una capacidad mayor de trabajo en las actividades terrestres; de manera que, se puede emplear la misma intensidad en las actividades acuáticas. Si se utiliza una intensidad menor en estas últimas actividades, los beneficios del ejercicio podrían disminuir.

A fin de generar mejores beneficios, los nadadores deben minimizar los periodos de deslizamiento como los que se presentan con las brazadas de pecho y a los lados del cuerpo. Lograr intensidades de ejercicio adecuadas por medio de estas brazadas resulta difícil. Para mejores resultados aeróbicos se recomienda el estilo crol.

Los individuos con sobrepeso tienen que nadar lo suficientemente rápido para lograr una intensidad adecuada de ejercicio. La grasa corporal excesiva hace que el cuerpo flote más; sin embargo, a menudo la gente tiende sólo a flotar, lo cual puede ser benéfico para reducir el estrés y relajarse, pero flotar no contribuye a bajar de peso pues no aumenta en forma considerable el gasto calórico. Caminar o trotar en el agua a una profundidad a nivel de la cintura o las axilas constituye una mejor opción para los individuos con sobrepeso que no pueden caminar o trotar por un periodo largo.

Con respecto al principio de especificidad del ejercicio, los individuos deben estar conscientes de que las mejoras en el sistema cardiorrespiratorio no pueden medirse en forma adecuada mediante una prueba que implique trotar o caminar. En la natación, la musculatura de la parte superior del cuerpo realiza todo el trabajo.

Si bien la habilidad del corazón de bombear más sangre mejora de manera significativa con cualquier tipo de actividad aeróbica, el aumento principal en la habilidad de las células de emplear oxígeno (VO_2, o la captación de oxígeno) mediante la natación se presenta en la parte superior del cuerpo y no en las extremidades inferiores. Por lo tanto, las mejoras en la condición física mediante la natación se obtienen comparando los cambios en la distancia que una persona nada en un tiempo determinado, por ejemplo, 12 minutos.

Pensamiento crítico

Realizar algún deporte es un elemento que ayuda a predecir si se continuará llevando a cabo ejercicio durante toda la vida. ¿Cuál ha sido su experiencia previa con los deportes?, ¿fueron éstas positivas?, ¿qué efecto tienen éstas en sus patrones actuales de actividad física?

Aeróbicos acuáticos

Los aeróbicos acuáticos son una forma divertida y segura de ejercicio para gente de todas las edades. Además de desarrollar la condición física, proporciona una oportunidad de socializar y divertirse en un ambiente cómodo y refrescante.

Este tipo de ejercicio incorpora una combinación de acciones rítmicas de brazos y piernas realizadas en posición vertical mientras el individuo se encuentra sumergido a la profundidad antes mencionada. Los movimientos vigorosos de los muslos contra la resistencia del agua en este ejercicio proporcionan el estímulo para el desarrollo cardiorrespiratorio.

La popularidad de los aeróbicos acuáticos como una modalidad de ejercicio para desarrollar el sistema cardiorrespiratorio ha ido en aumento en los últimos años. Su creciente popularidad se puede atribuir a varios factores:

1. La flotabilidad del cuerpo reduce la carga de peso en las articulaciones y, por tanto, disminuye el riesgo de lesionarse.
2. Los aeróbicos acuáticos son una forma más viable de ejercicio para los individuos con sobrepeso y para aquellos con padecimientos artríticos que tal vez no pueden realizar actividades que implican cierta carga de peso como caminar, trotar o hacer aeróbicos.
3. Los aeróbicos acuáticos son una modalidad excelente de ejercicio para mejorar la condición funcional en los adultos mayores (ver el capítulo 9, páginas 209-211).
4. La disipación del calor en el agua es benéfica para los individuos obesos quienes, al parecer, experimentan una tensión más alta de calor que los individuos de peso promedio.
5. Tanto los individuos que saben nadar como aquellos que no saben pueden practicar aeróbicos acuáticos.

TÉRMINOS CLAVE

Aeróbicos de bajo impacto (ABI): Ejercicios en los que al menos un pie está en contacto con el piso todo el tiempo.

Aeróbicos en banco (AB): Forma de ejercicio que combina los movimientos ascendentes y descendentes de un banco con movimientos de los brazos.

Aeróbicos de impacto moderado (AIM): Los aeróbicos que incluyen ejercicio pliométrico.

Ejercicio pliométrico: Forma de ejercicio que requiere saltos fuertes o despegar inmediatamente del suelo después de ejecutar un salto previo.

Los aeróbicos acuáticos ofrecen una buena condición física, diversión y seguridad para gente de todas las edades.

Los ejercicios que se hacen en los aeróbicos acuáticos están diseñados para elevar el ritmo cardiaco, el cual contribuye al desarrollo cardiorrespiratorio. Además, el medio acuático proporciona una resistencia mayor en cuanto al mejoramiento de la fuerza con prácticamente ningún impacto. Debido a esta resistencia al movimiento, el aumento de fuerza por medio de los aeróbicos acuáticos parece ser mejor que con los aeróbicos normales. Los ejercicios en el agua ayudan también a que las articulaciones se muevan a través de su rango de movilidad, lo que promueve la flexibilidad.

Otro beneficio es que se puede reducir de peso sin el dolor y el miedo a lesionarse que experimentan muchos individuos que apenas comienzan un programa de ejercicios. Los aeróbicos acuáticos proporcionan un ambiente relativamente seguro en la realización de ejercicio sin que se sufran daños. El efecto amortiguador del agua permite a los pacientes que se encuentran recuperando de daños en las piernas o la espalda, con problemas articulares o a atletas lesionados, mujeres embarazadas y personas obesas obtener los mejores beneficios a partir de este ejercicio. En el agua, este tipo de personas pueden ejercitarse para desarrollar y mantener la resistencia cardiorrespiratoria a medida que se limita o elimina el potencial de padecer más daños.

Al igual que la natación, los índices máximos de ritmo cardiaco que se logran durante los aeróbicos acuáticos son más bajos que cuando se corre. La diferencia entre estas dos actividades es alrededor de 10 lpm.[2] Más aún, una investigación que comparaba las diferencias psicológicas entre correr a un propio ritmo y los ejercicios realizados en los aeróbicos acuáticos a un propio ritmo también mostró que, si bien los individuos trabajan a una intensidad más baja de ritmo cardiaco en el agua, el nivel de captación de oxígeno era el mismo en ambas modalidades de ejercicio (tierra *versus* agua).[3] No obstante, las personas aparentemente sanas pueden sostener las intensidades basadas en el ejercicio realizado en tierra durante una rutina de aeróbicos acuáticos y experimentar beneficios similares o mayores que los que se obtienen de los aeróbicos normales.[4]

Es posible determinar la captación de oxígeno (VO$_{2máx}$) y el ritmo cardiaco durante los aeróbicos acuáticos.

► Ciclismo

La mayor parte de la gente aprende a andar en bicicleta durante su infancia. Debido a que es una actividad que no implica soportar ningún peso, el ciclismo constituye una buena modalidad de ejercicio para las personas que padecen daños en la parte inferior del cuerpo o dolores de espalda baja. Esta actividad ayuda a desarrollar el sistema cardiorrespiratorio, así como la fuerza y resistencia musculares de las extremidades inferiores. Con la invención de las bicicletas estacionarias, es posible llevar a cabo esta actividad durante todo el año.

Aumentar el ritmo cardiaco a un nivel de intensidad apropiado resulta más difícil con el ciclismo. A medida que la cantidad de masa muscular que se trabaja durante el ejercicio aeróbico disminuye, la demanda sobre el sistema cardiorrespiratorio disminuye también. Los músculos de los muslos realizan la mayor parte del trabajo en el

El ciclismo requiere habilidad para así poder contar con seguridad y disfrutar del ejercicio.

Ejercitarse en una bicicleta estacionaria añade variedad a las rutinas aeróbicas.

ciclismo, lo cual hace que alcanzar y mantener una intensidad cardiorrespiratoria alta resulte más difícil.

Mantener un movimiento continuo de pedaleo y eliminar los periodos de descanso ayuda al individuo a alcanzar un ritmo cardiaco más rápido. Ejercitarse por periodos más largos también contribuye a compensar un ritmo cardiaco más bajo. Si comparamos el ciclismo con la actividad de trotar, para obtener beneficios aeróbicos similares se requiere tres veces la distancia al doble de la velocidad de trotar. Sin embargo, el ciclismo implica una menor tensión en los músculos y las articulaciones que trotar, lo cual hace que esta actividad sea una buena modalidad para las personas que no pueden caminar o trotar.

A fin de aumentar la eficiencia del ejercicio, se debe ajustar la altura del asiento de la bicicleta de modo que las piernas estén casi completamente extendidas al momento que los talones estén en la posición más baja del ciclo de pedaleo. El cuerpo no se debe balancear al momento de ir en marcha; así que, la cadencia es también importante para una máxima eficiencia. La tensión o los engranajes de la bicicleta se deben situar en un nivel moderado con el objetivo de poder andar de 60 a 100 revoluciones por minuto.

La habilidad es fundamental tanto en el ciclismo en carretera como en el de montaña, pues los ciclistas deben tener control de la bicicleta todo el tiempo. Deber ser capaces de utilizar la bicicleta en el tránsito, mantener el equilibrio cuando la velocidad es baja, cambiar los engranajes, aplicar el freno, observar a los peatones y a los semáforos, andar en áreas congestionadas y superar una gran variedad de obstáculos en las montañas. En contraste, la bicicleta estacionaria no requiere habilidades especiales: casi todos pueden utilizarla.

La seguridad es un tema clave en el ciclismo de carretera dado que más de un millón de accidentes relacionados con este ejercicio ocurren cada año. Por tanto, se requiere un equipo adecuado y sentido común, pues resulta más fácil utilizar una bicicleta bien diseñada y con un buen mantenimiento. Se recomienda usar sujetadores en las puntas de los pies para evitar que éstos se resbalen y para mantener una fuerza igual en los pedales tanto al subir como al bajar.

Los ciclistas deben seguir las mismas reglas que los motociclistas. Muchos accidentes ocurren debido a que los ciclistas no respetan los semáforos o las señales de tránsito. A continuación se presentan otras sugerencias:

■ Elija la bicicleta apropiada. El tamaño es importante; éste se determina subiéndose a la bicicleta y poniendo los pies en contacto con el piso. Las bicicletas regulares deben tener de 1 a 2 pulgadas (5.1 cm) de espacio libre entre la arista y el tubo superior de la estructura. En el caso de las bicicletas de montaña, el espacio libre debe ser de 3 pulgadas (7.6 cm). La altura recomendada para los manubrios es de cerca de 1 pulgada (2.5 cm) por debajo de la parte superior del asiento. Los manubrios rectos son recomendables para las personas con problemas de cuello o espalda. Los asientos estrechos y duros no suelen ser muy cómodos para las mujeres. Para evitar molestias, utilice asientos más amplios y acolchonados como los asientos rellenos de gel.

■ Utilice las señales de mano de su bicicleta para que el tránsito vehicular sepa cuáles serán sus acciones.

■ No vaya lado a lado con otro ciclista.

■ Tenga cuidado de los vehículos o automóviles que van a dar la vuelta en una calle o que van saliendo de un estacionamiento; en estas situaciones, alerte siempre a los automovilistas.

■ Esté informado del estado del tiempo, de las condiciones de la carretera, de las guardias de ganado, pues todo esto podría ocasionarle desagradables sorpresas. Las ruedas delanteras pueden quedar atrapadas y los ciclistas salir disparados si no cruzan en el ángulo adecuado (de preferencia, 90 grados).

■ Utilice un buen casco, certificado por el Snell Memorial Foundation o por el American National Standards Institute. Se han prevenido muchos accidentes graves e incluso muchas muertes mediante el uso del casco. La moda, la estética, la comodidad o el precio no deben ser factores determinantes al momento de elegir y utilizar uno. La salud y la vida son demasiado valiosas para privilegiar la vanidad y la economía.

■ Vista la ropa y el calzado adecuados. Las prendas deben ser brillantes, muy visibles, ligeras y no deben restringir el movimiento. Se recomienda la utilización de shorts especiales para ciclismo a fin de evitar la irritación de la piel. Para una mayor comodidad, los shorts deben tener un parche extra en las áreas que corresponden al asiento y a la entrepierna. Este tipo de shorts no se arruga y libera la transpiración de la piel. Asimismo, deben ser lo suficientemente largos para evitar el roce por el contacto con el asiento. Los ciclistas profesionales también usan tenis especiales provistos de una cuña que se adhiere de manera directa en el pedal.

- Cargue en su mochila prendas extras durante los meses de invierno en caso de que su bicicleta se descomponga y tenga que recorrer una distancia muy larga en busca de asistencia.
- Tenga cuidado del hielo en lugares de clima frío. Si nota que hay hielo en las ventanas de los automóviles, entonces es seguro que también habrá en la carretera. De igual forma, tenga cuidado en los puentes, ya que éstos llegan a tener hielo aun cuando los caminos están secos.
- Utilice las luces más brillantes de bicicleta cuando se disponga a salir en la noche y siempre mantenga bien cargadas las baterías. Para una mayor seguridad, lleve reflectores en el torso, los brazos y las piernas a fin de que los automovilistas noten su presencia. Transite en las calles que están bien iluminadas y que cuentan con suficiente espacio al lado de la vía principal, incluso si esto implica que deba recorrer unos minutos extras para lograr llegar a su destino.
- Lleve un teléfono celular consigo en caso de que disponga de uno. Hágale saber a alguien más el lugar al que irá y a qué hora piensa regresar.

La bicicleta estacionaria es el aparato más popular de venta en las tiendas de deportes. Sin embargo, antes de comprar una, asegúrese de probarla unos días antes. Si le agrada este ejercicio, entonces puede adquirir una. Invierta con precaución. Si decide adquirir un modelo económico, es posible que éste no cumpla con sus expectativas. Los modelos de calidad cuentan con asientos cómodos, son estables y proporcionan un movimiento de pedales suave y uniforme. Una bicicleta en la cual resulta difícil pedalear lo puede desanimar y, por tanto, es muy probable que ésta termine arrumbada en el desván.

▸ Spinning

El *spinning*^{MR} es una actividad de bajo impacto que se realiza por lo común en un cuarto o estudio provisto de luces tenues y música motivacional, bajo la dirección de un instructor calificado y con el ruido de varias bicicletas que están funcionando juntas. Esta modalidad de ejercicio adquirió una popularidad inmediata poco después de su lanzamiento a mediados de los noventa. También conocida como ciclismo en interiores o en estudio, esta modalidad fue desarrollada por el ciclista de talla mundial Johnny Goldberg. A fin de realizar sus rigurosas rutinas en espacios interiores, Goldberg transformó su bicicleta estacionaria en la primera bicicleta Spinner. Hoy en día la gente puede adquirir este tipo de bicicleta en las tiendas de deportes. Ésta incluye manubrios de carreras, pedales con sujetadores, asientos ajustables y una perilla de resistencia para el control la intensidad de la

rutina. Se recomienda el empleo de un monitor que indique el ritmo cardiaco durante el ejercicio con el objetivo de supervisar la intensidad en cada etapa de la rutina.

El programa de *spinning*, el cual ya se encuentra diseñado en la actualidad, combina cinco movimientos básicos, así como cinco etapas de rutina en el entendimiento de que las necesidades y metas de cada individuo varían. Los cinco movimientos son los siguientes:

1. Posición plana —la posición sentada básica.
2. Posición sentada con resistencia —la posición sentada básica, pero ésta requiere incrementar la resistencia de la bicicleta.
3. Correr en posición parada —pedalear en posición parada.
4. Posición parada con resistencia —pedalear en posición parada pero con un nivel alto de resistencia.
5. Saltar —despegarse del asiento ya sea mediante movimientos controlados y una velocidad constante o mediante un ritmo rápido, tal y como sucede durante un rompimiento en una carrera de ciclismo.

Estas cinco etapas, también conocidas como zonas de energía, se utilizan para estimular el ejercicio que se hace hoy en día en el ciclismo y en las competiciones. Las rutinas se dividen en ejercicios de resistencia, todo terreno, fuerza, recuperación y de nivel avanzado.

La cadencia, los movimientos de ejercicio y el ritmo cardiaco dictaminan las diferencias entre las distintas zonas. Las rutinas están planeadas de acuerdo con el nivel de condición física de cada persona y determinados porcentajes de máximo ritmo cardiaco durante cada etapa. Estas rutinas proporcionan un programa desafiante para las personas de todas las edades y tipos de condición física. El aspecto social hace del *spinning* un ejercicio muy atractivo para muchas personas.

▸ Ejercicio cruzado

Este ejercicio combina dos o más actividades y está diseñado para fortalecer la condición física, proporcionar el descanso que requieren los músculos cansados, disminuir daños musculares y eliminar la monotonía y el tedio de una sola actividad. El ejercicio cruzado puede combinar actividades aeróbicas y no aeróbicas tales como trotar a nivel moderado, ejercicios de velocidad y de fuerza.

Además, este tipo de ejercicio puede producir mejores resultados que una sola actividad. Por ejemplo, trotar desarrolla la parte inferior del cuerpo, mientras que la natación desarrolla la superior. El remo contribuye al desarrollo de la parte superior y el ciclismo fortalece las piernas. La combinación de actividades como éstas proporciona un buen acondicionamiento físico general y al mismo tiempo contribuye a mejorarlo o mantenerlo. El ejercicio cruzado ofrece también una oportunidad para desarrollar las habilidades y divertirse realizando distintas actividades.

Los ejercicios de velocidad van comúnmente acompañados del ejercicio cruzado. Un desempeño más rápido en ciertas actividades aeróbicas (correr, el ciclismo) se generan por medio de **ejercicios de intervalo** o de velocidad. La gente que desea mejorar su tiempo al correr a menudo lo

El ejercicio cruzado aumenta la condición física, disminuye el riesgo de lesionarse y elimina la monotonía de los programas basados en una sola actividad.

© Fitness & Wellness, Inc.

hace en intervalos más cortos y a una velocidad más rápida que el ritmo de carrera que va llevando. Por ejemplo, si una persona quiere correr una milla en seis minutos debe correr cuatro intervalos de 440 yardas (402 m) a una velocidad de 1 minuto y 20 segundos por intervalo. Caminar o trotar una distancia de 440 yardas puede constituir también un intervalo de recuperación entre carreras rápidas.

Los ejercicios de fortalecimientos también acompañan al ejercicio cruzado. Ayudan a tonificar los músculos, tendones y ligamentos. El mejoramiento de la fuerza intensifica el desempeño general en muchas actividades y deportes. Por ejemplo, a pesar de que los ciclistas de pista que se ejercitaron en un estudio con pesas no demostraron ningún mejoramiento en cuando a su capacidad aeróbica, el tiempo de recorrido de los ciclistas mejoró 33% cuando se ejercitaban a un 75% de su capacidad máxima.[5]

Saltar la cuerda

Saltar la cuerda contribuye a la condición cardiorrespiratoria y ayuda también a aumentar el tiempo de reacción, la coordinación, la agilidad, el equilibrio dinámico y la fuerza muscular en las extremidades inferiores. Al principio, puede ser que saltar la cuerda parezca una forma de ejercicio aeróbico muy extenuante. Los principiantes a menudo alcanzan un máximo ritmo cardiaco después de sólo dos o tres minutos de saltar. Sin embargo, a medida que la habilidad mejora, la demanda de energía disminuye de manera considerable.

Algunas personas opinan que los beneficios que se obtienen de trotar por 30 minutos se pueden obtener con 10 minutos de saltar la cuerda. Si bien se observan diferencias en cuanto al desarrollo de la fuerza y la flexibilidad en distintas actividades, saltar la cuerda por 10 minutos a un nivel determinado de ritmo cardiaco proporciona beneficios cardiorrespiratorios similares sin importar la naturaleza de la actividad. Para realizar un trabajo aeróbico adecuado, la duración del ejercicio debe ser de al menos 20 minutos.

Al igual que con los aeróbicos de alto impacto, el foco de preocupación se centra en la tensión impuesta sobre las extremidades inferiores, pues con ello se incrementa la posibilidad de sufrir daños. Los expertos en el ejercicio recomiendan que este ejercicio se utilice de manera esporádica y principalmente como complemento de un programa de ejercicios aeróbicos.

Esquí a campo traviesa

Mucha gente considera al esquí a campo traviesa como el máximo ejercicio aeróbico porque requiere movimientos vigorosos tanto de la parte superior como de la inferior del cuerpo. La gran cantidad de masa muscular que trabaja en este tipo de ejercicio hace que su intensidad sea muy alta; sin embargo, implica poca tensión en los músculos y las articulaciones. Una de las máximas captaciones de oxígeno que alguna vez se haya medido (85 ml/kg/min) fue en un esquiador profesional de campo traviesa.

Además de ser una excelente actividad aeróbica, el esquí a campo traviesa se realiza en una superficie muy suave. Esquiar a través de la belleza del campo cubierto de nieve puede resultar muy agradable. Si bien el hecho de que no haya nieve puede ser una limitante, es posible encontrar todo el año en las tiendas deportivas equipo con el que se puede simular esquiar en ella.

Se requiere cierta habilidad para dominar este ejercicio: los individuos escasamente preparados en él no son capaces de elevar su ritmo cardiaco lo suficiente como para originar un desarrollo aeróbico adecuado. Las personas que contemplan la realización de este ejercicio deben buscar asesoramiento para poder disfrutar y obtener sus beneficios en forma completa.

TÉRMINO CLAVE

Ejercicio de intervalo: Series repetidas de ejercicio (intervalos) combinadas con intervalos de descanso o baja intensidad.

El patinaje es una actividad de bajo impacto.

Patinaje

Llamado con frecuencia patinaje en cuchillas, este ejercicio se ha vuelto muy popular en años recientes. Millones de niños y adultos lo realizan. A principios de los noventa, las tiendas no se daban abasto con la demanda de patines en línea.

Este patinaje tiene su origen en el patinaje en hielo. Debido a que en tiempo de calor no era posible realizarlo, las ruedas reemplazaron a las cuchillas durante el verano. Si bien los patines de cuatro ruedas se inventaron a mediados del siglo XVII, dicha actividad no tuvo su auge sino hasta finales del siglo XVIII. Los primeros patines con cinco ruedas en línea pegadas a la suela de un zapato fueron desarrollados en 1823. El concepto de los patines en línea se afianzó en Estados Unidos en 1980 cuando los patines de hockey fueron adaptados para el patinaje en tierra.

El patinaje es una excelente actividad para desarrollar la condición cardiorrespiratoria y la fuerza de la parte inferior del cuerpo. La intensidad de esta actividad está regulada por la potencia con que se patine. La clave para un ejercicio cardiorrespiratorio efectivo es mantener un patrón rítmico constante utilizando los brazos y las piernas, y minimizar la fase de deslizamiento en la que no se imprime fuerza. Debido a que es una actividad en la que se soporta cierta carga, los patines en línea también desarrollan la fuerza de la zona superior de las piernas.

Se requiere preparación para alcanzar un nivel mínimo de dominio en este deporte. Los patinadores por lo común se topan con eventualidades: Hoyos, grietas, piedras, grava, palos, aceite, los bordes de la acera o de algunos caminos. Por consiguiente, los patinadores que apenas inician son más propensos a caídas y golpes.

Un buen equipo hará que la actividad sea más segura y agradable. El precio de los patines varía, pero no es necesario adquirir los más costosos. Unos patines adecuados deben proporcionar un apoyo fuerte en los tobillos pues las botas suaves y flexibles no lo proporcionan. Las ruedas pequeñas ofrecen mayor estabilidad y las más grandes permiten una mayor rapidez. Los patines se deben adquirir en tiendas en donde se conozca el deporte y donde le puedan proporcionar consejo según su nivel y necesidades.

La protección en el equipo es un aspecto fundamental en este ejercicio. Al igual que con el ciclismo, se requiere un buen casco que cumpla con los estándares de seguridad establecidos por el Snell Memorial Foundation o por el American National Standards Institute para protegerse en caso de una caída. Se recomienda utilizar protectores en las muñecas, las rodillas y los codos, pues estas partes del cuerpo resultan las más dañadas en las caídas.

Si piensa patinar en la noche debe utilizar prendas claras y cinta adhesiva fluorescente.

Remar

El remo es una actividad de bajo impacto que proporciona un trabajo completo del cuerpo: Pone en movimiento los grupos principales de músculos que se encuentran en los brazos, las piernas, la cadera, el abdomen, el torso y los hombros. Remar constituye una buena forma de ejercicio aeróbico y, debido a la naturaleza de esta actividad (jalar y empujar de manera constante contra una resistencia), promueve el desarrollo de la fuerza.

Para adaptar distintos niveles de condición física es posible regular la carga de trabajo físico en la mayoría de los aparatos para remar. Sin embargo, el remo en un aparato estacionario no se encuentra entre las formas más populares de hacer ejercicio. Al igual que en las bicicletas estacionarias, la gente debe probar la actividad por unas cuantas semanas antes de animarse a comprar uno de estos aparatos.

Subir escaleras

Si se lleva a cabo de manera continua por al menos 20 minutos, subir escaleras constituye una forma eficiente de ejercicio aeróbico. Precisamente debido a la intensidad de esta actividad, mucha gente prefiere utilizar las escaleras eléctricas o los elevadores. De hecho, a algunas personas les disgusta vivir en casas de dos pisos porque se ven obligadas con frecuencia a subir las escaleras.

No hay muchos lugares donde haya escaleras en las que se pueda subir de manera continua por 20 minutos, así que las escaladoras constituyen una alternativa. Éstas se han vuelto tan populares que las personas a menudo esperan en fila para utilizarlas en los gimnasios. En cuanto al riesgo de lesionarse, las escaladoras son una modalidad relativamente segura de ejercicio. Debido a que los pies nunca se despegan de la superficie al mismo tiempo, se considera a esta actividad de bajo impacto: No hay tensión en las articulaciones y los ligamentos. La intensidad del ejercicio se controla con mucha facilidad porque es posible programar a la mayoría de las escaladoras para regular la carga de trabajo físico.

Subir las escaleras proporciona una rutina aeróbica rigurosa.

Los deportes de raqueta requieren una actividad rítmica y continua para que éstos puedan proporcionar un beneficio cardiorrespiratorio.

Deportes de raqueta

En deportes de raqueta como el tenis, el frontón, el squash, el bádminton, los beneficios están determinados por la habilidad del jugador, la intensidad y duración del juego. La habilidad es necesaria para llevar a cabo estos deportes de manera efectiva y es además fundamental para mantener un juego de modo continuo. Las pausas frecuentes durante el juego no permiten mantener el ritmo cardiaco en la zona adecuada a fin de desarrollar el sistema cardiorrespiratorio.

Mucha gente realiza estos deportes para divertirse, socializar y relajarse. Para desarrollar la condición cardiorrespiratoria, la gente suele complementar estos deportes con otras formas de ejercicio aeróbico como trotar, andar en bicicleta o nadar. Si el deporte de raqueta es la forma principal de ejercicio aeróbico, los individuos deben tratar de correr rápido, en forma vigorosa y constante posible durante el juego. No se debe pasar mucho tiempo recogiendo pelotas (o gallitos en el caso del bádminton). Al igual que en los aeróbicos de bajo impacto, se deben acentuar todos los movimientos estirándose o inclinándose más de lo usual a fin de lograr un mejor desarrollo cardiorrespiratorio.

Pensamiento crítico

En su propia experiencia con programas personalizados de ejercicios, ¿qué factores considera que lo han motivado y ayudado a continuar con un determinado programa?, ¿qué factores le han impedido estar físicamente activo y qué puede hacer para cambiarlos?

Calificación de los beneficios que se obtienen a partir de las actividades aeróbicas

Los beneficios de las actividades aeróbicas que se tratan en este capítulo varían según la actividad y el individuo. Como se mencionó, los componentes de la condición física relacionados con la salud son la resistencia cardiorrespiratoria, la fuerza y resistencia musculares, la flexibilidad muscular y la composición corporal. A pesar de que resulta difícil determinar las contribuciones de las actividades aeróbicas a cada componente, en la tabla 4.1 se proporciona un resumen de los probables beneficios de dichas actividades. En lugar de una sola calificación o número, se proporcionan rangos para algunas de las categorías debido a que los beneficios que se obtienen se basan en el esfuerzo del individuo durante el desarrollo de la actividad.

La participación regular en actividades aeróbicas brinda beneficios notables en la salud, en los que se incluye un incremento en la resistencia cardiorrespiratoria, la calidad de vida y la longevidad. El grado de desarrollo cardiorrespiratorio (mejoramiento en cuanto al $VO_{2máx}$) depende de la intensidad, duración y frecuencia de la actividad. La naturaleza de esta última a menudo determina el desarrollo aeróbico potencial. Por ejemplo, trotar es mucho más extenuante que caminar.

El esfuerzo durante el ejercicio influye también en la cantidad de desarrollo fisiológico. Los beneficios de realizar sólo los movimientos de una rutina de aeróbicos de bajo impacto son menos que si éstos se acentuaran (ver el tema anterior de aeróbicos de bajo impacto). La tabla 4.1 incluye un nivel inicial de condición física para cada actividad aeróbica: los principiantes deben iniciar con actividades de baja intensidad que representan un riesgo mínimo de daños. En algunos casos, como en los aeróbicos de alto impacto y saltar la cuerda, el riesgo de daños permanece alto a pesar de que permiten lograr una condición física adecuada. Estas actividades se deben realizar únicamente para complementar el ejercicio y no se recomiendan como el único modo de ejercitación.

Tabla **4.1** *Calificaciones de ciertas actividades aeróbicas.*

ACTIVIDAD	NIVEL RECOMENDADO DE CONDICIÓN FÍSICA INICIAL[1]	RIESGO DE DAÑOS[2]	DESARROLLO DE RESISTENCIA CARDIORRESPIRATORIA POTENCIAL ($VO_{2máx}$)[3,4]	DESARROLLO DE LA FUERZA DE LA PARTE SUPERIOR DEL CUERPO[3]	DESARROLLO DE LA FUERZA DE LA PARTE INFERIOR DEL CUERPO[3]	DESARROLLO DE LA FLEXIBILIDAD DE LA PARTE SUPERIOR DEL CUERPO[3]	DESARROLLO DE LA FLEXIBILIDAD DE LA PARTE INFERIOR DEL CUERPO[3]	CONTROL DE PESO[3]	NIVEL DE MET[4,5,6]	GASTO CALÓRICO (CAL/HORA)[4,6]
Aeróbicos										
Aeróbicos de alta impacto	A	H	3–4	2	4	3	2	4	6–12	450–900
Aeróbicos de impacto moderado	I	M	2–4	2	3	3	2	3	6–12	450–900
Aeróbicos de bajo impacto	B	L	2–4	2	3	3	2	3	5–10	375–750
Aeróbicos en banco	I	M	2–4	2	3–4	3	2	3–4	5–12	375–900
Esquí a campo traviesa	B	M	4–5	4	4	2	2	4–5	10–16	750–1 200
Ejercicio cruzado	I	M	3–5	2–3	3–4	2–3	1–2	3–5	6–15	450–1 125
Ciclismo										
En pista	I	M	2–5	1	4	1	1	3	6–12	450–900
Estacionario	B	L	2–4	1	4	1	1	3	6–10	450–750
Caminar en el campo	B	L	2–4	1	3	1	1	3	6–10	450–750
Patinaje	I	M	2–4	2	4	2	2	3	6–10	450–750
Trotar	I	M	3–5	1	3	1	1	5	6–15	450–1 125
Trotar en el agua	A	L	3–5	2	2	1	1	5	8–15	600–1 125
Deportes de raqueta	I	M	2–4	3	3	3	2	3	6–10	450–750
Saltar la cuerda	I	H	3–5	2	4	1	2	3–5	8–15	600–1 125
Remar	B	L	3–5	4	2	3	1	4	8–14	600–1 050
Spinning	I	L	4–5	1	4	1	1	4	8–15	600–1 125
Subir las escaleras	B	L	3–5	1	4	1	1	4–5	8–15	600–1 125
Nadar (nado crol)	B	L	3–5	4	2	3	1	3	6–12	450–900
Caminar	B	L	1–2	1	2	1	1	3	4–6	300–450
Caminar en agua (al nivel del pecho)	I	L	2–4	2	3	1	1	3	6–10	450–750
Aeróbicos acuáticos	B	L	2–4	3	3	3	2	3	6–12	450–900

[1] P = Principiante, I = Intermedio, A = Avanzado

[2] B = Bajo, M = Moderado, A = A lto

[3] 1 = Bajo, 2 = Regular, 3 = Promedio, 4 = Bueno, 5 = Excelente

[4] Varía de acuerdo con el esfuerzo de la persona (intensidad) durante el ejercicio.

[5] 1 MET representa el índice de gasto de energía durante el estado de reposo (3.5 ml/kg/min). Cada MET adicional es un múltiple del valor en estado de reposo. Por ejemplo, 5 MET representan un equivalente de gasto de energía de cinco veces el valor en estado de reposo o alrededor de 17.5 ml/kg/min.

[6] Varía de acuerdo con el peso corporal.

Los médicos que trabajan con pacientes cardiacos emplean con frecuencia los **MET**. Un MET representa la cantidad de energía que el cuerpo requiere en estado de reposo o el equivalente de un $VO_{2máx}$ de 3.5 ml/kg/min. Una actividad de 10 MET requiere un incremento de 10 veces en la cantidad de energía necesaria en reposo o cerca de 35 ml/kg/min. Los niveles de MET para una actividad determinada varían de acuerdo con el esfuerzo personal. Mientras más se ejercite una persona, más alto será el nivel de MET. En la tabla 4.1 se muestra el rango de **MET** para distintas actividades.

En esta misma tabla se incluye también la efectividad de estas actividades en el manejo del control de peso. Como regla, mientras mayor sea la masa muscular que se trabaja durante el ejercicio, mejores serán los resultados. Las actividades rítmicas y continuas que involucran una masa muscular considerable son más efectivas para quemar calorías.

De igual forma, las actividades de intensidad más alta también queman más calorías. El incremento del tiempo de ejercicio compensará las intensidades más bajas. Si se realiza por largo tiempo (45 a 60 minutos, de cinco a seis veces a la semana), incluso caminar a paso rápido puede ser un excelente ejercicio para perder peso. En el capítulo 6 se proporciona información adicional sobre un programa completo de control de peso.

◢ Condición relacionada con la habilidad

Para un desempeño efectivo en los deportes y las actividades atléticas que se realizan de manera permanente se requiere este tipo de condición para lograr el éxito. Los componentes de la condición relacionada con la habilidad, los cuales se definen en el capítulo 1, son la agilidad, el equilibrio, la coordinación, la potencia, la velocidad y el tiempo de reacción. Si bien en forma variable, todos ellos son importantes en los deportes y el atletismo.

Por ejemplo, las gimnastas destacadas deben lograr una buena condición relacionada con la habilidad en todos los componentes. Se requiere una habilidad significativa para realizar un salto doble con giro-habilidad en la que la atleta debe rotar en forma simultánea alrededor de un eje y doblar alrededor de uno diferente. El equilibrio estático es esencial para mantener una parada de manos o una escalada. De igual modo, se requiere un equilibrio dinámico para llevar a cabo muchas de las rutinas de gimnasia (por ejemplo, en la viga de equilibrio, las barras paralelas y el salto a caballo).

La coordinación es importante para integrar en forma exitosa varias habilidades con distintos niveles de dificultad en una sola rutina. Se requiere velocidad y potencia para impulsar el cuerpo tal y como sucede al momento de dar volteretas o saltar. El tiempo de reacción es necesario para determinar cuándo finalizar la rotación y con un vistazo avistar el piso al momento de caer.

Al igual que con los componentes relacionados con la salud, el principio de especificidad del ejercicio también se aplica en los componentes relacionados con la habilidad. Según este principio, el programa de ejercicios debe ser específico en cuanto al tipo de habilidad que el individuo intente lograr.

El desarrollo de la agilidad, el equilibrio, la coordinación y el tiempo de reacción es sumamente específico según sea la actividad. Para obtener cierta habilidad, el individuo debe practicar la misma tarea muchas veces, lo cual parece tener poco efecto de aprendizaje cruzado.

Por ejemplo, la práctica adecuada de una parada de manos (equilibrio) llevará a un desempeño exitoso de dicha habilidad; sin embargo, el dominio completo de ésta no asegura que la persona sea capaz de inmediato de transferir este dominio a otras posiciones estáticas propias de la gimnasia. La potencia y la velocidad pueden mejorarse por medio de un programa de ejercicios de fortalecimiento y/o por medio de la repetición frecuente del ejercicio que se desee mejorar.

El índice de aprendizaje en la condición relacionada con la habilidad varía de individuo a individuo, debido principalmente a que estos componentes parecen estar determinados en gran medida por factores hereditarios. Los individuos con una buena condición de este tipo tienden a realizar los ejercicios de mejor forma y aprender más rápido al momento de llevar a cabo una gran variedad de habilidades. No obstante, pocos individuos llegan a desempeñarse de manera exitosa en todos los componentes relacionados con la habilidad. Más aún, a pesar de que esta condición puede irse adquiriendo con la práctica, resulta difícil mejorar el tiempo de reacción y la velocidad pues ambos aspectos parecen relacionarse principalmente con las facultades genéticas.

Si bien no sabemos qué tanta condición relacionada con la habilidad es recomendable, cualquier individuo debería intentar desarrollar y mantener un nivel por encima del promedio. Este tipo de condición es fundamental en el caso de los atletas y para todo aquel que desee tener una vida mejor y más feliz. El mejoramiento de esta condición brinda al individuo éxito y un mayor disfrute en los deportes que llegue a realizar a lo largo de su vida (por ejemplo, en el básquetbol, el tenis y el frontón), además de que le permite resolver en forma efectiva situaciones de emergencia. Por ejemplo:

1. Un buen tiempo de reacción, el equilibrio, la coordinación y la agilidad le pueden ayudar a evitar o amortiguar una caída para de esta forma minimizar un posible daño.
2. La habilidad de generar una fuerza máxima en un tiempo breve (potencia) puede llegar a ser fundamental para disminuir golpes o incluso para preservar la vida en una situación en la que usted deba levantar un objeto pesado que haya caído sobre otra persona o incluso sobre usted mismo.
3. En nuestra sociedad, con un promedio de vida cada vez más largo, mantener la velocidad puede resultar especialmente vital en el caso de los adultos mayores. Muchos de ellos, y por esa misma razón, muchas personas sin condición física o con sobrepeso no tienen ya la velocidad que necesitan para cruzar una calle de manera segura antes de que la luz del semáforo cambie a verde.

La realización regular de un programa de condición relacionada con la salud puede mejorar el desempeño de los componentes relacionados con la habilidad, y viceversa. Por ejemplo, la gente con un sobrepeso considerable no posee una agilidad o velocidad buenas. Debido a que los programas de ejercicios aeróbicos y de fortalecimiento contribuyen a que el individuo pierda grasa corporal, éste logrará de igual forma una agilidad y velocidad mejores a través de dichos programas. Un programa sano de flexibilidad disminuye la resistencia al movimiento que se da alrededor de las articulaciones, lo que aumenta la agilidad, el equilibrio y la condición física en general; en tanto que una mejor fuerza contribuye de manera definitiva a desarrollar la potencia.

De manera similar a los beneficios que se obtienen a partir de las actividades aeróbicas que se estudiaron antes y que se proporcionan en la tabla 4.1, los beneficios de las

◢ **TÉRMINO CLAVE**

MET (equivalente metabólico): Método alternativo de prescribir la intensidad del ejercicio; 1 MET representa el requerimiento de energía del cuerpo en estado de reposo o el equivalente de un VO_2 de 35 ml/kg/min.

Tabla **4.2** *Contribución de ciertas actividades a los componentes relacionados a la habilidad.*

ACTIVIDAD	AGILIDAD	EQUILIBRIO	COORDINACIÓN	POTENCIA	TIEMPO DE REACCIÓN	VELOCIDAD
Esquí alpino	4	5	4	2	3	2
Arquería	1	2	4	2	3	1
Bádminton	4	3	4	2	4	3
Béisbol	3	2	4	4	5	4
Basketbol	4	3	4	3	4	3
Boliche	2	2	4	1	1	1
Esquí a campo traviesa	3	4	3	2	2	1
Fútbol	4	4	4	4	4	3
Golf	1	2	5	3	1	3
Gimnasia	5	5	5	4	3	3
Patinaje en hielo	5	5	5	3	3	3
Patinaje	4	4	4	3	2	4
Judo/Karate	5	5	5	4	5	4
Frontón	5	4	4	4	5	4
Fútbol soccer	5	3	5	5	3	4
Tenis de mesa	5	3	5	3	5	3
Tenis	4	3	5	3	5	3
Voleibol	4	3	5	4	5	3
Esquí acuático	3	4	3	2	2	1
Lucha grecorromana	5	5	5	4	5	4

* 1 = Bajo, 2 = Regular, 3 = Promedio, 4 = Bueno, 5 = Excelente

actividades relacionadas con la habilidad también varían dependiendo del tipo de actividad y del individuo. El grado al que una actividad ayuda a desarrollar cada componente relacionado con la habilidad varía según el esfuerzo del individuo y, más importante aún, según una ejecución apropiada (técnica) de la habilidad (se recomienda un entrenamiento correcto) y el potencial del individuo, el cual se basará en sus facultades genéticas. Al igual que con las actividades aeróbicas, en la tabla 4.2 se proporciona un resumen de las contribuciones potenciales de determinadas actividades a la condición relacionada con la habilidad.

▲ Deportes de equipo

Elegir las actividades que más disfruta realizar aumentará sus probabilidades de continuar haciendo ejercicio. La gente suele repetir aquellas actividades que le gusta realizar. El gozo en sí mismo representa una recompensa. En este sentido, combinar actividades individuales (como trotar o nadar) con deportes de equipo resulta conveniente.

La gente con una buena condición relacionada con la habilidad realiza en forma permanente deportes y juegos que, a su vez, le permiten desarrollar dicha condición. Así pues, las personas que disfrutan jugando básquetbol o soccer durante su juventud suelen hacer estas actividades a lo largo de toda su vida. La disponibilidad de equipos y

ligas a nivel de su comunidad tal vez sea todo lo que necesite para dejar de pensar y entrar en acción. El aspecto social de los deportes de equipo proporciona un incentivo adicional para que usted se anime a participar. Estos deportes ofrecen la oportunidad de interaccionar con otras personas que comparten un interés común. Además, ser miembro de un equipo implica responsabilidad, lo cual representa otro incentivo para hacer ejercicio debido a que se espera que usted esté siempre presente. Por tal motivo, los deportes de equipo fomentan la amistad duradera con lo cual se fortalecen las dimensiones sociales y emocionales del bienestar.

En el caso de aquellos que no realizaron dichos deportes durante su juventud, nunca será demasiado tarde para empezar (ver el tema de modificación de la conducta y motivación del capítulo 1). No tema elegir una nueva actividad, incluso si ello significa aprender nuevas habilidades. Las recompensas en el aspecto social y en su salud serán muchas.

▲ Consejos para mejorar su rutina aeróbica

Una rutina aeróbica típica se divide en tres partes (ver la figura 4.1):

1. Una fase de calentamiento de cinco minutos durante la cual el ritmo cardiaco se incrementa de manera gradual hasta llegar a la zona adecuada.
2. La rutina propia de ejercicios durante la cual se mantiene el ritmo cardiaco en la zona apropiada de 20 a 60 minutos.
3. Una relajación de cinco a 10 minutos en la que el ritmo cardiaco baja en forma gradual hasta llegar al estado de reposo.

A fin de supervisar la zona de ejercitación en la que deberá situarse el ritmo cardiaco, deberá revisar este último durante el ejercicio. Tal y como se describe en el capítulo 2, puede revisar su pulso en la arteria radial o carótida. Cuando revise su ritmo cardiaco, empiece con cero y cuente el número de latidos durante un periodo de 10 segundos, después multiplique dicho número por seis para obtener la cantidad de pulsos por minuto. Deberá tomar su ritmo cardiaco en pleno ejercicio durante 10 segundos en lugar de un minuto completo debido a que el ritmo cardiaco empieza a bajar después de 15 segundos de haber terminado de hacer ejercicio.

Resulta difícil sentir el pulso mientras se hace ejercicio. Por consiguiente, se debe parar durante éste para poder revisar el pulso. Si el ritmo cardiaco es muy bajo, aumente la intensidad del ejercicio. Si es muy alto, disminúyala. Quizá quiera practicar cómo tomar el pulso varias veces durante el día para familiarizarse con la técnica.

En las primeras semanas de su programa deberá supervisar su ritmo cardiaco varias veces durante la sesión de ejercicios. A medida que se vaya familiarizando con la respuesta de su cuerpo al ejercicio, podría entonces supervisar su ritmo cardiaco sólo en dos ocasiones —una, a los cinco o siete minutos de haber iniciado la sesión y, otra, cerca del final de la rutina.

Figura **4.1** *Patrón de una rutina aeróbica típica.*

Máximo ritmo cardiaco

Ritmo cardiaco (latidos/min)

200

180 — **85% FCR***

Zona de ejercitación de alta intensidad

Edad = 20
MRC = 200
RCER = 68

147 — **60% FCR***

Zona de ejercitación de intensidad moderada

134 — **50% FCR***
121 — **40% FCR***

Zona de ejercitación de baja intensidad

100

80

Ritmo cardiaco en estado de reposo

60

Fase de calenta-miento

F A S E   A E R Ó B I C A

Fase de relajación

Tiempo (minutos)
0   5   10   15   20   25   30   35   40   45   50

*FCR = Ritmo cardiaco de reserva (frecuencia cardiaca de entrenamiento)

Otra técnica que en ocasiones se utiliza para determinar la intensidad de ejercicio consiste en simplemente hablar durante la sesión y después tomar de manera inmediata el pulso. Aprender a asociar el grado de dificultad al hablar con el ritmo cardiaco le permitirá desarrollar un sentido de qué tanto está trabajando. En general, si puede hablar con facilidad significa entonces que no está trabajando lo suficiente. Si puede hablar pero se encuentra de manera ligera sin aliento, es probable que esté próximo a la zona objetivo. Si no puede hablar nada, entonces significa que está trabajando muy duro.

Si se le dificulta seguir su programa de ejercicios, es probable que requiera reconsiderar sus objetivos e iniciar en forma mucho más lenta. La modificación de la conducta es un proceso ya que, desde un punto de vista fisiológico y psicológico, quizá no pueda llevar a cabo una sesión de ejercicio durante 20 o 30 minutos completos.

Por lo tanto, en las primeras dos o tres semanas tal vez quiera realizar unas cuantas caminatas diarias durante cinco minutos. A medida que su cuerpo se adapte de manera física y mental, puede aumentar la duración y la intensidad de las sesiones de ejercicio de manera gradual.

Debe aprender a escuchar a su cuerpo. Habrá ocasiones en que se sentirá inusualmente fatigado o muy incómodo. El dolor es la forma con la que cuenta el cuerpo para indicarle que algo no está bien. Si presenta dolor o incomodidad excesiva durante o después del ejercicio, necesitará entonces bajar el ritmo o dejar su programa de ejercicios y notificar a su instructor de curso. Éste podría indicarle la razón de tal incomodidad o recomendarle consultar a un médico. Asimismo, podrá prevenir daños potenciales si presta atención a las señales de dolor y toma las medidas necesarias.

INTERACCIÓN EN LA RED

Let's Get Physical Challenge. Este sitio describe un programa interactivo de ocho semanas diseñado para ayudar a los individuos a llevar a cabo una actividad física regular y moderada. Es un programa divertido y no competitivo diseñado para instruir a gente de todas las edades y habilidades. Vamos, ¡usted puede hacerlo!
http://www.physicalfitness.org/lgp.html

DETERMINE SU CONOCIMIENTO

Evalúe su conocimiento de los conceptos presentados en este capítulo mediante esta sección y practique las opciones de las series de preguntas en su Profile Plus CD-ROM.

1. La utilización de una combinación de actividades aeróbicas para desarrollar la condición física a nivel general se conoce como:
   a. condición física relacionada con la salud.
   b. ejercicios en circuitos.
   c. ejercicios pliométricos.
   d. ejercicio cruzado.
   e. condición física relacionada con la habilidad.

2. La mejor actividad física para los individuos que presentan dolor de piernas o espalda es:
   a. caminar en el agua.
   b. trotar.
   c. aeróbicos en banco.
   d. saltar la cuerda.
   e. esquí a campo traviesa.

3. El número de millas aproximadas para alcanzar, trotando, la categoría de condición cardiorrespiratoria "excelente" es:
   a. 5 millas (8.05 km).
   b. 10 millas (16.09 km).
   c. 15 millas (24.14 km).
   d. 25 millas (40.23 km).
   e. 50 millas (80.47 km).

4. Para elevar el ritmo cardiaco durante la realización de aeróbicos de bajo impacto, una persona debe:
   a. acentuar los movimientos de los brazos.
   b. sostener el movimiento a lo largo del programa.
   c. acentuar las acciones que impliquen levantar peso.
   d. todas las anteriores.
   e. ninguna de las anteriores.

5. El ritmo cardiaco máximo que se logra al nadar es de alrededor de _____ latidos por minuto (lpm) más bajo que el que se logra al correr.
   a. 2-4.
   b. 5-9.
   c. 10-13.
   d. 14-20.
   e. 20-25.

6. ¿Cuál de los siguientes no es un movimiento en el *spinning*?
   a. correr en posición sentada.
   b. posición parada con resistencia.
   c. posición plana.
   d. saltar.
   e. todos los anteriores son movimientos en el *spinning*.

7. El esquí a campo traviesa
   a. es una actividad de alto impacto.
   b. es principalmente una actividad anaeróbica.
   c. impone gran tensión en los músculos y las articulaciones.
   d. es una actividad de bajo impacto.
   e. todas las anteriores son incorrectas.

8. Un MET representa
   a. el símbolo utilizado para indicar que se ha cumplido la meta de ejercicio.
   b. una unidad de medida que se utiliza para expresar el valor alcanzado durante la prueba de ejercicio metabólico.
   c. el tiempo de ejercicio máximo alcanzado.
   d. el índice de gasto de energía en estado de reposo.
   e. todas las opciones son incorrectas.

9. ¿Cuál de los siguientes no es un componente de la condición física relacionada con la habilidad?
   a. la movilidad.
   b. la coordinación.
   c. el tiempo de reacción.
   d. la agilidad.
   e. todos son componentes relacionados con la habilidad.

10. Al revisar el ritmo cardiaco, se debe
   a. continuar ejercitando al nivel del ritmo cardiaco preescrito mientras se revisa éste.
   b. detener el ejercicio y tomar el pulso de inmediato (sin dejar pasar más de 15 minutos).
   c. ejercitarse a una intensidad de baja a moderada.
   d. detener el ejercicio y tomar el ritmo cardiaco durante 1 minuto completo.
   e. todas las opciones son válidas al momento de revisar el ritmo cardiaco.

Las respuestas correctas se encuentran en la página 255.

Programa personal de condición física

Nombre _____   Fecha _____

Curso _____   Sección _____

I. En los espacios de abajo proporcione una lista de cinco actividades en las que ha participado durante los últimos 6 meses. Además de las actividades de ejercicio (trotar, aeróbicos, nadar, ejercicios de fortalecimiento), puede enlistar otras actividades que realice de manera frecuente y que requieran de un esfuerzo físico (por ejemplo, caminar, andar en bicicleta, barrer, aspirar, hacer labores de jardinería).

Según su propio esfuerzo en cada actividad, califique cada una de ellas según sus beneficios en la salud o en las habilidades motoras (1 = bajo, 2 = regular, 3 = promedio, 4 = bueno, 5 = excelente). Asimismo, indique la duración y frecuencia de la actividad (enliste el tiempo de realización a la semana, al mes, en 6 meses) y agregue sus comentarios con respecto a su opinión sobre su desempeño en las actividades respectivas (me gustó, fue divertido, demasiado difícil, me lastimé, necesitó una mayor habilidad, lo podría hacer por siempre, etcétera).

	Resistencia cardiorrespiratoria	Fuerza muscular	Flexibilidad muscular	Control de peso	Agilidad	Equilibrio	Coordinación	Potencia	Tiempo de reacción	Velocidad
1.										

Comentarios

| 2. | | | | | | | | | | |

Comentarios

| 3. | | | | | | | | | | |

Comentarios

| 4. | | | | | | | | | | |

Comentarios

	Resistencia cardiorrespiratoria	Fuerza muscular	Flexibilidad muscular	Control de peso	Agilidad	Equilibrio	Coordinación	Potencia	Tiempo de reacción	Velocidad
5.										

Comentarios

II. En una hoja separada lleve una bitácora de las actividades físicas que realice durante siete días. Registre a diario los minutos exactos que a lo largo del día está activo y califique cada actividad de acuerdo con su intensidad (moderada o alta). Sume la cantidad de minutos para cada día y calcule el promedio que realiza a diario en todas sus actividades. Ponga su bitácora junto a esta actividad y responda a las siguientes preguntas:

A. ¿Acumuló un promedio de 30 minutos de actividad física diaria?

_____ Sí _____ No

B. ¿Acumuló un promedio de 60 minutos de actividad física diaria?

_____ Sí _____ No

C. ¿Qué porcentaje del total de su actividad física fue de intensidad moderada?

_____ %

¿Y qué porcentaje fue de intensidad alta?

_____ %

III. Según las actividades I y II, evalúe su nivel actual de actividad física. Establezca cómo se siente acerca de sus resultados e indique si su programa se enfoca principalmente a una condición saludable o a una condición sólo física (o a ninguna). ¿Considera necesario realizar algunos cambios para poder cumplir con las metas que previamente estableció (ver la actividad 3.3, página 77)?

_____

_____

_____

_____

_____

_____

_____

_____

_____

Nutrición para el bienestar

OBJETIVOS

- Definir el concepto de nutrición y su relación con la salud y el bienestar.
- Aprender las funciones de los nutrientes en el cuerpo humano.
- Familiarizarse con los distintos grupos de alimentos y los estándares de nutrición, así como aprender a llevar una dieta balanceada.
- Aprender las guías de los suplementos alimenticios.
- Entender la función de los antioxidantes en la prevención de las enfermedades.
- Familiarizarse con los desórdenes alimenticios, los problemas médicos a los que están asociados y los patrones de comportamiento.
- Identificar los mitos y las falacias con respecto a la nutrición.

¡Eres lo que comes! Analice su dieta actual y planee un cambio en su salud mediante la actividad que se proporciona en su CD-ROM.

99

Las investigaciones científicas han vinculado desde hace mucho tiempo una buena **nutrición** con una salud y bienestar generales. Una nutrición apropiada significa que la dieta de una persona brinda todos los **nutrientes** esenciales para lograr el crecimiento, la reparación y el mantenimiento normal de los tejidos. Asimismo, implica que la dieta proporciona los **sustratos** suficientes para producir la energía que se requiere en el trabajo, la actividad física y la relajación.

La cantidad excesiva o insuficiente de cualquier nutriente puede desencadenar serios problemas de salud. La dieta típica de la población de Estados Unidos es alta en calorías, azúcares, grasa saturada y sal (sodio), y baja en fibra (todos estos factores dañan la salud). El problema no es la escasez de alimentos sino su consumo excesivo.

Según un informe sobre nutrición y salud publicado por la Inspección General de Sanidad de Estados Unidos, las enfermedades originadas por el desequilibrio y el exceso en la dieta se encuentran entre las principales causas de muerte en este país. Tendencias similares se observan en otros países desarrollados del mundo. En el informe, el cual está basado en más de 2 000 estudios científicos, se establece que los cambios en la dieta pueden generar una mejor salud para todos los estadounidenses. Otros estudios revelan que, en un día cualquiera, casi la mitad de la población de Estados Unidos no come fruta y que casi la cuarta parte no consume verduras.

La dieta y la nutrición a menudo desempeñan una función vital en el desarrollo y la progresión de las enfermedades crónicas. Una dieta alta en grasas saturadas y colesterol aumenta el riesgo de padecer aterosclerosis y enfermedades coronarias. En el caso de los individuos sensibles al sodio, se ha vinculado la ingesta alta en sal con una presión arterial alta. Cerca de 30 a 50% de las enfermedades de cáncer podrían estar relacionadas con la dieta. De igual forma, se ha asociado a la obesidad, la diabetes mellitus y la osteoporosis con una nutrición deficiente.

◥ Nutrientes esenciales

Los **nutrientes esenciales** que requiere el cuerpo son las vitaminas, los minerales, los carbohidratos, las grasas, las proteínas y el agua. Los últimos cuatro se denominan **macronutrientes** debido a que la gente los necesita ingerir, proporcionalmente, en grandes cantidades todos los días. Los especialistas en nutrición se refieren a las vitaminas y a los minerales como **micronutrientes** debido a que el cuerpo los requiere en cantidades relativamente pequeñas.

Según la cantidad de nutrientes y calorías que contengan, es posible clasificar a los alimentos como de densidad nutritiva alta y densidad nutritiva baja. Los alimentos que se caracterizan por la primera contienen una cantidad baja o moderada de **calorías** pero se acompañan de nutrientes. En contraste, los alimentos de baja densidad nutritiva son aquellos que son altos en calorías pero que contienen pocos nutrientes, por lo cual se les conoce comúnmente bajo el término de "comida chatarra".

◢ Carbohidratos

Los **carbohidratos** conforman la principal fuente de calorías que el cuerpo utiliza para proporcionar energía para el trabajo, el mantenimiento celular y el calor. Además contribuyen a regular la grasa y transformar las proteínas por medio del metabolismo. Cada gramo de carbohidratos le proporciona al cuerpo humano cuatro calorías. Las principales fuentes de carbohidratos se encuentran en el pan, cereales, frutas, verduras, leche y otros productos lácteos. Los carbohidratos se dividen en simples y compuestos.

Carbohidratos simples

Los carbohidratos simples (como los dulces, el refresco y los pasteles), comúnmente conocidos como azúcares, tienen poco valor nutritivo. Estos carbohidratos se dividen en dos grupos:

- Monosacáridos (glucosa y galactosa).
- Disacáridos (sucrosa, lactosa y maltosa).

Los carbohidratos simples a menudo ocupan en la dieta el lugar que les corresponde a los alimentos más nutritivos.

Carbohidratos compuestos

Los carbohidratos compuestos se forman cuando se unen las moléculas de los carbohidratos simples. Hay tres tipos de carbohidratos compuestos:

- Almidones, los cuales se encuentran por lo regular en semillas, maíz, nueces, granos, tubérculos, papas y legumbres.

Los alimentos ricos en fibra son esenciales para una dieta saludable.

- Dextrinas, las cuales se forman a partir de la ruptura de las moléculas de almidones que se exponen al calor seco, como cuando se calienta el pan o se producen cereales fríos.
- Glucógeno, el polisacárido de origen animal que se sintetiza a partir de la glucosa y que sólo se encuentra en pequeñas cantidades en la carne. El glucógeno constituye la reserva de glucosa en el cuerpo. De cientos a miles de moléculas de glucosa se unen para después quedar almacenadas como glucógeno en el hígado y los músculos. Cuando se requiere una oleada de energía, las enzimas de los músculos y el hígado descomponen el glucógeno y de esa manera hacen que la glucosa esté disponible para la transformación de la energía.

Los carbohidratos compuestos proporcionan muchos nutrientes importantes y constituyen además una excelente fuente de fibra (también llamada sustancia áspera).

Fibra

La **fibra** es una forma de carbohidrato compuesto. Una dieta alta en fibra da a la persona la sensación de sentirse satisfecho sin que esto implique un aumento en calorías. La fibra está presente principalmente en hojas de las plantas, cáscara de los frutos, raíces y semillas. El procesamiento y el refinamiento de los alimentos remueven toda la fibra natural.

En la dieta de los estadounidenses las principales fuentes de fibra son: Cereales de grano entero, pan, frutas, verduras y legumbres. La fibra es importante en la dieta porque disminuye el riesgo de cáncer y enfermedades cardiovasculares. Una mayor ingesta de fibra puede también llegar a disminuir el riesgo de enfermedades coronarias, ya que las grasas saturadas a menudo ocupan en la dieta el lugar que le corresponde a la fibra. Otros desórdenes en la salud que se han vinculado a la ingesta baja de fibra son la constipación, la diverticulitis, las hemorroides, los padecimientos de la vesícula biliar y la obesidad.

La cantidad de fibra diaria recomendada para los adultos de 50 años o mayores es de 25 gramos en el caso de las mujeres y de 38 gramos en el caso de los hombres.[1] La ma-

Tabla **5.1** *Contenido de fibra de ciertos alimentos.*

ALIMENTO (gm)	PORCIÓN	FIBRA DIETÉTICA
Almendras con cáscara	¼ taza	3.9
Manzana	Una mitad	3.7
Plátano	1 pequeño	1.2
Frijoles (rojos, habichuelas)	½ taza	8.2
Zarzamoras	½ taza	4.9
Remolacha (betabel) roja, enlatada (cocida)	½ taza	1.4
Nueces del Brasil	1 onza	2.5
Brócoli (cocido)	½ taza	3.3
Arroz oscuro (cocido)	½ taza	1.7
Zanahorias (cocidas)	½ taza	3.3
Coliflor (cocida)	½ taza	5.0
Cereal		
All Bran	1 onza	8.5
Cheerios	1 onza	1.1
Cornflakes	1 onza	0.5
Fruit and Fibre	1 onza	4.0
Fruit Wheats	1 onza	2.0
Just Right	1 onza	2.0
Wheaties	1 onza	2.0
Maíz (cocido)	½ taza	2.2
Berenjena (cocida)	½ taza	3.0
Lechuga (en trozos)	½ taza	0.5
Naranja	Una mitad	4.3
Chivirías (cocidas)	½ taza	2.1
Pera	Una mitad	4.5
Chícharos (cocidos)	½ taza	4.4
Palomitas de maíz	1 taza	1.2
Papa (horneada)	Una mitad	4.9
Fresas	½ taza	1.6
Calabaza (cocida)	½ taza	1.6
Sandía	1 taza	0.1

Consejos para incrementar el consumo de fibra en la dieta

- Consuma más verduras, ya sea crudas o al vapor.
- Consuma ensaladas a diario que incluyan una amplia variedad de verduras.
- Consuma más fruta, con todo y cáscara.
- Elija productos de trigo y grano enteros.
- Elija cereales para el desayuno con más de tres gramos de fibra por ración.
- Espolvoree una o dos cucharaditas de salvado sin procesar o de cereal 100% de salvado en su cereal favorito durante el desayuno.
- Añada cereales altos en fibra a los platillos fuertes y a los postres.
- Añada frijoles a la sopa, las ensaladas y los asados.
- Añada verduras a los sandwiches: Frijolitos tiernos, rodajas de pimiento verde o rojo, zanahorias en cubos, pepinos en rodajas, calabaza roja, cebollas.
- Añada verduras al espagueti: Brócoli, coliflor, zanahorias rebanadas, champiñones.
- Experimente con verduras y frutas poco conocidas: Col rizada, berza, espárragos, papaya, mango, kiwi, carambola.
- Si incrementa la fibra en su dieta procure beber muchos líquidos.

TÉRMINOS CLAVE

Nutrición: Ciencia que estudia la relación de los alimentos con un desempeño y una salud óptimas.

Nutrientes: Sustancias en los alimentos que proporcionan energía, regulan el metabolismo y ayudan al crecimiento y reparación de los tejidos.

Sustratos: Alimentos que son utilizados como fuentes de energía (carbohidratos, grasas, proteínas).

Nutrientes esenciales: Carbohidratos, grasas, proteínas, vitaminas, minerales y agua (los nutrientes que el cuerpo humano requiere para sobrevivir).

Macronutrientes: Los nutrientes que el cuerpo necesita en cantidades proporcionalmente grandes. Se denominan macronutrientes a los carbohidratos, las grasas, las proteínas y el agua porque se requieren cantidades relativamente grandes de éstas.

Micronutrientes: Los nutrientes que el cuerpo necesita en cantidades pequeñas (vitaminas y minerales) que cumplen funciones específicas en la transformación de la energía y en la síntesis del tejido corporal.

Caloría: La cantidad de calor necesaria para aumentar la temperatura de un gramo de agua a un grado centígrado; utilizada para medir el valor energético de los alimentos y el gasto de actividad física.

Carbohidratos: Compuestos conformados por carbono, hidrógeno y oxígeno que el cuerpo utiliza como su fuente principal de energía.

Fibra: Término general que denota al material proveniente de las plantas que las enzimas digestivas del cuerpo humano no pueden digerir.

yor parte de la población de Estados Unidos ingiere sólo de 10 a 12 gramos de fibra al día, lo cual la pone en un gran riesgo de padecer enfermedades. Un individuo puede aumentar su ingesta de fibra mediante el consumo de más frutas, verduras, legumbres, granos y cereales. Un estudio realizado a lo largo de seis años proporcionó pruebas que relacionaban el aumento en la ingesta de fibra de 30 gramos al día con una reducción significativa de ataques cardiacos, cáncer de colón y de mama, diabetes y diverticulitis.[2] La tabla 5.1 muestra el contenido de fibra de ciertos alimentos.

Las fibras se clasifican por lo común de acuerdo con su solubilidad en el agua. La fibra soluble se disuelve en agua y forma una sustancia gelatinosa que encierra a las partículas de alimento. Esta propiedad le permite a la fibra soluble enlazar y excretar las grasas fuera del cuerpo, porque se ha demostrado que es capaz de disminuir los niveles de colesterol y de azúcar en la sangre. Este tipo de fibras se encuentran principalmente en la avena, la fruta, la cebada y las legumbres.

La fibra insoluble no se disuelve con facilidad en agua, así que el cuerpo no puede digerirla. Esta fibra es importante porque enlaza al agua, lo cual genera una evacuación más suave y voluminosa que incrementa la peristalsis (contracciones involuntarias del músculo de las paredes intestinales) lo que empuja la evacuación hacia delante y permite que los residuos alimenticios pasen a través del conducto intestinal en forma más rápida. El aceleramiento del paso de los alimentos a través de los intestinos reduce, al parecer, el riesgo de cáncer de colon, debido principalmente a que los agentes cancerígenos no están en contacto tanto tiempo con la pared intestinal. Se cree que la fibra insoluble se enlaza con los carcinógenos (sustancias generadoras de cáncer). Además, es posible que una mayor cantidad de agua en la evacuación diluya a estos agentes, con lo cual se disminuye su potencia. Las fuentes de fibra insoluble se encuentran en el trigo, los cereales, las verduras y la cáscara de las frutas.

▶ Grasas

Las **grasas** o **lípidos**, son las fuentes más concentradas de energía. Cada gramo de grasa suministra nueve calorías al cuerpo. Las grasas, las cuales son parte también de la estructura celular, son utilizadas como energía almacenada y como un aislador para preservar el calor corporal: Absorben el impacto, proporcionan ácidos grasos esenciales y portan las vitaminas solubles en grasa A, D, E y K. Las principales fuentes de grasas dietéticas son la leche y otros productos lácteos, así como la carne y sus sustitutos. Las grasas se clasifican en simples, compuestas y derivadas.

Grasas simples

Las grasas simples consisten de una molécula de glicérido unida a uno, dos o tres unidades de ácidos grasos. Según el número de ácidos grasos a los que están unidas, las grasas simples se dividen en monoglicéridos (un ácido graso), diglicéridos (dos ácidos grasos) y triglicéridos (tres ácidos grasos). Más de 90% del peso de la grasa en los alimentos y más de 95% de la grasa almacenada en el cuerpo se encuentran en la forma de triglicéridos.

La longitud de la cadena de átomos de carbono y la cantidad de saturación de hidrógeno en los ácidos grasos varía. Con base en el grado de saturación, se dice que los ácidos grasos son saturados o insaturados. Estos últimos se clasifican en monoinsaturados y polinsaturados. Los ácidos grasos saturados son principalmente de origen animal, mientras que los insaturados se encuentran en su mayoría en los productos provenientes de las plantas.

En los ácidos grasos saturados los átomos de carbono están completamente saturados con hidrógenos y sólo los enlaces unen los átomos de carbono en la cadena. A estos ácidos grasos saturados se les conocen a menudo como grasas saturadas. Ejemplos de alimentos altos en ácidos grasos saturados son las carnes, la grasa de éstas, la manteca, la leche entera, la crema, la mantequilla, el queso, los helados y los aceites hidrogenados (proceso en el que los aceites se hacen saturados).

En los ácidos grasos insaturados (grasas insaturadas), se forman enlaces dobles entre los carbonos insaturados. Los ácidos grasos monoinsaturados (AGMI) tienen tan sólo un enlace doble a lo largo de la cadena. Ejemplos de éstos son el aceite de oliva, la canola, la semilla de colza, cacahuates y los aceites de ajonjolí. Los ácidos grasos polinsaturados (AGPI) contienen dos o más enlaces dobles entre los átomos de carbono insaturados a lo largo de la cadena. El maíz, la semilla de algodón, el cártamo, la nuez de nogal, la semilla de girasol y los aceites de soya son altos en ácidos grasos polinsaturados.

Las grasas saturadas suelen ser sólidas y en general no se derriten a la temperatura ambiente. Al contrario, las grasas insaturadas son en general líquidos a la temperatura ambiente. El coco o los aceites de palma son excepciones pues son líquidos altos en grasas saturadas. Asimismo, las cadenas más cortas de ácidos grasos también suelen ser líquidos a la temperatura ambiente. En general, las grasas saturadas aumentan el nivel de colesterol en la sangre, mientras que las polinsaturadas y las monoinsaturadas suelen disminuirlo (en el capítulo 8 se trata el tema de la función del colesterol en la salud y las enfermedades).

Grasas compuestas

Las grasas compuestas son una combinación de grasas simples con otros químicos. Ejemplos de éstas son los fosfolípidos, los glucolípidos y las lipoproteínas.

Grasas derivadas

Las grasas derivadas combinan grasas simples y compuestas. Los esteroles son un ejemplo. Si bien éstos contienen ácidos no grasos, se les considera lípidos porque no se disuelven en agua. El esterol más conocido es el colesterol, el cual se encuentra en varios alimentos o puede ser producido por el cuerpo a partir de las grasas saturadas.

▶ Proteínas

Las **proteínas** se utilizan para construir o reparar los tejidos en los que se incluyen los músculos, la sangre, los órganos internos, la piel, el cabello, las uñas y los huesos. Además son parte de las hormonas, de las enzimas y de los anticuerpos y ayudan a mantener un equilibrio normal de los fluidos corporales. Las proteínas también se pueden utilizar como una fuente de energía pero sólo en el caso de que no hay suficientes carbohidratos. Las principales fuentes de proteínas son la carne y sus derivados, así como la leche y otros productos lácteos.

Las proteínas se componen de **aminoácidos,** los cuales contienen nitrógeno, carbono, hidrógeno y oxígeno. Nueve de 20 aminoácidos se consideran esenciales porque el cuerpo no puede producirlos. Los otros 11 restantes, llamados aminoácidos no esenciales, pueden ser producidos por el cuerpo si las proteínas de los alimentos en nuestra dieta proporcionan suficiente nitrógeno. Para que el cuerpo funcione de manera normal, todos los aminoácidos deben estar presentes al mismo tiempo.

La deficiencia de proteínas no representa un problema en la dieta normal del estadounidense. Dos vasos de leche descremada en combinación con cerca de cuatro onzas (113.4 g) de pollo o pescado cumplen con el requerimiento diario de proteínas. Sin embargo, la deficiencia de proteínas puede llegar a representar un problema en algunas dietas vegetarianas (ver el tema de vegetarianismo, página 109).

Vitaminas

Las **vitaminas** funcionan como **antioxidantes** y como coenzimas (principalmente del complejo B) que regulan la función de las enzimas. De hecho, la vitamina D funciona incluso como una hormona. Con base en su solubilidad, las vitaminas se clasifican en dos tipos: vitaminas solubles en grasa (A, D, E y K) y vitaminas solubles en agua (complejos B y C). El cuerpo no puede generar vitaminas, por lo que sólo se obtienen a través de una dieta balanceada. Más adelante en este capítulo podrá encontrar mayor información sobre la importancia de las vitaminas.

Minerales

Los **minerales** cumplen diversas funciones: son componentes de todas las células, especialmente de aquellas que están en las partes duras del cuerpo, es decir, en los huesos, las uñas y los dientes. Además son fundamentales en el mantenimiento del equilibrio tanto del agua como de las bases ácidas. Son también componentes esenciales de los pigmentos respiratorios, las enzimas y los sistemas de enzimas, y regulan la excitación del tejido muscular y nervioso.

Agua

El agua es el nutriente más importante pues se encuentra en casi todos los procesos vitales del cuerpo. Se utiliza en la digestión y absorción de los alimentos, en el desecho de los desperdicios, en la construcción y reconstrucción de las células y en la transportación de otros nutrientes. El agua se encuentra contenida en casi todos los alimentos pero sobre todo en los alimentos líquidos, las frutas y las verduras. Además del contenido natural del agua en los alimentos, se debe tomar de ocho a 10 vasos de líquidos al día.

Estándares de nutrición

Los especialistas en nutrición utilizan una gran variedad de estándares de nutrición. El más conocido es el de Cantidades Recomendadas Permitidas (CRP). Éste no es el único estándar. Otros especialistas incluyen las Ingestas Dietéticas Promedio y los Valores Diarios, los cuales se pueden observar en las etiquetas de los alimentos. Cada uno de ellos tiene un objetivo y un uso diferente en la planeación y valoración de la dieta.

Ingesta dietética promedio

Para ayudar a las personas a cumplir con las guías dietéticas, la National Academy of Sciences ha desarrollado un grupo de ingesta de nutrientes dietéticos para los individuos saludables de Estados Unidos y de Canadá a la que llamaron **Ingestas Dietéticas Promedio (IDP)**. Este grupo se basa en una revisión de las investigaciones más actuales sobre las necesidades nutritivas de individuos

saludables. Los informes del IDP son elaborados por el Food and Nutrition Board of the Institute of Medicine en colaboración con científicos de Canadá.

Con base en el IDP, hay cuatro tipos de valores de referencia para planear y determinar dietas:

1. Requerimientos Estimados Promedio (REP).
2. Cantidades Recomendadas Permitidas (CRP).
3. Ingesta Adecuada (IA).
4. Niveles Superiores de Consumo Tolerable (NS).

El IDP establece las cantidades apropiadas y el consumo máximo de nutrientes que resultan seguros para la salud con base en una revisión de las investigaciones más actuales sobre las necesidades nutritivas de individuos sanos. El tipo de valor de referencia utilizado para un nutriente y un grupo específico de género y edad determinados se establece según la información científica disponible y el uso que se le quiera dar al estándar dietético.

Los **Requerimientos Estimados Promedio (REP)** se refieren a la cantidad de nutrientes que se estima que son necesarios para cumplir con los requerimientos nutritivos de la mitad de los individuos saludables pertenecientes a grupos específicos de género y edad. En este nivel de consumo de nutrientes, los requerimientos nutricionales de más de 50% de la gente no se cumplen.

Las **Cantidades Recomendadas Permitidas (CRP)** establecen la cantidad diaria de un nutriente que se considera como adecuado para cumplir con las necesidades nutritivas de casi todos los individuos sanos de Estados Unidos. En la tabla 5.2 se presentan las CRP para determinados nutrientes. Debido a que el Comité debe decidir el nivel de ingesta que deberá recomendar, el CRP está

Tabla **5.2** Cantidades Recomendadas Permitidas e Ingesta Adecuada de ciertos nutrientes.

	CANTIDADES RECOMENDADAS PERMITIDAS (CRP)													INGESTA ADECUADA (IA)					
	Tiamina (mg)	Riboflavina (mg)	Niacina (mg NE)	Vitamina B₆ (mg)	Ácido fólico (mcg DFE)	Vitamina B₁₂ (mcg)	Fósforo (mg)	Magnesio (mg)	Vitamina A (mcg)	Vitamina C (mcg)	Vitamina E (mg)	Selenio (mcg)	Hierro (mcg)	Calcio (mg)	Vitamina D (mcg)	Fluoruro (mg)	Ácido pantoténico (mg)	Biotina (mg)	Colina (mg)
Hombres																			
14–18	1.2	1.3	16	1.3	400	2.4	1 250	410	900	75	15	55	11	1 300	5	3	5.0	25	550
19–30	1.2	1.3	16	1.3	400	2.4	700	400	900	90	15	55	8	1 000	5	4	5.0	30	550
31–50	1.2	1.3	16	1.3	400	2.4	700	420	900	90	15	55	8	1 000	5	4	5.0	30	550
51–70	1.2	1.3	16	1.7	400	2.4	700	420	900	90	15	55	8	1 200	10	4	5.0	30	550
>70	1.2	1.3	16	1.7	400	2.4	700	420	900	90	15	55	8	1 200	15	4	5.0	30	550
Mujeres																			
14–18	1.0	1.0	14	1.2	400	2.4	1,250	360	700	65	15	55	15	1 300	5	3	5.0	25	400
19–30	1.1	1.1	14	1.3	400	2.4	700	310	700	75	15	55	18	1 000	5	3	5.0	30	425
31–50	1.1	1.1	14	1.3	400	2.4	700	320	700	75	15	55	18	1 000	5	3	5.0	30	425
51–70	1.1	1.1	14	1.5	400	2.4	700	320	700	75	15	55	8	1 200	10	3	5.0	30	425
>70	1.1	1.1	14	1.5	400	2.4	700	320	700	75	15	55	8	1 200	15	3	5.0	30	425
Embarazadas	1.4	1.4	18	1.9	600	2.6	*	+40	750	85	15	60	27	*	*	3	6.0	30	450
En lactancia	1.5	1.6	17	2.0	500	2.8	*	*	1 300	120	19	70	10	*	*	3	7.0	35	550

* Los valores de estos nutrientes no cambian con el embarazo o la lactancia. Utilice los valores que se enlistan para las mujeres de edad similar.

Fuente: Adaptado con el permiso de *Recommended Dietary Allowances*, décima edición, y de las series de *Dietary Reference Intakes*, National Academy Press. Copyright 1989, 1997, 1999, 2000 y 2001, respectivamente, por la National Academy of Sciences. Con la cortesía de la National Academy Press, Washington, DC.

Tabla **5.3** *Niveles Superiores de Consumo Tolerable (NS) para adultos de 19 a 70 años de edad.*

NUTRIENTE	NS AL DÍA
Calcio	2.5 g
Fósforo	4.0 g*
Magnesio	350 mg
Vitamina D	50 mcg
Flúor	10 mg
Niacina	35 mg
Hierro	45 mg
Vitamina B$_6$	100 mg
Ácido fólico	1 000 mcg
Colina	3.5 g
Vitamina A	3 000 mcg
Vitamina C	2 000 mg
Vitamina E	1 000 mg
Selenio	400 mcg

* 3.5 g al día en el caso de embarazadas.

Figura **5.1** *Información nutricional que en la actualidad se utiliza para mostrar los valores diarios.*

Información Nutricional
Tamaño de porción 1 taza (240 ml)
Porciones por envase 4

Cantidad por porción

Calorías 120 Calorías de grasa 45

% Valor diario*

Grasa total 5g	**8%**
Grasa saturada 3g	**15%**
Colesterol 20mg	**7%**
Sodio 120mg	**5%**
Carbohidratos totales 12g	**4%**
Fibra dietética 0g	**0%**
Azúcares 12g	

Proteínas 8g

Vitamina A 10%	•	Vitamina C	4%
Calcio 30%	•	Hierro	0%

* Los porcentajes de valores diarios se basan en una dieta de 2 000 calorías. Los valores diarios pueden ser más altos o más bajos dependiendo de sus necesidades calóricas:

		Calorías	2 000	2 500
Grasa total	Menos de		65g	80g
Grasa saturada	Menos de		20g	25g
Colesterol	Menos de		300mg	300mg
Sodio	Menos de		2 400mg	2 400mg
Total de carbohidratos			300g	375g
Fibra			25g	30g

Calorías por gramo:
Grasa 9 • Carbohidratos 4 • Proteína 4

por encima del REP y cubre a cerca de 98% de la población. Dicho de otra manera, la recomendación del REP para cualquier nutriente está por encima de los requerimientos actuales de cada individuo.

Se podría considerar al CRP como una meta con respecto a la ingesta adecuada. El proceso de determinar la CRP depende de la capacidad de establecer un REP. La CRP se encuentra determinada de manera estadística a partir de los valores de la REP. Si no es posible establecer una REP, entonces no será posible determinar la CRP.

Cuando la información o los datos son insuficientes para determinar la REP, se determina entonces un valor de **Ingesta Adecuada (IA)** en lugar de la CRP. El valor IA se deriva de la ingesta aproximada de nutrientes que se observó en un grupo o grupos de individuos sanos. Se cree que el valor IA de niños y adultos cumple o excede los requerimientos nutritivos de una población sana específica.

Los **Niveles Superiores de Consumo Tolerable (NS)**, los cuales estarán en un futuro próximo disponibles para cada nutriente, establecen el nivel más alto de consumo de un nutriente que resulta seguro para la mayoría de las personas sanas. Más allá de este nivel se incrementa el riesgo de padecer efectos adversos, pues estos últimos se incrementan a medida que el consumo rebasa el NS. En general, el rango óptimo de nutrientes para una alimentación sana se encuentra entre el CRP y el NS. En la tabla 5.3 se presenta el NS para determinados nutrientes.

▶ Valores diarios

Los **valores diarios (VD)** son valores de referencia tanto de los nutrientes como de los componentes alimenticios que son incluidos en las informaciones nutricionales de los productos alimenticios. Los VD se basan en una dieta de 2 000 calorías, así que es posible que requiera ajustes dependiendo de las necesidades calóricas de cada individuo.

La información nutricional (figura 5.1) constituye una mejor guía en la planeación de una dieta diaria. Por

Ingesta Adecuada (IA): La cantidad recomendada de ingesta de nutrientes cuando no se dispone de suficientes pruebas para calcular la REP y, por consiguiente, la CRP.

Niveles Superiores de Consumo Tolerable (NS): El nivel más alto de consumo de nutrientes que parece resultar seguro para la mayoría de las personas sanas sin que haya un riesgo elevado de efectos adversos.

Valores diarios (VD): Valores de referencia para los nutrientes y los componentes alimenticios empleados en las etiquetas de los alimentos.

Tabla **5.4** *Distribución actual y recomendada de la ingesta de carbohidratos, grasas y proteínas expresada en porcentajes de calorías totales.*

	% ACTUAL	% RECOMENDADO*
Carbohidratos:	50	45–65
Simples	26	Menos de 25
Complejos	24	20–40
Grasa:	34	20–35
Monoinsaturada	11	Hasta 20
Polinsaturada	10	Hasta 10
Saturada	13	Menos de 7
Proteínas:	16	10–35

* 2002 Guías de recomendación del 2000 elaboradas por la National Academy of Sciences.

ejemplo, si el VD de los carbohidratos de determinado alimento llega sólo a 35%, entonces es necesario complementarlo con otros alimentos altos en carbohidratos para poder alcanzar 100%. Veamos otro ejemplo: si el VD de grasa de otro alimento es de 60 o 70%, entonces es necesario que limite su consumo de grasa durante todo el resto del día.

Todos los estándares de nutrición que se han visto hasta el momento aplican solamente al caso de personas sanas, es decir que, no están diseñadas para las personas que padecen enfermedades o que requieren nutrientes adicionales o ajustes en su dieta.

Pensamiento crítico

¿Qué significado tienen para usted los estándares de nutrición?, ¿cree que representaría un reto aplicar dichos estándares a su dieta?

Guías dietéticas

A mucha gente le gustaría vivir al máximo, tener una buena salud y una vida productiva. Una de las formas de lograr lo anterior es mediante una dieta balanceada. Como se ilustra en la tabla 5.4, las guías que recomienda la National Academy of Sciences (NAS) en 2002 establecen que el consumo diario de calorías debe estar distribuido de manera que de 45 a 60% del total de calorías provenga de los carbohidratos (en su mayoría de tipo complejo, y que menos de 25% provenga del azúcar), de 20 a 35% de la grasa y de 10 a 35% de las proteínas.[3] Estos rangos ofrecen una mayor flexibilidad en la planeación de una dieta de acuerdo con la salud y las necesidades de actividad física de cada individuo.

Además de estos macronutrientes, la dieta debe incluir todas las vitaminas y minerales esenciales. Asimismo, la fuente de las calorías de grasa es fundamental. El

National Colesterol Education Program recomienda que las grasas saturadas constituyan menos de 7%, las polinsaturadas hasta 10% y las monoinsaturadas hasta 20% del total de las calorías. Calificar un dieta determinada de manera precisa resulta muy difícil sin la ayuda de un análisis de nutrientes. En la actividad 5.1, página 119, puede llevar a cabo dicho análisis.

Las guías de la NAS para el 2002 contrastan con aquellas provistas por las principales organizaciones nacionales de la salud, las cuales recomiendan que de 50 a 60% del total de las calorías provenga de los carbohidratos, menos de 30% de la grasa y cerca de 15% de las proteínas. La diferencia más drástica se presenta en el rango de consumo de grasa permitido por la NAS, la cual es de hasta 35% del total de las calorías. Las recomendaciones de la NAS resultarán efectivas únicamente si la gente reemplaza los ácidos saturados y transgrasos con los ácidos grasos insaturados. Esto último requerirá cambios drásticos en la típica dieta del estadounidense, la cual es poco saludable, ya que, en general, es alta en carnes rojas, productos lácteos enteros y comida rápida —todos estos alimentos tienen un alto índice de ácidos saturados y/o transgrasos.

Determinación del contenido de grasa en la dieta

Como se ilustra en la figura 5.2, cada gramo de carbohidratos y proteínas le proporciona al cuerpo 4 calorías, mientras que la grasa le proporciona 9 calorías por gramo consumido (el alcohol produce 7 calorías por gramo). En este sentido, puede resultar engañoso considerar sólo la cantidad total de gramos que se consumen en cada tipo de alimento.

Por ejemplo, una persona que consume 160 gramos de carbohidratos, 100 gramos de grasa y 70 gramos de proteínas tiene una ingesta total de 330 gramos de alimentos, lo cual indica que 33% de la cantidad total de gramos está en la forma de grasa (100 gramos de grasa ÷ 330 gramos de alimento total × 100).

Sin embargo, casi la mitad de esta dieta está compuesta de calorías de grasa. En la dieta, 640 calorías se derivan de los carbohidratos (160 gramos × 4 calorías/gramos), 280 calorías de las proteínas (70 gramos × 4 calorías/gramos) y 900 calorías de la grasa (100 gramos × 9 calorías/gramos), para un total de 1 820 calorías. Si 900 calorías se derivan de la grasa, entonces casi la mitad de la ingesta total de calorías está en la forma de grasa (900 ÷ 1 820 × 100 = 49.5 por ciento).

El hecho de que cada gramo de grasa proporcione 9 calorías constituye una guía útil al momento de determinar el contenido de grasa de cada alimento. Como se muestra en la figura 5.3, todo lo que se requiere hacer es multiplicar los gramos de grasa por 9 y dividirlo por el total de calorías de un alimento en específico. Multiplique este número por 100 para obtener el porcentaje. Por ejemplo, si en la etiqueta de un producto se indica un total de 100 calorías y 7 gramos de grasa, el contenido de grasa es

Figura **5.2** *Valor calórico (calorías) por gramo de alimento.*

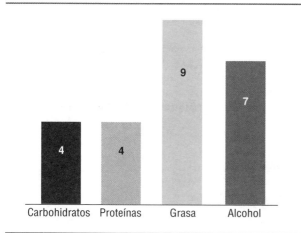

Figura **5.3** *Determinación del porcentaje de calorías a partir de la grasa en los alimentos.*

Porción = 120 calorías   Grasa = 5 g

Porcentaje de calorías de grasa = (g de grasa × 9)
÷ calorías por porción × 100

5 g de grasa × 9 calorías por g de grasa =
45 calorías de grasa

45 calorías de grasa ÷ 120 calorías
por porción × 100 = 38% grasa

entonces de 63% del total de calorías. Esta sencilla guía le permitirá disminuir la cantidad de grasa en su dieta.

◤ Balance en la dieta

Lograr y mantener una dieta balanceada no es tan difícil como mucha gente piensa. La guía de alimentación en forma de pirámide que se muestra en la figura 5.4 proporciona instrucciones sencillas para una nutrición sana. La pirámide contiene cinco principales grupos de alimentos, así como grasas, aceites y azúcares, los cuales deberán consumirse de manera esporádica. Las porciones diarias que se recomiendan de los cinco principales grupos son:

1. 6 a 11 porciones del grupo del pan, el cereal, el arroz y las pastas.
2. 3 a 5 porciones del grupo de las verduras.
3. 2 a 4 porciones del grupo de las frutas.
4. 2 a 3 porciones del grupo de los lácteos, el yogur y el queso.
5. 2 a 3 porciones del grupo de la carne, el pollo, el pescado, los frijoles, los huevos y las nueces.

Tal y como se ilustra en la pirámide, los granos, las verduras y las frutas conforman la base nutricional de una dieta sana. En cuanto a los granos, éstos deben ser enteros y no deben estar refinados o ser carbohidratos simples. La frutas y las verduras deben incluir, como un mínimo diario, una buena fuente de vitamina A (albaricoques, melón, brócoli, zanahorias, calabaza, verduras de color verde oscuro) y una buena fuente de vitamina C (cítricos, kiwi, melón, fresas, brócoli, col, coliflor, pimiento verde).

Un campo de investigación completamente nuevo con resultados prometedores en la prevención de las enfermedades, especialmente en la lucha contra el cáncer, es la de los **fitoquímicos**[4] ("fito" proviene del término griego para referirse a la planta). La principal función de los fitoquímicos en las plantas es protegerlas de la luz solar. En los seres humanos parecen tener una habilidad poderosa para bloquear la formación de tumores cancerígenos. Sus acciones son tan diversas que, casi a cualquier etapa del cáncer, los fitoquímicos tienen la habilidad de bloquear, interrumpir, desacelerar o incluso revertir este proceso (ver también el capítulo 8).

Estos compuestos no se encuentran en las píldoras, así que es necesario consumir una amplia variedad de frutas y verduras. La recomendación de consumir de cinco a nueve porciones de frutas y verduras todos los días no se puede sustituir de ninguna forma. No es posible esperar los mismos beneficios a partir de una dieta deficiente y de ingerir unas cuantas píldoras.

La leche, el pollo, el pescado y la carne se deben consumir con moderación. Se recomienda la leche descremada y baja en calorías. Asimismo, se recomienda consumir 3 onzas (85 g) de pollo, pescado y carne —no más de 6 onzas (170 g)— a diario. La piel y la grasa visibles deberán removerse de la carne o del pollo antes de ser cocinadas.

Lo que le resulta más difícil a la gente es hacerse a la idea de adoptar un plan de nutrición sano de manera permanente. Puede lograr una dieta balanceada si: (a) evita las grasas excesivas, los aceites, el dulce, el sodio (sal) y el alcohol, (b) aumenta su ingesta de fibra y (c) consume el número mínimo de porciones que se recomiendan para cada uno de los cinco grupos de la pirámide nutricional.

TÉRMINO CLAVE ◤

Fitoquímicos: Compuestos que se encuentran en las verduras y las frutas, y que cuentan con propiedades contra el cáncer.

Figura **5.4** *Pirámide nutricional*

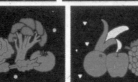

Grasas, aceites y dulces
Consumo esporádico

CLAVE
● Grasa (natural y adicionada)   ▼ Azúcares (adicionados)

Estos símbolos muestran las grasas, los aceites y los azúcares adicionados en los alimentos.

Grupo de lácteos, yogur y queso
2-3 porciones

Grupo de la carne, el pollo, el pescado, los frijoles, el huevo y las nueces
2-3 porciones

Grupo de las verduras
3-5 porciones

Grupo de las frutas
2-4 porciones

Grupo de los cereales, el pan, el arroz y la pasta
6-11 porciones

¿Qué es lo que se considera una porción?

Pan, cereal, arroz y pasta
1 rebanada de pan
1/2 taza de arroz o pasta cocidos
1/2 taza de cereal cocido
1 onza (28.3 g) de cereal sin cocer

Verduras
1/2 taza de verduras rebanadas, crudas o cocidas
1 taza de verduras de hoja cruda

Frutas
1 pieza de fruta o un trozo de sandía
3/4 taza de jugo
1/2 taza de fruta enlatada
1/4 taza de fruta seca

Leche, yogur y queso
1 taza de leche o yogur
1½ a 2 onzas (56.7 g) de queso

Carne, pollo, pescado, frijoles secos, huevo y nueces
2½ a 3 onzas (85.0 g) de carne magra cocida, pollo o pescado
Se cuenta ½ taza de frijoles cocidos o 1 huevo o 2 cucharadas de mantequilla de cacahuate como 1 onza (28.3 g) de carne magra (cerca de ⅓ de porción)

Grasas, aceites y dulces
Limite las calorías de estos productos, en especial si necesita bajar de peso

La cantidad que consuma puede ser más de una porción. Por ejemplo, una porción en la cena de espagueti cuenta como 2 o 3 porciones de pasta.

¿Cuántas porciones necesita al día?

	Mujeres y algunos adultos mayores	Niños, mujeres adolescentes, mujeres activas, la mayoría de los hombres	Hombres adolescentes y hombres activos
Nivel de calorías*	cerca de 1 600	cerca de 2 200	cerca de 2 800
Grupo del pan	6	9	11
Grupo de las verduras	3	4	5
Grupo de las frutas	2	3	4
Grupo de los lácteos	2-3**	2-3**	2-3**
Grupo de las carnes	2, para un total de 5 onzas (141.7 g)	2, para un total de 6 onzas (170.0 g)	3, para un total de 7 onzas (198.5 g)

* Éstos son los niveles de calorías si elige alimentos bajos en grasa de los 5 grupos de alimentos y consume alimentos del grupo de las grasas, los aceites y los dulces de manera esporádica.

** Las mujeres embarazadas o que se encuentran amamantando, los adolescentes y los jóvenes adultos hasta la edad de 24 años requieren 3 porciones.

Una aproximación a las grasas y los azúcares adicionados

La punta de la pirámide nutricional muestra a las grasas, los aceites y los dulces. Éstos se encuentran en alimentos tales como los aderezos, la crema, la mantequilla, la margarina, los azúcares, las bebidas suaves, los dulces y los postres. Las bebidas alcohólicas también forman parte de este grupo. Estos alimentos proporcionan calorías, pero pocas vitaminas y minerales. La mayoría de las personas debe evitar abusar de este grupo.

Algunos símbolos de la grasa o el azúcar se muestran en otros grupos alimenticios con el fin de recordarle que algunos alimentos de este grupo también pueden ser altos en grasas y azúcares adicionados, como el queso y el helado en el grupo de los lácteos o las papas a la francesa en grupo de las verduras. Al momento de elegir los alimentos para una dieta saludable, considere la grasa y los azúcares adicionados de todos los grupos de alimentos, es decir, no sólo de las grasas, aceites y dulces que se sitúan en la punta de la pirámide.

Desarrollado por el U.S. Department of Agriculture para promover una dieta saludable entre la población de Estados Unidos.

► Análisis de nutrientes

Para poder equilibrar su dieta, en la actividad 5.1 de la página 119 podrá encontrar una forma en la que podrá registrar su ingesta diaria de alimentos. En primer lugar, tenga a la mano suficientes copias para el número de días que desea analizar. Siempre que coma algo, registre el tipo de alimento y la cantidad que consumió. Hacer esto de manera inmediata después de cada comida le permitirá llevar un registro de su ingesta diaria actual de alimentos de una manera más fácil.

Al final de cada día, consulte la lista de alimentos del apéndice E y registre el número de calorías para cada alimento que haya consumido. En la actividad 5.1, página 119, registre el número de porciones bajo los grupos correspondientes de alimentos. Si consume el doble de la cantidad de una porción estándar, duplique las calorías y el número de porciones.

Puede evaluar su dieta revisando si consumió o no el mínimo de porciones requeridas para cada grupo alimenticio. Si al final de cada día cumple con el mínimo de porciones requeridas, entonces estará equilibrando su dieta de manera efectiva.

Además de cumplir con las guías de porciones diarias, se recomienda un análisis completo de nutrientes a fin de calificar su dieta en forma precisa. Un análisis de este tipo puede detectar áreas que pueden representar problemas potenciales en su dieta, por ejemplo, el consumo alto de grasas, grasas saturadas, colesterol, sodio, etc. Asimismo, este análisis puede llegar a constituir una experiencia educativa debido a que la mayor parte de la gente no se da cuenta del carácter poco nutritivo y dañino de muchos de los alimentos comunes que consume a diario.

Puede realizar el análisis con la ayuda del programa que acompaña a este libro y mediante la información que hasta el momento ha registrado en la forma que se proporciona en la actividad 5.1. Es posible analizar hasta siete días mediante el programa. Antes de echarlo a andar, llene la información que se encuentra en la parte de arriba de esta forma (edad, peso, altura, sexo y tipo de actividad) y asegúrese de registrar los alimentos con base en las cantidades estándares que se proporcionan en la lista de selección de alimentos del apéndice E. Cabe destacar que el programa también incorpora al vegetarianismo.

► Vegetarianismo

Más de 12 millones de individuos en Estados Unidos llevan a cabo dietas vegetarianas. Los **vegetarianos** consumen principalmente alimentos derivados del pan, los cereales, el arroz, las pastas y los grupos de las frutas y las verduras, y evitan los alimentos de origen animal que incluyen la leche, el yogur, el queso y la carne. Los cinco tipos básicos de vegetarianos son:

1. *Vegetarianos puros* (*veganos*): No consumen productos de origen animal de ningún tipo.
2. *Ovo vegetarianos*: Los que incorporan huevos a su dieta.
3. *Lacto vegetarianos*: Los que incorporan alimentos del grupo de los lácteos.
4. *Lacto ovo vegetarianos*: Los que incluyen tanto huevos como productos lácteos en su dieta.
5. *Semivegetarianos*: No comen carne roja pero sí incluyen pescado y pollo en su dieta, así como productos lácteos y huevo.

Las dietas vegetarianas bien planeadas son saludables, consistentes con las Dietary Guidelines for Americans y cumplen con las IDP de los nutrientes. Sin embargo, los vegetarianos que no seleccionan las combinaciones de alimentos de manera apropiada pueden llegar a desarrollar deficiencias nutritivas de proteínas, vitaminas, minerales e incluso de calorías. Se debe prestar mayor atención en la planeación de dietas vegetarianas dirigidas a los bebés o a los niños, ya que, de no tomarse los cuidados necesarios, una dieta vegetariana muy estricta puede impedir un crecimiento y un desarrollo adecuados.

La deficiencia de proteínas constituye una de las principales preocupaciones en las dietas vegetarianas. Los vegetarianos puros, en particular, deben tener cuidado de consumir alimentos que proporcionen una distribución balanceada de aminoácidos esenciales como los productos de granos y las legumbres. Los vegetarianos estrictos necesitan también un complemento de vitamina B12, la cual no se encuentra en las plantas, pues su única fuente son los alimentos de origen animal. La deficiencia de esta vitamina puede provocar anemia y daño a los nervios.

La llave de una dieta vegetariana saludable es consumir alimentos con proteínas complementarias. La mayoría de los productos de origen vegetal carecen de uno o más aminoácidos esenciales en cantidades adecuadas. Por ejemplo, tanto los granos como las legumbres son buenas fuentes de proteínas, pero ninguno de estos grupos de alimentos proporciona todos los aminoácidos esenciales: los granos y cereales son bajos en el aminoácido lisina, en tanto que las legumbres carecen de metionina. La combinación de alimentos provenientes de ambos grupos, como las tortillas y los frijoles, el arroz y los frijoles, el arroz y la soya, o bien, el pan de trigo y los cacahuates, se complementan bien. Estas proteínas complementarias pueden ser consumidas a lo largo del día, pero es mejor si se consumen en una sola comida.

El consumo de nueces y productos de soya, los cuales están presentes por lo común en las dietas vegetarianas, ha merecido una atención considerable en los últimos años. A pesar de que las nueces contienen de 70 a 90% de grasa, la mayor parte es insaturada. Las investigaciones indican que la gente que consume nueces varias veces a la semana presenta un riesgo más bajo de padecer enfermedades cardiacas. Comer de 2 a 3 onzas (85 g alrededor de media taza) de almendras, nueces o nueces de macadamia al día podría disminuir el colesterol alto en la sangre en 10 por ciento.

Los beneficios en la salud del corazón se atribuyen a las grasas insaturadas y también a otros nutrientes que se encuentran en las nueces como, la vitamina E y el ácido fólico. Las nueces también contienen vitamina B, calcio, cobre, potasio, magnesio, fibra y fitoquímicos. Muchos

TÉRMINO CLAVE ◤

Vegetarianos: Individuos cuya dieta es de origen vegetal o proveniente de las plantas.

de estos nutrientes protegen contra el cáncer y las enfermedades cardiacas.

Sin embargo, las nueces tienen un defecto: Son altas en calorías. Un puñado de nueces proporciona la misma cantidad de calorías que un pedazo de pastel. Por consiguiente, debe evitar consumir nueces como botana. Se recomienda consumirlas en lugar de los alimentos altos en proteínas como la carne, el tocino, el huevo, o bien, como parte de un platillo con fruta o ensalada de verduras, pan casero, panqués, carne y verduras al horno, yogur y avena. La crema de cacahuate en los sandwiches es también más saludable que el queso o algunas carnes frías.

La creciente popularidad de los alimentos de soya se atribuye principalmente a una investigación en Asia que señala que la gente que los consume tiene menos riesgo de enfermedades cardiacas, así como una menor incidencia del cáncer que está vinculado con las hormonas. Los beneficios de la soya radican en su alto contenido de proteínas y químicos de plantas, conocidos como isoflavinas, las cuales actúan como antioxidantes y pueden proteger en contra del cáncer que se relaciona con el estrógeno (mama, ovarios y endometrio). El consumo de soya se ha vinculado también a un menor riesgo de cáncer de próstata.

Además, las proteínas de soya pueden reducir el colesterol presente en la sangre aún más de lo que se esperaría a partir de su contenido bajo de grasa y su alto contenido en fibra. Las pruebas que destacan los beneficios de la soya en la salud del corazón son tan fuertes que el Food and Drug Administration permite ahora el siguiente señalamiento en las etiquetas de los alimentos: "25 gramos de proteínas de soya al día, como parte de una dieta baja en grasa saturada y colesterol, puede reducir el riesgo de enfermedades cardiacas". Una o 2 tazas de leche de soya, ½ taza de tofu, 1½ cucharadas de proteína de soya sola o ¼ de taza de harina de soya proporciona cerca de 10 gramos de proteína de soya.

Las personas que estén interesadas en las dietas vegetarianas deben consultar otras fuentes. Un tratamiento amplio sobre este tema no se puede abarcar en tan sólo unos cuantos párrafos.

◣ Suplementos nutritivos

Alrededor de la mitad de los adultos en Estados Unidos toman **suplementos** nutritivos a diario. Los requerimientos nutritivos del cuerpo normalmente se pueden cumplir si se consumen tan sólo 1 200 calorías y en tanto que la dieta contenga las porciones recomendadas de los cinco grupos alimenticios. No se deben tomar **megadosis** de vitaminas y minerales. En el caso de algunos nutrientes, una dosis de cinco veces la CRP, tomada durante varios meses, puede originar problemas. En el caso de otros nutrientes esto no representa ninguna amenaza para la salud del ser humano. Las dosis de vitaminas y minerales no deben exceder los NS. En el caso de los nutrientes que no tienen un NS establecido, la persona no debe tomar una dosis mayor a tres veces la CRP.

Las personas que podrían beneficiarse de los suplementos nutritivos son las que presentan deficiencias en su nutrición (incluyendo una ingesta baja de calcio), las

personas alcohólicas o los consumidores de droga que no tienen una dieta balanceada, los fumadores, los vegetarianos estrictos, los individuos cuya dieta es muy baja en calorías (menos de 1 200 calorías al día), los adultos mayores que no consumen comidas balanceadas de manera regular, los recién nacidos (a quienes normalmente se les da una sola dosis de vitamina K para prevenir un sangrado anormal) y, por último, las personas con enfermedades relacionadas con desórdenes alimenticios o que se encuentran tomando medicamentos que interfieren con la absorción adecuada de los nutrientes.

Si bien se recomienda consumir ciertos suplementos, tal parece que la mayoría de ellos no proporcionan beneficios adicionales a aquellos individuos sanos que llevan a cabo una dieta balanceada. Por consiguiente, los suplementos no le permiten a un individuo correr más rápido, saltar más alto, descargar el estrés, mejorar su desempeño sexual, curar un resfriado común o aumentar los niveles de energía. Algunos casos especiales se comentarán más adelante.

☛ Hierro

La deficiencia en hierro (la cual se determina mediante una prueba de sangre) es más común en las mujeres que en los hombres. A menudo se recomienda un suplemento de hierro en el caso de mujeres que presentan un flujo menstrual abundante. De igual forma, algunas mujeres embarazadas o en estado de lactancia pueden llegar a requerir dichos suplementos. Según las guías de 1990 elaboradas por la National Academy of Sciences, la mujer embarazada promedio que consume una cantidad adecuada y variada de alimentos debe tomar diario una dosis baja de suplemento de hierro. Las mujeres que esperan más de un bebé pueden llegar a necesitar suplementos adicionales.

☛ Antioxidantes y ácido fólico

Se han llevado a cabo un gran número de investigaciones para estudiar los efectos de los antioxidantes y el ácido fólico en el cuerpo. A pesar de que en algunos casos resulta controversial la necesidad de suplementos, muchos individuos no consumen, en cantidad suficiente, estos nutrientes en su dieta.

☛ Radicales libres

El oxígeno se utiliza durante el metabolismo para convertir los carbohidratos y las grasas en energía. Durante este proceso el oxígeno se transforma en formas estables de agua y dióxido de carbono. Sin embargo, una pequeña cantidad de oxígeno termina al final como una forma inestable, la cual se conoce como radical libre de oxígeno. Una molécula de radical libre tiene un núcleo de protón normal con un electrón impar único.

El hecho de tener un electrón hace que el radical libre sea en extremo reactivo y busque de manera constante que un electrón acompañe a otro electrón proveniente de una molécula distinta. Cuando un radical libre toma el segundo electrón de otra molécula, esta última se convierte a su vez en un radical libre. Esta reacción en cade-

Tabla **5.5** *Nutrientes antioxidantes, fuentes y funciones.*

NUTRIENTE	FUENTES BUENAS	EFECTO ANTIOXIDANTE
Vitamina C	Cítricos, kiwi, melón, fresas, brócoli, pimiento verde o rojo, coliflor, col.	Al parecer desactivan los radicales libres de oxígeno.
Vitamina E	Aceites vegetales, verduras de hoja verde o amarilla, margarina, germen de trigo, avena, almendras, pan de grano entero, cereales.	Protegen a los lípidos de la oxidación.
Beta-caroteno	Zanahorias, chayote, calabaza, camote, brócoli, verduras de hoja verde.	Absorben los radicales libres del oxígeno.
Selenio	Mariscos, nueces del Brasil, carne, granos enteros.	Ayudan a prevenir daños en las estructuras celulares.

na continúa hasta que dos radicales libres se encuentran para formar una molécula estable. Los radicales libres atacan y dañan a las proteínas y los lípidos, en particular a las membranas celulares y al ADN. Se cree que este daño contribuye al desarrollo de ciertos padecimientos como las enfermedades cardiovasculares, el cáncer, el enfisema, las cataratas, la enfermedad de Parkinson y el envejecimiento prematuro. Los factores ambientales que al parecer contribuyen a la formación de los radicales libres incluyen la radiación solar, el humo del tabaco, el esmog, la radicación, ciertas drogas, las heridas o infecciones y los químicos (como los pesticidas), entre otros.

Los sistemas de defensa propios del cuerpo humano en general neutralizan los radicales libres a fin de que no ocasionen ningún daño. No obstante, cuando los radicales se producen más rápido de lo que el cuerpo es capaz de neutralizarlos, éstos pueden llegar a dañar a las células. Se cree que los antioxidantes ofrecen protección al momento de absorber los radicales antes de que puedan ocasionar daños y también al momento de interrumpir la secuencia de reacciones una vez que el daño ha empezado. Muchos investigadores en este campo creen que tomar suplementos antioxidantes previene los daños ocasionados por los radicales libres.

Los antioxidantes se encuentran de manera abundante en los alimentos, en especial en las frutas y las verduras. Desafortunadamente, la mayoría de los estadounidenses no consume las cinco porciones diarias de frutas y verduras que se recomiendan como mínimo (es recomendable consumir de cinco a nueve porciones). Aunque los alimentos contienen quizá más de 4 000 antioxidantes, los cuatro más estudiados son las vitaminas C, E, el beta-caroteno (un precursor de la vitamina A) y el selenio mineral (ver la tabla 5.5).

Muchos de los beneficios de los antioxidantes se obtienen de las propias fuentes alimenticias. La controversia se cierne sobre la necesidad de tomar antioxidantes en la forma de suplementos. Algunos investigadores creen que tomar antioxidantes como suplementos previene aún más los daños provocados por los radicales libres. En 2001, el consejo editorial del *University of California at Berkeley Wellness Letter* actualizó sus recomendaciones sobre la ingesta diaria de nutrientes antioxidantes e incluyó:

■ De 250 a 500 mg de vitamina C.
■ De 200 a 400 UI (unidades internacionales) de vitamina E (esta vitamina debe estar en forma natural pues el cuerpo no aprovecha las formas sintéticas muy bien).

Con base en estas recomendaciones, la gente que consume nueve porciones de fruta y verduras frescas todos los días puede cumplir con los requerimientos de beta-caroteno y vitamina C a través de su dieta. Sin embargo, obtener la guía para la vitamina E que se mencionó antes por medio únicamente de la dieta resulta casi imposible. Esta vitamina, también llamada tocoferol, se encuentra principalmente en las semillas ricas en aceite, así como en los aceites vegetales. Como se muestra en la tabla 5.6, la vitamina E no se encuentra con facilidad, en grandes cantidades, en los alimentos que por lo común se consumen en la dieta.

La vitamina E puede también prevenir la aterosclerosis en la gente sana y en los diabéticos. De igual forma, se cree que disminuye el riesgo de padecer un ataque cardiaco. Por lo tanto, es conveniente tomar un suplemento diario de vitamina E debido a que ésta es soluble en grasa y debe consumirse en una comida que tenga algo de ésta. No se recomienda un suplemento sustancial de vitamina E en el caso de individuos que están llevando una terapia anticoagulante, pues esta vitamina es un anticoagulante en sí misma. Por consiguiente, si se encuentra sometido a dicha terapia, consulte a su médico. Con todo, los nutrientes antioxidantes a menudo funcionan en conjunto con otros nutrientes que pueden aumentar aún más sus efectos benéficos.

TÉRMINOS CLAVE

Suplementos: Tabletas, píldoras, cápsulas, líquidos o polvos que contienen vitaminas, minerales, aminoácidos, hierbas o fibra que se ingieren con el fin de aumentar la ingesta de estas sustancias.

Megadosis: Para la mayoría de las vitaminas, 10 veces la CRP o más; para las vitaminas A y D, cinco a dos veces la CRP, respectivamente.

Tabla **5.6** *Contenido de antioxidantes en ciertos alimentos.*

BETA-CAROTENO	UI
Albaricoque (1 mitad)	675
Brócoli (½ taza, congelado)	1 740
Brócoli (½ taza, crudo)	680
Melón (1 taza)	5 160
Zanahoria (1 mitad, cruda)	20 255
Chícharos (½ taza, congeladas)	535
Mango (1 mitad)	8 060
Mostaza (½ taza, congelados)	3 350
Papaya (1 mitad)	6 120
Espinaca (½ taza, congelada)	7 395
Camote (1 mitad, horneado)	24 875
Jitomate (1 mitad)	1 395
Nabos (½ taza, hervidos)	3 960

VITAMINA E	UI	mg*
Aceite de almendra (1 cuch. sopera)		5.3
Almendras (1 onza)	10.1	
Aceite de canola (1 cuch. sopera)		9.0
Aceite de semilla de algodón (1 cuch. sopera)		5.2
Avellanas (1 onza)	4.4	
Col (1 taza)	15.0	
Margarina (1 cuch. sopera)		2.0
Cacahuates (1 onza, 28.3 g)	3.0	
Camarones (3 onzas, 85 g, hervidos)	3.1	
Semillas de girasol (1 onza, 28.3 g, secas)	14.2	
Aceite de semilla de girasol (1 cuch. sopera)		6.9
Camote (1 mitad, cocido)	7.2	
Aceite de germen de trigo (1 cuch. sopera)		20.0

VITAMINA C	mg
Acerola (1 taza, cruda)	1 640
Jugo de acerola (8 onzas, 226 g)	3 864
Melón (½ porción)	90
Jugo de arándano (8 onzas, 226 g)	90
Uvas (½, medio, verdes)	52
Jugo de uva (8 onzas, 226 g)	92
Guayaba (1 mitad)	165
Kiwi (1 mitad)	75
Jugo de limón (8 onzas, 226 g)	110
Naranja (1 mitad)	66
Jugo de naranja (8 onzas, 226 g)	120
Papaya (1 mitad)	85
Pimiento (½ taza, rojo, rebanado, crudo)	95
Fresas (1 taza, crudas)	88

SELENIO	mcg
Nueces del Brasil (1)	100
Pan, enriquecido con trigo entero (1 rebanada)	15
Bistec (3 onzas)	33
Cereales (3½ oz)	20
Pechuga de pollo, rostizada, sin piel (3 onzas, 85 g)	24
Bacalao, horneado (3 onzas, 85 g)	57
huevo, duro hervido (1 grande)	15
Fruta (3½ onzas)	1
Tallarines, enriquecidos, hervidos (1 taza)	50
Avena, cocido (1 taza)	23
Habichuelas (3 onzas, 85 g)	150
Arroz, de grano grande, cocido (1 taza)	20
Salmón, horneado (3 onzas, 85 g)	35
Espagueti con jugo de carne (1 taza)	36
Atún, enlatado, con agua, drenado (3 onzas)	68
Pechuga de pavo, rostizada, sin piel (3 onzas)	28
Nueces de nogal, negras, en pedazos (¼ taza)	5
Verduras (3½ onzas)	1

* Los valores de la vitamina E para los aceites se expresan comúnmente en miligramos (mg). Un mg es casi equivalente a 1 UI (unidad internacional).

La vitamina C es soluble en agua, por lo que el cuerpo la elimina en alrededor de 12 horas. Para mejores resultados, consuma alimentos ricos en vitamina C dos veces al día o divida su suplemento de dicha vitamina en dos y tómelo dos veces al día. No se recomienda un consumo alto de suplemento de vitamina C (es decir, por arriba de los 500 mg al día).

Muchos estudios reconocidos han demostrado que la vitamina C ofrece beneficios en contra de las enfermedades cardiacas, el cáncer, las cataratas y otros padecimientos. De modo que es recomendable una dieta rica en vitamina C, más un suplemento diario de 250 a 500 mg.[5] Resultan innecesarios más de 500 mg al día, ya que una investigación llevada a cabo en el National Institute of Health mostró que el cuerpo absorbe muy poca vitamina C más allá de los primeros 200 mg por porción o dosis.

En el caso del beta-caroteno, es mejor obtener la dosis diaria a partir de los alimentos y no de los suplementos. Las investigaciones demuestran que los suplementos de beta-caroteno no ofrecen beneficios adicionales a la salud del que los consume y de hecho pueden aumentar el índice de cáncer de pulmón en el caso de los fumadores que toman dichos suplementos. Por lo tanto, se recomienda que "deje a un lado las píldoras y mejor coma zanahorias". La mitad de una zanahoria cruda contiene cerca de 20 000 UI de beta-caroteno (la dosis diaria recomendada).

Las mujeres embarazadas necesitan de aprobación médica antes de tomar suplementos de beta-caroteno. Asimismo, éstos pueden resultar peligrosos si se toman con alcohol o si son consumidos por personas que beben más de 4 onzas (113 g) de alcohol puro al día (el equivalente a ocho cervezas).

Se recomienda una ingesta adecuada de selenio mineral, pues todo parece indicar que las personas que toman 200 mcg de selenio de manera diaria disminuyen el riesgo de adquirir cáncer de próstata en 63%, cáncer en el colón en 58% y cáncer de pulmón en 46%.[6] La información al respecto también indica que puede disminuir el riesgo de cáncer de mama, hígado y tracto digestivo. Según el doctor Edward Giovannucci del Harvard Medical School, las pruebas acerca de los beneficios del selenio en la reducción del riesgo de cáncer de próstatas son tan fuertes que los oficiales de salud pública deben recomendar a la gente que incremente su ingesta de selenio de inmediato.[7]

Otras pruebas sugieren que tomar 100 mcg de suplementos de selenio en forma diaria incrementa los niveles de energía, disminuye la ansiedad y mejora el sistema inmunológico. Debido a que es posible que el selenio interfiera con la absorción de la vitamina C, se deben tomar ambos suplementos por separado y a distintas horas. Por otro lado, los suplementos de vitamina E incrementan la efectividad del selenio en el cuerpo.

Una nuez del Brasil sin cáscara (la cual puede usted quitar) proporciona cerca de 100 mcg de selenio. Las nueces con cáscara que en general se venden comúnmente en el supermercado tienen en promedio sólo alrededor de 200 mcg cada una. Se ha establecido el NS del selenio en 400 mcg. Demasiado selenio puede dañar las células en lugar de protegerlas. Con base en las investigaciones actuales, una dosis de 100 a 200 mcg al día proporciona la cantidad necesaria de antioxidantes en el caso de este nutriente. Si elige tomar suplementos, entonces prefiera una forma orgánica de selenio proveniente de la levadura y no del selenio selenita. En la tabla 5.6 se proporciona el contenido de selenio de varios alimentos.

☞ Ácido fólico

Se recomienda un suplemento de ácido fólico (un tipo de vitamina B) a todas las mujeres en etapa premenopáusica. En particular, se recomienda utilizar dicho suplemento antes y durante el embarazo (esto incluye a las mujeres que podrían estar embarazadas). Los estudios han demostrado que una ingesta alta de ácido fólico (400 mcg al día) durante la etapa temprana del embarazo puede prevenir defectos graves de nacimiento. Asimismo, es probable que el ácido fólico proteja en contra del cáncer cervical y de colon. En todos estos casos, los suplementos se deben tomar bajo supervisión médica.

Otras pruebas indican que tomar 400 mcg de ácido fólico junto con las vitaminas B6 y B12 previene los ataques al corazón pues reduce los niveles de homocisteína en la sangre (ver el capítulo 8). Las concentraciones altas de homocisteína aceleran el proceso de formación de placas (aterosclerosis) en las arterias. Cinco porciones de frutas y verduras al día en general cumplen con las necesidades de estos nutrientes. En la actualidad, cerca de nueve de cada 10 adultos en Estados Unidos no cumple con la dosis recomendada de 400 mcg de ácido fólico al día. Debido a su función vital en la prevención de las enfermedades cardiacas, algunos expertos también recomiendan tomar diariamente un complejo de vitamina B que incluya 400 mcg de ácido fólico.

◢ Beneficios de los alimentos

Si bien es posible que considere tomar algunos suplementos, las frutas y las verduras son las fuentes más ricas de antioxidantes y fitoquímicos. Los investigadores del U.S. Departament of Agriculture compararon los efectos antioxidantes de la vitamina C y E con los de varias frutas y verduras:[8] Los resultados indicaron que $3/4$ de taza de col cocida neutraliza la misma cantidad de radicales libres que alrededor de 800 UI de vitamina E o 600 mg de vitamina C. Tres cuartas partes de una taza de col cocida contienen sólo 11 UI de vitamina E y 76 mg de vitamina C. Otras fuentes excelentes investigadas por estos investigadores incluyen las moras, las fresas, la espinaca, los frijoles tiernos, las ciruelas, el brócoli, la remolacha, las naranjas y las uvas.

Mucha gente que consume en forma regular alimentos con alto contenido de grasa o demasiados dulces cree que necesita tomar suplementos a fin de equilibrar su dieta, lo cual constituye otra falacia sobre la nutrición. El problema en este caso no es una falta de vitaminas y minerales sino una dieta muy alta en calorías, grasa y sodio. Los suplementos en vitaminas, minerales y fibra no suministran todos los nutrientes y otras sustancias benéficas presentes en los alimentos y que son necesarias para una buena salud. Los suplementos pueden proporcionar beneficios adicionales a la salud pero de ningún modo sustituyen a una dieta balanceada.

Los alimentos saludables contienen vitaminas, minerales, carbohidratos, fibra, proteínas, grasas, fitoquímicos y otras sustancias que aún se desconocen. Los investigadores no saben si los efectos protectores son originados por los propios antioxidantes, en combinación con otros nutrientes (como los fitoquímicos), o por otros nutrientes en los alimentos que aún no han sido investigados. Muchos nutrientes funcionan en **sinergia**, con lo que aumentan los procesos químicos en el cuerpo. En pocas palabras, los suplementos no equilibrarán los malos hábitos alimenticios y las píldoras no son un sustituto del sentido común.

Si cree que su dieta no está bien balanceada, necesita, en primer lugar, llevar a cabo un análisis de nutrientes con el objetivo de determinar aquellos que requiere en cantidades suficientes. Por lo tanto, consuma más estos nutrientes, así como los alimentos que son altos en antioxidantes y fitoquímicos. Después de una valoración de nutrientes, un dietista certificado lo puede ayudar a decidir el tipo de suplementos que usted requiere. Si los toma en forma de píldoras, busque aquellos productos

---

▶ TÉRMINO CLAVE

Sinergia: Reacción en la que el resultado es mayor que la suma de sus dos partes.

que cumplan los estándares de desintegración del USP (U.S. Pharmacopoceia) en el frasco. El símbolo de USP sugiere que el suplemento se debe disolver por completo en 45 minutos o en menos tiempo. Por supuesto que los suplementos que no se disuelvan no podrán adentrarse en el flujo sanguíneo.

Pensamiento crítico

¿Toma suplementos? Si su respuesta es sí, ¿con qué propósito los toma?, ¿cree que puede reestructurar su dieta de manera que prescinda de ellos?

▶ Desórdenes alimenticios

La **anorexia nerviosa** y la **bulimia nerviosa** son condiciones físicas y emocionales que se cree que provienen tanto de cierta combinación de presiones sociales y culturales, como por parte del propio individuo y de la familia. Estos desórdenes están caracterizados por un miedo intenso a engordar, el cual no desaparece aun cuando se pierden cantidades importantes de peso.

La mayoría de las personas con desórdenes alimenticios se encuentran afligidas por problemas familiares y sociales significativos. A menudo, sus vidas no se encuentran satisfechas en muchos sentidos. El desorden alimenticio se vuelve entonces el mecanismo que les permite evadir dichos problemas. Por consiguiente, tomar el control sobre su propio peso corporal los ayuda a restaurar cierto sentido de control sobre sus vidas.

La anorexia nerviosa y la bulimia nerviosa están incrementándose de manera acelerada en la mayoría de las naciones industrializadas en donde la sociedad alienta las dietas bajas en calorías y la delgadez. El rol de la mujer en la sociedad está cambiando con rapidez, lo cual hace a las mujeres más susceptibles a los desórdenes alimenticios. La mayoría de las mujeres que buscan tratamiento tienen entre 25 y 50 años de edad. Algunas encuestas indican que hasta 40% de estudiantes de sexo femenino enfrenta un desorden alimenticio.

Estos desórdenes no se limitan únicamente a las mujeres. Uno de cada 10 casos se presenta en los hombres. Sin embargo, debido a que el rol del hombre en la sociedad así como su imagen corporal son vistas en forma diferente, en general estos casos no se reportan.

La genética puede desempeñar cierta función en el desarrollo de los desórdenes alimenticios; sin embargo, la mayoría de los casos se relacionan con el ambiente. Los individuos que sufren de depresión clínica y comportamiento obsesivo compulsivo son más susceptibles. Cerca de la mitad de los individuos con desórdenes alimenticios presentan cierta dependencia de tipo químico (alcohol y drogas), y la mayor parte proviene de familias con problemas de alcohol y drogas. Un gran número de casos

reportados sobre desórdenes alimenticios se refiere a individuos que son o han sido víctimas de acoso sexual.

Estos desórdenes se desarrollan en etapas. Por lo común los individuos que se encuentran enfrentando aspectos significativos en su vida son los que empiezan una dieta. Al principio se sienten en control y están felices de su pérdida de peso, incluso en aquello casos en los que no presentan sobrepeso. Alentados por la idea de perder peso y por el control que son capaces de ejercer sobre el mismo, su dieta se vuelve extrema y a menudo la combinan con ejercicio exhaustivo y con el abuso de laxantes y diuréticos.

Si bien es cierto que la predisposición genética pue de contribuir, es posible que el síndrome emerja después de problemas emocionales o de un evento estresante, así como de la incertidumbre acerca de la capacidad de enfrentar dichos problemas de manera eficiente. Experiencias como el hecho de aumentar de peso, que el periodo menstrual inicie, entrar al colegio, terminar un noviazgo, sufrir el rechazo social, iniciar una carrera profesional o convertirse en esposa o en madre puede llegar a desatar el síndrome.

El desorden alimenticio cobra entonces vida propia. En el caso de los individuos que lo padecen, éste se convierte en su principal foco de atención: Su autoestima gira en torno a lo que dicta la báscula todos los días, a su relación con la comida y a su percepción de cómo lucen cada día.

✒ Anorexia nerviosa

Cerca de 1% de la población en Estados Unidos es anoréxica. Los individuos con esta condición parecen temerle más al aumento de peso que a morir de hambre. Además, tiene una imagen distorsionada de su cuerpo y creen estar gordos aun cuando están en los huesos.

Los anoréxicos por lo regular desarrollan comportamientos obsesivo-compulsivos y niegan de manera enfática su condición. Se preocupan por los alimentos, la planeación de las comidas, la compra de los víveres y tienen hábitos alimenticios inusuales. A medida que pierden peso y su salud empieza a deteriorarse, los anoréxicos se sienten débiles y cansados. Es probable que se den cuenta de que tienen un problema, pero continuarán matándose de hambre y se negarán a considerar su comportamiento como anormal.

Una vez que pierden mucho peso y que presentan un cuadro de desnutrición, los cambios físicos se vuelven más visibles. Entre ellos se encuentran la amenorrea (detención de la menstruación), problemas digestivos, una extrema sensibilidad al frío, problemas de piel y cabello, anormalidades en cuanto a los fluidos y los electrolitos (los cuales pueden ocasionar latidos irregulares del corazón y un paro repentino de éste), daños en los nervios y los tendones, una función anormal del sistema inmunológico, anemia, crecimiento de vello corporal fino, confusión mental, incapacidad de concentración, letargo, depresión, piel seca, temperatura baja de la piel y el cuerpo, y la osteoporosis. Los criterios de diagnóstico para la anorexia nerviosa son:[9]

■ Rechazo a mantener el peso corporal por arriba del peso normal mínimo tomando en cuenta los aspectos de edad y altura (la pérdida de peso lleva a mantener éste por debajo de 85% aceptado o el hecho de no aumentar el peso que se requiere en el periodo de crecimiento tiene como consecuencia un peso corporal por debajo de 85% aceptado).

■ Miedo intenso a aumentar de peso o engordar, incluso cuando se está bajo de peso.

■ Distorsión de la forma en que se percibe el peso, el tamaño o la forma de éste; influencias inapropiadas del peso corporal o de la forma en la evaluación personal, o bien, la negación por parte del individuo ante la seriedad de su problema.

■ En el caso de las mujeres que están en la etapa posmenstrual, la presencia de amenorrea (ausencia de al menos tres ciclos menstruales de manera consecutiva). Se considera que una mujer padece amenorrea si su periodo menstrual sólo ocurre después de seguir una terapia con estrógenos.

Es posible revertir muchos de los cambios originados por la anorexia nerviosa. Los individuos con esta condición pueden mejorar mediante una terapia profesional, o, en caso contrario, es posible que desarrollen bulimia nerviosa o que incluso mueran a causa de este desorden. De todas las enfermedades psicosomáticas en la actualidad, la anorexia nerviosa tiene el más alto índice de mortalidad (20% de los anoréxicos muere debido a esta condición). Este desorden es 100% curable, pero la cura casi siempre requiere ayuda profesional. Mientras más pronto se inicie el tratamiento, es más probable que se reviertan los efectos de la enfermedad y que se logre una cura. La terapia consiste de una combinación de técnicas médicas y psicológicas para restaurar una nutrición apropiada, prevenir complicaciones médicas y modificar el entorno o los eventos que desencadenan el síndrome.

Rara vez los anoréxicos son capaces de superar el problema por ellos mismos. Lo niegan de manera rotunda, lo ocultan y engañan a sus amigos y parientes. Con base en su comportamiento, muchos de ellos presentan todas las características de la anorexia nerviosa, pero éstas no se detectan debido a que tanto la delgadez como las dietas rigurosas son socialmente aceptadas. Sólo un profesional de la salud es capaz de diagnosticarla.

☞ Bulimia nerviosa

La bulimia nerviosa es más común que la anorexia nerviosa. Según ciertos cálculos, se estima que una de cada cinco mujeres que asiste a la universidad es bulímica. Este padecimiento es también más común en los hombres que la anorexia (si bien la bulimia es todavía más común en las mujeres).

Los bulímicos son en general personas de apariencia sana, bien educados y cercanos al peso ideal recomendado.

Parecen disfrutar la comida y a menudo socializan en torno a ella, pero en realidad son emocionalmente inseguros, dependen de otras personas y carecen de su confianza en sí mismos, así como de autoestima. El peso y los alimentos recomendados son importantes para estas personas.

Los ciclos de atracones y purgaciones ocurren en general en etapas. Como resultado de eventos estresantes o simplemente por la compulsión de comer, los bulímicos se someten en forma periódica a atracones de comida que pueden llegar a durar una hora o más. Con cierta aprehensión, los bulímicos anticipan y planean dicho ciclo. Sienten una necesidad de comenzar, seguida de un consumo abundante e incontrolable de alimentos durante el cual pueden llegar a consumir miles de calorías (hasta 10 000 calorías en casos extremos). Después de un corto periodo de liberación y satisfacción, surgen sentimientos profundos de culpa y vergüenza, así como miedo intenso a aumentar de peso. Purgarse resulta entonces la salida más fácil, pues los atracones pueden continuar sin sentir miedo a aumentar de peso.

Los criterios de diagnóstico para la bulimia nerviosa son:[10]

■ Episodios recurrentes de atracones. Un episodio como éste se caracteriza por los siguientes dos aspectos:
— Comer en un periodo discreto de tiempo (por ejemplo, en un periodo de 2 horas de duración) una cantidad de comida que es definitivamente mucho mayor de lo que mucha gente sería capaz de comer durante un periodo similar de tiempo y bajo circunstancias similares.
— Un sentido de pérdida de control con respecto al consumo de alimentos durante dicho episodio (un sentimiento de no poder parar de comer o de controlar qué y qué tanto se está comiendo).

■ La recurrencia de comportamientos compensatorios inapropiados para prevenir el aumento de peso, tales como el vómito inducido, el mal uso de laxantes, diuréticos, enemas u otros medicamentos, así como el ejercicio excesivo o realizado de manera rápida.

■ Tanto los atracones como los comportamientos compensatorios inapropiados ocurren, en promedio, al menos dos veces a la semana durante tres meses.

■ La evaluación de uno mismo se ve influida de manera inapropiada por la forma y el peso corporal.

La forma más común de purgación es el vómito inducido. Además, los bulímicos ingieren fuertes laxantes y eméticos de manera frecuente. Las dietas rápidas y las sesiones extenuantes de ejercicio son también comunes. Los problemas médicos asociados con la bulimia nerviosa incluyen un ritmo cardiaco anormal, **amenorrea**, daños

---

◤ TÉRMINOS CLAVE

Anorexia nerviosa: Desorden alimenticio caracterizado por dejar de comer de manera voluntaria a fin de perder y más tarde mantener un peso corporal muy bajo.

Bulimia nerviosa: Desorden alimenticio caracterizado por un ciclo de atracones de comida y de purgaciones.

al riñón y a la vesícula, úlceras, colitis, desgarramiento del esófago o del estómago, erosión de los dientes, daños en las encías y debilitamiento muscular en general.

A diferencia de los anoréxicos, los bulímicos están conscientes de que su comportamiento es anormal y, por tanto, se sienten avergonzados. Debido al temor al rechazo social, llevan a cabo un ciclo de atracones y purgaciones en secreto y a horas inusuales del día.

La bulimia nerviosa se puede tratar de manera exitosa cuando la persona se da cuenta de que este comportamiento destructivo no es la solución a sus problemas. Un cambio de actitud puede prevenir un daño permanente o incluso la muerte.

El tratamiento de la anorexia y la bulimia nerviosa está disponible en la mayoría de las escuelas a través de los centros de consejo estudiantil o de los centros de salud. Asimismo, los hospitales locales ofrecen tratamiento para este tipo de condiciones. Muchas comunidades cuentan con grupos de apoyo dirigidos a menudo por personal especializado en la materia que ofrece además servicio gratuito. Toda la información y la identidad del individuo se mantienen en forma confidencial a fin de que la persona no tema sentirse avergonzada o espere consecuencias adversas al momento de buscar ayuda profesional.

Los alimentos provenientes de una gran variedad de fuentes alimenticias son necesarios para una dieta bien balanceada.

█ Guías dietéticas para los estadounidenses

En 2000, el Scientific Committee of the U.S. Department of Health and Human Services y el U.S. Department of Agriculture sacaron a la luz la quinta edición de *Dietary Guidelines for Americans.* Estas guías pueden reducir de manera potencial el riesgo de desarrollar ciertas enfermedades crónicas. El comité dio a conocer tres metas básicas que incluyen 10 guías. Dichas metas son el ABC de su salud y la de su familia.[11]

- ■ Con respecto a la condición física:
  - — Aspirar a tener un peso saludable.
  - — Realizar actividad física todos los días.
- ■ Construya bases sanas:
  - — Permita que la pirámide nutricional rija su elección de alimentos.
  - — Elija una variedad de granos todos los días, en especial granos enteros.
  - — Mantenga los alimentos en forma que sean seguros de comer.
- ■ Elija en forma inteligente:
  - — Elija una dieta que sea baja en grasas saturadas y colesterol y que sea moderada en cuanto a la grasa total.
  - — Elija bebidas y alimentos que le permitan moderar su consumo de azúcar.
  - — Elija y prepare alimentos bajos en sal.
  - — Si toma bebidas alcohólicas, hágalo con moderación.

█ Un compromiso permanente con el bienestar

Una nutrición adecuada, un programa saludable de ejercicios y dejar de fumar (para aquellos que fuman) son los tres factores que contribuyen en forma más significativa a la salud, la longevidad y la calidad de vida. Lograr y mantener una dieta balanceada no es tan difícil como mucha gente piensa. Lo más difícil para la mayoría de las personas es hacerse a la idea de seguir un plan de nutrición sano de por vida.

Una dieta bien balanceada contiene una gran variedad de alimentos pertenecientes a los cinco grupos básicos, incluyendo una selección inteligente de alimentos de origen animal. La dieta debe incluir muchos granos, legumbres, frutas, verduras y productos lácteos bajos en grasa, con uso moderado de proteínas animales, sodio y alcohol. Con base en datos actuales sobre nutrición, la carne (pollo o pescado incluidos) debe reemplazarse por granos, legumbres, verduras y frutas como los platillos principales. La carne debe utilizarse más como saborizante que como sustancia. El consumo diario de bistec, pollo o pescado debe limitarse de 3 onzas (85 g) (es decir el tamaño de un baraja de cartas) a 6 onzas (170 g).

Ningún alimento por sí solo puede proporcionar todos los nutrientes necesarios y otras sustancias benéficas en las cantidades que el cuerpo requiere. Para una buena nutrición, debe cumplirse con las porciones diarias recomendadas para cada uno de los cinco grupos de la pirámide nutricional. A partir de cada grupo, elija una variedad de alimentos. Los productos varían y cada uno proporciona diferentes combinaciones de nutrientes y otras sustancias necesarias para una buena salud.

Pensamiento crítico

¿Qué factores en su vida y en su entorno han contribuido a sus hábitos actuales de alimentación?, ¿cree que necesita hacer cambios?, ¿qué le impide hacerlo?

A pesar de la amplia evidencia científica que vincula los malos hábitos alimenticios con la aparición temprana de enfermedades y los índices de mortalidad, mucha gente no está dispuesta a cambiar sus patrones alimenticios. Aun cuando se tiene obesidad, lípidos sanguíneos elevados, hipertensión y otros padecimientos relacionados con la nutrición, muchas personas no desean cambiar. Permanecen en la etapa de preconsideración (ver el tema de modificación de la conducta en el capítulo 1).

El factor que impulsa a cambiar los hábitos alimenticios es a menudo un fuerte colapso en la salud, como un ataque cardiaco, un infarto o el cáncer. Más vale prevenir que lamentar. Mientras más pronto implemente la guía dietética que se presenta en este capítulo, mayores serán las probabilidades de que pueda prevenir las enfermedades crónicas y de que logre un estado más óptimo de bienestar.

TÉRMINO CLAVE

Amenorrea: Detención del flujo menstrual regular.

INTERACCIÓN EN LA RED

The Mayo Clinic Web Site. Este sitio informativo le mostrará cómo balancear su ingesta de alimentos con su actividad física con el fin de mantener un peso saludable. Para poder determinar este último, vaya a Program & Tools y haga clic en Healthy Weight. Proporcione sus datos personales con respecto a su edad, sexo, altura, peso y nivel de actividad física y Mayo Clinic le proporcionará un plan de dieta saludable a fin de que pueda cumplir con sus metas. El sitio resulta divertido y educativo.
http://www.mayoclinic.com

The Nutrition Análisis Web Site. Este sitio interactivo le permite acceder a una gran variedad de alimentos a fin de que pueda obtener una revisión nutricional completa de su dieta con base en las cantidades recomendadas permitidas, las cuales se basan a su vez en aspectos como la edad y el sexo.
http://nat.crgq.com

DETERMINE SU CONOCIMIENTO

Evalúe su conocimiento de los conceptos presentados en este capítulo mediante esta sección y practique las opciones de las series de preguntas en su Profile Plus CD-ROM.

1. La ciencia de la nutrición estudia la relación
   a. de las vitaminas y los minerales con la salud.
   b. de los alimentos con un desempeño y una salud óptimas.
   c. de los carbohidratos, las grasas y las proteínas con el desarrollo y mantenimiento de una buena salud.
   d. de los macronutrientes y micronutrientes con el desempeño físico.
   e. de las kilocalorías con las calorías contenidas en los productos alimenticios.

2. Una nutrición deficiente a menudo desempeña una función crucial en el desarrollo y progresión de
   a. enfermedades cardiovasculares.
   b. cáncer.
   c. osteoporosis.
   d. diabetes.
   e. todas las opciones son correctas.

3. Según la pirámide nutricional, ¿cuántas porciones de verduras debe consumir a diario una persona?
   a. 6-11
   b. 2-4
   c. 3-5
   d. 2-3
   e. 1-3

4. La cantidad diaria de fibra que se recomienda consumir en el caso de los adultos de 50 años o menores es de
   a. 10 gramos al día para las mujeres y 12 gramos para los hombres.
   b. 21 gramos al día para las mujeres y 30 gramos para los hombres.
   c. 28 gramos al día para las mujeres y 35 gramos para los hombres.
   d. 25 gramos al día para las mujeres y 38 gramos para los hombres.
   e. 45 gramos al día para las mujeres y 50 gramos para los hombres.

5. Las grasas que no son saludables incluyen
   a. los ácidos grasos insaturados.
   b. las grasas monoinsaturadas.
   c. los ácidos grasos polinsaturados.
   d. las grasas saturadas.
   e. el ácido alfa-linolénico.

6. La ingesta diaria de carbohidratos recomendada es de
   a. 45 a 65% del total de calorías.
   b. 10 a 35% del total de calorías.
   c. 20 a 35% del total de calorías.
   d. 60 a 75% del total de calorías.
   e. 35 a 50% del total de calorías.

7. La cantidad de nutrientes que se calcula que cumple con los requerimientos nutritivos de la mitad de los individuos sanos de grupos específicos conforme a la edad y al sexo se conoce como
   a. requerimiento estimado promedio.
   b. cantidades recomendadas permitidas.
   c. valor diario.
   d. ingesta adecuada.
   e. ingestas dietéticas promedio.

8. El porcentaje de consumo de grasa para un individuo que en un día consume 2 385 calorías con 106 gramos de grasa es de
   a. 44% del total de calorías.
   b. 17.7% del total de calorías.
   c. 40% del total de calorías.
   d. 31% del total de calorías.
   e. 22.5% del total de calorías.

9. El tratamiento de la anorexia nervosa
   a. casi siempre requiere ayuda profesional.
   b. a menudo se lleva a cabo en casa.
   c. resulta más efectiva cuando los amigos toman la iniciativa de ayudar a la persona.
   d. requiere que el individuo sea puesto en el ambiente en el que el desorden inició.
   e. se realiza mejor bajo la supervisión de un médico.

10. ¿Cuál de los siguientes enunciados no es una meta de las guías dietéticas para los estadounidenses?
    a. dejar que la pirámide nutricional rija su elección de alimentos.
    b. elegir una variedad de granos todos los días, en especial granos enteros.
    c. tener actividad física todos los días.
    d. elegir todos los días una variedad de frutas y verduras.
    e. todas las opciones son correctas.

Las respuestas correctas se encuentran en la página 255.

Análisis de nutrientes

Nombre _____ Fecha _____

Curso _____ Sección _____

Edad _____ Peso _____ Altura _____ Sexo M H   (Embarazada: E, Amamantamiento: A)

Clasificación de actividad física para el uso del programa de computadora (elija uno):

- ○ Sedentario
- ○ Ligeramente activo
- ○ Moderadamente activo
- ○ Muy activo
- ○ Extremadamente activo

No.	Alimento	Cantidad	Calorías	Pan, cereal, arroz y pasta	Verduras	Frutas	Leche, yogur y queso	Carne, pollo, pescado, frijoles, huevos y nueces
1								
2								
3								
4								
5								
6								
7								
8								
9								
10								
11								
12								
13								
14								
15								
16								
17								
18								
19								
20								
21								
22								
23								
24								
25								
26								
27								
28								
29								
30								
Totales								
Porciones recomendadas			**	6–11	3–5	2–4	2–3	2–3
Deficiencias								

* Ver lista del valor nutritivo de ciertos alimentos en el apéndice E.

** Ver tabla 6.1, página 131.

Análisis de nutrientes

Nombre _____ Fecha _____

Curso _____ Sección _____

Edad _____ Peso _____ Altura _____ Sexo M H (Embarazada: E, Amamantamiento: A)

Clasificación de actividad física para el uso del programa de computadora (elija uno):

○ Sedentario
○ Ligeramente activo
○ Moderadamente activo
○ Muy activo
○ Extremadamente activo

No.	Alimento	Cantidad	Calorías	Pan, cereal, arroz y pasta	Verduras	Frutas	Leche, yogur y queso	Carne, pollo, pescado, frijoles, huevos y nueces
1								
2								
3								
4								
5								
6								
7								
8								
9								
10								
11								
12								
13								
14								
15								
16								
17								
18								
19								
20								
21								
22								
23								
24								
25								
26								
27								
28								
29								
30								
Totales								
Porciones recomendadas			**	6–11	3–5	2–4	2–3	2–3
Deficiencias								

* Ver lista del valor nutritivo de ciertos alimentos en el apéndice E.

** Ver tabla 6.1, página 131.

Control de peso

OBJETIVOS

- Reconocer los mitos y las falacias en torno al control de peso.
- Entender la fisiología del control de peso.
- Familiarizarse con los efectos que la dieta y el ejercicio tienen en el rango metabólico en estado de reposo.
- Reconocer la función de un programa permanente de ejercicio en un programa exitoso de manejo de peso.
- Aprender a redactar e implementar programas de reducción y mantenimiento de peso.
- Identificar las técnicas de modificación de la conducta que ayudan a que una persona lleve a cabo un programa permanente de control de peso.

Registre sus actividades diarias mediante la bitácora de ejercicios de su CD-ROM.

Alcanzar y mantener el peso ideal recomendado es el principal objetivo de un buen programa de acondicionamiento físico. La determinación del peso corporal recomendado fue uno de los temas que se trataron en el capítulo 2. Junto con la condición respiratoria deficiente, el problema que mayormente se enfrenta en la determinación de la condición física y el bienestar es el del exceso de peso corporal (grasa).

Dos términos que por lo normal se emplean para referirse a las personas que exceden el peso recomendado son **sobrepeso** y **obesidad**. Los niveles de obesidad se establecen al momento de que el exceso de grasa corporal puede ocasionar serios problemas de salud, pues ésta es un riesgo de proporciones epidémicas en la mayoría de los países desarrollados del mundo. Según la Organización Mundial de la Salud alrededor de 35% de la población adulta en las naciones industrializadas es obesa. La obesidad ha sido establecida en un Índice de Masa Corporal (IMC) de 30 o mayor a esta cifra.

En Estados Unidos, 63% de los hombres y 55% de las mujeres tienen sobrepeso (un IMC mayor a 25) y 21% de los hombres y 27% de las mujeres son obesos.[1] Alrededor de 97 millones de personas tienen sobrepeso y 30 millones son obesas. Entre 1960 y el año 2000, la tendencia general (tanto en hombres como en mujeres) de obesidad en los adultos se incrementó de alrededor de 13 a 24%. El mayor incremento ocurrió en la década de los noventa. Los casos de obesidad son incluso más altos en los grupos étnicos, en especial en las comunidades negras e hispanas.

Como se muestra en la figura 6.1, la epidemia de la obesidad en Estados Unidos sigue en aumento. En 1985, ningún informe indicaba un rango de obesidad por encima de 15% del total de la población. Para el año 2001, todos los estados, a excepción de Colorado, indicaban un rango por encima de 15% y 27 estados tenían un índice de obesidad por arriba de 20%, mientras que un estado había alcanzado un índice por arriba de 25 por ciento.

La principal causa de este alarmante aumento en los casos de obesidad radica en la cantidad de alimentos que se consumen y en la falta de actividad física. Según el U.S. Department of Agriculture, el promedio de la ingesta diaria de calorías en Estados Unidos se incrementó de 3 100 calorías por persona en la década de los sesenta a 3 700 calorías en los años noventa. Además, a medida que el país continúa transformándose en una sociedad cada vez más mecanizada y automatizada (que utiliza las escaleras eléctricas, los elevadores, los controles remotos, las computadoras, el correo electrónico, los teléfonos celulares, las puertas automáticas), la cantidad de actividad física diaria que se requiere continúa disminuyendo. Estamos siendo seducidos por un estilo de vida sedentario que implica un alto riesgo.

Alrededor de 44% de las mujeres y 29% de los hombres se ha sometido a una dieta en algún momento de sus vidas. La gente gasta cerca de 40 millones al año para intentar perder peso. Más de 10 000 millones de dólares se destinan a membresías en centros de reducción de peso y otros 30 000 millones a alimentos de dieta. Además, según las National Institutes of Health, el costo total atribuido a las enfermedades relacionadas con la salud es de alrededor de 100 000 millones de dólares al año.

Como la segunda causa de muerte que puede ser prevenida en Estados Unidos, el sobrepeso y la obesidad se han asociado con varios problemas graves de salud y conforman de 15 a 20% del índice anual de mortalidad: más de 300 000 muertes son ocasionadas cada año por el exceso de peso. Lo que es más, la obesidad es más frecuente que el tabaquismo (19%), la pobreza (14%) o el alcoholismo (6%) y se asocia, más que estas tres últimas condiciones, una mayor morbilidad y calidad pobre de vida.[2]

El American Heart Association considera a la obesidad como uno de los seis factores principales de riesgo de enfermedades coronarias. La obesidad está relacionada con una mala salud y constituye, además, un factor de riesgo de hipertensión, ataques al corazón, lípidos sanguíneos elevados, aterosclerosis, infartos, tromboembolia, venas varicosas, diabetes tipo II, osteoartritis, padecimientos de la vesícula biliar, apnea del sueño, asma, ruptura de los discos intervertebrales, artritis, cáncer de endometrio, mama, próstata y colon. Además, se le asocia con desequilibrios psicológicos y con un índice cada vez más alto de muertes por accidentes. La gente en extremo obesa presenta una muy mala salud mental, la cual se relaciona a la calidad de vida.

Un objetivo primordial de la condición física general y de una mejor calidad de vida es lograr la composición corporal recomendada. Los individuos que tienen el peso recomendado pueden participar en una gran variedad de actividades de intensidad moderada a vigorosa sin que

Figura **6.1** *Incidencia de obesidad en Estados Unidos (con base en el IMC ≥ 30 o 20 libras, 9 kg de sobrepeso), 1985 y 2001.*

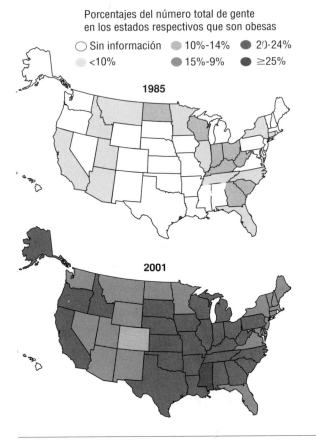

Porcentajes del número total de gente en los estados respectivos que son obesas

○ Sin información ● 10%-14% ● 20-24%
● <10% ● 15%-9% ● ≥25%

1985

2001

Fuente: *Obesity Trends Among U.S. Adults Between 1985 y 2001.* (Atlanta: Centers for Disease Control and Prevention, 2003.)

presenten ningún tipo de limitación funcional. Estos individuos son libres de disfrutar al máximo la mayoría de las actividades recreativas que la vida ofrece. En cambio, el exceso de peso no le permite a un individuo tener el nivel de condición física necesario para disfrutar actividades vigorosas como el basketball, el soccer, el frontón, el surfing, el ciclismo en montaña y el alpinismo. Mantener una condición física óptima y el peso corporal recomendado conlleva un mayor grado de independencia a lo largo de la vida que, desafortunadamente, la mayoría de la gente en las naciones desarrolladas ya no es capaz de disfrutar.

Pensamiento crítico

¿Considera que tiene sobrepeso? Si su respuesta es sí, ¿desde hace cuánto tiempo ha tenido problemas con su peso?, ¿qué ha intentado llevar a cabo para solucionar su problema?, ¿qué le ha funcionado mejor?

Lograr y mantener un porcentaje de grasa corporal de un nivel alto de condición física requiere un compromiso permanente con la actividad física regular y con una nutrición adecuada.

Peso tolerable

Mucha gente desea bajar de peso para verse mejor, lo cual constituye una meta sobresaliente. Sin embargo, el problema es que las personas tienen a menudo una imagen distorsionada de cómo se verían en realidad si llegaran a reducir peso hasta alcanzar el recomendado. Los factores hereditarios cuentan mucho, por lo que sólo una pequeña fracción de la población tiene los genes de un "cuerpo perfecto". El **peso tolerable** es, por lo tanto, una meta más realista, es decir que, es un estándar realista que no es ideal pero es "aceptable". Es más probable que un individuo logre estar más cerca del estándar de condición saludable que del estándar de condición física.

Los medios de comunicación ejercen una gran influencia en la percepción de la gente sobre el peso ideal. Así pues, la mayoría de las personas se basan en las revistas sobre moda, ejercicio y belleza para determinar cómo deben lucir. Las formas, físicos y proporciones ideales del cuerpo que se muestran en estas publicaciones son raras y se logran con retoque mediante computadora o reconstrucción médica.[3] Muchos individuos, sobre todo las mujeres, se van a los extremos en su intento por lograr estas formas corporales "irreales". El fracaso al no obtener el "cuerpo perfecto" a menudo conduce a desórdenes alimenticios.

Al momento de establecer el peso que se desea alcanzar, la gente debe ser realista. Lograr el porcentaje de grasa corporal "excelente" que se muestra en la tabla 2.12 (página 43) resulta muy difícil para algunas personas. Y es más difícil aún mantener este nivel, a menos de que la persona haga el compromiso de llevar a cabo en forma sistemática un programa de ejercicios vigorosos, así como cambios permanentes en su dieta. Muy poca gente está dispuesta a hacerlo, así que, para muchas personas, la categoría de porcentaje de grasa corporal "moderada" es más realista.

TÉRMINOS CLAVE

Sobrepeso: Exceso de peso corporal si se compara con un determinado estándar, por ejemplo, la altura o porcentaje de grasa corporal recomendado.

Obesidad: Enfermedad crónica caracterizada por una cantidad excesivamente alta de grasa corporal (alrededor de 20% por arriba del peso recomendado).

Peso tolerable: Peso corporal realista que está cercano al porcentaje de grasa corporal estándar para una condición saludable.

Una pregunta que deberá hacerse es: ¿Estoy contento con mi peso? Parte de disfrutar una calidad de vida más alta es la de estar contento con uno mismo. Si no lo está, ya sea que necesite hacer algo para resolver su problema o deba aprender a vivir con él.

Si su porcentaje de grasa corporal es más alto que los que se muestran en la categoría de "moderado" de la tabla 2.9, página 42, debe entonces intentar bajar y permanecer en está categoría por razones de salud. Ésta es la categoría que al parecer implica menos riesgos en la salud.

Si se encuentra por arriba del porcentaje de grasa corporal estándar para una condición saludable (es decir, el porcentaje que al parecer no implica riesgos para la salud), deberá intentar bajar y permanecer ahí. Si ha alcanzado el estándar de condición saludable, pero le gustaría tener una mejor condición física, pregúntese entonces lo siguiente: ¿qué tanto lo deseo?, ¿lo suficiente como para llevar a cabo cambios permanentes en mi dieta y ejercicio? Si no está dispuesto a cambiar, deberá entonces dejar de preocuparse por su peso y considerar como "tolerable" el estándar de condición saludable en su caso.

◣ Dietas de moda

Sólo cerca de 10% de toda la gente que empieza un programa tradicional de pérdida de peso (sin ejercicio) puede bajar los kilos deseados. Peor aún, menos de 5% de este grupo es capaz de mantener este peso por un tiempo significativo. Las dietas tradicionales fracasan debido a que pocas de ellas incorporan cambios permanentes en cuanto a la selección de los alimentos y el incremento general en la actividad física diaria y la realización de ejercicio como llaves para perder y mantener el peso en forma exitosa.

Las dietas de moda continúan engañando a la gente. Al sacar provecho de las esperanzas de los individuos de que la dieta más novedosa del mercado realmente les funcionará en esta ocasión, las dietas de moda continúan atrayendo a gente de todo tipo. Es posible que estas dietas funcionen por un tiempo, pero su éxito es en general efímero. Muchas de estas dietas son bajas en calorías y privan al cuerpo de ciertos nutrientes, lo que genera un desequilibrio metabólico que en casos extremos puede ocasionar la muerte. Con estas dietas gran parte de la pérdida de peso se encuentra en la forma de agua y proteínas.

En una dieta intensiva, cerca de la mitad de la pérdida de peso no es más que tejido muscular (proteínas) (ver la figura 6.2). Cuando el cuerpo utiliza las proteínas en lugar de una combinación de grasas y carbohidratos como fuente de energía, el individuo pierde peso 10 veces más rápido. Esto se debe a que un gramo de proteínas produce menos de la mitad de la cantidad de energía que la grasa produce. En el caso de las proteínas de los músculos, una quinta parte de éstas se mezcla con cuatro quintas partes de agua. Cada libra de músculo produce sólo una décima parte de la cantidad de energía que una libra de grasa produce. Como resultado, la mayor parte de la pérdida de peso se encuentra en la forma de agua, lo cual, en la báscula, luce por supuesto muy bien.

Entre las dietas más populares en el mercado están los planes dietéticos bajos en carbohidratos. Si bien

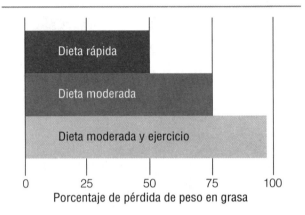

Figura **6.2** *Efectos de tres formas de dieta en la pérdida de peso.*

Adaptado de *Alive Man: The Physiology of Physical Activity* de R.J. Shepard. (Springfield, IL: Charles C. Thomas, 1975): 484-488.

Cómo reconocer las dietas de moda

Las dietas de moda comparten ciertas características. En general estas dietas

- se basan en testimonios.
- se desarrollaron según investigaciones confidenciales.
- promueven perder peso en forma rápida y sin dolor.
- prometen resultados milagrosos.
- restringen la selección de alimentos.
- requieren el uso de productos seleccionados.
- no implican actividad física.
- no promueven cambios saludables de conducta.
- no están respaldadas por una comunidad científica o por organizaciones nacionales de salud.

existen pequeñas variaciones entre ellas, en general estas dietas limitan la ingesta de alimentos ricos en carbohidratos. Ejemplos de estas dietas son "the Atkins Diet", "The Zone", "Protein Power", "the Scarsdale Diet", "The Carb Addict's Diet" y el "Sugar Busters".

La pérdida rápida de peso se da en estas dietas porque la ingesta baja de carbohidratos obliga al hígado a producir glucosa. La fuente para la mayor parte de la glucosa se encuentra en las proteínas del cuerpo. Como se mencionó, las proteínas están compuestas básicamente de agua por lo que se pierde peso con rapidez. Cuando el individuo finaliza la dieta, el cuerpo reconstruye parte del tejido de proteínas y, por lo tanto, la persona vuelve a ganar peso de igual manera.

Dos estudios en el *New England Journal of Medicine* indicaron que los individuos que se someten a una dieta baja en carbohidratos durante seis meses pierden cerca del doble de peso que aquéllos que realizan una dieta baja en

¿Son más efectivas las dietas bajas en carbohidratos y altas en proteínas?

Algunos estudios sugieren que, al menos a corto plazo, las dietas bajas en carbohidratos y altas en proteínas son más efectivas para perder peso que las basadas en carbohidratos. Los resultados son preliminares y polémicos. En cuanto a las dietas bajas en carbohidratos y altas en proteínas:

- Gran parte de la pérdida de peso corresponde a agua y proteína muscular, no a grasa corporal. Parte del peso perdido se recupera rápidamente cuando se vuelve a los hábitos alimenticios normales.

- Pocas personas son capaces de seguir una dieta baja en carbohidratos y alta en proteínas por más de unas semanas cada vez. La mayoría de ellas la abandona antes de terminar el programa para lograr su objetivo.

- Las personas que se someten a una dieta baja en carbohidratos y alta en proteínas rara vez se encuentran en el registro nacional de pérdida de peso de los individuos que han perdido 30 libras y que no las han recuperado durante seis años por lo menos.

- Las opciones de alimentos están severamente restringidos en las dietas bajas en carbohidratos y altas en proteínas. Con menos variedad, las personas tienden a comer menos (de 800 a 1 200 calorías al día), por lo que pierden más peso.

- Las dietas bajas en carbohidratos y altas en proteínas favorecer las enfermedades cardíacas y el cáncer e incrementan el riesgo de osteoporosis.

- Las dietas bajas en carbohidratos y altas en proteínas son fundamentalmente altas en grasa (cerca de 60% de calorías de grasa).

- Las dietas bajas en carbohidratos y altas en proteínas no son recomendables para la gente con diabetes, presión arterial alta, enfermedad cardiaca o afecciones del riñón.

Belcho y la pérdida de peso

Un suplemento muy popular y controversial para perder peso de aparición reciente en el mercado es el suplemento herbal ma huang, más comúnmente conocido como belcho. El ma huang contiene alcaloides de belcho cuyas acciones son similares a las de las hormonas del sistema nervioso simpático. La hierba ayuda a perder peso pero su uso puede representar un riesgo en la salud de algunas personas. Sin embargo, la Food and Drug Administration prohibió su uso a principios de 2004 porque "los suplementos dietéticos que contienen belcho representan un riesgo irrazonable de enfermedades y daños". Más de 155 muertes y 16 000 efectos adversos se han vinculado con el uso del belcho.

Los efectos colaterales serios a partir de su uso incluyen insolación, mareos, dolor de cabeza, padecimientos gastrointestinales, ataques de apoplejía, psicosis, latidos irregulares del corazón, taquicardia (ritmo cardiaco rápido), alta presión sanguínea, ataques al corazón e incluso la muerte. Estos efectos varían entre los individuos y no se relacionaron en forma directa con la cantidad ingerida. La industria sostiene que una cantidad de 30 mg por dosis es segura. Sin embargo, el gobierno no recomienda más de 8 mg por dosis, en un máximo de tres veces al día. La concentración de belcho en productos disponibles en el mercado iba de cerca de 1 a 14 mg por dosis sugerida.

---

calorías.[4] Sin embargo, después de un año, los individuos que llevaron a cabo la primera dieta suben más de peso que los individuos que hicieron la segunda. Los resultado muestran además que al término de seis meses, los primeros individuos presentaban un mejor nivel de colesterol bueno (HDL-colesterol, ver el capítulo 8, páginas 170-171) y de triglicéridos en la sangre (grasas en la sangre que aumentan el riesgo de enfermedades cardiovasculares).

Se requieren años de investigación para determinar el grado en que la realización por largo tiempo de una dieta baja en carbohidratos y alta en proteínas incrementa el riesgo de enfermedades del corazón, cáncer, o de daños en los riñones o los huesos. Las dietas bajas en carbohidratos no cumplen con el consejo nutricional de la mayoría de las principales organizaciones nacionales de la salud (las cuales recomiendan una dieta baja en grasa animal y grasa saturada, pero alta en carbohidratos complejos). Sin las frutas, las verduras y los granos enteros, las dietas altas en proteínas carecen de muchas vitaminas, minerales y fibra —todos estos factores dietéticos que protegen contra un conjunto de malestares y enfermedades.

El mayor riesgo asociado con la realización por largo tiempo de dietas LCHP (por sus siglas en inglés) podría ser el aumento en el riesgo de enfermedades del corazón, ya que los alimentos altos en proteínas también son altos en contenido de grasa. Una ingesta baja de carbohidratos produce también pérdida de vitamina B, calcio y potasio.

Los efectos colaterales por lo general asociados a estas dietas son debilidad, náusea, mal aliento, constipación, irritabilidad, mareos y fatiga. La pérdida potencial de hueso puede aumentar además el riesgo de osteoporosis. Por si fuera poco, llevar a cabo estas dietas por largo tiempo puede incrementar el riesgo de cáncer. Si elige continuar una dieta de este tipo por más de dos semanas, avise a su médico a fin de que éste pueda supervisar sus lípidos sanguíneos, la densidad de sus huesos y la función de sus riñones.

Algunas dietas sólo permiten ciertos alimentos especializados. Si la gente se diera cuenta de que no existen alimentos "mágicos" que le puedan proporcionar todos los nutrientes necesarios y que es necesario consumir una gran variedad de alimentos a fin de tener una buena nutrición, entonces la industria de las dietas no sería tan exitosa. La mayoría de estas dietas crean una deficiencia nutricional que, en ocasiones, puede resultar incluso fatal. Algunas personas se cansan con el tiempo de comer lo mismo todos los días, por lo que empiezan a comer cada vez menos (lo cual se deriva en una pérdida de peso). No obstante, si estos individuos logran el peso más bajo sin realizar cambios permanentes en su dieta recuperan con rapidez el peso que bajaron cuando regresan a sus antiguos hábitos alimenticios.

Pocas dietas recomiendan llevar a cabo ejercicio además de restricciones en la ingesta de calorías (el mejor método para bajar de peso). Gran parte de la pérdida de peso es resultado del ejercicio, de manera que la dieta logra su propósito. Como se tratará más adelante en este capítulo, el ejercicio por sí mismo desempeña una función esencial en el peso de una persona. Sin embargo, si la gente no cambia su selección de alimentos y su nivel de actividad física en forma permanente, entonces recuperarán de manera rápida el peso que lograron perder después de haber discontinuado la dieta y el ejercicio.

Principios del manejo de peso

Hace tan sólo unos años los principios que gobernaban un programa de pérdida y mantenimiento de peso parecían estar muy claros. Hoy en día nos damos cuenta de que las respuestas finales todavía no se proporcionan. Los conceptos tradicionales relacionados con el control de peso se han centrado en tres suposiciones:

1. El equilibrio entre la ingesta y el desecho de alimentos le permite al individuo alcanzar el peso recomendado.
2. La gente obesa simplemente come demasiado.
3. El cuerpo humano no se preocupa de qué tanto (o qué tan poco) la grasa se almacena.

Si bien estas suposiciones tienen mucho de verdad, aún están abiertas al debate y la investigación. En la actualidad sabemos que las causas de la obesidad son complejas y que combinan factores tanto genéticos y de comportamiento, como de estilo de vida.

Ecuación del equilibrio de energía

Según la **ecuación del equilibrio de energía**, si la ingesta de calorías excede al desecho de éstas, entonces la persona subirá de peso; cuando el desecho de calorías es mayor que la ingesta, la persona perderá peso. Cada libra de grasa equivale a 3 500 calorías. Por consiguiente, en teoría, para incrementar la grasa corporal (peso) en 1 libra (0.45 kg), una persona tendría que consumir un exceso de 3 500 calorías. De igual manera, para perder 1 libra, la persona tendría que disminuir la ingesta en 3 500 calorías. Este principio parece inquebrantable, pero no resulta tan sencillo cuando se trata del cuerpo humano.

El instinto genético de sobrevivir le dice al cuerpo que la grasa almacenada es vital y, por lo tanto, el **porcentaje único** establece un nivel aceptable de grasa para cada individuo. Este porcentaje permanece más o menos constante o puede ascender de manera gradual debido a malos hábitos en el estilo de vida.

Dieta y metabolismo

Bajo una reducción estricta de calorías (menos de 800 calorías al día), el cuerpo realiza ajustes metabólicos compensatorios en un intento por mantener la grasa que tiene almacenada. El **índice metabólico basal (IMB)** puede reducirse de manera drástica frente a un consistente equilibrio negativo de calorías, por lo que es posible que el individuo esté en una etapa de estancamiento por días o incluso por semanas sin que pierda mucho peso. Cuando la persona regresa a su ingesta normal de calorías o incluso por debajo de lo normal, en la que su peso estuvo tal vez estable por un largo tiempo, entonces recuperará

Se requiere una gran variedad de alimentos para mantener una buena nutrición.

de nuevo la grasa que perdió a medida que el cuerpo lucha por reestablecer un nivel de grasa que le permita un estado cómodo.

Estos hallazgos fueron respaldados por una investigación llevada a cabo en la Rockerfeller University en Nueva York,[5] el cual mostró que el cuerpo se resiste a mantener un peso alterado. Tanto personas obesas como personas que nunca han sido obesas en su vida fueron empleadas en esta investigación. Después de una pérdida de peso de 10%, en un intento por recuperar el peso perdido, el cuerpo compensó este hecho quemando hasta 15% menos calorías de lo que se esperaría con la nueva reducción de peso (después de haber perdido 10% que se mencionó antes). Los efectos fueron similares en los dos tipos de participantes en la investigación. Estos resultados sugieren que después de una pérdida de peso de 10%, una persona tendría que comer menos o ejercitarse más para dar razón del déficit aproximado de 200 a 300 calorías diarias.

En el mismo estudio, cuando se les permitió a los participantes aumentar su peso en 10% más de su peso "normal" (prepérdida de peso), el cuerpo quemó de 10 a 15% más calorías de lo que se esperaba. Esto indica el esfuerzo del cuerpo por gastar energía y regresar al peso preestablecido. El estudio proporciona también otro dato: el cuerpo humano se resiste en forma considerable a los cambios de peso, a menos que la persona incorpore cambios adicionales en su estilo de vida para asegurar un control exitoso de peso. (Más adelante en este capítulo se tratarán algunos métodos para controlar el peso.)

La investigación anterior muestra la razón de que muchas personas recuperen el peso que habían perdido únicamente mediante las dietas. Veamos a continuación un ejemplo práctico: a Jim le gustaría perder grasa corporal y asume que ha alcanzado un peso estable mediante una ingesta diaria de 2 500 calorías en promedio (no sube ni baja de peso con esta ingesta diaria). En un intento por perder peso con más rapidez, continúa ahora con una dieta estricta baja en calorías (o, peor aún, una dieta rápida). De manera inmediata el cuerpo activa su mecanismo de supervivencia y reajusta su metabolismo a un balance más bajo de calorías.

Después de algunas semanas de llevar una dieta de menos de 400 a 600 calorías al día, el cuerpo puede entonces mantener sus funciones normales en 1 000 calorías al día. Una vez que perdió el peso deseado, Jim finaliza la dieta pero se da cuenta de que la ingesta original de 2 500 calorías al día tendrá que ser más baja a fin de mantener el peso que ha adquirido. Para ajustar el nuevo peso que obtuvo, Jim restringe su ingesta a cerca de 2 200 calorías al día, pero se sorprende al descubrir que incluso con esta ingesta diaria menor (300 calorías menos), su peso remonta a un promedio de alrededor de 1 libra (0.45 kg) por cada una o dos semanas. Después de que la dieta finaliza, es posible que a este nuevo índice bajo de metabolismo le lleve varios meses para que regrese a su nivel normal.

A partir de esta explicación, resulta claro que no se deben realizar dietas muy bajas en calorías, pues, al hacerlo, se disminuirá el índice metabólico en estado de reposo y se le privará al cuerpo de los nutrientes básicos diarios que requiere para una función normal. Las dietas muy bajas en calorías deben llevarse a cabo sólo si se acompañan de suplementos dietéticos y bajo una adecuada supervisión médica.[6] Además, las investigaciones indican que la gente que realiza dietas muy bajas en calorías no puede mantener de manera efectiva su peso una vez que finaliza la dieta.

Bajo ninguna circunstancia se deben realizar dietas en las que se requiera consumir menos de 1 200 y 1 500 calorías en el caso de las mujeres y de los hombres, respectivamente. El peso (grasa) se gana a lo largo de meses y años, no de la noche a la mañana. De igual forma, la pérdida de peso debe ser gradual, no abrupta. Una ingesta diaria de 1 200 a 1 500 calorías proporciona los nutrientes necesarios si éstas se encuentran distribuidas en forma adecuada en los distintos grupos alimenticios (es decir, que cumplan con las porciones mínimas requeridas a diario para cada uno de los grupos). Por supuesto, el individuo tiene que aprender qué tipo de alimentos cumplen con los requerimientos y que son, además, bajos en grasa, azúcares y calorías.

Asimismo, cuando una persona intenta bajar de peso sólo mediante restricciones en la dieta, la **masa magra** (las proteínas de los músculos junto con las proteínas esenciales de los órganos) disminuye. La cantidad de pérdida de masa muscular depende por completo de la limitación de calorías. Cuando una persona realiza una dieta rápida, casi la mitad de la pérdida de peso es masa muscular mientras que la otra mitad es efectivamente pérdida de grasa. Si la dieta se combina con ejercicio, cerca de 100% de la pérdida de peso se encuentra en la forma de grasa, mientras que la masa muscular puede, de hecho, aumentar (ver la figura 6.2). No es bueno perder masa muscular debido a que esto debilita los órganos y los músculos y hace más lento al metabolismo.

La reducción de la masa muscular se presenta por lo común en las personas que realizan dietas muy severas. Ninguna dieta con una ingesta de menos de 1 200 a 1 500 calorías previene la pérdida de masa muscular. Incluso en este nivel de ingesta, es posible evitar cierta pérdida si la dieta se combina con ejercicio. Aunque muchas dietas sostienen que no alteran el componente muscular, la verdad es que, sin importar el tipo de nutrientes que se agreguen a la dieta, la restricción de calorías siempre genera una pérdida de masa muscular.

Mucha gente lleva a cabo dietas bajas en calorías de manera continua. Cada vez que las realiza, su ritmo metabólico trabaja más despacio a medida que se pierde más tejido muscular. Las personas mayores de 40 años que pesan lo mismo que pesaban cuando tenían 20 años a menudo creen que se encuentran en su peso recomendado. Sin embargo, durante ese lapso de 20 años o más, es posible que se hayan sometido a dieta varias veces sin haber hecho ejercicio. Poco después de finalizar cada dieta, recuperan el peso, pero la mayor parte de esta recuperación es en la forma de grasa. Quizá a la edad de 20 años pesan 150 libras (68 kg), de las cuales sólo 15% era grasa. En la actualidad, a la edad de 40 años y a pesar de que aún pesan 150 libras, es probable que 30% de su peso sea grasa (ver la figura 6.3 y figura 2.2 de la página 38). Al estar en su peso recomendado, las personas se preguntan cuál es la razón de que, si bien comen muy poco, les cuesta todavía trabajo mantener ese peso.

Más aún, una dieta alta en grasas y carbohidratos refinados, las dietas rápidas y, tal vez incluso los endulzantes artificiales, no permiten que la gente pierda peso sino que, en realidad, contribuyen al aumento de grasa. La única forma práctica y sensata de bajar de peso es combinar el ejercicio con una dieta inteligente alta en carbohidratos complejos y baja en grasas y azúcares.

Debido a los efectos del manejo adecuado de alimentos en el peso corporal, la mayor parte del esfuerzo del individuo se debe concentrar en adoptar mejores hábitos alimenticios, incrementar la ingesta de carbohidratos complejos y alimentos ricos en fibra, así como en disminuir el consumo de carbohidratos refinados (azúcar) y grasas. Este cambio en los hábitos alimenticios conlleva una disminución en la cantidad total de calorías que se consumen a diario. Debido a que un gramo de carbohidratos proporciona sólo cuatro calorías, en contraste con

Ecuación del equilibrio de energía: Una fórmula de peso corporal que establece que cuando la ingesta de calorías iguala al gasto de calorías, el peso permanece inalterable.

Porcentaje único: Porcentaje de grasa y peso corporal único para cada individuo y que es regulado por factores genéticos y ambientales.

Índice metabólico basal (IMB): El nivel más bajo de ingesta de calorías necesarias para mantener la vida.

Masa magra: El componente no graso del cuerpo humano.

Figura **6.3** *Efectos que tienen las dietas continuas sin ejercicio en el peso corporal, el porcentaje de grasa y la masa muscular.*

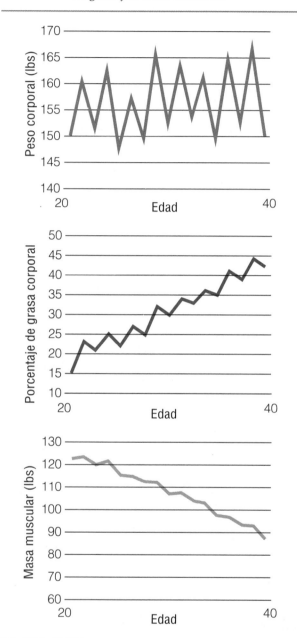

cambio permanente en los hábitos alimenticios que le permitirá tener un manejo de peso y una salud mejores. Asimismo, debe considerar la función de una mayor actividad física pues una pérdida de peso y una composición corporal recomendada exitosas rara vez se logran sin una reducción moderada de la ingesta calórica en combinación con un programa regular de ejercicios.

▲ Ejercicio: La llave para un manejo de peso exitoso

Una forma más efectiva de poner la ecuación del equilibrio de energía a su favor es la de quemar calorías a través del ejercicio. Al parecer el ejercicio también ejerce control sobre el peso de una persona. Si a la edad de 25 años una persona común sube 1 libra (0.45 kg) de peso por año, esto representa un simple excedente de energía de menos 10 calorías al día (10 × 365 = 3 650). En la mayoría de los casos, el peso adicional acumulado en la edad media es el resultado de una menor actividad física y no de un incremento en la ingesta de calorías. El doctor Jack Wilmore, fisiólogo destacado del ejercicio y experto investigador en el manejo del peso, comenta que:[7]

> La inactividad física es con toda seguridad una de las principales, sino es que la principal, causa de obesidad en Estados Unidos hoy en día. Un nivel mínimo de actividad quizá sería lo único que necesitáramos para equilibrar de manera adecuada nuestra ingesta de calorías con nuestro gasto de calorías. Con muy poca actividad, es posible que perdamos el frágil control que normalmente tenemos para sostener este increíble balance. Éste corresponde a menos de 10 calorías por día o el equivalente a una papa frita.

Si una persona está intentando bajar de peso, una combinación de ejercicios aeróbicos y de fortalecimiento es la mejor opción. El ejercicio aeróbico equilibra muy bien el porcentaje único; además, la continuidad y duración de este tipo de actividades hace que muchas calorías se quemen en el proceso.

No sobreestime la función del ejercicio aeróbico en el manejo exitoso del peso a lo largo de la vida: Los ejercicios de fortalecimiento son fundamentales para mantener la masa muscular. Desafortunadamente, de los individuos que intentan bajar de peso, sólo 19% de las mujeres y 22% de los hombres disminuyen su ingesta de calorías y se ejercitan más del promedio de 25 o más minutos al día.[8]

Como se muestra en la figura 6.4, se logra una mayor pérdida de peso si se combina una dieta con un programa de ejercicios. Resulta todavía más significativo que sólo los individuos que están físicamente activos por 60 minutos o más tiempo son capaces de mantener su peso[9] (ver la figura 6.5). Aquellos que están activos por menos de 60 minutos al día recuperan de manera gradual el peso que perdieron, mientras que los que dejan de realizar por completo una actividad física recuperan casi 100% del peso perdido a los 18 meses después de haber abandonado el programa de pérdida de peso. Por consiguiente, parece ser que sólo aquellos que están activos

las nueve calorías por gramo de grasa, usted puede consumir el doble del volumen de alimentos (por peso) al momento de sustituir la grasa por los carbohidratos. No obstante, se recomienda cierta cantidad de grasa en la dieta. De preferencia, consuma grasas poliinsaturadas y monoinsaturadas, pues éstas, comúnmente conocidas como grasas buenas, no sólo protegen al corazón, sino que contribuyen a retrasar los retortijones de hambre.

No considere a una "dieta" como una herramienta temporal que le ayudará a bajar de peso, sino como un

Figura **6.4** *La función de la dieta y el ejercicio en la reducción de peso.*

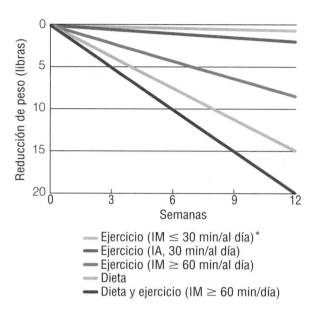

* Ejercicio con ningún cambio en la ingesta diaria de calorías
  IM = Intensidad moderada
  IA = Intensidad alta
Dieta: 1 200-1 500 calorías/al día

Figura **6.5** *Efectos del gasto diario de energía en el porcentaje de peso recuperado después de un programa de reducción de peso.*

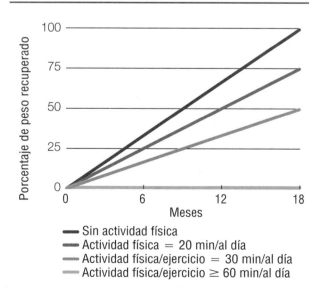

La participación regular y permanente en un programa combinado de ejercicios aeróbicos y de fortalecimiento es la clave para un manejo exitoso del peso.

por cerca de una hora al día son capaces de mantener la pérdida de peso en forma exitosa.

Es posible perder peso de manera más acelerada si se combina el ejercicio aeróbico con un programa de ejercicios de fortalecimiento. Cada libra adicional de tejido muscular puede aumentar el índice metabólico basal en alrededor de 35 calorías al día.[10] De esta forma, un individuo que aumenta 5 libras (2.27 kg) de tejido muscular como resultado de los ejercicios de fortalecimiento muscular incrementa el índice metabólico basal a 175 calorías al día (35 × 5), lo que equivale a 63 875 calorías al año (175 × 365), o el equivalente de 18.25 libras (8.2 kg) de grasa (63 875 ÷ 3 500).

Si bien el tamaño (pulgadas) y el porcentaje de grasa corporal disminuyen al momento en que los individuos sedentarios empiezan un programa de ejercicios, el peso a menudo permanece el mismo o podría incluso aumentar durante el primer par de semanas después de haber empezado el programa. El ejercicio ayuda a aumentar el tejido muscular, el tejido conectivo, el volumen de la sangre (hasta en 500 ml o el equivalente a una libra, después de la primera semana de ejercicios aeróbicos), así como las enzimas y otras estructuras contenidas en las células y el glucógeno (el cual enlaza al agua). Todos estos cambios conducen a una capacidad funcional mayor del cuerpo humano. Con el ejercicio, la mayor parte de la pérdida de peso resulta aparente después de unas cuantas semanas de entrenamiento, cuando el componente muscular se ha establecido.

▶ Mito de la reducción de los depósitos de grasa

Las investigaciones revelan que la reducción de grasa en ciertas áreas o la pérdida de la celulitis, como algunas personas llaman a los depósitos de grasa que aparecen en ciertas áreas del cuerpo, es una falacia. Dichos depósitos no son más que células de grasa que se forman a partir de la grasa corporal. La sola realización de varias series de sentadillas no eliminará la grasa que se encuentra sobre todo en la parte media del cuerpo. Cuando la grasa surge lo hace por todo el cuerpo, no sólo en el área que se pretende ejercitar. Si bien la mayor proporción de grasa puede surgir a partir de los depósitos más grandes de grasa, el gasto calórico que unas cuantas series de sentadillas generan no tiene prácticamente ningún efecto en la reducción del total de grasa corporal. Por lo tanto, una persona debe ejercitarse más tiempo para notar en realidad resultados.

▶ Restricciones de ejercicio

Las dietas no han sido divertidas y jamás lo serán. La gente con sobrepeso que desea en realidad bajar kilos tendrá que hacer del ejercicio una parte regular de su vida diaria, junto con un adecuado manejo de los alimentos y una reducción inteligente de la ingesta de calorías. Se requiere tomar algunas precauciones dado que el exceso de grasa constituye un factor de riesgo de enfermedades cardiovasculares. Dependiendo del grado del problema de peso, podría llegar a necesitarse un examen médico y posiblemente también un ECG del estrés antes de llevar a cabo el programa de ejercicios. En este sentido, se debe consultar un médico.

Los individuos con un sobrepeso significativo deberán elegir actividades en las que no tengan que soportar su propio peso corporal pero que continúen siendo efectivas en la quema de calorías. Los daños en las articulaciones y en los músculos son muy comunes en los individuos con sobrepeso que realizan ejercicios en los que soportan su peso, por ejemplo, caminar, trotar y hacer aeróbicos. Para este tipo de personas existen mejores alternativas, por ejemplo, andar en bicicleta (ya sea normal o estacionaria), los aeróbicos acuáticos, caminar en una alberca poco profunda, o bien, caminar en su sitio en una agua profunda (pedalear en el agua). Las tres últimas modalidades de ejercicio están ganando rápidamente

popularidad debido a la poca habilidad que se requiere para realizarlas. Estas actividades parecen resultar igual de efectivas que otras formas de actividad aeróbica pues ayudan al individuo a perder peso sin dolor y sin el temor de lastimarse.

Un último beneficio del ejercicio en el control de peso es que permite que la grasa se queme en forma más eficiente. Tanto los carbohidratos como las grasas son fuentes de energía. Cuando los niveles de glucosa empiezan a descender durante un ejercicio prolongado, se emplea más grasa como sustrato de energía. De igual manera es importante que las enzimas que queman las grasas se incrementen con el ejercicio aeróbico. La grasa se pierde principalmente si se quema en los músculos; por consiguiente, a medida que la concentración de enzimas se incrementa, también aumenta la habilidad de quemar grasa.

▶ Ejercicios de baja intensidad en comparación con ejercicios de alta intensidad en la pérdida de peso

Algunas personas privilegian los ejercicios de baja intensidad sobre los de alta intensidad si se trata de bajar de peso. En comparación con los de alta intensidad, una gran proporción de calorías que se queman durante los ejercicios de baja intensidad se deriva de la grasa. Mientras más baja sea la intensidad del ejercicio, mayor será el porcentaje de utilización de la grasa como fuente de energía. En teoría, si intenta perder grasa, este principio tiene sentido, pero en realidad resulta engañoso. El principal objetivo al tratar de perder peso es quemar más calorías: cuando su gasto calórico diario es mayor a su ingesta, entonces pierde peso. Perderá más grasa mientras mayor sea la cantidad de calorías que queme.

Durante los ejercicios de baja intensidad, hasta 50% de las calorías que se queman podrían derivarse de la grasa (el otro 50% de la glucosa [carbohidratos]). Con el ejercicio intenso, sólo de 30 a 40% del gasto calórico proviene de la grasa. Sin embargo, en general, puede quemar el doble (o más) de calorías con el ejercicio de alta intensidad y, en consecuencia, más grasa.

Veamos el siguiente ejemplo: si hace ejercicio por 30 minutos a una intensidad moderada y quema 200 calorías, cerca de 100 de estas calorías (50%) se derivarían de la grasa. Si se ejercita a una intensidad alta durante los mismos 30 minutos, puede llegar a quemar 400 calorías, de las cuales de 120 a 160 (30 a 40%) provendrían de la grasa. Por consiguiente, si se ejercita a una intensidad baja, tendrá que hacer una rutina doble para poder quemar el mismo número de calorías.

Además, el ejercicio de alta intensidad por sí mismo parece generar una mayor pérdida de grasa que el ejercicio de baja intensidad. Una investigación realizada en la Laval University of Québec en Canadá mostró que sujetos que llevaron a cabo de manera intermitente un programa de ejercicios de alta intensidad perdieron más grasa corporal que un grupo que realizó en forma continua rutinas de resistencia aeróbica con una intensidad de baja a moderada.[11] Aún más sorprendente resultó que este hallazgo hubiera ocurrido a pesar del hecho de que el grupo de intensidad alta quemara menos calorías en total en cada sesión de ejercicio. Los resultados apoyan la noción de que el ejercicio vigoroso permite bajar más de peso que el ejercicio de intensidad baja a moderada.

Antes de que inicie sesiones de ejercicio de alta intensidad, le recomendamos asegurarse de que, en términos médicos, la realización de dichas actividades sea segura para usted y de que alcance de manera gradual ese nivel. Si su médico le permite participar en ejercicios de alta intensidad, no trate de hacer demasiado ejercicio en muy poco tiempo, pues podría lastimarse y, por tanto, desmotivarse. Debe permitir que su cuerpo tenga un periodo adecuado de acondicionamiento de ocho a 12 semanas, o más tiempo incluso en el caso de aquellas personas con un problema de peso de serio a moderado. Asimismo, alta intensidad no significa alto impacto: Las actividades de alto impacto son la causa más común de daños relacionados con el ejercicio (ver el tema de aeróbicos en el capítulo 4, página 83, y el tema de daños agudos en los deportes en el capítulo 9, página 197).

Esta discusión sobre los ejercicios de alta intensidad en comparación con los de baja intensidad no significa que estos últimos no sean efectivos, ya que proporcionan beneficios sustanciales en la salud, además de que la gente que inicia un programa de ejercicios está más dispuesta a participar y permanecer con los programas de baja intensidad. El ejercicio de baja intensidad promueve la pérdida de peso, pero no es tan efectivo como el de alta intensidad. Por lo tanto, con el primero tendrá que ejercitarse más tiempo a fin de obtener los resultados que se obtienen con el segundo.

◣ Diseño de su propio programa de pérdida de peso

Además del ejercicio y del manejo de los alimentos, se recomiendan ajustes inteligentes en la ingesta de calorías. La mayoría de las investigaciones sostienen que se requiere un equilibrio negativo de calorías para perder peso. Tal vez la única excepción se presente en las personas que consumen muy pocas calorías. Un análisis de nutrientes a menudo revela que las personas "fieles" a su dieta no consumen suficientes calorías. Dichas personas en realidad necesitan incrementar su ingesta diaria de calorías (en combinación con un programa de ejercicio) para hacer que su metabolismo vuelva a su nivel normal.

☞ Calcule su ingesta de calorías

Con ayuda de la actividad 6.1 (página 139) y las tablas 6.1 y 6.2, puede calcular su requerimiento diario de calorías. Como éste es tan sólo un valor aproximado, es posible que sean necesarios ajustes, según cada individuo, relacionados con varios de los factores que se discuten en este capítulo con el objetivo de establecer un valor más preciso. No obstante, el valor aproximado en realidad ofrece una guía de inicio para el control o reducción de peso.

Tabla **6.1** *Requerimiento aproximado de energía por libra de peso corporal.*

TIPOS DE ACTIVIDAD	CALORÍAS POR LIBRA	
	HOMBRES	MUJERES*
Sedentaria		
Actividad física limitada	13.0	12.0
Actividad física moderada	15.0	13.5
Trabajo duro		
Esfuerzo físico extenuante	17.0	15.0

*En el caso de mujeres embarazadas o en lactancia, añadir 3 calorías a estos valores.

El **requerimiento aproximado de energía (RAE)** sin ejercicio se basa en patrones típicos de estilo de vida, en el peso total y en el género. Los individuos cuyo empleo requiere una labor manual pesada queman más calorías durante el día que aquéllos que tienen empleos sedentarios (como laborar en una oficina). Para determinar su nivel de actividad, vaya a la tabla 6.1 y califíquese con base en ésta. El número que se proporciona en la tabla es por cada libra de peso corporal, así que debe multiplicar su peso actual por dicho número. Por ejemplo, el requerimiento calórico común para mantener el peso en el caso de un hombre moderadamente activo que pesa 160 libras (72.5 kg) es de 2 400 calorías (160 libras × 15 cal/libras).

El segundo paso consiste en determinar el número promedio de calorías que quema a diario como resultado del ejercicio. Para obtener este número, calcule el número total de minutos que se ejercita a la semana y después calcule el tiempo promedio de ejercicio que realiza a diario. Por ejemplo, una persona que recorre en bicicleta 10 millas (16 km) por hora cinco veces a la semana en un tiempo de 60 minutos por sesión se ejercita 300 minutos por semana (5 × 60). El tiempo promedio de ejercicio diario es de 42 minutos (300 ÷ 7, redondeado a la unidad más baja).

A continuación, a partir de la tabla 6.2, localice el requerimiento de energía para la actividad (o actividades) que eligió como parte de su programa de ejercicios. En el caso del ciclismo (10 millas por hora), el requerimiento es de 0.05 calorías por cada libra de peso corporal por minuto de actividad (cal/lb/min). Con un peso de 160 libras (72.5 kg), una persona quemaría 8 calorías por minuto (peso corporal × 0.05, o 160 × 0.05). En 42 minutos quemaría alrededor de 336 calorías (42 × 8).

El tercer paso consiste en obtener el requerimiento total aproximado de calorías, con ejercicio, necesario pa-

▶ TÉRMINO CLAVE

Requerimiento aproximado de energía (RAE): La ingesta de energía (calórica) dietética promedio que se considera que mantiene el balance de energía en un adulto sano de determinada edad, género, peso corporal, altura y nivel de actividad física, y que es consistente con una buena salud.

Tabla **6.2** *Gasto calórico de una selección de actividades físicas.*

ACTIVIDAD*	CAL/LB/MIN	ACTIVIDAD*	CAL/LB/MIN	ACTIVIDAD*	CAL/LB/MIN
Aeróbicos		Gimnasia		Bicicleta estacionaria	
Moderados	0.065	Ligera	0.030	Moderado	0.055
Vigorosos	0.095	Pesada	0.056	Vigoroso	0.070
Aeróbicos en banco	0.070	Balonmano	0.064	Ejercitación muscular	0.050
Arquería	0.030	Caminar en la montaña	0.040	Nadar (crol)	
Bádminton		Judo/karate	0.086	20 yds/min	0.031
Recreación	0.038	Frontón	0.065	25 yds/min	0.040
Competición	0.065	Saltar la cuerda	0.060	45 yds/min	0.057
Béisbol	0.031	Remar (vigorosamente)	0.090	50 yds/min	0.070
Basketbol		Correr (a nivel de superficie)		Tenis de mesa	0.030
Moderado	0.046	11.0 min/milla	0.070	Tenis	
Competición	0.063	8.5 min/milla	0.090	Moderado	0.045
Boliche	0.030	7.0 min/milla	0.102	Competición	0.064
Calistenia	0.033	6.0 min/milla	0.114	Voleibol	0.030
Ciclismo (a nivel de superficie)		Agua profunda**	0.100	Caminar	
5.5 mph (8.8 km/h)	0.033	Patinar (moderado)	0.038	4.5 mph (7.2 km/h)	0.045
10.0 mph (16 km/h)	0.050	Esquiar		Alberca poco profunda	0.090
13.0 mph (20.9 km/h)	0.071	De picada	0.060	Aeróbicos acuáticos	
Baile		Nivel (5 mph)	0.078	Moderado	0.050
Moderado	0.030	Soccer	0.059	Vigoroso	0.070
Vigoroso	0.055	Subir las escaleras		Lucha	0.085
Golf	0.030	Moderado	0.070		
		Vigoroso	0.090		

* Los valores son para el tiempo efectivo en que se lleva a cabo la actividad.   ** Pedalear en el agua.

Adaptado de:
P.E. Alisen, J.M. Harrison y B. Vance, *Fitness for Life: An Individualized Approach* (Dubuque, IA: Wm, C. Brown, 1989).
C.A. Bucher y W.E. Prentice, *Fitness for College and Life* (St. Louis: Times Mirror/Mosby College Publishing, 1989).
C.F. Consolazio, R.E. Johnson y L.J. Pecora, *Physiological Measurements of Metabolic Functions in Man* (Nueva York: McGraw-Hill, 1963).
R.V. Hockey, *Physical Fitness: The Pathway to Healthful Living* (St. Louis: Times Mirror/Mosby College Publishing, 1989).
W.W.K. Hoeger *et al.*, investigación realizada en Boise State University, 1996-1993.

ra mantener el peso corporal. Para hacerlo, sume el requerimiento diario (sin ejercicio) y el promedio de calorías que quema mediante el ejercicio. En nuestro ejemplo es 2 736 calorías (2 400 + 336).

Dado que se recomienda un balance calórico negativo para perder peso, este individuo tiene que consumir menos de 2 640 calorías diarias para alcanzar el objetivo. Debido a los muchos factores que desempeñan una función en el control de peso, el valor previo es tan sólo un requerimiento diario aproximado. Además, para perder peso, no es posible predecir que perderá exactamente 1 libra (0.45 kg) de grasa en una semana si reduce su ingesta calórica diaria en 500 calorías (500 × 7 = 3 500 calorías, o el equivalente a 1 libra de grasa).

El requerimiento diario de energía es sólo una guía modelo para controlar el peso. Se necesitan ajustes periódicos en tanto que los individuos difieren entre sí y el gasto diario aproximando cambia a medida que se pierde peso y se modifican los hábitos alimenticios.

Para determinar la ingesta calórica modelo para perder peso, multiplique su peso actual por cinco y reste esta cantidad del total de requerimiento diario de energía (2 736 en nuestro ejemplo) con ejercicio. En el caso del ejemplo del individuo moderadamente activo, esto significaría 1 936 calorías al día para perder peso (160 × 5 = 800 y 2 736 – 800 = 1 936 calorías).

Esta ingesta final de calorías para bajar de peso nunca debe estar por debajo de las 1 200 calorías, en el caso de las mujeres, y de 1 500, en el de los hombres. Si se distribuyen en forma adecuada por todos los grupos alimenticios, estas cifras representan la ingesta calórica más baja en proporcionar al cuerpo los nutrientes que necesita. En términos del porcentaje total de calorías, la distribución diaria debe ser de cerca de 60% de carbohi-

El calcio y el mantenimiento del peso

En forma reciente, los estudios han encontrado que los alimentos ricos en calcio —en especial los productos lácteos— ayudan a controlar o reducir el peso corporal. Los individuos con una ingesta alta en calcio suben menos peso y adquieren menos grasa corporal que aquellos con una ingesta más baja. De hecho, las mujeres que realizan dietas bajas en calcio duplican por mucho el riesgo de tener sobrepeso. Los datos indican que incluso en la ausencia de restricciones calóricas, cuando se añade calcio dietético a la dieta de personas obesas (el equivalente a tres o cuatro tazas de leche al día), pierden peso y grasa corporal. Además, estos dos últimos factores se aceleran en el caso de individuos que realizan dietas altas en calcio y bajas en calorías en comparación con las personas que consumen una dieta similar que restringe las calorías, pero con una ingesta baja en calcio. Los investigadores suponen que el calcio ayuda al cuerpo a romper la grasa o que provoca que las células de grasa produzcan menos ésta.

Las pruebas demuestran también que el calcio proveniente de fuentes lácteas es más efectivo en prevenir el aumento de peso y de grasa y acelerar la pérdida de esta última que el calcio proveniente de otras fuentes. Los investigadores creen que otros nutrientes encontrados en los productos lácteos aumentan la acción del calcio de regular el peso. Si bien se requiere una mayor investigación, la mejor recomendación es que si está intentando perder peso, no elimine los productos lácteos de su dieta. Consuma leche sin grasa (descremada) o productos bajos en grasa para ayudar a mantener su ingesta total diaria de energía (calórica).

Fuentes: M.B. Zemel, "Role of Dietary Calcium and Dairy Products in Modulating Adiposity", *Lipids* 38 (2): 139-146, 2003.
"A Nice Surprise from Calcium", *Wellness Letter* de la University of California Berkeley, 19 (11) (agosto de 2003): 1.

dratos (en su mayoría carbohidratos complejos), menos de 30% de grasa y cerca de 12% de proteínas.

El momento del día en el que se consumen los alimentos también puede resultar importante en la pérdida de peso. Cuando una persona intenta bajar de peso, la ingesta debe consistir de un mínimo de 25% del número total de calorías diarias para el desayuno, 50% para la comida y 25% para la cena.

Si a diario la mayoría de las calorías se consumen en una comida (como sucede con la típica cena en la noche), es posible que el cuerpo perciba que algo está mal, así que desacelerara el metabolismo a fin de que pueda almacenar más calorías en la forma de grasa. Además, consumir la mayoría de las calorías durante una sola comida provoca que la persona se sienta con hambre el resto del día, lo cual hace más difícil llevar a cabo una dieta.

◢ Supervisión de la dieta mediante bitácoras de alimentación

Con el objetivo de ayudarlo a supervisar y realizar un plan de dieta, puede usar la forma de registro de ingesta diaria que se proporciona en la actividad 6.2 en la página 141. En primer lugar fotocopie la forma de manera que pueda sacar

después todas las copias que llegara a necesitar. Se proporcionan guías para planes de dieta de 1 200, 1 500, 1 800 y 2 000 calorías. Estos planes se han desarrollado con base en la pirámide nutricional y en Dietary Guidelines for Americans a fin de poder cumplir con las Cantidades Recomendadas Permitidas (CRP). El objetivo es cumplir (no exceder) con el número de porciones permitidas para cada plan dietético. Cada vez que consuma cualquier porción de un alimento, regístrelo en el espacio apropiado.

Para bajar de peso, debe usar el plan dietético que se aproxime más a su ingesta calórica. Si elige alimentos bajos en grasa, el plan estará basado en las siguientes cantidades de calorías permitidas para cada grupo alimenticio.

El grupo del pan, el arroz y la pasta: 80 calorías por porción.

El grupo de la fruta: 60 calorías por porción.

El grupo de las verduras: 25 calorías por porción.

El grupo de la leche, el yogur y el queso (consuma productos bajo en grasa): 120 calorías por porción.

El grupo de la carne, el pollo, el pescado, los frijoles, los huevos y las nueces: consuma platillos que se venden congelados, que tienen 300 calorías y son bajos en grasa por porción o una cantidad equivalente si usted mismo prepara el platillo principal (ver más adelante este tema).

Conforme inicie su plan dietético, preste particular atención a la porción que se sirve. Consulte la pirámide nutricional (ver la figura 5.4, página 108) para ver lo que se considera como una porción. Sea cuidadoso con los tamaños de las tazas o vasos. Una taza estándar puede contener 8 onzas (226 g), mientras que hoy en día la mayoría de los vasos contiene entre 12 y 16 onzas (453.5 g). Si toma 12 onzas (340 g) de jugo de frutas, en esencia está consumiendo dos porciones de fruta porque una porción estándar es de ¾ de una taza de jugo.

Lea con cuidado la información nutricional de los alimentos para comparar el valor calórico de la porción que ahí se proporciona con la guía de calorías que se proporcionó arriba. A continuación se le presentan algunos ejemplos:

■ Una rebanada de pan blanco estándar tiene alrededor de 80 calorías. Un bagel puede llegar a tener de 200 a 350 calorías. Si bien es bajo en grasa, si consume un bagel de 350 calorías obtiene 4¼ porciones del grupo del pan, el cereal, el arroz y la pasta.

■ El tamaño de porción estándar que se indica en la etiqueta de la mayoría de los cereales es una taza. Sin embargo, si lee la información nutricional notará que por la misma taza de cereal, un cierto tipo de cereal tiene 120 calorías mientras que otro puede tener 200 calorías. Debido a que un tamaño de porción estándar del grupo del pan y las pastas es de 80 calorías, con el primer cereal obtiene 1¼ porciones mientras que con el segundo obtiene 2¼ porciones.

■ Con respecto a su tamaño, en general la mitad de una fruta se considera como una porción. Las frutas grandes pueden llegar a proporcionar de dos a tres porciones.

- En el grupo de la leche, el yogur y el queso, una porción representa 120 calorías. Un taza de leche entera tiene alrededor de 160 calorías, mientras que una taza de leche descremada contiene 88 calorías. Por consiguiente, la taza de leche entera proporciona $1\frac{1}{3}$ de porción de este grupo alimenticio.

Para ser más precisos con respecto a la ingesta de calorías y para simplificar la preparación de los alimentos, utilice los platillos preparados, congelados y bajos en grasa que puede encontrar en el supermercado como platillos principal en la comida y la cena (sólo un platillo para el plan dietético de 1 200 calorías, ver actividad 6.2, página 141). Busque otros platillos que proporcionen cerca de 300 calorías y no más de seis gramos de grasa. Estos dos platillos pueden utilizarse como selecciones del grupo de la carne y el pollo y le proporcionarán la mayor parte del requerimiento diario de proteínas. Junto con cada platillo, complemente la comida con algunas de las porciones de los otros grupos alimenticios.

Este plan dietético se ha llevado a cabo de manera exitosa en programas de investigación de pérdida de peso.[12] Si elige no consumir estos platillos bajos en grasa, prepare una comida similar utilizando tres onzas (cocidas) de carne magra, pollo o pescado con verduras adicionales, arroz o pasta que le proporcionen 300 calorías con menos de seis gramos de grasa por platillo.

Conforme vaya registrando su elección de alimentos, asegúrese de escribir la cantidad precisa para cada porción. Si lo hace, entonces podrá realizar un análisis computarizado de nutrientes a fin de verificar su ingesta de calorías y su patrón de distribución de alimentos (porcentaje del total de las calorías provenientes de los carbohidratos, la grasa y las proteínas).

◣ Consejos para la modificación de la conducta y para la realización permanente de un programa de manejo de peso

Alcanzar y mantener la composición corporal recomendada no es del todo imposible, sin embargo requiere deseo y compromiso. Si está por emprender un manejo de peso, el cambio en la conducta es vital para tener éxito. Modificar los viejos hábitos y desarrollar conductas nuevas y positivas lleva tiempo. Las siguientes técnicas de manejo se han empleado de manera exitosa para cambiar las conductas nocivas y comprometerse con un programa permanente de control de peso. Al desarrollar un programa no se espera que elija todas las estrategias que aquí se enlistan sino que elija las que se adecuen más a usted.

- Establezca el compromiso de cambiar. El primer ingrediente necesario es el deseo de modificar la conducta. Necesita dejar de preconsiderar y considerar el cambio para empezar realmente a llevarlo a cabo. Las razones para cambiar deben ser más atractivas que las razones para continuar con sus patrones de

estilo actual de vida. Debe aceptar que tiene un problema y decidir por usted mismo si de verdad desea cambiar o no. Si está sinceramente comprometido, sus posibilidades de éxito aumentarán.

- Establezca metas realistas. La mayor parte de la gente con problemas de peso desearía que los kilos desaparecieran de la noche a la mañana sin darse cuenta de que el problema se desarrolló a lo largo de varios años. Un programa sano de reducción y manejo de peso puede lograrse sólo mediante el establecimiento de nuevos hábitos permanentes de alimentación y ejercicio, los cuales lleva tiempo desarrollar. Al establecer una meta realista a largo plazo, los objetivos a corto plazo también deben planearse. Por ejemplo, una meta de largo plazo podría ser la de disminuir la grasa corporal a 20% del peso corporal total. El objetivo a corto plazo podría ser disminuir 1% de la grasa corporal cada mes. Objetivos como éstos permiten una evaluación regular y contribuyen a mantener la motivación y el compromiso renovado para lograr la meta a largo plazo.

- Incorpore ejercicio en el programa. La elección de actividades agradables, lugares, tiempos, equipo y la gente con quien llevarlas a cabo contribuye a que una persona se comprometa con el programa de ejercicios. En el capítulo 3 se proporcionan detalles para desarrollar un programa completo de ejercicios.

- Diferencie *entre* hambre y apetito. La primera es en realidad la necesidad física de ingerir alimentos. El apetito es un deseo por la comida, el cual en general es originado por factores tales como el estrés, la costumbre, el aburrimiento, la depresión, la disponibilidad de alimentos o simplemente comer por comer. La gente debería comer sólo cuando tuviera la necesidad física. A este respecto, desarrollar y mantener un patrón regular de comidas ayuda a controlar el hambre.

- Consuma menos grasa. Cada gramo de grasa proporciona nueve calorías, mientras que las proteínas y los carbohidratos proporcionan sólo cuatro calorías. En esencia, puede consumir más alimento en una dieta baja en calorías debido a que consume menos calorías en cada comida.

- Preste atención a las calorías. Algunas personas piensan que, debido a que ciertos alimentos son bajos en grasa, pueden comer tanto como desean. Hay personas que consumen cajas completas de galletas sin grasa o bolsas de pretzels bajo esta consigna. Una galleta de chispas de chocolate hecha en casa podría tener 100 calorías, mientras que una baja en grasa podría tener 50. Una simple operación matemática le revelaría que comer una galleta casera es mejor que comer seis galletas bajas en grasa. Al momento de leer la información de los productos, no observe únicamente el contenido de grasa, ponga atención también a las calorías.

- Elimine los productos innecesarios de su dieta. Mucha gente toma de manera regular una lata de soda de 140 calorías (o más) todos los días. Si se sustituye por un vaso de agua se eliminan de la dieta 51 100 (140 × 365) calorías al año —el equivalente a 14.6 (51 000 ÷ 3 500) libras de grasa.

■ Mantenga la ingesta diaria de productos ricos en calcio, en especial productos lácteos bajos en grasa o sin grasa.

■ Añada a su dieta alimentos que reduzcan los antojos. Muchas personas presentan un desequilibrio biológico de insulina. Ésta ayuda a que el cuerpo utilice y conserve la energía. En este sentido, algunas personas producen tanta insulina que sus cuerpos no pueden utilizarla toda. Este desequilibrio conduce a un antojo desmedido de carbohidratos. A medida que consumen más éstos, se libera más insulina. Entre los alimentos que reducen los antojos se encuentra: huevos, carne roja, pescado, pollo, queso, aceites, grasas y las verduras sin almidones como la lechuga, chícharos, pimientos, espárragos, brócoli, champiñones y brotes de Bruselas. Si cuida el tamaño de las porciones, consumir alimentos que reduzcan los antojos en las comidas regulares y como botana ayuda a disminuir el deseo intenso de carbohidratos, previene comer de más y ayuda a perder peso.

■ Evite comer en forma automática. Muchas personas asocian ciertas actividades diarias con el acto de comer. Por ejemplo, la gente puede llegar a comer mientras cocina, ve la televisión o lee. La mayoría de las veces los alimentos que se consumen en dichas situaciones carecen de valor nutricional o son altos en azúcares y grasa.

■ Permanezca activo. La gente tiende a comer más cuando anda merodeando sin tener nada que hacer. Ocupar la mente y el cuerpo en actividades que no estén asociadas con el acto de comer contribuye a alejar el deseo de comer. Algunas opciones son: caminar, andar en bicicleta, hacer deporte, hacer labores de jardinería, visitar una biblioteca, un museo o ir al parque. Para romper con la rutina de la vida diaria, podría desarrollar otras habilidades e intereses o intentar algo nuevo y excitante.

■ Planee las comidas con anticipación. Hacer las compras de manera inteligente permite lograr este objetivo. Siempre haga las compras con el estómago lleno porque las personas que sienten hambre tienden a comprar en forma impulsiva alimentos poco saludables que después van consumiendo como botana de camino a casa. La lista del supermercado debe incluir pan de grano entero y cereales, frutas y verduras, leche y productos lácteos bajos en grasa, carnes magras, pescado y pollo.

■ Cocine de manera inteligente.
— Utilice menos grasa y pocos alimentos refinados en la preparación de las comidas.
— Quite toda la grasa visible de las carnes y remueva la piel del pollo antes de cocinarlo.
— Quite la espuma al jugo de la carne y a las sopas.
— Hornee, ase a la parrilla, hierva o cocine al vapor los alimentos en lugar de freírlos.

Las porciones muy grandes en los restaurantes en Estados Unidos contribuyen al aumento epidémico de la obesidad.

— Utilice de manera esporádica la mantequilla, la crema, la mayonesa y los aderezos.
— Evite el aceite de coco, de palma y la mantequilla de cacao.
— Prepare muchos alimentos que contengan fibra.
— Incluya panes de grano entero y cereales, así como verduras y legumbres en casi todas sus comidas.
— Consuma frutas como postre.
— Aléjese de los refrescos enlatados, los jugos de fruta y las bebidas con saborizantes artificiales.
— Además del azúcar, disminuya su consumo de jarabe de maíz, azúcar malta, dextrosa y fructuosa.
— Tome mucha agua —al menos seis vasos al día.

■ *No* se sirva más comida de la que pueda comer. Mida los alimentos en porciones y mantenga lejos de la mesa los platillos para servirse. De esta forma comerá menos, será menos fácil que se sirva una segunda ración y tendrá menos apetito debido a que los alimentos no estarán visibles. No debería obligarse a las personas a comer cuando ya se encuentran satisfechos (incluyendo a los niños después de que éstos han consumido una porción sana y nutritiva).

■ Prefiera las porciones pequeñas a las grandes. Los estudios indican que la gente que se sirve porciones grandes come más, ya sea que tenga o no hambre. En el caso de las porciones pequeñas, utilice platos, tazones, tazas y vasos más chicos. Intente comer la mitad de los alimentos que normalmente consume. Con los años, el tamaño de los platos y de los vasos ha ido en aumento. En consecuencia, la gente se sirve y consume más alimentos de los que necesita. Si utiliza un plato más pequeño, parecerá que hay más alimento y por tanto tenderá a comer menos. Asimismo, cuide el tamaño de las porciones en los restaurantes: Los platos y las porciones en estos lugares son hoy en día tan grandes que la gente come de más y todavía le queda para llevarse a casa. La botella original de Coca-Cola, por ejemplo, contenía 6.5 onzas (1.9 dl), mientras que en la actualidad las máquinas dispensadoras ofrecen botellas de 20 onzas (5.9 dl) y en las tiendas se pueden hallar cubetas de soda de 64 onzas (18.9 dl) (cerca de 750 calorías). Las comidas en gran proporción crean a individuos de gran proporción.

■ Coma fuera de casa de manera esporádica. Los estudios indican que la gente de todas las edades que come fuera de casa con mucha frecuencia presenta más grasa corporal. Las personas que comen fuera de seis a más veces por semana consumen un promedio de cerca de 300 calorías extra al día y 30% más grasa que aquellas personas que no salen a comer tan seguido.

■ Coma en forma lenta y sólo a la mesa. Comer es uno de los placeres de la vida por lo que necesitamos tomarnos el tiempo de disfrutarlo. Comer deprisa no es bueno debido a que el cuerpo no tiene el tiempo suficiente de "registrar" el consumo de calorías y nutrientes; además de que la gente come de más antes de que el cuerpo perciba la señal que le indica que ya está satisfecho. Comer a la mesa obliga a la gente a tomarse el tiempo de consumir los alimentos y retrasa los tentempiés entre comidas, a causa, principalmente, del tiempo extra y el esfuerzo que se requiere para sentarse a la mesa y comer. Al terminar, no se debe permanecer en la mesa sino pararse, limpiar y quitar los alimentos para evitar comer de nuevo.

■ Evite las parrandas. Las reuniones sociales tienden a generar comportamientos contraproducentes. La visualización de lo que podría pasar puede resultar de ayuda antes de asistir a estas reuniones sociales. Planee con anticipación y visualícese en la situación. No se sienta presionado a comer o beber y no dé explicaciones en esos momentos. Elija alimentos bajos en calorías y entreténgase con otras actividades como bailar y conversar.

■ No arrase con lo que hay en el refrigerador o con el tazón de galletas. En estas situaciones tentadoras, deténgase y piense.

■ No lleve a casa alimentos altos en calorías, azúcares o grasa. Si ya están ahí, almacénelos en un sitio donde sea difícil tomarlos o verlos. Si están fuera de la vista y del alcance, la tentación será menos. Mantener los alimentos en lugares como el garaje o el sótano desalienta a la gente a tomarse el tiempo y el esfuerzo de obtenerlos. Esto no quiere decir que deba eliminar estos deleites; sin embargo, todo debe tomarse con moderación.

■ Evite los atracones de comida por la noche. La mayoría de las personas con problemas de peso tienen un buen desempeño durante el día, pero después lo revierten durante la noche. Seguir comiendo después de la cena constituye una recaída común. Por la tanto, dé una caminata, lávese los dientes, acuéstese más temprano. En la mayoría de los casos el deseo intenso de comer que siente durante las horas de la noche desaparece después de un buen descanso nocturno.

■ Practique técnicas de control del estrés (más sobre el estrés en el capítulo 7). Mucha gente come entre comidas e incrementa su consumo de alimentos en situaciones estresantes. Comer no es una actividad que libere el estrés; al contrario, puede agravar el problema cuando se trata del control de peso.

■ Reciba apoyo. La gente que recibe apoyo de sus amigos, parientes o de un grupo de apoyo formal tiene mayores probabilidades de perder y mantener el peso que los individuos que no reciben dicho apoyo. Entre más apoyo reciba, mejor se sentirá.

■ Supervise los cambios y premie sus logros. La información acerca de su pérdida de peso y el aumento de su tejido muscular constituye un premio en sí mismo. Tomar conciencia de los cambios en su composición corporal ayuda también a fortalecer las nuevas conductas. Ejercitarse sin interrupciones por 15, 20, 30 o 60 minutos, nadar una cierta distancia, correr una milla —todos estos logros merecen reconocimiento. Cumplir con los objetivos requiere premios que no estén relacionados con la comida, como prendas nuevas de vestir, tenis, o algo que sea especial para usted y que no lo habría podido adquirir de otra manera.

■ Esté preparado para las recaídas. Muchas personas recaen y en ocasiones lo hacen de manera extravagante. Si esto le ocurre, no se desespere ni se dé por vencido. Reevalúe y continúe esforzándose. Una recaída ocasional no marcará una gran diferencia a largo plazo.

■ Piense de manera positiva. Evite los pensamientos negativos acerca de qué tan difícil será cambiar los viejos hábitos. En lugar de eso, piense en los beneficios que obtendrá, tales como sentirse, verse y funcionar mejor, además de disfrutar de una mejor salud y mejorar su calidad de vida. Evite los ambientes negativos y a la gente que no le apoye.

▶ En conclusión

El desafío de eliminar el exceso de grasa y mantener el peso para bien de uno mismo no tiene una solución sencilla. El manejo de peso se logra a través de un compromiso permanente con la actividad física y una selección adecuada de los alimentos. Al llevar a cabo un programa de reducción de peso, se debe disminuir en forma moderada la ingesta de calorías e implementar estrategias para modificar los hábitos alimenticios nocivos.

Pensamiento crítico

¿Qué estrategias de comportamiento ha utilizado para manejar en forma adecuada su peso corporal?, ¿cómo cree que esas estrategias les funcionarían a otras personas?

Retomar los viejos hábitos es casi inevitable. Cometer errores es de humanos y no significa que haya fracasado. El fracaso se presenta cuando se da por vencido y no utiliza las experiencias previas sobre las cuales pueda basarse posteriormente. A cambio, desarrolle habilidades que prevenga comportamientos contraproducentes en el futuro. Donde hay voluntad, hay solución, y aquéllos que persisten obtendrán la recompensa.

INTERACCIÓN EN LA RED

Atenía InteliHealth. Este sitio proporciona artículos sobre estilos saludables de vida, incluyendo el manejo de peso. La base de datos sobre nutrición ofrece consejos sobre el manejo de peso, el ejercicio y la determinación de una dieta. Las herramientas interactivas incluyen recetas saludables, la pirámide nutricional y un modo de calcular el índice de masa corporal.
http://www.intelihealth.com

DETERMINE SU CONOCIMIENTO

Evalúe su conocimiento de los conceptos presentados en este capítulo mediante esta sección y practique las opciones de las series de preguntas en su Profile Plus CD-ROM.

1. La obesidad se define como un índice de masa corporal igual a o por arriba de
   a. 10
   b. 25
   c. 30
   d. 45
   e. 50

2. El número aproximado de muertes en Estados Unidos que se atribuyen al peso corporal excesivo es de
   a. 20 000
   b. 50 000
   c. 100 000
   d. 300 000
   e. 500 000

3. La obesidad incrementa el riesgo de
   a. hipertensión.
   b. deficiencia cardiaca.
   c. aterosclerosis.
   d. diabetes tipo II.
   e. todas las anteriores.

4. El peso tolerable es un peso corporal
   a. que no es ideal pero con el que se puede vivir.
   b. que tolera el aumento en el riesgo de enfermedades crónicas.
   c. con un rango de IMC entre 25 y 30.
   d. que cumple tanto con los valores ideales del porcentaje de peso corporal como los de IMC.
   e. todas las opciones son correctas.

5. Cuando el cuerpo utiliza proteínas en lugar de una combinación de grasas y carbohidratos como una fuente de energía,
   a. la pérdida de peso es muy lenta.
   b. una gran cantidad de pérdida de peso está en la forma de agua.
   c. los músculos se vuelven grasa.
   d. la grasa se pierde muy rápido.
   e. no se puede perder grasa.

6. Una libra de grasa representa
   a. 1 200 calorías
   b. 1 500 calorías
   c. 3 500 calorías
   d. 5 000 calorías
   e. ninguna de las anteriores.

7. El mecanismo que al parecer regula qué tanto pesa una persona es conocido como
   a. porcentaje único.
   b. factor de peso.
   c. índice metabólico basal.
   d. metabolismo.
   e. ecuación del equilibrio de energía.

8. La llave para mantener en forma exitosa la reducción de peso es
   a. realizar dietas en forma frecuente.
   b. dietas muy bajas en calorías cuando la dieta "normal" no funciona.
   c. un programa permanente de ejercicio.
   d. comidas regulares bajas en carbohidratos y altas en proteínas.
   e. todas las opciones son correctas.

9. La cantidad diaria de actividad física que se recomienda con el propósito de perder peso es
   a. 20 minutos.
   b. 30 minutos.
   c. 40 minutos.
   d. 60 minutos.
   e. cualquier cantidad es suficiente con la condición
   de que se realice a diario.

10. Un gasto diario de energía de 300 calorías mediante
    actividad física es el equivalente de cerca de
    _____ libras de grasa al año.
    a. 12
    b. 15
    c. 22
    d. 27
    e. 31

*Las respuestas correctas se encuentran
en la página 255.*

Requerimiento diario de calorías: Forma de registro

Nombre _____   Fecha _____

Curso _____   Sección _____

A. Peso actual   _____

B. Requerimiento de calorías por libra de peso corporal (utilizar la tabla 6.1, página 131)   _____

C. Requerimiento diario de calorías sin ejercicio para mantener el peso
    $(A \times B)$ _____

D. Actividad física seleccionada (por ejemplo trotar)*   _____

E. Número de sesiones de ejercicio por semana   _____

F. Duración de la sesión de ejercicio (en minutos)   _____

G. Tiempo total de ejercicio a la semana en minutos $(E \times F)$ _____

H. Promedio de tiempo diario de ejercicio en minutos $(G \div 7)$ _____

I. Gasto de calorías por libra por minuto (cal/lb/min) de actividad física
    (utilizar la tabla 6.2, página 132)   _____

J. Total de caloría quemadas por minuto de ejercicio $(A \times I)$ _____

K. Promedio de calorías quemadas a diario como resultado del programa de ejercicios $(H \times J)$ _____

L. Requerimiento total diario de calorías con ejercicio para mantener el peso corporal $(C + K)$ _____

M. Número de calorías que se deben restar del requerimiento diario para lograr
    un balance calórico negativo (multiplique su peso actual por 5)* *   _____

N. Ingesta objetivo de calorías para bajar de peso $(L - M)$ _____

_____

  * Si selecciona más de una actividad física, necesitará estimar el promedio de calorías quemadas a diario como resultado de cada actividad adicional (pasos del D al K) y sumar todas estas cifras al paso L.

* * Esta cifra nunca debe estar por debajo de las 1 200 calorías en el caso de las mujeres y de 1 500 en el de los hombres.

1. ¿Qué tanto está dispuesto a esforzarse por alcanzar la meta de bajar de peso?

   _____

   _____

2. Dé su opinión sobre cómo se siente de participar en una programa de ejercicios.

   _____

   _____

3. ¿Se comprometerá a participar en un programa combinado de ejercicios aeróbicos y de fortalecimiento?*

   Sí ☐   No ☐

   Si su respuesta es "Sí", pase a la siguiente pregunta; si su respuesta es "No", por favor revise de nuevo los capítulos 3 y 4.

4. Enliste las actividades aeróbicas que disfruta o le gustaría disfrutar hacer.

   _____

   _____

5. Seleccione una o dos actividades aeróbicas en las que participará en forma regular.

   ┌─────────────────────┐   ┌─────────────────────┐
   └─────────────────────┘   └─────────────────────┘

6. Enliste las facilidades con las que cuenta para llevar a cabo su programa de ejercicio aeróbico y de fortalecimiento.

   _____

   _____

7. Indique los días y los tiempos que designará para su programa (cinco a seis días por semana deben asignarse para el ejercicio aeróbico y de uno a tres días no consecutivos a la semana para el de fortalecimiento).

   Lunes: _____

   Martes: _____

   Miércoles: _____

   Jueves: _____

   Viernes: _____

   Sábado: _____

   Domingo: Se recomienda un día completo de descanso una vez a la semana para que su cuerpo se reponga por completo del ejercicio.

   Conclusión: Describa en forma breve si cree que puede cumplir con las metas de su programa aeróbico y de fortalecimiento. ¿Qué obstáculos tendrá que superar y cómo lo hará?

   _____

   _____

   _____

   _____

   _____

Registro de la ingesta diaria de alimentos: Plan dietético de 1 200 calorías

Nombre _____   Fecha _____

Curso _____   Sección _____

Instrucciones

El objetivo de la dieta es cumplir (no exceder) el número de porciones que se permiten de cada grupo alimenticio. Cada vez que consuma un alimento particular, regístrelo en el espacio provisto para cada grupo, así como el tamaño adecuado de porción. Consulte la pirámide nutricional para determinar lo que se considera como una porción para cada grupo (ver la figura 5.4, página 108). En lugar del grupo de la carne, el pollo, el pescado, etc., puede consumir los platillos congelados y bajos en grasa que están disponibles comercialmente

(este platillo debe proporcionar no más de 300 calorías y menos de 6 gramos de grasa) en una comida. Puede fotocopiar esta forma tantas veces como lo necesite.

Grupo del pan, el cereal, el arroz y la pasta (80 calorías/porción): Seis porciones

1 _____

2 _____

3 _____

4 _____

5 _____

6 _____

Grupo de las verduras (25 calorías/porción): Tres porciones

1 _____

2 _____

3 _____

Grupo de las frutas (60 calorías/porción): Dos porciones

1 _____

2 _____

Grupo de los lácteos (120 calorías/porción, consuma leche y productos lácteos bajos en grasa): Dos porciones

1 _____

2 _____

Platillo congelado bajo en grasa (300 calorías y menos de 6 gramos de grasa): Una porción

1 _____

Registro de la ingesta diaria de alimentos:
Plan dietético de 1 500 calorías

Instrucciones

El objetivo de la dieta es cumplir (no exceder) el número de porciones que se permiten de cada grupo alimenticio. Cada vez que consuma un alimento particular, regístrelo en el espacio provisto para cada grupo, así como el tamaño adecuado de porción. Consulte la pirámide nutricional para determinar lo que se considera como una porción para cada grupo (ver la figura 5.4, página 108). En lugar del grupo de la carne, el pollo, el pescado, etc., puede consumir los platillos congelados y bajos en grasa que están disponibles comercialmente (este platillo debe proporcionar no más de 300 calorías y menos de 6 gramos de grasa) en una comida. Puede fotocopiar esta forma tantas veces como lo necesite.

Grupo del pan, el cereal, el arroz y la pasta (80 calorías/porción): Seis porciones

1 _____

2 _____

3 _____

4 _____

5 _____

6 _____

Grupo de las verduras (25 calorías/porción): Tres porciones

1 _____

2 _____

3 _____

Grupo de las frutas (60 calorías/porción): Dos porciones

1 _____

2 _____

Grupo de los lácteos (120 calorías/porción, consuma leche y productos lácteos bajos en grasa): Dos porciones

1 _____

2 _____

Platillo congelado bajo en grasa (300 calorías y menos de 6 gramos de grasa): Dos porciones

1 _____

2 _____

Registro de la ingesta diaria de alimentos:
Plan dietético de 1 800 calorías

Nombre _____   Fecha _____

Curso _____   Sección _____

Instrucciones

El objetivo de la dieta es cumplir (no exceder) el número de porciones que se permiten de cada grupo alimenticio. Cada vez que consuma un alimento particular, regístrelo en el espacio provisto para cada grupo, así como el tamaño adecuado de porción. Consulte la pirámide nutricional para determinar lo que se considera como una porción para cada grupo (ver la figura 5.4, página 108). En lugar del grupo de la carne, el pollo, el pescado, etc., puede consumir los platillos congelados y bajos en grasa que están disponibles comercialmente (este platillo debe proporcionar no más de 300 calorías y menos de 6 gramos de grasa) para dos comidas. Puede fotocopiar esta forma tantas veces como lo necesite.

Grasas, aceites y dulces
No consumir durante la fase de dieta

Grupo de la leche, el yogur y el queso
2 porciones

Platillo congelado bajo en grasa
2 porciones

Grupo de las verduras
5 porciones

Grupo de las frutas
3 porciones

Pan, cereal, arroz y pasta
8 porciones

Grupo del pan, el cereal, el arroz y la pasta (80 calorías/porción): Ocho porciones

1 _____   **5** _____

2 _____   **6** _____

3 _____   **7** _____

4 _____   **8** _____

Grupo de las verduras (25 calorías/porción): Cinco porciones

1 _____   **4** _____

2 _____   **5** _____

3 _____

Grupo de las frutas (60 calorías/porción): Tres porciones

1 _____

2 _____

3 _____

Grupo de los lácteos (120 calorías/porción, consuma leche y productos lácteos bajos en grasa): Dos porciones

1 _____

2 _____

Platillo congelado bajo en grasa (300 calorías y menos de 6 gramos de grasa): Dos porciones

1 _____

2 _____

Registro de la ingesta diaria de alimentos: Plan dietético de 2 000 calorías

Instrucciones

El objetivo de la dieta es cumplir (no exceder) el número de porciones que se permiten de cada grupo alimenticio. Cada vez que consuma un alimento particular, regístrelo en el espacio provisto para cada grupo, así como el tamaño adecuado de porción. Consulte la pirámide nutricional para determinar lo que se considera como una porción para cada grupo (ver la figura 5.4, página 108). En lugar del grupo de la carne, el pollo, el pescado, etc., puede consumir los platillos congelados y bajos en grasa que están disponibles comercialmente (este platillo debe proporcionar no más de 300 calorías y menos de 6 gramos de grasa) para dos comidas. Puede fotocopiar esta forma tantas veces como lo necesite.

Grasas, aceites y dulces
No consumir durante la fase de dieta

Grupo de la leche, el yogur y el queso
2 porciones

Platillo congelado bajo en grasa
2 porciones

Grupo de las verduras
5 porciones

Grupo de las frutas
4 porciones

Pan, cereal, arroz y pasta
10 porciones

Grupo del pan, el cereal, el arroz y la pasta (80 calorías/porción): 10 porciones

1 _____ 6 _____

2 _____ 7 _____

3 _____ 8 _____

4 _____ 9 _____

5 _____ 10 _____

Grupo de las verduras (25 calorías/porción): Cinco porciones

1 _____ 4 _____

2 _____ 5 _____

3 _____

Grupo de las frutas (60 calorías/porción): Cuatro porciones

1 _____

2 _____

3 _____

4 _____

Grupo de los lácteos (120 calorías/porción, consuma leche y productos lácteos bajos en grasa): Dos porciones

1 _____

2 _____

Platillo congelado bajo en grasa (300 calorías y menos de 6 gramos de grasa): Dos porciones

1 _____

2 _____

© Owaki - Kulla/CORBIS

CAPÍTULO 7

Manejo y determinación del nivel de estrés

OBJETIVOS

- Definir los conceptos de estrés, euestrés y distrés.
- Explicar la forma en que el estrés afecta una vida saludable y óptima.
- Definir los dos principales tipos de patrones de comportamiento o tipos de personalidad.
- Saber si posee o no una personalidad hostil.
- Desarrollar habilidades de manejo del tiempo.
- Identificar las principales fuentes de estrés en su vida.
- Definir la función del ejercicio físico en la reducción del estrés.
- Aprender a utilizar varias técnicas de manejo del estrés.

Profile Plus

¿Qué tan vulnerable es al estrés? Averígüelo en las actividades contenidas en su CD-ROM.

Aprender a vivir y salir adelante no es posible sin el estrés. Para tener éxito en un mundo impredecible que cambia día a día, trabajar bajo presión se ha convertido en la regla más que en la excepción para la mayoría de la gente. Como resultado, el estrés se ha convertido en uno de los problemas más comunes hoy en día. Cálculos actuales indican que el costo anual del estrés y de las enfermedades relacionadas con él en Estados Unidos excede los 100 000 millones de dólares, resultado directo de los costos de salud, las pérdidas de productividad y el ausentismo.

El **estrés** es un hecho de la vida moderna. Cada individuo tiene un nivel óptimo de estrés que lo conduce a un desempeño y una salud adecuados. Sin embargo, cuando los niveles de estrés rebasan los límites mentales, emocionales y psicológicos, éste se convierte en diestrés por lo que el individuo deja de funcionar de manera efectiva.

La respuesta del cuerpo al estrés ha sido la misma desde los orígenes de la humanidad. El estrés prepara al organismo para reaccionar a una situación particularmente estresante, llamada **factor de estrés**. La diferencia radica en la manera en la que reaccionamos al estrés. Mucha gente lo maneja muy bien, mientras que otros, bajo circunstancias similares, son incapaces de manejarla. La reacción de un individuo a un agente generador de estrés determina si este último es positivo o negativo.

Las reacciones crónicas negativas al estrés aumentan el riesgo de varios padecimientos de salud, incluyendo las enfermedades coronarias, hipertensión, desórdenes alimenticios, úlceras, diabetes, asma, depresión, migraña, trastornos del sueño y la fatiga crónica. Las reacciones negativas pueden incluso participar en el desarrollo de algunos tipos de cáncer. Reconocer en qué momento el estrés tiene un efecto negativo y superar la condición estresante en forma rápida y eficiente es crucial en el mantenimiento de una estabilidad emocional y psicológica.

La buena noticia es que podemos controlar el estrés. La mayoría de las personas acepta el estrés como parte normal de su vida diaria y, a pesar de que cada individuo tiene que manejarlo, muy pocos parecen entenderlo y, por lo tanto, no saben cómo lidiar con él en forma efectiva. No se debería evitar el estrés por completo pues es necesaria cierta dosis para tener una salud, un desempeño y un bienestar óptimos. Resulta difícil tener éxito y diversión en la vida sin el "trajín diario".

▶ Reacción del cuerpo al estrés

El doctor Hans Selye, una de las más destacadas autoridades en el tema del estrés, lo define como "la respuesta no específica del organismo humano a cualquier demanda que se le impone".[1] El término "no específica" indica que el cuerpo reacciona en forma similar sin importar la naturaleza del evento que conduce a la respuesta al estrés. En términos más sencillos, el estrés constituye la respuesta mental, emocional y psicológica del cuerpo a cualquier situación que resulte nueva, amenazante, aterradora o excitante.

El cuerpo responde al estrés con una secuencia rápida de cambios físicos conocidos como **pelea o huída** (ver la figura 7.1). El hipotálamo activa el sistema nervioso simpático, mientras que la glándula pituitaria genera la liberación de catecolaminas (hormonas) de las glándulas adrenales. Estos cambios hormonales incrementan el ritmo cardiaco, presión sanguínea, flujo sanguíneo que hace activar los músculos y el cerebro, niveles de glucosa, captación de oxígeno y la fuerza —todos estos elementos son necesarios para que el cuerpo pelee o emprenda la huida. En los casos tanto de pelea como de huída, el cuerpo se relaja y el estrés se disipa. Sin embargo, si la persona es incapaz de actuar entonces los músculos se tensan y se contraen.

El estrés no es necesariamente malo. El doctor Selye amplía su definición de estrés clasificándolo en **euestrés o estrés bueno** y **diestrés** o **estrés malo**, el que por lo común se conoce como simplemente estrés. En ambos casos, la respuesta no específica es casi la misma. En el euestrés, la salud y el desempeño continúan mejorando incluso a medida que el estrés aumenta. En cambio, con el diestrés, la salud y el desempeño comienzan a deteriorarse.

Figura **7.1** *Respuesta fisiológica al estrés: Pelear o huir.*

Tomado de *Lifetime Physical Fitness & Wellness*, de W. W. K. Hoeger y S. A. Hoeger (Belmont, CA: Wadsworth/Thomson Learning, 2005), p. 311.

▶ Adaptación al estrés

La fisiología humana es tal que el cuerpo continuamente lucha por mantener un ambiente interno constante. Este estado de balance fisiológico conocido como **homeostasis**, permite al cuerpo funcionar de la forma más efectiva posible. Cuando un factor de estrés genera una respuesta no específica, la homeostasis se interrumpe. Esta reacción a los factores de estrés, que el doctor Seyle explica mejor a través del **síndrome de adaptación general (SAG)**, se compone de tres etapas: reacción de alarma, resistencia y agotamiento/recuperación.

▶ Reacción de alarma

La reacción de alarma es la respuesta inmediata a un factor de estrés, ya sea éste positivo o negativo. Durante la reacción de alarma, el cuerpo evoca una reacción fisiológica instantánea que involucra la movilización de sistemas y procesos dentro del organismo a fin de minimizar

Pensamiento crítico

¿Puede identificar las fuentes de euestrés bueno y diestrés en su vida personal durante el último año? Explique su respuesta emocional y física a cada uno de estos factores de estrés, así como la forma en que ambos difieren.

Figura **7.2** *Síndrome de adaptación general: La respuesta del cuerpo al estrés.*

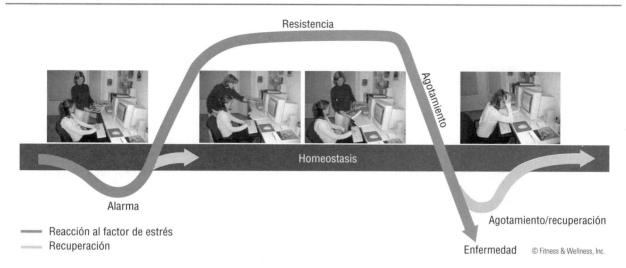

Resistencia

Agotamiento

Homeostasis

Alarma

——— Reacción al factor de estrés
——— Recuperación

Agotamiento/recuperación

Enfermedad © Fitness & Wellness, Inc.

la amenaza hacia la homeostasis (ver "Lidiar con el estrés", página 152-154). Si el factor de estrés disminuye, el cuerpo se recupera y regresa a la homeostasis.

▶ Resistencia

Si el factor de estrés persiste, el cuerpo hace uso de su límite de reservas para formar una resistencia a medida que lucha por mantener la homeostasis. Por unos momentos el cuerpo sale adelante en forma efectiva y enfrenta el desafío que le impone el factor de estrés hasta que lo pueda superar (ver la figura 7.2).

▶ Agotamiento/recuperación

Si el estrés se vuelve crónico e intolerable, el cuerpo gasta su límite de reservas y pierde su habilidad de enfrentar la situación, por lo que entra en una etapa de agotamiento y recuperación. Durante esta etapa, el cuerpo funciona con una capacidad disminuida mientras se recupera del estrés. Con el tiempo, después de un periodo adecuado de recuperación, el cuerpo es capaz de regresar a la homeostasis. Sin embargo, si el estrés crónico persiste durante la etapa de agotamiento, la función inmune se ve alterada, lo cual puede dañar los sistemas del cuerpo y provocar la muerte.

Un ejemplo de respuesta al estrés por medio del síndrome de adaptación general es la realización de un examen. Conforme el individuo se prepara para presentarlo, experimenta una reacción inicial de alarma. Si comprende el material, estudia para el examen y lo aprueba (euestrés), el cuerpo se recupera y el estrés se disipa. Sin embargo, si no se encuentra lo suficientemente preparado y reprueba el examen, aparece la etapa de resistencia. Le preocupa entonces su calificación, así que permanece en esta etapa hasta el siguiente examen. Si se prepara y logra pasarlo, su cuerpo se recupera, pero si lo

© Fitness & Wellness, Inc.

Salir al aire libre mientras se viven situaciones estresantes es vital para una salud y un bienestar buenos.

TÉRMINOS CLAVE

Estrés: Respuesta fisiológica, emocional y mental del cuerpo a cualquier situación que resulte nueva, amenazante, aterradora o excitante.

Factor de estrés: Agente causante del estrés.

Pelear o huir: Serie de respuestas físicas que se activan en forma automática en respuesta a factores ambientales del estrés.

Euestrés: Estrés positivo.

Diestrés: Estrés negativo o dañino en el cual el desempeño diario y la salud comienzan a deteriorarse.

Homeostasis: Estado natural de equilibrio. El cuerpo intenta mantener dicho equilibrio al reaccionar de manera constante a fuerzas externas que atentan con romperlo.

Síndrome de adaptación general (SAG): Modelo teórico que explica la adaptación del cuerpo a un estrés constante, el cual incluye tres etapas: Reacción de alarma, resistencia y agotamiento/recuperación.

reprueba una vez más y ya no es posible que su calificación remonte, aparece el agotamiento acompañado de un posible colapso físico y emocional como resultado. El agotamiento se puede agravar si el individuo se encuentra en una situación similar en otras materias.

Los atletas y las personas que realizan ejercicio a un nivel muy alto manifiestan la etapa de agotamiento. El cansancio es en general consecuencia del ejercicio excesivo. Es posible sostener un alto desempeño sólo por alrededor de dos a tres semanas: Cualquier intento por continuar ejercitándose después de este periodo de alto rendimiento conduce al agotamiento, disminuye la condición física y, por lo tanto, sobrevienen problemas físicos y mentales asociados con el exceso de ejercicio. Así, los atletas y algunas personas que realizan ejercicio requieren también una fase de recuperación activa después de haber logrado un alto rendimiento.

Patrones de comportamiento

Los sucesos comunes de la vida no son la única fuente de estrés. Muy a menudo las personas presentan estrés como resultado de sus patrones de comportamiento característicos. Los dos principales patrones de comportamiento son el **tipo A** y el **tipo B**. Cada uno de ellos se basa en varias características, las cuales se emplean para clasificar a los individuos según estos patrones de comportamiento.

El tipo A caracteriza a las personas que son principalmente de carácter difícil, muy ambiciosas, agresivas y en ocasiones hasta hostiles y muy competitivas. Estas personas a menudo establecen sus propias metas, se hallan motivadas, tratan de llevar a cabo muchas tareas al mismo tiempo, están orientadas de manera excesiva a los logros y le dan mucho valor al tiempo. En contraste, el comportamiento tipo B es característico de los individuos tranquilos, relajados, informales y despreocupados. Las personas de este tipo se toman el tiempo para realizar una sola actividad, no se sienten presionadas ni apresuradas y rara vez se establecen plazos.

Con el paso de los años, los expertos han indicado que los individuos del tipo A tiene una incidencia más alta de enfermedades, en especial cardiovasculares.[2] Sin embargo, no todos los individuos de este tipo tienen un alto riesgo de enfermedades, pues aquellos que son hostiles o se enojan con demasiada frecuencia presentan un mayor riesgo.[3] El cuestionario que se proporciona en la figura 7.3 le ayudará a determinar si su personalidad es o no hostil.

Algunos expertos creen que es mucho más probable que el estrés emocional ocasione un ataque cardiaco que el estrés físico. Las personas que son más vulnerables son las que se impacientan o se molestan con facilidad cuando tienen que esperar algo o a alguien (a un empleado, la luz verde del semáforo, hacer fila en un restaurante).

Las investigaciones se enfocan también en los individuos que presentan ansiedad, depresión y sentimientos de impotencia al momento de enfrentar retrocesos y fra-

Liberar el enojo en forma saludable

- Reconocer el enojo por lo que es: No le tema ni tampoco intente suprimirlo.

- Trate de entender lo que le molesta. Después decida si vale la pena que esté tan enojado. Tal vez es tan sólo un enojo o un pleito sin importancia.

- Deténgase antes de actuar. Primero cálmese. Cuente hasta 10, respire profundo, recite en forma mental las palabras de su verso favorito o inicie alguna otra actividad que le distraiga o relaje. Una vez hecho esto, dispóngase a lidiar con su enojo.

- Si reprende a alguien, con calma y tacto explíquele sus razones sin tratar de acometerlo. Dígale cómo se siente e intente negociar ciertos aspectos.

- Sea generoso con la otra persona pues quizá ésta reprobó un examen, acaba de escuchar una mala noticia en casa o simplemente tuvo un mal día. Escuche de manera atenta su posición e intente entenderla lo más posible.

- Cuando todo lo demás fracasa, perdone. Todos cometemos errores. Cargar con el rencor le hará más daño a usted que a la otra persona.

Tomado de *Wellness: Guidelines for a Healthy Lifestyle*, de W. W. K. Hoeger, L. Turner y B. Q. Hafen (3 ra. ed.) (Belmont, CA: Wadsworth/Thomson Learning, 2002), p. 33.

casos. Quienes pierden el control de su vida, aquellos que renuncian a sus grandes sueños, que creen que podrían o deberían tener mayor éxito, son más propensos a sufrir ataques cardiacos que las personas de carácter difícil que disfrutan su trabajo.

Muchas de las características del tipo A son comportamientos aprendidos. En consecuencia, si la gente aprende a identificar las fuentes de su estrés, podrá cambiar sus respuestas de comportamiento. La principal herramienta para determinar los tipos de comportamiento es la entrevista estructurada en la cual se le pide al entrevistado contestar a varias preguntas que describen los patrones de comportamiento del tipo A y B. El entrevistador anota las respuestas a las preguntas así como los comportamientos mentales, emocionales y físicos que la entrevistada muestra al momento de contestar cada pregunta. Con base en las respuestas y los comportamientos asociados, el entre-

TÉRMINOS CLAVE

Tipo A: Patrón de comportamiento característico de una persona de carácter difícil, muy ambiciosa, agresiva y en ocasiones hostil y muy competitiva.

Tipo B: Patrón de comportamiento característico de un individuo tranquilo, informal, relajado y despreocupado.

Figura **7.3** *Escala de hostilidad y de riesgo de enfermedades cardiacas.*

LA HOSTILIDAD PUEDE DAÑAR SU CORAZÓN

Hoy en día los expertos afirman que los sentimientos de hostilidad incrementan el riesgo de enfermedades cardiacas. El doctor Redford Williams del Duke University Medical Center diseñó un cuestionario para que usted pueda determinar si tiene o no una personalidad hostil. Elija la respuesta que mejor represente la forma en la que respondería a las siguientes situaciones:

1. **Un adolescente pasa frente a mi casa con el estéreo de su automóvil a todo volumen:**
   A. Empiezo a entender por qué los adolescentes no pueden oír.
   B. Siento que mi presión sanguínea empieza a subir.

2. **Mi novio(a) me llama a último minuto y me comenta que está "demasiado cansado(a) para salir en la noche". Tengo dos boletos que me costaron mucho:**
   A. Busco a alguien más con quién ir.
   B. Le digo a mi novio(a) que es muy inconsiderado(a).

3. **Mientras espero en la fila de la caja rápida de un supermercado en la que se señala que no se permiten más de 10 artículos:**
   A. Tomo una revista para pasar el tiempo.
   B. Echo un vistazo para ver si nadie lleva más de 10 artículos.

4. **La mayoría de los vagabundos en las grandes ciudades:**
   A. Se encuentran en ese estado porque carecen de ambición.
   B. Son víctimas de enfermedades o de algunas otras desgracias.

5. **En ocasiones, cuando me he llegado a enojar sumamente con alguien:**
   A. He sido capaz de detenerme antes de pegarle.
   B. Le he pegado o dado de empujones.

6. **Cuando estoy atorado en el tráfico:**
   A. En general no me siento muy molesto.
   B. Rápidamente me empiezo a sentir enojado o irritado.

7. **Cuando se requiere realizar un trabajo realmente importante:**
   A. Prefiero hacerlo yo mismo.
   B. Estoy dispuesto a llamarle a mis amigos para pedirles ayuda.

8. **Si voy manejando y los automóviles que van delante de mí reducen la velocidad y se detienen cuando se acercan a una curva:**
   A. Asumo que más adelante hay un sitio en construcción.
   B. Asumo que alguien más adelante va borracho.

9. **Un elevador se detiene en un piso que se encuentra mucho más arriba de donde me encuentro esperando:**
   A. Pronto empiezo a sentirme molesto e irritado.
   B. Empiezo a planear las actividades del resto del día.

10. **Cuando un amigo o un colega no está de acuerdo conmigo:**
    A. Trato de explicarle mi punto de vista con más claridad.
    B. Soy capaz de involucrarme en una discusión con él o ella.

11. **Cuando he estado muy enojado:**
    A. Nunca he tirado objetos o azotado la puerta.
    B. Algunas veces he tirado objetos o azotado la puerta.

12. **Si alguien se tropieza conmigo en una tienda:**
    A. Lo tomo como un accidente.
    B. Me siento irritado por su torpeza.

13. **Cuando mi pareja (u otra persona querida por mí) está preparando la comida:**
    A. Echo un vistazo para cerciorarme de que nada se esté quemando.
    B. Hablo sobre cómo me fue en el día o leo el periódico.

14. **Alguien acapara la conversación en una fiesta:**
    A. Busco la oportunidad de bajarle los humos.
    B. Me voy rápidamente con otro grupo de personas.

15. **En la mayoría de las discusiones:**
    A. Soy el que más se enoja.
    B. La otra persona se enoja más que yo.

Sume un punto por cada una de estas respuestas: 1. B, 2. B, 3. B, 4. A, 5. B, 6. B, 7. A, 8. B, 9. A, 10. B, 11. B, 12. B, 13. A, 14. A, 15. A. Si tuvo 4 o más puntos es posible que usted sea hostil. Las preguntas 1, 6, 9, 12 y 15 reflejan la ira. Las preguntas 2, 5, 10, 11 y 14 reflejan la agresión. Las preguntas 3, 4, 7, 8 y 13 reflejan el cinismo. Si tuvo 2 puntos en cada categoría debe trabajar entonces en esa área de su personalidad.

Tomado de *Anger Kills*, de Redford B. Williams y Virginia Williams. Copyright ©1993 de Redford B. Williams, Maestría, y Virginia Williams, Doctorado. Reimpreso con el permiso de Random House, Inc.

Cambiar una personalidad tipo A

- Haga un contrato con usted mismo para relajarse y tomar la vida con más calma. Escríbalo y péguelo en un lugar visible. Apéguese a los términos que estableció. Sea específico: frases abstractas como "voy a ser menos aprehensivo" no funcionan.

- Trabaje sobre uno o dos aspectos a la vez. Espere hasta que haya cambiado un hábito para poder cambiar otro.

- Coma más despacio y sólo cuando se encuentre relajado vaya a sentarse.

- Si fuma, deje de hacerlo.

- Reduzca su ingesta de cafeína pues ésta aumenta la tendencia a sentirse irritado y agitado.

- Tómese descansos en forma regular durante el día, aunque sean sólo de 5 a 10 minutos, para cambiar por completo lo que se encontraba haciendo. Levántese, estírese, tome un vaso de agua fría y camine durante unos cuantos minutos.

- Trabaje en combatir su impaciencia. Si está esperando en una fila de supermercado, estudie los artículos interesantes que la gente lleva en sus carritos en lugar de molestarse.

- Trabaje en controlar la hostilidad. Lleve una bitácora: ¿En qué momento se sale de sus casillas?, ¿qué lo provoca?, ¿cómo se siente en ese momento?, ¿qué sucedió antes? Trate de hallar patrones y trate de comprender qué es lo que le molesta. Posteriormente haga algo al respecto: ya sea que evite las situaciones que causan su hostilidad o que practique reaccionando ante ellas de diferentes maneras.

- Planee actividades sólo por el placer de hacerlo. Prepare una canasta para un día de campo y vaya con un amigo de paseo. Después de una clase estresante de física, deténgase en un teatro y vea una buena comedia.

- Elija un modelo, es decir, alguien que conozca y admire y que además no tenga una personalidad tipo A. Observe a la persona de manera cuidadosa, después intente algunas de sus técnicas.

- Simplifique su vida de manera que pueda aprender a relajarse un poco más. Analice las actividades o compromisos que no son tan importantes y elimínelos de inmediato.

- Si en las mañanas se siente muy presionado, ponga la alarma de su despertador una media hora antes.

- Tómese el tiempo para salir durante incluso el día más agitado para hacer algo en verdad relajante. Quizá sea necesario que practique un poco antes debido a que de seguro no está acostumbrado a hacerlo. Empiece por enlistar las cosas que en realidad disfruta y que considere que podrían relajarlo. Incluya algunas actividades que sólo le tomen unos cuantos minutos hacer como admirar una puesta de sol, recostarse en el pasto durante la noche y ver las estrellas, llamar a un viejo amigo y ponerse al día de algunas noticias, tomar una siesta, preparar unos champiñones y saborearlos lentamente.

- Si está realizando un trabajo bajo presión, tome respiros cortos, deténgase y hable con alguien por 5 minutos, salga a caminar por un tiempo corto o póngase un paño frío sobre los ojos durante 10 minutos.

- Ponga atención a lo que dicta su reloj biológico. Tal vez ha notado que cada 90 minutos más o menos pierde la habilidad de concentrarse, le da sueño o le da por soñar despierto. En lugar de combatir estas situaciones, deje a un lado su trabajo por un rato y permita que su mente divague por unos cuantos minutos. Utilice el tiempo para imaginar y dejar que su creatividad aflore.

- Aprenda a atesorar las sorpresas: un amigo que llega a su casa de improviso, un jilguero afuera de su ventana, el ramo de flores de campo que un niño le ofrece.

- Aprecie sus relaciones sociales: piense en las personas queridas. Relájese con ellas y entréguese a ellas. Deje de tratar de controlar a los otros y resístase a la necesidad de terminar con las relaciones que no siempre marchan como a usted le gustaría.

Tomado de *Wellness: Guidelines for a Healthy Lifestyle*, de W. W. K. Hoeger, L. Turner y B. Q. Hafen (3a. ed.) (Belmont, CA: Wadsworth/Thomson Learning, 2002), p. 30.

vistador califica a la persona a lo largo de un rango que va del tipo A al B.

► Vulnerabilidad al estrés

Los investigadores han identificado un gran número de factores que pueden afectar el modo en el que la gente maneja el estrés. De hecho, el modo en que la gente trata estos factores puede aumentar o disminuir la vulnerabilidad al estrés. El cuestionario que se proporciona en la figura 7.4 enlista estos factores de manera que usted mismo pueda determinar su nivel de vulnerabilidad. Muchos de los aspectos contenidos en este cuestionario se encuentran relacionados con la salud, el apoyo social, la autoestima y el sentido de ser necesitado o requerido.

Todos los factores son cruciales para el bienestar físico, social, mental y emocional de un individuo. El cuestionario le ayudará a identificar las áreas específicas que puede mejorar a fin de que maneje mejor las situaciones.

Los beneficios de la condición física son tratados de manera amplia a lo largo del presente libro. Aunado a ello, el apoyo social, la autoestima y el sentido de ser útil son esenciales en el manejo de los sucesos estresantes de la vida. Estos factores desempeñan una función de protección y apoyo en la vida de las personas. Mientras éstas se encuentren mejor integradas a la sociedad, serán menos vulnerables al estrés y las enfermedades.

Se han hallado correlaciones positivas entre los resultados del apoyo social y la salud. La gente puede acudir al apoyo social a fin de resistir una crisis. Saber que alguien

Figura **7.4** *Cuestionario de vulnerabilidad al estrés.*

Factor	Completa-mente de acuerdo	Ligera-mente de acuerdo	Ligera-mente en desacuerdo	Completa-mente en desacuerdo
1. Intento incorporar tanta actividad física* como sea posible todos los días.	1	2	3	4
2. Hago ejercicios aeróbicos durante 20 minutos o más al menos tres veces por semana.	1	2	3	4
3. Duermo por lo regular de siete a ocho horas todas las noches.	1	2	3	4
4. Me tomo el tiempo para comer al menos un comida balanceada y caliente al día.	1	2	3	4
5. Tomo menos de dos tazas de café (o el equivalente) al día.	1	2	3	4
6. Estoy en mi peso recomendado.	1	2	3	4
7. Gozo de buena salud.	1	2	3	4
8. No consumo tabaco (en ninguna forma).	1	2	3	4
9. Limito mi consumo de alcohol a una bebida al día.	1	2	3	4
10. No consumo drogas (dependencia a los químicos).	1	2	3	4
11. Cuento con alguien a quien quiero y puedo confiar en el caso de tener un problema o necesitar tomar una decisión importante.	1	2	3	4
12. Hay amor en mi familia.	1	2	3	4
13. Doy y recibo afecto de manera constante.	1	2	3	4
14. Mantengo relaciones cercanas con otras personas que me proporcionan un sentido de seguridad emocional.	1	2	3	4
15. Hay personas a las que puedo acudir en momentos de estrés.	1	2	3	4
16. Puedo hablar de manera abierta acerca de mis sentimientos, emociones y problemas con las personas en las que confío.	1	2	3	4
17. Otras personas acuden a mí en busca de ayuda.	1	2	3	4
18. Soy capaz de mantener mis sentimientos de ira y hostilidad bajo control.	1	2	3	4
19. Tengo un grupo de amigos que disfrutan las mismas actividades sociales que yo.	1	2	3	4
20. Me doy el tiempo para llevar a cabo algo divertido al menos una vez a la semana.	1	2	3	4
21. Mis creencias religiosas le dan guía y fuerza a mi vida.	1	2	3	4
22. A menudo proporciono servicio a otros.	1	2	3	4
23. Disfruto mi trabajo (licenciatura o escuela).	1	2	3	4
24. Soy un trabajador capaz.	1	2	3	4
25. Me llevo bien con mis colegas (o compañeros de escuela).	1	2	3	4
26. Mis ingresos son suficientes para satisfacer mis necesidades.	1	2	3	4
27. Manejo mi tiempo de manera adecuada.	1	2	3	4
28. He aprendido a decir "no" a compromisos adicionales si me encuentro bajo presión.	1	2	3	4
29. Reservo a diario un tiempo para mí mismo.	1	2	3	4
30. Practico el manejo del estrés como se requiere hacerlo.	1	2	3	4

Puntos totales: [ ]

Puntuación:

0-30 puntos . . . . Excelente (gran resistencia al estrés)
31-40 puntos . . . . Bueno (poca vulnerabilidad al estrés)
41-50 puntos . . . . Promedio (algo vulnerable al estrés)
51-60 puntos . . . . Malo (vulnerable al estrés)
≥61 puntos . . . . Deficiente (altamente vulnerable al estrés)

*Camine en lugar de manejar, evite las escaleras eléctricas y los elevadores, o camine hacia las oficinas, casas o tiendas cercanas.

Tomado de *Lifetime Physical Fitness & Wellness* de W. W. K. Hoeger y S. A. Hoeger (Belmont, CA: Wadsworth/Thomson Learning, 2005), p. 349.

La ira y la hostilidad pueden constituir un factor de riesgo para la salud.

La actividad física y recreativa regular ayuda a prevenir una crisis psicológica.

más se preocupa, que la gente está ahí para poder apoyarse, en fin, que se cuenta con apoyo, resulta valioso para la supervivencia (o crecimiento) en tiempos difíciles.[4]

Conforme vaya resolviendo el cuestionario, notará que muchos de los factores describen situaciones y comportamientos que se encuentran bajo su propio control. A fin de que pueda ser menos vulnerable al estrés, sin duda querrá mejorar los comportamientos que lo hacen especialmente vulnerable. Debe comenzar por modificar los que le resultan más fáciles de cambiar antes de pasar a los más difíciles.

▶ Fuentes de estrés

Antes de emprender técnicas para lidiar de manera más efectiva con el estrés, intente identificar los factores actuales de estrés en su vida mediante la prueba que se proporciona en la figura 7.5. Esta prueba le ayudará a determinar los factores con los que se enfrentado recientemente. Piense en el último año y elija los puntos de estrés que se enlistan para cada situación que haya experimentado durante ese tiempo. Luego sume los puntos y determine la cantidad de estrés que tuvo durante el último año.

A continuación, a fin de que pueda lidiar mejor con el estrés, emplee el análisis que se proporciona en la actividad 7.1, página 163. Registre los resultados que obtuvo en su cuestionario sobre el estrés en esta forma y enliste los factores que lo afectan más en su vida diaria. Para cada factor de estrés explique, en el espacio provisto, la situación o situaciones en las que éste ocurre, su respuesta ante él, el impacto que tiene en su vida y de qué manera maneja dicho factor de estrés hoy en día. Con base en lo que ha aprendido hasta el momento, indique también

lo que puede hacer tanto para evitar el factor como para lidiar con él de manera más efectiva en el futuro. En la figura 7.6 se describen los factores de estrés que son comunes en la vida de los estudiantes.

Después de completar el ejercicio de la actividad 7.1, continúe con el tema de técnicas de relajación, páginas 156-161. Una vez que haya aprendido y dominado algunas de estas técnicas, regrese a su análisis de estrés y reevalúe su enfoque para lidiar con cada factor.

▶ Lidiar con el estrés

Las formas en las que la gente percibe y maneja el estrés parecen ser más importantes en el desarrollo de la enfermedad que en la cantidad y tipo de estrés en sí mismo. Si el individuo percibe al estrés como un problema definido en su vida, es decir, cuando interfiere con su nivel de salud y desempeño óptimos existen varias técnicas que le permiten lidiar con el estrés de manera más efectiva.

En primer lugar, por supuesto, la persona debe reconocer que se encuentra ante un problema. Mucha gente no quiere creer que están bajo demasiado estrés o no son capaces de reconocer algunos síntomas típicos del diestrés. Darse cuenta de algunos de los síntomas relaciona-

Figura **7.5** *Prueba de estrés.*

Realice la prueba de estrés

Para darse una idea del posible impacto en su salud de diversos cambios recientes en su vida, piense en el último año y marque los "puntos de estrés" enlistados para cada una de las situaciones que haya experimentado durante ese tiempo. Luego sume los puntos. Un puntaje total de cerca de 250 a 500 se considera como una cantidad moderada de estrés. Si tiene un puntaje mayor a éste, es posible que enfrente un incremento en el riesgo de enfermedades; si su puntaje es menor, considérese afortunado.

SALUD

Un daño físico o una enfermedad:

Lo mantuvo en cama por una semana o más o lo envío al hospital	74
Fue menos serio que lo anterior	44
Intervención dental importante	26
Cambio significativo en los hábitos alimenticios	27
Cambio significativo en los hábitos de sueño	26
Cambio significativo en sus actividades recreativas usuales y en el tiempo que invierte en ellas	28

Trabajo

Cambio de empleo	51
Cambio de sus horas o condiciones de trabajo	35

Cambio de sus responsabilidades en el trabajo:

Mayores responsabilidades	29
Menos responsabilidades	21
Ascenso	31
Descenso	42
Transferencia	32

Problemas laborales:

Con su jefe	29
Con su colegas	35
Con personas bajo su supervisión	35
Otros problemas de trabajo	28
Un arreglo importante de negocios	60
Retiro	52

Pérdida de trabajo:

Dejar de trabajar	68
Despido	79
Curso de correspondencia para realizar su trabajo	18

CASA Y FAMILIA

Cambio significativo en las condiciones de vida	42

Cambio de residencia:

Mudarse dentro del mismo distrito o ciudad	25
Mudarse a un distrito, ciudad o estado diferentes	47
Cambios en las reuniones familiares	25
Cambios en el comportamiento o salud de un miembro de la familia	55
Casamiento	50
Embarazo	67
Embarazo malogrado o aborto	85

Llegada de un nuevo miembro a la familia:

Por nacimiento	66
Por adopción	65
Un pariente llega a vivir con usted	59
La pareja empieza o deja de trabajar	46

Un hijo se va de casa:

Para estudiar	41
Porque se casa	41
Por otras razones	45
Cambios en las discusiones con la pareja	50
Problemas con la familia política	38

Cambio en el estatus marital de sus padres:

Divorcio	59
Un nuevo casamiento	50

Separación de la pareja:

Debido al trabajo	53
Debido a problemas maritales	76
Divorcio	96
Nacimiento de un nieto	43
Muerte de la pareja	119

Muerte de otro miembro de la familia:

Hijo	123
Hermano o hermana	102
Padre o madre	100

PERSONAL O SOCIAL

Cambio en los hábitos personales	26
Empezar o terminar la escuela o la universidad	38
Cambio de escuela	35
Cambio en las creencias políticas	24
Cambio en las creencias religiosas	29
Cambio en las actividades sociales	27
Viaje de vacaciones	24
Una relación personal nueva y cercana	37
Compromiso de matrimonio	45
Problemas con el novio o la novia	39
Problemas sexuales	44
Rompimiento con una relación personal cercana	47
Un accidente	48
Una violación menor a la ley	20
Ser encarcelado	75
Muerte de un amigo cercano	70
Decisión importante sobre su futuro inmediato	51
Un logro personal importante	36

FINANCIERO

Un cambio significativo en sus finanzas:

Aumento de ingresos	38
Disminución de ingresos	60
Problemas de inversión o crédito	56
Pérdida o daño de una propiedad personal	43
Compra moderada	20
Compra grande	37
Juicio hipotecario o de préstamo	58

PUNTAJE TOTAL:

Fuente: Reimpreso del *Journal of Psychosomatic Research*, vol. 43, Miller y Rahe, "Life Changes Scaling for the 1990's", 1997, con el permiso de Elserier Science.

Figura **7.6** *Factores de estrés en las vidas de los estudiantes universitarios.*

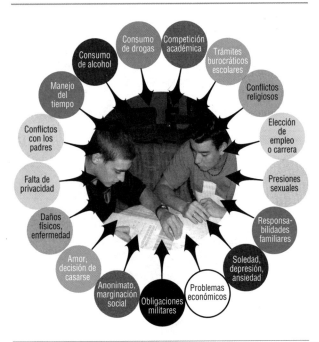

Adaptado de W. W. K. Hoeger, L. W. Turner y B. Q. Hafen, *Wellness: Guideliness for a Healthy Lifestyle* (Belmont, CA: Wadsworth/Thomson Learning, 2002).

Síntomas comunes del estrés

- Dolor de cabeza
- Dolor muscular (principalmente en el cuello, los hombros y la espalda)
- Crujido de dientes
- Tic nervioso, juguetear con los dedos de las manos
- Sudar demasiado
- Incremento o pérdida del apetito
- Insomnio
- Pesadillas
- Fatiga
- Boca seca
- Tartamudeo
- Presión sanguínea alta
- Dolor o tensión en el pecho
- Impotencia
- Urticaria
- Mareo
- Depresión
- Irritación
- Enojo
- Hostilidad
- Miedo, pánico, ansiedad
- Dolor de estómago, sensación de revoloteo
- Náusea
- Manos frías, entumecidas
- Poca concentración
- Caminar despacio
- Inquietud
- Ritmo cardiaco rápido
- Infección leve
- Pérdida de deseo sexual
- Salpullido o acné

dos con el estrés le permitirá a la persona responder en forma más objetiva y adecuada.

Cuando las personas presentan síntomas relacionados con el estrés, primero deberían intentar de identificar y eliminar el factor de estrés o el agente que lo ocasiona. Esto no resulta tan simple como parece debido a que en algunas situaciones no es posible eliminar el factor de estrés o las personas no saben qué es lo que lo ocasiona. Si la causa es desconocida, llevar un registro de los momentos en los que se presentan los síntomas, así como los sucesos que los precedieron o sucedieron, podría resultar de ayuda.

Por ejemplo, una mujer notó que cada tarde alrededor de las 6:00 p.m. sentía náuseas y tenía dolor abdominal. Después de buscar ayuda profesional, se les pidió a ella y a su esposo que llevaran un registro diario de sus actividades. Pronto resultó claro que los síntomas no aparecían los fines de semana sino que siempre empezaban antes de que el esposo llegara a casa del trabajo durante la semana. Después de algunas entrevistas personales con ambos, se determinó que ella sentía falta de atención por parte de su esposo y, por tanto, respondía de manera subconsciente sintiéndose enferma al punto de que tenía que requerir la atención y el afecto de su esposo. Una vez que se identificó el factor de estrés, ambos iniciaron cambios apropiados en su comportamiento a fin de corregir la situación.

Sin embargo, en muchas ocasiones no se puede eliminar el factor de estrés. Ejemplos de situaciones en las que poco o nada se puede hacer para eliminar el agente que ocasiona el estrés son la muerte de un miembro de la familia, el primer año en un empleo nuevo, un jefe insoportable, un cambio en las responsabilidades en el trabajo. No obstante, se puede manejar el estrés mediante técnicas de manejo del tiempo y de relajación.

Manejo del tiempo

Según Benjamin Franklin, "la vida está hecha de tiempo". Hoy en día el ritmo acelerado de vida no conduce al bienestar. Los problemas que se presentan a lo largo de un día típico a menudo generan enfermedades relacionadas con el estrés. La gente que no maneja su tiempo en forma adecuada podría experimentar estrés crónico, fatiga, desesperación, desmotivación y enfermedad.

Con base en varias encuestas a nivel nacional, casi 80% de los estadounidenses indican que el tiempo transcurre demasiado rápido para ellos y más de 50% piensa que deben tener realizado todo. Mientras más jóvenes sean los entrevistados, más luchan contra la falta de tiempo. Casi la mitad desearía tener más tiempo para hacer ejercicio y para realizar actividades recreativas o pasatiempos o dedicarlo a su familia.

Las personas saludables y exitosas manejan bien el tiempo y son capaces de mantener un ritmo de vida que les permita sentirse cómodos. En una encuesta de 1954 con graduados de Harvard de la escuela de comercio, sólo 27% había logrado las metas que se había establecido cuando estaban en la universidad. Todos se habían calificado a sí mismos como excelentes en el manejo del tiempo y únicamente 8% de los graduados restantes se percibían a sí mismos como excelentes en el manejo del tiempo. Los graduados exitosos atribuían su éxito a un "trabajo inteligente", no necesariamente a un "trabajo duro".

Intentar lograr una o más metas en un tiempo límite puede crear una tremenda cantidad de estrés. Muchas personas parecen no tener las horas suficientes durante el día para llevar a cabo sus tareas. No obstante, con frecuencia las mayores demandas sobre nuestro tiempo nos las imponemos nosotros mismos en nuestro intento por hacer varias cosas a la vez rápidamente.

Si bien algunas actividades para matar el tiempo como comer, dormir y la recreación son necesarias para la salud y el bienestar, en exceso provocan también estrés. Para hacer un mejor uso de su tiempo:

1. Localice las actividades que realiza para matar el tiempo. Mucha gente no sabe qué es lo que lleva a cabo durante el día. Lleve una bitácora para cuatro o siete días y registre sus actividades en intervalos de media hora. Conforme transcurra el día, registre las actividades a fin de que pueda recordarlas. Al final de cada jornada, decida en qué momento desperdició el tiempo. Es probable que se sorprenda por la cantidad de tiempo que pasó hablando por teléfono, durmiendo (más de ocho horas por la noche) o viendo televisión.

2. Establezca metas a largo y corto plazo. Hacerlo requiere reflexión y le ayuda a poner su vida y sus tareas diarias en perspectiva. Escriba tres metas que desea alcanzar: (a) en la vida; (b) de aquí a 10 años; (c) este año; (d) este mes y (e) esta semana. Tal vez quiera archivar este documento y revisarlo en años posteriores.

3. Identifique sus metas inmediatas y establezca prioridades para el día de hoy y para esta semana. Todos los días siéntese y determine lo que necesita lograr en ese día o esa semana. Disponga sus tareas de "hoy" y "esta semana" en tres categorías: (a) mayor prioridad, (b) mediana prioridad y (c) "relleno". Las tareas de mayor prioridad son claramente las más

Planear y asignar prioridad a cada actividad simplifica los días.

importantes. Si se dispusiera a deducir la mayor parte de su productividad de 30% de sus actividades, ¿cuáles serían éstas? Las actividades de mediana prioridad deben realizarse pero pueden esperar un día o dos. Las actividades de relleno son aquellas en las que no vale la pena gastar el tiempo (por ejemplo, deambular por los pasillos).

4. Utilice una agenda para poder organizar y simplificar su día. De esta manera podrá tener acceso a su lista de prioridades, citas, notas, referencias, nombres, lugares, teléfonos y direcciones de manera conveniente ya sea en su bolsillo o en su cartera. Muchas personas creen que planear las actividades diarias o a la semana constituye una pérdida de tiempo. Sin embargo, designar unos cuantos minutos para planificar su tiempo todos los días le ahorrará muchas horas.

Cuando planifique su día sea realista y localice una zona en la que se pueda sentir cómodo. Determine cuál es la mejor manera de organizar su día. ¿Cuál es el tiempo más productivo para el trabajo, el estudio, los paseos? ¿Es usted una persona que trabaja mejor en las mañanas o que lleva a cabo la mayor parte de su trabajo cuando otras personas terminan las labores del día? Elija sus mejores horas para las actividades de mayor prioridad. Asegúrese de reservar tiempo suficiente para el ejercicio y la relajación. La recreación no es necesariamente tiempo perdido: necesita cuidar su bienestar físico y emocional pues de otra manera su vida se verá desequilibrada con gravedad.

5. Tome 10 minutos cada noche para analizar qué tan bien alcanzó sus metas ese día. Las personas que manejan con éxito su tiempo evalúan su desempeño a diario. Esta sencilla tarea le ayudará a percibir de

---

Actividades comunes para matar el tiempo

- Ver televisión
- Escuchar la radio o música
- Dormir
- Soñar despierto
- Hacer las compras
- Socializar/asistir a fiestas
- Recreación
- Hablar por teléfono
- Preocuparse
- Postergar actividades
- Las visitas inesperadas
- Confusión (metas no claras)
- Indecisión (qué hacer a continuación)
- Interrupciones
- Perfeccionismo (cada detalle debe ser realizado)

---

manera global. Tache las metas que logró cumplir y designe para el día siguiente aquellas que no llevó a cabo. Tal vez se dé cuenta también de que puede desplazar algunas metas hacia prioridades menores o de relleno.

Además de los pasos anteriores, las siguientes sugerencias generales lo podrán ayudar a hacer mejor uso de su tiempo:

- *Delegue*: Cuando sea posible, delegue actividades que alguien más podría hacer por usted. Pedir a alguien que mecanografíe un documento mientras usted se prepara para un examen podría ahorrarle tiempo y esfuerzo.
- *Diga "no"*. Aprenda a decir no a actividades que le impiden llevar a cabo sus prioridades. Nadie tiene el tiempo suficiente para hacer todo lo que le gustaría. Tampoco se sobrecargue de actividades. Mucha gente teme decir no porque se siente culpable al hacerlo. Piense a futuro y considere las consecuencias: ¿Lo hace para agradar a los otros?, ¿afectará su bienestar?, ¿es capaz de manejar una tarea más? En cierto momento tendrá que equilibrar sus actividades y considerar a la vida y al tiempo de manera más realista.
- *Protéjase contra el aburrimiento*: No hacer nada puede ser una fuente de estrés. Las personas necesitan sentir que contribuyen y que son miembros productivos de la sociedad. Resulta también un aspecto bueno para la autoestima y la valoración propias. Establezca metas realistas y trabaje en ellas todos los días.
- *Anticipe las interrupciones*: Incluso un plan cuidadoso de acción puede ser interrumpido. Una llamada telefónica inesperada puede arruinar su programa de

actividades. Planear su respuesta con anticipación le será de ayuda en este tipo de situaciones imprevistas.

- *Complete la tarea*: Seleccione sólo una tarea a la vez, concéntrese en ella y ocúpese en completarla. Mucha gente hace un poco por allí, otro poco por allá y después hacen otra cosa. Al final no llevan nada a cabo. Una excepción a la regla de trabajar sólo en una tarea es cuando va a realizar una tarea difícil. En lugar de "matarse", intercambie esta actividad difícil con otra que no lo sea tanto.
- *Elimine las distracciones*: Si se le dificulta apegarse a un plan establecido, elimine las distracciones y las actividades de relleno. La televisión, la radio, la computadora, las revistas, estudiar en un parque o en el exterior podrían distraerlo y convertirse en actividades para matar el tiempo.
- *Reserve tiempos extra*: Programe de manera regular un tiempo extra para completar proyectos que no ha terminado aún. La mayor parte de la gente programa tiempos justos y no reserva tiempo extra. El resultado es en general trabajar a altas horas de la noche. Si reserva tiempo extra y completa sus tareas, disfrutará de momentos para el esparcimiento, adelantará otro proyecto o trabajará en algunas de las actividades consideradas de relleno. Planee un tiempo para usted mismo.
- *Reserve a diario un tiempo sólo para usted*: La vida no significa trabajar todo el tiempo. Emplee su tiempo también para caminar, leer o escuchar su música favorita.
- *Prémiese*: Así como sucede con otros comportamientos saludables, los cambios positivos o un trabajo bien realizado merecen un premio. A menudo subestimamos el valor de las recompensas incluso cuando somos nosotros mismos quienes nos las damos. Es un hecho que la gente practica comportamientos que son recompensados y deja de hacer aquellos que no lo son.

◤ Técnicas de relajamiento

Las habilidades de manejo del estrés son esenciales para salir adelante de manera efectiva en el ritmo rápido de vida actual. Si bien puede obtener beneficios de manera inmediata después de llevar a cabo cualquiera de las distintas técnicas de relajación que se describen en este capítulo, se requieren varios meses de práctica regular para poder alcanzar un dominio completo. Los ejercicios de relajamiento que se presentarán a continuación no deben considerarse como panaceas. En el caso de que no resulten efectivos, se recomiendan recursos y ayuda profesional más especializados. En algunos casos es posible que los síntomas que presenta un individuo no se deban al estrés sino que estén relacionados con una enfermedad que no le ha sido diagnosticada.

◤ Actividad física

El ejercicio físico constituye una de las herramientas más simples para controlar el estrés. Se cree que el ejercicio y una buena condición física reducen la intensidad de éste y ayudan a que la persona se recupere de una situación estresante. El valor del ejercicio en la reducción del estrés está relacionado con varios factores, uno de los principales es una menor tensión muscular.

Imagine que se encuentra angustiado después de un pésimo día de trabajo pues éste requiere ocho horas continuas con un jefe insoportable. Para empeorar las cosas, es tarde y en su camino a casa el automóvil de enfrente va a una velocidad mucho más lenta que la límite. El mecanismo de su cuerpo de pelear o huir se activa. Su ritmo cardiaco y su presión sanguínea se disparan, su respiración se acelera y se hace más profunda, sus músculos se tensan y todo su sistema se pone en alerta. Bajo tales circunstancias no puede emprender ninguna acción y el estrés no se disipará porque simplemente no puede golpear a su jefe o al automóvil de enfrente. En lugar de eso puede actuar si golpea la pelota de tenis, hace pesas, nada o trota. Si hace una actividad física será capaz de reducir la tensión muscular y de eliminar los cambios fisiológicos que impulsaron el mecanismo de pelear o huir.

El ejercicio físico le proporciona a la gente un impulso general al:

- Reducir los sentimientos de ansiedad, depresión, frustración, agresión, enojo y hostilidad.
- Mitigar el insomnio.
- Proporcionar una oportunidad de cumplir las necesidades sociales y desarrollar nuevas amistades.
- Permitirle compartir intereses y problemas comunes.
- Desarrollar la autodisciplina.
- Proporcionar la oportunidad de hacer algo agradable y constructivo que contribuya a una mejor salud y bienestar total.

Aunque el ejercicio ha aumentado la salud y la calidad de vida de millones de personas, éste se puede convertir, en algunos casos, en una obsesión de características potencialmente adictivas. Las personas que se ejercitan de manera compulsiva a menudo expresan sentimientos de culpa y malestar si no realizan su rutina de ejercicios. Estas personas a veces continúan ejercitándose aun cuando están enfermos o presentan algún daño físico y deben descansar para recuperarse en forma adecuada. Bajo estas circunstancias, el ejercicio se convierte en un factor de estrés que puede afectar la salud y el desempeño físico. Como factor biológico del estrés, el ejercicio compulsivo o el exceso de ejercitación produce tanto síntomas psicológicos como fisiológicos. Muchas actividades físicas (por ejemplo trotar, jugar básquetbol, hacer aeróbicos) al ser realizadas en niveles de alta intensidad o durante periodos inusualmente largos (exceso de ejercitación) pueden llegar a resultar dañinos para el bienestar físico y emocional.

Los síntomas psicológicos del exceso de ejercitación incluyen una motivación más baja, depresión, trastornos del sueño, un aumento de la irritabilidad y falta de confianza en uno mismo. Los síntomas fisiológicos incluyen daños musculoesqueléticos, un desempeño más bajo, un

La actividad física es una excelente herramienta para controlar el estrés.

© Fitness & Wellness, Inc.

tiempo más lento de recuperación, fatiga crónica, disminución del apetito, pérdida de peso y de tejido muscular, aumento de grasa y de la tensión muscular, una presión sanguínea y un ritmo cardiaco más rápidos en estado de reposo e incluso anormalidades cardiacas. Si experimenta cualquiera de estos síntomas, necesita reevaluar su programa de ejercicios y hacer los ajustes necesarios. Las personas que exceden las guías recomendadas para el desarrollo y mantenimiento de la condición física (ver los capítulos 3 y 4) se ejercitan por razones ajenas a la salud y, de hecho, podrían estar agravando una situación que ya es estresante.

Relajación muscular progresiva

Uno de los métodos más populares para disipar el estrés es la **relajación muscular progresiva** la cual permite a los individuos reaprender la sensación de la relajación profunda. La conciencia aguda de sentir cómo en forma pro-

TÉRMINO CLAVE

Relajación muscular progresiva: Técnica de relajación que implica contraer y después relajar, de manera sucesiva, los grupos musculares del cuerpo.

gresiva se tensan y relajan los músculos, libera la tensión y le enseña al cuerpo a relajarse a voluntad. Sentir la tensión durante los ejercicios ayuda también a la persona a volverse más alerta a los signos de diestrés debido a que esta tensión es similar a la que se experimenta en situaciones estresantes. En la vida diaria estos sentimientos pueden alentar a una persona a que haga ejercicio.

Se puede hacer este tipo de ejercicios en una habitación tranquila, cálida y bien ventilada. Se deben trabajar todos los grupos musculares del cuerpo y lo más importante es poner atención a la sensación que percibe cada vez que tensa y relaja sus músculos.

La persona puede recibir las instrucciones, memorizarlas o grabarlas. Debe designar al menos 20 minutos para completar la secuencia completa. Realizar los ejercicios más rápido de lo debido no le permitirá cumplir con el objetivo. Idealmente, debe completar la secuencia dos veces al día.

En primer lugar, estírese en forma cómoda sobre el piso, boca arriba, con un almohada bajo sus rodillas y adopte una actitud pasiva, permitiendo que su cuerpo se relaje lo más posible. Después contraiga cada grupo muscular en forma secuencial teniendo cuidado de evitar cualquier estirón. Tense cada músculo a sólo 70% de la tensión total posible para evitar calambres o algún tipo de daño al propio músculo.

Para producir los efectos de relajación, ponga atención a la sensación de tensar y relajar los músculos. Mantenga cada contracción por alrededor de cinco segundos, después permita que los músculos se relajen por completo. Tómese el tiempo suficiente para contraer y relajar cada grupo muscular antes de continuar con el siguiente grupo. A continuación se proporciona un ejemplo de una secuencia completa de relajación muscular progresiva:

1. Junte sus pies, doble las puntas hacia abajo. Estudie la tensión en el arco y en el empeine. Mantenga los dedos hacia abajo y continúe notando la tensión, después relájese. Repita una vez más.
2. Flexione sus pies en dirección a su cara y note la tensión tanto en ellos como en los peronés. Mantenga esta posición y después relájese. Repite una vez más.
3. Empuje sus talones contra el piso como si los enterrara en la arena. Manténgalos así y note la tensión en la parte posterior de sus muslos. Relájese y repita una vez más.
4. Contraiga su músculo derecho estirando su pierna y levantándola suavemente del piso. Mantenga y estudie la tensión. Relájese. Repita con la pierna izquierda. Mantenga y vuelva a relajarse. Hágalo de nuevo con cada pierna.
5. Tense sus glúteos levantando su cadera en forma ligera del piso. Mantenga la posición y note la tensión. Relájese y repita de nuevo.
6. Contraiga sus músculos abdominales. Manténgalos tensos y advierta la sensación. Relájese y repita otra vez.

7. Suma su estómago. Intente hacer que éste toque su espina vertebral. Enderece su espalda baja contra el piso. Mantenga la posición y sienta la tensión en el estómago y la espalda baja. Relájese y repita una vez más.
8. Respire profundamente y mantenga la respiración, después exhale. Repita. Note que su respiración se vuelve más lenta y más relajada.
9. Ponga sus brazos a los costados de su cuerpo y apriete ambos puños. Manténgalos así, estudie la tensión y relájese. Repita otra vez.
10. Flexione los codos colocando ambas manos en sus hombros. Tense los brazos y estudie la tensión en los bíceps. Relájese y repita.
11. Coloque sus brazos en el piso en posición horizontal con las palmas hacia arriba y empuje los antebrazos fuertemente contra el piso. Note la tensión en los tríceps. Mantenga y relájese. Repita.
12. Encoja sus hombros levantándolos tanto como le sea posible. Manténgalos en esta posición y advierta la tensión. Relájese y repita.
13. Eche su cabeza con suavidad hacia atrás. Note la tensión en su nuca. Mantenga y relájese. Repita una vez más.
14. Eche su cabeza suavemente hacia delante hasta que toque su pecho, mantenga esta posición y note la tensión en el cuello. Relájese. Repita una vez más.
15. Presione su lengua contra el paladar. Manténgala en esta posición, advierta la tensión y relájese. Repita una vez más.
16. Presione sus dientes. Note la presión, relájese y repita.
17. Cierre sus ojos fuertemente. Manténgalos cerrados y advierta la tensión. Relájese dejando sus ojos cerrados. Haga esto una vez más.
18. Frunza el ceño y advierta la tensión. Mantenga y relájese. Repita una vez más.

Si el tiempo es un factor importante en su rutina diaria y no puede llevar a cabo la secuencia completa, realice sólo los ejercicios específicos del área que siente más tensa. Hacer una secuencia de manera parcial es mejor que no hacer ningún ejercicio. Por supuesto que, si completa la secuencia, obtendrá mejores resultados.

▶ Técnicas de respiración

Los ejercicios de respiración pueden constituir también un antídoto para el estrés. Estos ejercicios se han llevado a cabo por siglos en los países asiáticos para mejorar el vigor físico, mental y emocional. En este tipo de ejercicios la persona se concentra en "expulsar" la tensión e inhalar aire fresco hacia todo el cuerpo. Es posible aprender estos ejercicios en unos cuantos minutos; además, requieren mucho menos tiempo que los ejercicios de relajación muscular progresiva.

© Fitness & Wellness, Inc.

La meditación es una técnica efectiva para combatir el estrés.

Como sucede con cualquier otra técnica de relajación, estos ejercicios se deben llevar a cabo en una habitación tranquila, agradable y bien ventilada. Cualquiera de los siguientes tres ejemplos de ejercicios de respiración le ayudará a liberar la tensión provocada por el estrés.

Respiración profunda

Recuéstese con la espalda contra el piso, coloque una almohada bajo sus rodillas, sus pies deben estar ligeramente separados con las puntas de los dedos apuntando hacia afuera. (Este ejercicio también se puede realizar mientras está sentado o parado en posición recta.) Coloque su mano en su abdomen y la otra en su pecho. Respire en forma lenta y exhale de modo que la mano que está en su abdomen se levante al momento de inhalar y baje cuando exhale. La mano sobre su pecho no debe moverse mucho. Repita el ejercicio alrededor de 10 veces. Posteriormente advierta la tensión en su cuerpo y compárela con la que sentía al iniciar el ejercicio. Repita el proceso completo una o dos veces más.

Suspirar

Mediante la técnica abdominal de respiración, aspire aire a través de su nariz durante un tiempo específico (cuente hasta 4, 5 o 6). Después exhale a través de la boca para que duplique el tiempo de inhalación (hasta 8, 10 o 12). Repita el ejercicio de ocho a 10 veces cada vez que se sienta tenso.

Respiración natural completa

Siéntese en posición recta o permanezca parado manteniendo también esta posición. Llene sus pulmones en forma gradual respirando a través de su nariz. Mantenga la respiración por varios segundos. Ahora exhale con lentitud permitiendo que su pecho y abdomen se relajen por completo. Repita el ejercicio de ocho a 10 veces.

Meditación

Más de 700 estudios científicos han probado que la **meditación** induce la relajación y alivia los efectos fisiológicos dañinos del estrés. Es posible aprender relativamente rápido esta técnica y puede realizarse con frecuencia en momentos de mayor estrés. En primer lugar, elija una habitación cómoda, tranquila y libre de cualquier posible interrupción (incluyendo teléfonos). Después de aprender la técnica, será capaz de meditar casi en cualquier sitio. Se sugiere un tiempo límite de alrededor de 15 minutos, dos veces al día.

1. Siéntese en una silla o en un lugar tranquilo en posición recta con sus manos descansando ya sea en su

TÉRMINO CLAVE

Meditación: Ejercicio mental en el que el objetivo es adquirir control sobre la atención ya sea aclarando la mente o bloqueando los factores de estrés.

regazo o en los brazos de la silla. Cierre los ojos y concéntrese en su respiración. Permita que su cuerpo se relaje tanto como sea posible. No trate de relajarse de manera consciente porque esto significaría hacer un trabajo: Trate mejor de asumir una actitud pasiva y de concentrarse en su respiración.

2. Permita que su cuerpo respire en forma regular, a su propio ritmo, y repita en su mente la palabra "uno" cada vez que inhale y la palabra "dos" cada vez que exhale. Poner atención a estas dos palabras hace que se alejen de su mente los pensamientos que le provocan diestrés.

3. Continúe respirando de esta forma por alrededor de 15 minutos. Debido a que el objetivo de la meditación es lograr un estado hipometabólico (metabolismo más lento) que conduzca a la relajación, no utilice una alarma para recordarle que los 15 minutos han terminado. La alarma sólo despertará de nuevo la respuesta al estrés con lo que se vendrá abajo el propósito del ejercicio. Está bien abrir los ojos de vez en cuando para revisar el tiempo, pero no se apresure ni se anticipe al término de los 15 minutos. Recuerde que ha reservado este tiempo para la meditación y necesita relajarse; por tanto, tómese su tiempo y disfrute el ejercicio.

Pensamiento crítico

Enliste el factor de estrés más significativo que, como estudiante, enfrenta. ¿Qué técnica o técnicas ha empleado para manejar esta situación y de qué manera esta técnica lo ha ayudado a enfrentarla?

Yoga

El **yoga** es una excelente técnica para manejar el estrés. Es, por otro lado, una escuela de pensamiento en la religión hindú que busca ayudar al individuo a que logre un nivel más alto de espiritualidad y de paz mental. Si bien sus raíces filosóficas pueden considerarse espirituales, el yoga se basa en principios sobre el cuidado personal.

Los practicantes de yoga se apegan a un código ético específico y a un sistema de ejercicios físicos y mentales que promueven el control de la mente y el cuerpo. En los países de Occidente mucha gente se encuentra familiarizada con una parte de los ejercicios del yoga. Este sistema de ejercicios (posturas) puede utilizarse como una técnica de relajación para manejar el estrés. Los ejercicios incluyen una combinación de posturas, respiración diafragmática, relajación muscular y meditación que contribuyen a amortiguar los efectos biológicos del estrés.

El interés de Occidente por los ejercicios del yoga se desarrolló en forma gradual a lo largo del último siglo, en particular a partir de los años setenta. La gente acudía a estos ejercicios debido a su potencial de disipar el estrés aumentando la autoestima, aclarando la mente, haciendo más lenta la respiración, promoviendo la relajación muscular e incrementando la conciencia sobre el cuerpo.

Además, los ejercicios ayudan a controlar las funciones corporales involuntarias incluyendo el ritmo cardiaco, la presión sanguínea, la captación de oxígeno y el ritmo metabólico. Hacer ejercicios de yoga puede ayudar a incrementar la flexibilidad, la fuerza y la resistencia muscular, el equilibrio, así como un sistema músculo-esquelético mejor alineado. Asimismo, el yoga se emplea en algunos hospitales a fin de que los pacientes cardiacos puedan manejar el estrés y disminuya su presión sanguínea.

Más aún, estos ejercicios se han empleado en el tratamiento del insomnio y la dependencia a las drogas, así como para prevenir daños físicos. Las investigaciones con pacientes que sufren enfermedades coronarias y que han practicado el yoga (además de otros cambios en su estilo de vida) han demostrado que éste desacelera o incluso revierte la aterosclerosis. Estos pacientes fueron comparados con otros que no habían incorporado el yoga como uno de sus cambios de estilo de vida.

Existen diversos tipos de yoga. Las clases varían según su énfasis: Algunos estilos son atléticos mientras que otros son pasivos por naturaleza. La variedad más popular en el mundo Occidental es el *hatha* yoga, el cual incorpora una serie de posturas estáticas y de estiramiento llevadas a cabo en secuencias específicas (también conocidas como "asanas") que ayudan a inducir la respuesta de relajación. Los practicantes mantienen las posturas por varios segundos mientras se concentran en los patrones de respiración, la meditación y la conciencia de todo el cuerpo. Muchos de los ejercicios típicos de estiramiento utilizados en las rutinas de flexibilidad han sido adaptados a partir del *hatha* yoga.

Como sucede con los ejercicios de flexibilidad, los estiramientos en el *hatha* yoga no deben llevarse a cabo hasta el punto en que el individuo sienta molestias. Los instructores no deben obligar a los practicantes a ir más allá de sus limitaciones físicas. Al igual que otras técnicas de manejo del estrés, los ejercicios de yoga funcionan mejor en un lugar tranquilo y si se realizan por alrededor de 15 a 60 minutos de duración por sesión. A muchos practicantes de yoga les gusta realizar los ejercicios a diario.

Para apreciar un ejercicio de yoga la persona deberá experimentarlo. Tan sólo presentamos una introducción al yoga porque, si bien muchas personas practican mediante la instrucción de un libro o un video, la mayoría toma clases. Muchas de las posturas resultan difíciles y complejas, por lo que tan sólo unas cuantas personas pueden dominar la secuencia completa en las primeras semanas.

Las personas interesadas en el yoga deben hacerlo, en forma inicial, bajo la supervisión de un instructor calificado. Muchas universidades ofrecen cursos de yoga o bien puede consultar la sección amarilla para localizar instructores o clases de yoga. Asimismo, este tipo de cursos se ofrecen en muchos clubes de salud y centros recreativos. Debido a que los instructores y los estilos de yoga varían, tal vez desee observar una clase antes de inscribirse. Debe buscar un instructor cuya visión sobre el bienestar sea similar a la suya. No hay estándares de certificación nacional en el caso de los instructores, así que,

Los ejercicios de yoga contribuyen a inducir la respuesta de relajación.

si el yoga resulta nuevo para usted, es recomendable que compare el desempeño de un par de instructores antes de que elija tomar una clase.

 **¿Qué técnica es la mejor?**

Cada persona reacciona al estrés de manera diferente. Por consiguiente, la mejor estrategia para aliviarlo depende principalmente del individuo. No importa qué técnica utilice mientras ésta funcione. Quizá quiera experimentar con todas las técnicas para encontrar la que le funcione mejor. Mucha gente elige una combinación de dos o más.

Todas las estrategias que se comentaron en este capítulo permiten bloquear los factores de estrés y promueven la relajación física y mental desviando la atención hacia una acción diferente que no resulte amenazante. Algunas de las técnicas son más fáciles de aprender y requieren menos tiempo por sesión. Sin importar cuál sea la técnica que elija, el tiempo que dedica a hacer ejercicios de manejo del estrés (varias veces al día, tanto como lo requiera) vale la pena si el estrés es un problema significativo en su vida.

Las personas necesitan aprender a relajarse y tomarse tiempo para ellas mismas. Lo que hace mal a los individuos no es el estrés en sí, sino el modo en que se reacciona al agente que lo ocasiona. Los individuos que son diligentes y que empiezan a tomar control de sí mismos se dan cuenta de que pueden disfrutar una vida mejor, más feliz y saludable.

TÉRMINO CLAVE

Yoga: Escuela de pensamiento en la religión hindú que busca ayudar al individuo a lograr un nivel más alto de espiritualidad y paz mental.

INTERACCIÓN EN LA RED

Determinación del estrés. Ésta es una herramienta educativa en línea que consta de tres partes y que fue desarrollada por el National Wellness Institute en la universidad de Wisconsin-Steven's Point. Este cuestionario está diseñado para enriquecer su conocimiento sobre el estrés y ofrece evaluaciones por separado para los temas de fuentes del estrés, síntomas de diestrés y estrategias para equilibrar el estrés. Con base en estos resultados, aprenderá estrategias saludables para manejar mejor los factores específicos de estrés que lo aquejan.
http://wellness.uwsp.edu/Health_Service/services/stress

¿Se encuentra bajo estrés? Realice el cuestionario de Discovery Health stress para determinar su nivel. El sitio ofrece 17 consejos para poder manejar el estrés, así como recursos en línea sobre el tema.
http://health.discovery.com/centers/stress/stress.html

DETERMINE SU CONOCIMIENTO

Evalúe su conocimiento de los conceptos presentados en este capítulo mediante esta sección y practique las opciones de las series de preguntas en su Profile Plus CD-ROM.

1. El euestrés es conocido también como
   a. estrés bueno.
   b. postestrés.
   c. estrés funcional.
   d. diestrés.
   e. fisioestrés.

2. ¿Cuál de las siguientes no es una etapa del síndrome de adaptación general?
   a. reacción de alarma.
   b. resistencia.
   c. docilidad.
   d. agotamiento/recuperación.
   e. todas las etapas del síndrome general de la adaptación.

3. ¿Cuál de los siguientes comportamientos parece tener un mayor impacto en el aumento del riesgo de enfermedades entre los individuos de tipo A?
   a. carácter difícil.
   b. ambición excesiva.
   c. hostilidad crónica.
   d. afán competitivo.
   e. todos aumentan el riesgo de igual manera.

4. Los individuos que manejan su tiempo en forma efectiva
   a. delegan actividades.
   b. aprenden a decir "no".
   c. se protegen contra el aburrimiento.
   d. reservan "tiempos extra".
   e. hacen todo lo anterior.

5. Los cambios hormonales que ocurren durante una respuesta al estrés
   a. disminuyen el ritmo cardiaco.
   b. aumentan la presión sanguínea.
   c. reducen el flujo sanguíneo hacia los músculos.
   d. inducen la relajación.
   e. absorben la fuerza del cuerpo.

6. El ejercicio disminuye los niveles de estrés al
   a. desviar en forma deliberada el estrés a varios sistemas del cuerpo.
   b. metabolizar el exceso de catecolaminas.
   c. reducir la tensión muscular.

   d. estimular la actividad de onda alfa en el cerebro.
   e. hacer todo lo anterior.

7. ¿Cuál de los siguientes ejercicios se incluye en la técnica de relajación muscular progresiva?
   a. juntar los pies.
   b. fruncir el ceño.
   c. contraer los músculos abdominales.
   d. presionar los dientes.
   e. todos estos ejercicios se utilizan.

8. La técnica en la que se respira a través de la nariz durante un tiempo específico y después se exhala por la boca durante el doble de tiempo de inhalación se conoce como
   a. suspirar.
   b. respiración profunda.
   c. meditación.
   d. ventilación autonómica.
   e. manejo de liberación.

9. La meditación
   a. induce la relajación.
   b. alivia los efectos fisiológicos dañinos del estrés.
   c. se puede llevar a cabo casi en cualquier parte.
   d. incorpora ejercicios de respiración.
   e. incluye todo lo anterior.

10. Los ejercicios de yoga han sido utilizados con éxito para
    a. estimular la ventilación.
    b. aumentar el metabolismo durante el estrés.
    c. desacelerar la aterosclerosis.
    d. disminuir la conciencia sobre el cuerpo.
    e. lograr todo lo anterior

Las respuestas correctas se encuentran en la página 255.

Análisis del estrés

Nombre _____   Fecha _____

Curso _____   Sección _____

I. Registre sus resultados y categorías de estrés para cada cuestionario proporcionado en este capítulo.

	Puntos	**Categoría**

Hostilidad (ver la figura 7.3, página 149):_____ _____ (≤ 3 = Bueno, ≥ 4 = Alto)

Enojo (ver la figura 7.3, página 149):   _____ _____ (≤ 1 = Bueno, ≥ 2 = Alto)

Agresión (ver la figura 7.3, página 149): _____ _____ (≤ 1 = Bueno, ≥ 2 = Alto)

Cinismo (ver la figura 7.3, página 149): _____ _____ (≤ 1 = Bueno, ≥ 2 = Alto)

Vulnerabilidad al estrés
(ver la figura 7.4, página 151)   _____ _____ (0–30 = Excelente, 31–40 = Bueno,
41–50 = Regular,
51–60 = Malo, ≥ 61 = Deficiente)

Prueba del estrés
(ver la figura 7.5, página 153):   _____ _____ (≤ 249 = riesgo bajo, ≥ 250–500 =
riesgo moderado, >500 = riesgo alto)

II. Factor de estrés en la vida. En el espacio cite un factor de estrés frecuente en su vida. Explique la situación o situaciones bajo las cuales ocurre, su respuesta a éste, el impacto que tiene en su vida y de qué forma lo maneja. Indique también lo que puede hacer ya sea para evitar este factor o lidiar con él de manera más efectiva en el futuro.

_____

_____

_____

_____

_____

_____

_____

_____

_____

_____

_____

_____

_____

III. En sus propias palabras, exprese la forma en la que el estrés y su personalidad afectan su vida diaria.

_____

_____

_____

_____

_____

_____

_____

_____

_____

_____

_____

_____

IV. Enliste en orden de prioridad tres comportamientos que le gustaría cambiar para disminuir su vulnerabilidad al estrés. Indique en forma breve cómo pretende llevar a cabo estos cambios.

_____

_____

_____

_____

_____

Cómo lograr los cambios

_____

_____

_____

_____

_____

_____

_____

_____

_____

Enfoque de una vida saludable

- Entender la importancia de implementar un programa de vida saludable.
- Reconocer la relación entre espiritualidad y bienestar.
- Identificar los factores principales de riesgo de padecer enfermedades del corazón.
- Ser capaz de diferenciar la edad fisiológica de la cronológica.
- Conocer guías para la prevención del cáncer.
- Aprender las consecuencias en la salud del abuso de estupefacientes y de la práctica irresponsable del sexo.

Determine su riesgo de enfermedades del corazón, planee un futuro libre de tabaco, determine su riesgo de padecer cáncer y evalúe su conocimiento sobre el VIH/SIDA mediante las actividades de su CD-ROM.

El estilo actual de vida de muchos estadounidenses y otros países industrializados representa una gran amenaza a su salud pues conduce a enfermedades y muerte prematuras. Mejorar la calidad o mejor aún, la duración de nuestras vidas, es una cuestión de elección personal. La combinación de un programa de ejercicios y de un programa de estilo de vida saludable —el enfoque del bienestar— puede conducir a una salud y calidad de vida mejores.

Estilo de vida saludable

Como se definió en el capítulo 1, el bienestar es el esfuerzo constante y deliberado de estar saludable y alcanzar el máximo potencial de sentirse bien. Diez hábitos simples de estilo de vida pueden incrementar la longevidad de manera significativa:

1. Estar físicamente activo (incluyendo el ejercicio).
2. No consumir tabaco.
3. Comer de manera sana.
4. Mantener el peso recomendado.
5. Dormir de siete a ocho horas diarias.
6. Disminuir el nivel de estrés.
7. No consumir alcohol o hacerlo de manera moderada.
8. Rodearse de personas con un estilo de vida saludable.

9. Estar informado de las condiciones climáticas y evitar los factores de riesgo relacionados con el ambiente.
10. Tomar medidas de seguridad personales.

Bienestar espiritual

Para disfrutar de una vida saludable se tienen que practicar comportamientos que generen resultados positivos en las siete dimensiones del bienestar: Física, emocional, intelectual, social, ambiental, ocupacional y espiritual. Estas dimensiones se interrelacionan: Una dimensión con frecuencia afecta a las otras. Por ejemplo, una persona que se encuentra baja emocionalmente a menudo no tiene ganas de hacer ejercicio, estudiar, socializar o asistir a la iglesia, por lo que puede ser más susceptible a las enfermedades. Debido a que la espiritualidad desempeña una función importante y hasta el momento no la hemos tratado, merece nuestra atención.

La definición de **espiritualidad** de la National Interfaith Coalition on Aging, involucra tanto a los cristianos como a los no cristianos pues asume que todas las personas son espirituales por naturaleza. La salud espiritual proporciona un poder unificador que integra las otras dimensiones del bienestar (ver la figura 8.1). Las características básicas de las personas espirituales incluyen un sentido de significado y dirección de la vida, la relación con un ser superior, la libertad, la oración, la fe, el amor, la cercanía con los otros, la paz, el gozo, la satisfacción y el altruismo.

La religión ha sido una parte fundamental en todas las culturas desde el origen de la civilización humana. Si bien no todos los hombres se apegan a una determinada religión o denominación, varias encuestas indican que más de 90% de la población en Estados Unidos cree en Dios o en un espíritu universal como especie de Dios. Además, la gente cree, en un grado u otro, que (a) la relación con Dios es importante; (b) que Dios puede garantizar ayuda, guía y asistencia en la vida diaria y (c) que la existencia mortal tiene un propósito. Si aceptamos alguno o todos estos factores, lograr la espiritualidad tendrá un efecto definitivo en nuestra felicidad y bienestar. Si bien las razones del por qué la afiliación religiosa fortalece el bienestar son difíciles de determinar, una posibilidad es que la religión promueve comportamientos saludables de vida, apoyo social, asistencia en tiempos de crisis y necesidad, así como consejo para superar las debilidades.

El **altruismo** —un atributo clave de las personas espirituales— parece fortalecer la salud y la longevidad. El altruismo ha sido foco de varios estudios: Los investigadores creen que hacer el bien resulta benéfico para uno mismo, en especial para el sistema inmunológico. En un estudio clásico con más de 2 700 personas en Michigan[1] se encontró que la gente que realizaba trabajo voluntario en forma regular vivía más tiempo, mientras que las personas que no llevaban a cabo este tipo de labor (al menos una vez a la semana) presentó 250% más riesgo de mortalidad a lo largo del estudio. En esta misma investiga-

Figura **8.1** *Componentes del bienestar espiritual.*

ción, los autores encontraron que los beneficios del altruismo en la salud pueden llegar a ser tan poderosos que incluso el solo hecho de ver películas donde se muestren actitudes altruistas fortalece la formación de un sistema inmunológico químico que ayuda a combatir las enfermedades.

La relación entre espiritualidad y bienestar, por consiguiente, resulta significativa en nuestra búsqueda de una mejor calidad de vida. Como sucede con otros parámetros de bienestar, una espiritualidad óptima requiere el desarrollo de la naturaleza espiritual a su máximo potencial.

Causas de muerte

De todas las defunciones en Estados Unidos, casi 61% son ocasionadas por enfermedades cardiovasculares y por cáncer.[2] Cerca de 80% de estas muertes se pueden prevenir siguiendo un estilo saludable de vida. La tercera y cuarta causas principales de muerte, es decir, las enfermedades pulmonares crónicas y obstructivas y los accidentes, se pueden prevenir también, sobre todo si se deja de consumir tabaco y otras drogas, se lleva el cinturón de seguridad y se usa el sentido común. Si observa las causas principales de muerte en Estados Unidos[3] (ver la figura 8.2), notará que ocho de las nueve causas se relacionan con el estilo de vida y la falta de sentido común. Los tres grandes factores (el consumo de tabaco, una dieta deficiente y el abuso de alcohol) son responsables de más de 800 000 muertes al año.

Enfermedades del sistema cardiovascular

Las condiciones degenerativas más frecuentes en Estados Unidos son las **enfermedades cardiovasculares**. Con base en las estadísticas del 2001, 38.2% de todas las muertes en este país se atribuyeron a padecimientos del corazón y los vasos sanguíneos.[4] Alrededor de 945 000 personas mueren por enfermedades cardiovasculares al año en Estados Unidos. Esta cifra representa cerca de 2 600 muertes al día.[5]

Figura **8.2** *Causas principales de muerte en Estados Unidos.*

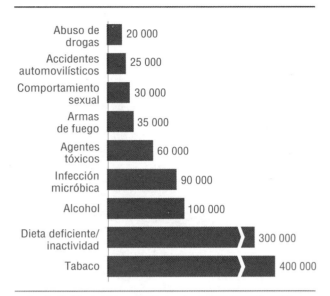

Abuso de drogas	20 000
Accidentes automovilísticos	25 000
Comportamiento sexual	30 000
Armas de fuego	35 000
Agentes tóxicos	60 000
Infección micróbica	90 000
Alcohol	100 000
Dieta deficiente/ inactividad	300 000
Tabaco	400 000

Fuente: Modificado del *Journal of the American Medical Association* (1993), 2207-2212. ©1993 American Medical Association.

➤ Tipos de enfermedades cardiovasculares y su frecuencia

Algunos ejemplos de enfermedades cardiovasculares son las enfermedades coronarias, ataques cardiacos, enfermedad vascular periférica, aterosclerosis, infartos, presión sanguínea alta y fallo congestivo del corazón. Según los cálculos realizados por el Centers for Disease Control and Prevention, si todas las muertes ocasionadas por las principales enfermedades cardiovasculares se eliminaran, la esperanza de vida en Estados Unidos aumentaría en cerca de siete años. La tabla 8.1 proporciona la frecuencia aproximada y la cifra anual de muertes causadas por los principales tipos de enfermedades cardiovasculares.

La American Heart Association estimó que el costo de las enfermedades del corazón y los vasos sanguíneos en Estados Unidos excedió la cantidad de 351.8 mil millones de dólares en 2003. Cerca de 1.1 millones de personas sufren de ataques cardiacos al año y cerca de medio millón de ellas mueren como resultado de éstos. Más de la mitad de estas muertes ocurre en cerca de una hora de que los síntomas hayan iniciado, antes de que la persona logre ser atendida en un hospital.

Si bien las enfermedades del corazón y los vasos sanguíneos constituyen todavía el problema número uno en Estados Unidos, la incidencia disminuyó 28% entre 1960 y el año 2000 (ver la figura 8.3). La principal razón de esta dramática disminución es la educación en materia de salud. Hoy en día, cada vez más gente está consciente de los factores de riesgo de las enfermedades cardiovasculares y, por lo tanto, están cambiando su estilo de vida a fin de disminuir su riesgo potencial de padecer dichas enfermedades.

En la figura 8.4 se ilustran el corazón y las arterias coronarias. La principal forma de enfermedad cardio-

Tabla **8.1** *Frecuencia estimada y número de muertes al año a causa de las enfermedades cardiovasculares, 2000.*

	FRECUENCIA	MUERTES
Todos los tipos de enfermedades cardiovasculares*	61 800 000	945 836
Enfermedades coronarias	12 900 000**	515 204
Ataque cardiaco	7 200 000	
Infarto	4 700 000	167 661
Presión sanguínea alta	50 000 000	44 619***
Fiebre reumática/enfermedad cardiaca reumática	1 800 000	3 583

*Incluye a los individuos con una o más formas de enfermedad cardiovascular.
**Número de muertes incluyendo las ocasionadas por ataques cardiacos.
***Las cifras de mortalidad parecen bajas debido a que muchos ataques cardiacos y muertes por infarto son ocasionadas por una presión sanguínea alta.

Fuente: American Heart Association, *Heart Disease and Stroke Statistics*, información actualizada en el 2003 (Dallas: AHA).

Figura **8.3** *Incidencia de enfermedad cardiovascular en Estados Unidos en los años que comprenden de 1900 a 2000.*

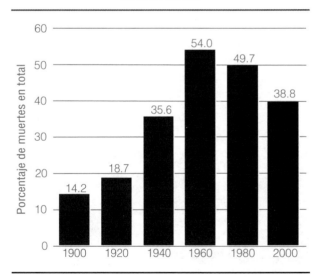

Porcentaje de muertes en total

1900	1920	1940	1960	1980	2000
14.2	18.7	35.6	54.0	49.7	38.8

TÉRMINOS CLAVE

Espiritualidad: Sentido de dirección y significado en la vida; relación con un ser superior; comprende la libertad, la oración, la fe, el amor, la cercanía con los otros, la paz, el gozo, la satisfacción y el altruismo.

Altruismo: Acción y preocupación genuinas por el bienestar de los otros (lo opuesto al egoísmo); un deseo sincero de servir a los otros por encima de las necesidades personales.

Enfermedades cardiovasculares: Disposición de condiciones que afectan al corazón y los vasos sanguíneos.

Figura **8.4** *El corazón y sus vasos sanguíneos.*

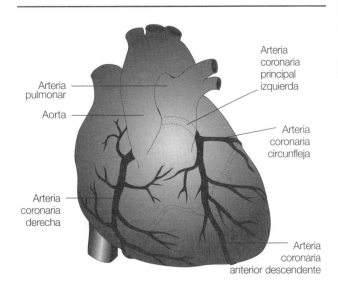

Arteria pulmonar

Aorta

Arteria coronaria derecha

Arteria coronaria principal izquierda

Arteria coronaria circunfleja

Arteria coronaria anterior descendente

Señales de advertencia de un ataque cardiaco

Es posible que los siguientes síntomas no estén todos presentes durante un ataque cardiaco. Si cualquiera de éstos se presentara, busque atención médica de inmediato. De no hacerlo, las consecuencias podrían ser mortales.

- Molestia, presión, sensación de saciedad, presión o dolor en el pecho que persiste por varios minutos y que puede desaparecer y volver más tarde.
- Dolor que se irradia hacia los hombros, el cuello y los brazos.
- Molestia en el pecho acompañada de mareo, respiración entrecortada, náusea, sudor o desvanecimiento.

Adaptado del American Heart Association, *Heart Stroke Facts* (Dallas: AHA, 1996).

vascular es la de las **arterias coronarias**. En esta enfermedad las arterias que suministran al músculo cardiaco de oxígeno y nutrientes se adelgazan debido a depósitos de grasa tales como el colesterol y los triglicéridos. Este adelgazamiento disminuye el suministro de sangre al músculo cardiaco, lo que precipita el ataque cardiaco.

La **enfermedad de las arterias coronarias** (CHD, por sus siglas en inglés) es la principal causa de muerte en Estados Unidos pues se le atribuye cerca de 20% de las muertes registradas y cerca de la mitad de todos los decesos por enfermedades cardiovasculares. Más de la mitad de las personas que murieron en forma repentina debido a la CHD no presentaban síntomas previos de la enfermedad. Además, el riesgo de muerte es mayor en el sector de la población con menos educación.

Pensamiento crítico

¿Qué opina de su propio riesgo de enfermedades del sistema cardiovascular?; ¿constituye algo de lo que tenga que preocuparse en este momento de su vida? Explique sus razones ya sea que su respuesta sea afirmativa o negativa.

➤ Factores de riesgo de la CHD

Los principales **factores de riesgo** para el desarrollo de la CHD son:

- La inactividad física
- La presión sanguínea alta
- Exceso de grasa corporal
- Nivel bajo de colesterol de alta densidad de lipoproteínas
- Nivel elevado de colesterol de baja densidad de lipoproteínas.
- Nivel elevado de triglicéridos
- Nivel elevado de homocisteína

- Alta sensibilidad a la proteína reactiva (CRP)
- Diabetes
- Electrocardiogramas (ECG) anormales
- Consumo de tabaco
- Estrés
- Historia familiar y personal de enfermedades cardiovasculares
- Edad
- Género

Un concepto importante en el manejo del riesgo de la CHD es que muchos de los factores de riesgo pueden prevenirse y revertirse. Alrededor de 90% de los casos de CHD se pueden prevenir si se practican hábitos saludables de vida. Los riesgos antes mencionados se comentarán a continuación de manera más amplia.

Inactividad física

El mejoramiento de la resistencia cardiorrespiratoria por medio del ejercicio aeróbico tiene tal vez el mayor impacto en la reducción del riesgo general de padecer enfermedades cardiovasculares. En esta era de sociedades mecanizadas, no nos podemos dar el lujo de estar físicamente inactivos. Las investigaciones sobre los beneficios del ejercicio aeróbico en la reducción de las enfermedades de tipo cardiovascular resultan demasiado notables como para ignorarlas.

En el capítulo 3 se comentan de manera amplia las guías para implementar un programa de ejercicios aeróbicos. El seguimiento de dichas guías le hará obtener una mejor condición cardiorrespiratoria, fortalecer su salud y extender su tiempo de vida. Incluso las cantidades moderadas de ejercicio aeróbico pueden reducir el riesgo cardiorrespiratorio en forma considerable. Como se muestra en la figura 8.5, la investigación realizada por el Aerobics Research Institute de Dallas mostró una incidencia mucho más alta de muertes por padecimientos cardiovasculares en las personas con condición física baja que en aquellas que contaban con un nivel de moderado a alto.[6]

Un programa regular de ejercicios aeróbicos ayuda a controlar la mayoría de los factores de riesgo que conducen a enfermedades del corazón y los vasos sanguíneos. El ejercicio aeróbico:

Figura **8.5** *Relación entre los niveles de condición física y la mortalidad cardiovascular.*

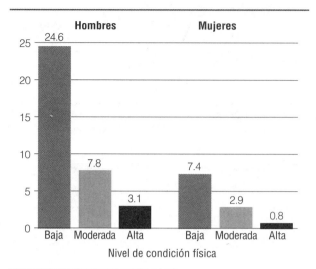

Nota: índices de mortalidad ajustados a la edad por 10 000 personas-años de seguimiento, 1978-1985.

Tomado de S. N. Blair, H. W. Kohl, III, R. S. Paffenbarger, Jr., D. B. Clark, D. H. Cooper y L. W. Gibbons, "Physical Fitness and All-Cause Mortality: A Prospective Study of Healthy Man and Woman", *Journal of the American Medical Association* 262 (1989): 2395-2401.

- ■ Incrementará su resistencia cardiorrespiratoria.
- ■ Disminuirá y controlará su presión sanguínea.
- ■ Reducirá su grasa corporal.
- ■ Disminuirá los lípidos de la sangre (colesterol y triglicéridos).
- ■ Mejorará el colesterol de alta densidad de lipoproteínas (ver "Perfil de colesterol anormal" en la página 170).
- ■ Ayudará a controlar o disminuir el riesgo de diabetes.
- ■ Incrementará y mantendrá el buen funcionamiento del corazón, algunas veces mejorará incluso ciertas anormalidades ECG.
- ■ Motivará el abandono del hábito de fumar.
- ■ Aliviará el estrés.
- ■ Contrarrestará el historial personal de padecimiento de enfermedades cardiacas.

Presión sanguínea alta (hipertensión)

Se debe revisar la presión sanguínea de manera regular, sin importar si ésta se encuentre o no elevada. La **presión sanguínea** se mide en mililitros de mercurio (mm Hg) y por lo normal se expresa mediante dos números. El número más alto refleja la **presión sanguínea sistólica**, es decir, la presión que se ejerce durante la contracción vigorosa del corazón. El valor más bajo, o sea la **presión sanguínea diastólica**, se toma durante la fase de relajación del corazón, es decir, cuando la sangre no está siendo expelida.

Lo ideal es que la presión sanguínea sea de 120/80 o más baja. Las principales organizaciones de salud consideran como **hipertensión** a todas las presiones sanguíneas por encima de 140/90. La presión sanguínea alta puede ser controlada mediante diferentes tipos de medicamentos, así como con los cambios en el estilo de vida

que se describen más adelante para el caso de personas con hipertensión moderada. Debido a que los individuos responden de manera diferente a los medicamentos, un médico debe probar con varios de ellos a fin de encontrar el que produce los mejores resultados con la menor incidencia de efectos colaterales.

El tratamiento que se recomienda a las personas con hipertensión media es el ejercicio aeróbico regular, el control de peso, una dieta baja en sales y grasa y alta en potasio y calcio, reducir el consumo de alcohol y la ingesta de cafeína, dejar de fumar y manejar el estrés. La gente con presión sanguínea alta debe seguir las indicaciones de su médico y obedecer las prescripciones médicas.

Estudios amplios sobre los efectos del ejercicio aeróbico en la presión sanguínea encontraron que, en general, un individuo puede esperar reducciones inducidas por el ejercicio de cerca de 4 a 5 mm Hg en la presión sanguínea sistólica en estado de reposo y de 3 a 4 mm Hg en la presión diastólica también en estado de reposo.[7] Si bien estas reducciones no parecen significativas, se ha asociado una disminución de cerca de 5 mm Hg en la presión sanguínea diastólica en estado de reposo con una disminución de 40% en el riesgo de infartos y de 15% en la reducción del riesgo de enfermedades coronarias.[8]

Incluso en la ausencia de cualquier disminución en la presión sanguínea durante el estado de reposo, los individuos hipertensos que hacen ejercicio presentan un riesgo menor de mortalidad ocasionada por todo tipo de causas en comparación con los individuos hipertensos y sedentarios.[9] El ejercicio, no la pérdida de peso, es el principal agente de la disminución de la presión sanguínea de los individuos. Si las personas hipertensas y sedentarias dejan de hacer ejercicio, no mantendrán entonces estos cambios.

Otra reseña amplia de estudios sobre los efectos de la realización de ejercicios de fortalecimiento durante al menos cuatro semanas en la presión sanguínea en estado de reposo arrojó resultados similares.[10] Tanto la presión sistólica como la diastólica disminuyeron en un promedio de 3 mm Hg. Sin embargo, los participantes en estos estudios eran principalmente individuos con presión sanguínea normal. Más aún, los resultados mostraban que los ejercicios de fortalecimiento no generaban un incremento en la presión sanguínea en el estado de reposo. No obstante, aún resta por hacer una mayor investigación sobre la hipertensión.

TÉRMINOS CLAVE

Enfermedad de las arterias coronarias (CDH): Condición en la cual las arterias que suministran al músculo del corazón con oxígeno y nutrientes se adelgazan debido a depósitos de grasa como el colesterol y los triglicéridos.

Factores de riesgo: Características que predicen las posibilidades de desarrollar cierta enfermedad.

Presión sanguínea: Medida de la fuerza ejercida contra las paredes de los vasos por la sangre que fluye a través de ellos.

Presión sanguínea sistólica: Presión ejercida por la sangre contra las paredes de las arterias durante la contracción vigorosa (sístole) del corazón.

Presión sanguínea diastólica: Presión ejercida por la sangre contra las paredes de las arterias durante la fase de relajación (diástole) del corazón.

Hipertensión: Presión sanguínea elevada crónica.

Exceso de grasa corporal

Como se definió en el capítulo 2, la composición corporal se refiere a los componentes grasos y no grasos del cuerpo humano. Si una persona tiene demasiado peso en grasa, se considera que presenta sobrepeso o es obesa. Por mucho tiempo se ha identificado a la obesidad como un factor que contribuye a las enfermedades coronarias. La American Heart Association sitúa a la obesidad como uno de los seis principales factores de riesgo de estas enfermedades. Los otros cinco factores son el consumo de tabaco, los lípidos sanguíneos altos, la inactividad física, la presión sanguínea alta y la diabetes mellitus.

El mantenimiento del peso recomendado es esencial en cualquier programa de reducción de riesgos cardiovasculares. En el caso de individuos con exceso de grasa corporal, incluso una reducción de peso discreta de 5 a 10% puede reducir la presión sanguínea alta y los niveles totales de colesterol.

Las causas de la obesidad son complejas. Éstas incluyen la combinación genética de un individuo, su comportamiento y los factores relacionados con su estilo de vida. En el capítulo 6 se proporcionan guías para un programa completo de manejo del peso.

Perfil de colesterol anormal

El término de **lípidos sanguíneos** se emplea principalmente con referencia al colesterol y los triglicéridos. Debido a que estas sustancias no pueden flotar de manera libre en el medio con base de agua de la sangre, son empaquetadas y transportadas en la sangre por moléculas complejas llamadas **lipoproteínas**. Si usted nunca se ha sometido a un examen de lípidos sanguíneos, es muy recomendable que lo haga. El examen de sangre incluye el **colesterol** total, el colesterol de **lipoproteínas de alta densidad (LAD)**, el colesterol de **lipoproteínas de baja densidad (LBD)** y los triglicéridos. Se ha asociado el aumento significativo de los lípidos sanguíneos con las enfermedades del corazón y los vasos sanguíneos.

Un perfil deficiente de lípidos sanguíneos constituye uno de los factores de predisposición más importantes en el desarrollo de la CHD en casi la mitad de todos los casos. La recomendación general de la National Colesterol Education Program (NCEP) es mantener los niveles totales de colesterol por debajo de los 200 mg/dl (ver la tabla 8.2). El riesgo de ataques de corazón incrementa 2% por cada 1% de incremento en el colesterol total.[11] Los niveles de colesterol entre 200 y 239 mg/dl rayan el índice alto, mientras que los niveles de 240 mg/dl o arriba de éstos indican un riesgo alto de enfermedades. Alrededor de 42 millones de estadounidenses adultos presentan valores de colesterol total de o por arriba de 240 mg/dl.[12]

Aunque el adulto promedio en Estados Unidos consume entre 400 y 600 mg de colesterol en forma diaria, el cuerpo en realidad produce más que eso. Las grasas saturadas aumentan los niveles de colesterol más que cualquier otra sustancia en la dieta. La ingesta promedio de grasa saturada en la dieta del estadounidense produce cerca de 1 000 mg de colesterol al día.[13] Debido a las diferencias entre los individuos, algunas personas pueden te-

Tabla **8.2** *Estándares para los lípidos sanguíneos.*

COLESTEROL TOTAL	≤ 200 mg/dl	Deseable
	201–239 mg/dl	Cercano al alto
	≥ 240 mg/dl	Riesgo alto
COLESTEROL DE LBD	≤ 130 mg/dl	Deseable
	131–159 mg/dl	Cercano al alto
	≥ 160 mg/dl	Riesgo alto
COLESTEROL DE LAD	≥ 45 mg/dl	Deseable
	36–44 mg/dl	Cercano al alto
	≤ 35 mg/dl	Riesgo alto
TRIGLICÉRIDOS	≤ 150 mg/dl	Deseable
	150–199 mg/dl	Cercano al alto
	200–499 mg/gl	Alto
	≥ 500 mg/dl	Riesgo alto

Fuente: National Cholesterol Education Program.

ner una ingesta más alta de lo normal de grasas saturadas y aun así es posible que mantengan niveles normales. Otras, con una ingesta menor, pueden presentar en cambio niveles anormalmente altos.

A pesar de su importancia, el colesterol total no predice de manera acertada el riesgo cardiovascular. Muchos ataques cardiacos se presentan en personas con un nivel ligeramente elevado de colesterol total. Resulta todavía más significativa la forma en la que el colesterol viaja a través del flujo sanguíneo. El colesterol se transporta principalmente en la forma de colesterol de lipoproteínas de alta densidad (LAD) y en la de baja densidad (LBD). En un proceso conocido como transportación inversa de colesterol, las LAD actúan como "escobas" al remover el colesterol del cuerpo y prevenir la formación de placa en las arterias. La fuerza de las LAD radica en las moléculas de proteína que se encuentran en sus revestimientos. Cuando las LAD se ponen en contacto con células llenas de colesterol, se pegan a estas células y toman su colesterol. Por otro lado, el colesterol de LBD tiende a liberar colesterol el cual puede entonces penetrar el interior de las arterias y acelerar el proceso de **aterosclerosis**.

Las grasas saturadas se encuentran de manera especial en las carnes y los productos lácteos y rara vez en alimentos de origen vegetal. El pollo y el pescado contienen menos grasa saturada que la carne roja pero deben consumirse con moderación (cerca de 3 a 6 onzas, 170 gramos al día). Las grasas insaturadas son principalmente de origen vegetal y no pueden convertirse en colesterol.

Las guías del NCEP (National Cholesterol Education Program) de la tabla 8.2 establecen que un valor de colesterol de LBD por debajo de 130 mg/dl resulta deseable, entre 131 y 159 mg/dl raya en los niveles altos, y de 160 mg/dl o por encima de éste representa un riesgo alto de enfermedades cardiovasculares. Para las personas con aterosclerosis se recomienda un nivel de colesterol de LBD de 100 mg/dl o más bajo. Una variación genética del colesterol de LBD, conocida como Lp(a), resulta significativa debido a que un nivel alto de estas partículas conduce a un desarrollo más temprano de la aterosclerosis. Se cree que ciertas sustancias en la pared de las arterias interactúan con el Lp(a), lo cual conduce a la formación prematura de placa.

Mientras haya más colesterol de LAD es mejor, pues éste, considerado como "colesterol bueno", ofrece cierta protección contra las enfermedades del corazón. De hecho, los niveles bajos de colesterol de LAD pueden constituir la mejor forma de predecir la CHD y pueden llegar a ser más significativos que el valor del colesterol total. Un nivel bajo de colesterol de LAD mantiene una relación muy fuerte con la CHD en todos los niveles de colesterol total, incluyendo los niveles por debajo de 200 mg/dl.

Los valores recomendados de colesterol de LAD para minimizar el riesgo de CHD son un mínimo de 45 mg/dl para los hombres y de 55 mg/dl para las mujeres. De hecho, los niveles de este colesterol por arriba de los 60 mg/dl pueden reducir el riesgo de CHD. En su mayor parte, el colesterol de LAD se encuentra determinado en forma genética: en general, las mujeres tienen niveles más altos que los hombres. El estrógeno, la hormona sexual femenina, tiende a aumentar las LAD, así que las mujeres en etapa premenopáusica presentan un incidencia mucho menor de enfermedades cardiacas. Los niños y adultos de sexo masculino de raza negra presentan valores más altos que los de raza blanca. El colesterol de LAD decrece también con la edad.

El incremento del colesterol de LAD El incremento del colesterol de LAD mejora el perfil de colesterol y disminuye el riesgo de CHD. El ejercicio aeróbico regular, la pérdida de peso, la niacina y dejar de fumar ayudan a aumentar el colesterol de LAD. Asimismo, una terapia con fármacos (ver abajo) puede también promover niveles más altos de este tipo de colesterol.

El colesterol de LAD y un programa regular de ejercicios aeróbicos se encuentran claramente relacionados (una intensidad alta o por encima de los 6 MET por al menos 20 minutos, tres veces por semana, ver los capítulos 3 y 4). Las respuestas de cada persona al ejercicio aeróbico difieren; pero, en general, entre más se haga ejercicio, mayor será el nivel de colesterol de LAD.

Disminución del colesterol de LBD Cuando hay más colesterol de LBD de lo que las células pueden utilizar, éste parece no ocasionar ningún problema hasta que es oxidado por los **radicales libres**. Cuando se oxida, las células blancas de la sangre invaden la pared de las arterias, toman el colesterol y obstaculizan las arterias. Cuando el nivel de colesterol de LBD es más alto que el nivel ideal, es posible reducirlo perdiendo peso, transformando la dieta, tomando medicamentos y participando en un programa regular de ejercicios aeróbicos.

El efecto antioxidante de las vitaminas C y E puede reducir el riesgo de CHD. Un solo radical libre inestable (un compuesto de oxígeno producido durante el metabolismo) puede dañar la partículas de LBD. Tal parece que la vitamina C inactiva los radicales libres mientras que es posible que la vitamina E proteja al LBD de la oxidación.

Existen también medicamentos efectivos para tratar el colesterol elevado y los triglicéridos. Entre los medica-

mentos más destacables se encuentra el grupo de estatinas (Lipitor, Mevacor, Pravachol, Lescol, Baycol y Zocor), las cuales pueden disminuir el colesterol hasta en 60% en un periodo de dos a tres meses. Las estatinas desaceleran la producción de colesterol e incrementan la habilidad del hígado de remover el colesterol de la sangre; además, disminuyen los triglicéridos y producen un pequeño incremento en los niveles de LAD.

Otros fármacos efectivos en la reducción del colesterol de LBD son los encapsuladores de ácido bilioso, los cuales atrapan al colesterol que se encuentra en los ácidos biliosos para que más tarde éste sea evacuado. Estos fármacos se utilizan a menudo en combinación con las estatinas.

Las dosis altas (1.5 a 3 gramos al día) de ácido nicotínico o niacina (una vitamina B) ayudan también a disminuir el colesterol de LBD y los triglicéridos, así como a aumentar el colesterol de LAD. (Un cuarto grupo de fármacos, conocido como fibratos, se emplea principalmente para reducir los triglicéridos.)

Es mejor reducir el colesterol de LBD sin la ayuda de medicamentos pues éstos a menudo pueden ocasionar efectos colaterales indeseables. Las personas con padecimientos cardiacos deben tomar con frecuencia medicamentos para reducir el colesterol, pero es mejor si éstos se combinan con cambios en el estilo de vida para poder aumentar el efecto de reducción.

Para disminuir el colesterol de LBD, la dieta debe ser baja en grasa saturada y colesterol y alta en fibra. La grasa saturada debe ser reemplazada por las grasas monoinsaturadas y poliinsaturadas debido a que estas últimas tienden a disminuir el colesterol de LBD. El ejercicio es importante pues la dieta sola no resulta tan efectiva para disminuir este colesterol como la combinación de una dieta y el ejercicio aeróbico.

Para tener un efecto significativo en la disminución del colesterol de LBD, la ingesta total diaria de fibra debe situarse entre el rango de 25 a 38 gramos al día (ver el tema sobre la fibra en el capítulo 5), el consumo total de grasa puede estar en el rango de 30% de la ingesta total diaria de calorías pues la mayor parte de la grasa es insaturada y el consumo promedio de colesterol es menor a 200 mg al día.

TÉRMINOS CLAVE

Lípidos sanguíneos (grasa): Colesterol y triglicéridos.

Lipoproteínas: Moléculas complejas que transportan al colesterol por el flujo sanguíneo.

Colesterol: Sustancia cerosa, técnicamente un alcohol esteroide, que se halla en la grasa animal y en el aceite; se emplea en la elaboración de membranas celulares; como bloque de construcción de algunas hormonas; en la cubierta grasosa alrededor de las fibras nerviosas y en otras sustancias necesarias.

Lipoproteínas de alta densidad (LAD): Moléculas que transportan al colesterol por la sangre (colesterol bueno).

Lipoproteínas de baja densidad (LBD): Moléculas que transportan al colesterol por la sangre (colesterol dañino).

Aterosclerosis: Depósitos de grasa/colesterol en las paredes de las arterias que conducen a la formación de placa.

Radicales libres: Compuestos de oxígeno producidos en el metabolismo normal.

La ingesta de fibra de la mayoría de las personas en Estados Unidos es, en promedio, menos de 12 gramos al día. Se ha demostrado que la fibra, en particular la soluble, disminuye el colesterol. La fibra soluble se disuelve en agua y forma una sustancia de consistencia gelatinosa que encierra a las partículas de alimento. Esta propiedad permite atrapar y excretar las grasas del cuerpo. Las fibras solubles se encuentran principalmente en la avena, las frutas, la cebada, las legumbres y el psilio.

El psilio, un grano que se añade a algunos cereales multigrano, contribuye también a disminuir el colesterol de LBD. Incluso tres gramos diarios de psilio pueden disminuir el colesterol de LBD en 20%. Los suplementos de fibra disponibles en el mercado que contienen psilio (como el Metamucil) pueden emplearse para aumentar la ingesta de fibra soluble. Tres cucharadas diarias añadirán cerca de 10 gramos de fibra soluble a la dieta.

La incidencia de enfermedades cardiacas es baja en poblaciones en las que la ingesta de fibra diaria excede los 30 gramos al día. Además, un estudio realizado en 1996 por la Harvard University Medical School en 43 000 hombres adultos de alrededor de 50 años que fueron observados por más de seis años, demostró que el incremento de la ingesta de fibra en 30 gramos al día llevaba a una reducción de 41% en la incidencia de ataques cardiacos.[14]

Las investigaciones sobre los efectos de una dieta con 30% de grasa han demostrado que este hecho tiene poco o ningún efecto en la disminución del colesterol y que, de hecho, el CHD continúa avanzando en las personas que tienen la enfermedad. Así, para disminuir los niveles de colesterol, algunos médicos recomiendan llevar una dieta con 10% de grasa o con un porcentaje menor en combinación con un programa de ejercicios aeróbicos.

Una dieta diaria con un contenido total de grasa de 10% requiere que la persona limite su ingesta de grasa al mínimo. Este tipo de dieta resulta difícil de llevar de manera indefinida. Si bien es posible que los individuos con niveles altos de colesterol no sigan la dieta de manera indefinida, sí será necesario que adopten la dieta de 10% de grasa si lo que intentan es disminuir su colesterol. De allí en adelante, el consumo de una dieta con 20 a 30% de grasa podría ser adecuado para mantener los niveles recomendados de colesterol (el consumo actual de grasa en Estados Unidos alcanza 34% del total de calorías, ver la figura 5.2, página 107).

Una desventaja de las dietas que son muy bajas en grasa (menos de 25% de grasa) es que tienden a disminuir el colesterol de LAD e incrementan los triglicéridos. Si el colesterol de LAD es ya bajo, es necesario entonces agregar grasas monoinsaturadas y poliinsaturadas: el olivo, la canola, el maíz, los aceites de soya y las nueces son algunos de los alimentos que son altos en este tipo de grasas. Se debe consultar también libros especializados en nutrición para determinar los productos alimenticios ricos en estas grasas.

Asimismo, se recomienda la proteína de soya para reducir los niveles de colesterol total y de colesterol de LBD. En el curso de varias semanas, una dieta baja en grasas saturadas y colesterol que incluya 25 gramos de proteína de soya al día disminuirá el colesterol en 5 a 7%

Se recomienda el consumo de alimentos ricos en fibra para disminuir el colesterol de LBD.

adicional, en comparación con la misma dieta pero sin la proteína de soya. Estos beneficios se observan mejor en las personas que tienen niveles totales de colesterol por arriba de 200 mg/dl. Es posible que algunos individuos tengan que consumir hasta 60 gramos al día de esta proteína para notar cambios.

Además, hoy en día hay disponibles en el mercado margarinas y aderezos que contienen éster estanol, un compuesto derivado de las plantas que disminuye el colesterol. Con el tiempo, cerca de tres gramos de margarina o seis cucharadas de aderezo para ensaladas con un contenido de éster estanol disminuyen el colesterol de LBD en 14 porciento.

Para disminuir los niveles de colesterol de LBD, se recomiendan las siguientes guías dietéticas generales:

- Consumir entre 25 y 38 gramos de fibra a diario, incluyendo un mínimo de 10 gramos de fibra soluble (fuentes buenas de esta fibra son la avena, la fruta, la cebada, las legumbres y el psilio).
- No consuma más de 200 mg de colesterol dietético al día.
- Consuma carne roja (3 onzas, 85 g, por porción) menos de tres veces por semana y no vísceras (como el hígado o los riñones).
- No consuma alimentos comerciales horneados.

- Evite los alimentos que contengan ácidos transgrasos, grasa hidrogenada o aceite vegetal parcialmente hidrogenado.
- Incremente la ingesta de ácidos grasos omega 3 (ver el capítulo 5) comiendo pescado rico en esta sustancia dos o tres veces a la semana.
- Consuma 25 gramos de proteína de soya al día.
- Beba leche baja en grasa (1% o menos de grasa de preferencia) y consuma productos lácteos bajos en grasa.
- No emplee aceite de coco, de palma o mantequilla de cacao.
- Limite su consumo de huevo a menos de tres por porciones por semana (esto es sólo para la gente con colesterol elevado; así que las demás personas pueden consumirlo en forma moderada).
- Utilice margarinas y aderezos que contengan éster estanol en lugar de la mantequilla o la margarina regulares.
- Hornee, ase a la parrilla, cocine a fuego lento o al vapor los alimentos en lugar de freírlos.
- Refrigere la carne preparada antes de añadirla a otros platillos. Remueva la grasa que se endureció durante la refrigeración antes de mezclar la carne con otros alimentos.
- Evite las salsas grasosas hechas con mantequilla, crema o queso.
- Mantenga el peso corporal recomendado.

Triglicéridos elevados

Los **triglicéridos**, también conocidos como ácidos grasos libres, en combinación con el colesterol, aceleran la formación de placa. Las lipoproteínas de muy baja densidad (LMBD) y los **quilomicrones** transportan a los triglicéridos por la corriente sanguínea. Estos ácidos grasos se encuentran en la piel del pollo, los embutidos y en los mariscos; sin embargo, se producen sobre todo en el hígado, a partir de las azúcares refinadas, los almidones y el alcohol. Una ingesta alta de alcohol y azúcares (miel incluida) aumenta de manera significativa los niveles de triglicéridos. Es posible reducir estos niveles si la persona deja de consumir los alimentos antes mencionados, baja de peso (si es que hay sobrepeso) y realiza ejercicio aeróbico. Un nivel deseable de triglicéridos en la sangre es de menos de 150 mg/dl (ver la tabla 8.2). Para los individuos con problemas cardiovasculares este nivel debe estar por debajo de los 100 mg/dl.

Homocisteína elevada

Los datos clínicos que indican que muchas víctimas de ataques cardiacos tienen niveles normales de colesterol han llevado a los investigadores a investigar otros riesgos de factores que pueden estar contribuyendo a la aterosclerosis. Si bien no es un lípido bueno, se cree que una concentración alta de **homocisteína** en la sangre fortalece la formación de la placa y, por consiguiente, puede obstaculizar las arterias. El cuerpo emplea homocisteína que ayuda a construir proteínas y llevar a cabo el metabolismo. La homocisteína se forma durante la etapa intermedia de la creación de otro aminoácido. Este proceso requiere la presencia de ácido fólico y de las vitaminas B_6 y B_{12}.

En general, la homocisteína se metaboliza con rapidez a fin de que no se acumule en la sangre o dañe las arterias. Sin embargo, muchas personas tienen niveles altos de homocisteína, lo cual se podría atribuir, ya sea a una incapacidad genética para metabolizarla o a una deficiencia en las vitaminas que se requieren para su conversión. Se piensa que la acumulación de homocisteína es tóxica porque puede:

1. Dañar el revestimiento interior de las arterias (el paso inicial en el proceso de la aterosclerosis);
2. Estimular la proliferación de células que contribuyen a la formación de placa, y
3. Favorecer la formación de coágulos que pueden llegar a obstruir una arteria por completo.

Lograr que la homocisteína no se acumule en la sangre parece ser igual de sencillo que consumir las porciones diarias recomendadas de verduras, frutas, granos y de ciertas carnes y legumbres. Las pruebas crecientes de que el ácido fólico puede prevenir los ataques cardiacos han llevado a la recomendación de que la gente consuma 400 mcg al día de ácido fólico.

Desafortunadamente, se calcula que casi 90% de los estadounidenses no consume los 400 mcg recomendados de ácido fólico. Cinco porciones diarias de frutas y verduras podrían proporcionar los niveles suficientes de ácido fólico y vitamina B_6 para remover y dejar libre a la sangre de homocisteína. Es poco probable que las personas que consuman estas cinco porciones obtengan beneficios extra a partir de suplementos con un complejo de vitamina B.

La vitamina B_{12} se encuentra principalmente en la carne y los productos de origen animal. La deficiencia en esta vitamina rara vez constituye un problema debido a que una taza de leche o un huevo proporcionan el requerimiento diario. Asimismo, el cuerpo recicla la mayor parte de esta vitamina; por consiguiente, toma años desarrollar una deficiencia.

Proteína reactiva C

Por años se ha sabido que la inflamación está relacionada con la CHD y que una inflamación escondida de manera profunda en el cuerpo provoca comúnmente ataques cardiacos, incluso cuando los niveles de colesterol son normales o bajos y la placa arterial es mínima. Una inflamación de bajo grado puede presentarse en una amplia variedad de lugares a través de todo el cuerpo. Para evaluar una inflamación en curso, los médicos han acudido a la **proteína reactiva C (PRC)**, una proteína cuyo nivel

---

◢ TÉRMINOS CLAVE

Triglicéridos: Grasas conformadas por glicerol y tres ácidos grasos.

Quilomicrones: Moléculas que transportan triglicéridos en la sangre.

Homocisteína: Aminoácido intermedio en la conversión de otros dos aminoácidos: La metionina y la cisteína.

Proteína reactiva C (PRC): Proteína cuyos niveles se incrementan con una inflamación de bajo grado que puede presentarse en varios sitios del cuerpo. Los niveles altos de PRC son utilizados como indicadores para predecir las enfermedades cardiovasculares.

Figura **8.6** *Relaciones entre la proteína reactiva C, el colesterol y el riesgo de enfermedad cardiovascular.*

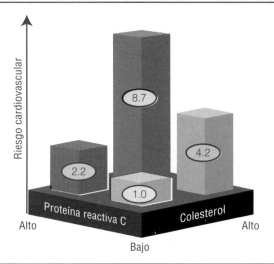

Fuente: Adaptado de P. Liddy, P. M. Ridker y A. Maseri, "Inflammation and Atherosclerosis", *Circulation* 105 (2002): 1135-1143.

Tabla **8.3** *Guías de alta sensibilidad de PRC.*

CANTIDAD	CALIFICACIÓN
<1 mg/l	Bajo riesgo
1–3 mg/l	Riesgo promedio
>3 mg/l	Bajo riesgo

Fuente: *Circulation*, 107 (2003): 499-511.

en la sangre se incrementa con la inflamación. Las personas con una PRC elevada son más propensas a los padecimientos cardiovasculares. Las pruebas indican que los niveles de PRC se elevan años antes de que se presente un ataque cardiaco o infarto y que los individuos con PRC elevado tienen un riesgo doble de ataques al corazón. Este riesgo es aún más alto en personas con PRC elevado y con colesterol, lo cual resulta en un incremento de riesgo de casi nueve veces (ver la figura 8.6).

Debido a que los niveles altos de PRC podrían predecir mejor futuros ataques cardiacos que el solo nivel alto de colesterol, un nuevo examen conocido como PRC de alta sensibilidad (PRC-as), que mide la inflamación en los vasos sanguíneos, ha sido aprobado por el FDA (Food and Drug Administration). El término "alta sensibilidad" se derivó de la capacidad de la prueba de detectar pequeñas cantidades de PRC en la sangre.

Los resultados del examen de PRC-as proporcionan una buena indicación de la probabilidad de ruptura de placa en la pared de la arteria. Existen dos tipos principales de placa: suave y dura. La primera es más propensa a romperse. La ruptura de la placa libera revestimientos hacia la corriente sanguínea que pueden ocasionar un ataque al corazón o infarto. Una prueba de PRC-as es relativamente económica y muy recomendable en pacientes con riesgo de ataques cardiacos. En la tabla 8.3 se proporcionan guías para los niveles de PRC-as.

Los niveles PRC-as disminuyen con las drogas estatinas, las cuales disminuyen el colesterol y reducen la inflamación. El ejercicio, la pérdida de peso, una nutrición adecuada y la aspirina también resultan de ayuda. Con la pérdida de peso, los niveles de PRC disminuyen en proporción a la pérdida de grasa. Los ácidos grasos omega 3 (que se encuentran en el salmón, el atún y ciertos pescados) inhiben las proteínas que provocan la inflamación, mientras el consumo excesivo de alcohol y las dietas ricas en proteínas incrementan la PRC. Las aspirinas contribuyen también al control de la inflamación. Asimismo, cocinar la carne y el pollo a altas temperaturas crea proteínas dañadas (productos finales del proceso de glicosilación avanzada) que desatan la inflamación.

Diabetes

En las personas que padecen **diabetes mellitus**, el páncreas deja por completo de producir insulina, o bien, no produce la suficiente como para cumplir con las necesidades del cuerpo. La función de la insulina es la de "abrir" las células y acompañar a la glucosa en su trayecto hacia la célula. La incidencia de enfermedades cardiovasculares y de muertes en la población diabética es bastante alta. Más de 75% de las personas con diabetes mellitus mueren debido a enfermedades cardiovasculares.

Los individuos con niveles crónicos de glucosa elevada en la sangre podrían presentar problemas para metabolizar las grasas, lo cual puede hacerlos más susceptibles a la aterosclerosis, las enfermedades coronarias, los ataques cardiacos, la presión sanguínea alta y los infartos. Los diabéticos tienden también a presentar un colesterol de LAD más bajo y niveles de triglicéridos más altos.

Además, niveles crónicos altos de azúcar en la sangre pueden conducir a daños en los nervios, pérdida de la visión, daños en el riñón y, además, pueden disminuir la función inmunológica (lo cual hace al individuo más susceptible a las infecciones). Los diabéticos son cuatro veces más propensos a volverse ciegos y 20 veces más propensos que los no diabéticos a desarrollar fallas en el riñón. Los daños en los nervios de las extremidades inferiores hacen que la persona sea menos consciente de los daños y las infecciones. Una pequeña herida sin tratar puede ocasionar una severa infección, gangrena e incluso amputación.

Un nivel de glucosa en la sangre en un periodo de 8 horas por arriba de 126 mg/dl en dos pruebas separadas confirma un diagnóstico de diabetes. Un nivel de 126 o mayor a éste debe ser revisado por un médico. Esta guía ha cambiado en comparación con años anteriores en los que un nivel por arriba de 140 se empleaba para diagnosticar diabetes.

Tipos de diabetes   Hay dos tipos de diabetes: tipo I, o **diabetes mellitus dependiente de la insulina (DMDI),** y tipo II, o **diabetes mellitus no dependiente de la insulina**

(DMNDI). La tipo I se conoce también como "diabetes juvenil" debido a que se presenta mayormente en la gente joven. En este tipo de diabetes, el páncreas produce poca o nada de insulina. En el tipo II, el páncreas no produce suficiente insulina, o bien, produce cantidades adecuadas pero las células se vuelven resistentes a ella, por lo que evitan que la glucosa penetre en la célula. El tipo II representa de 90 a 95% de todos los casos de diabetes.

Si bien la diabetes tiene una predisposición genética, la diabetes (tipo II) en los adultos se encuentra estrechamente vinculada con comer de más, con la obesidad y con la falta de actividad física. Más de 80% de los diabéticos tipo II padecen sobrepeso o cuentan con un historial de peso excesivo. En la mayoría de los casos se puede corregir esta situación por medio de una dieta especial, un programa de pérdida de peso y uno de ejercicio regular.

Una dieta rica en carbohidratos complejos y fibras solubles en agua (las cuales se hallan en frutas, verduras, avena y frijoles), baja en grasa saturada y baja en azúcares contribuye al tratamiento de la diabetes. Varias investigaciones han demostrado que un programa regular de ejercicios aeróbicos (caminar, andar en bicicleta o nadar de cuatro a cinco veces por semana) incrementa la receptividad del cuerpo a la insulina.

De manera reciente, se ha asociado tanto el ejercicio de intensidad moderada como el de intensidad vigorosa con el incremento de la sensibilidad a la insulina, así como con la disminución del riesgo de diabetes. La clave para incrementar y mantener una sensibilidad apropiada a la insulina es un programa regular de ejercicios. El abandono de la actividad física anula los beneficios.[15]

Una pérdida importante de peso, en especial si se combina con un incremento de actividad física, a menudo permite a los pacientes diabéticos de tipo II normalizar su nivel de azúcar en la sangre sin el uso de medicamentos. Los individuos con altos niveles de glucosa en la sangre deben consultar a un médico a fin de decidir el mejor tratamiento que deberán seguir.

Síndrome X A medida que las células resisten la acción de la insulina, el páncreas libera todavía más insulina en un esfuerzo por evitar que el nivel de glucosa aumente. Tal parece que un aumento crónico de insulina desata una serie de anormalidades que se conocen bajo el nombre de **síndrome X** o síndrome metabólico. Estas condiciones anormales incluyen un colesterol de LAD bajo, triglicéridos altos y un aumento en el mecanismo de revestimiento de la sangre. Muchos individuos con el síndrome X presentan también una presión sanguínea alta. Todas estas condiciones aumentan el riesgo de CHD y de otras condiciones relacionadas con la diabetes (ceguera, infección, daño en los nervios y fallas en los riñones). Alrededor de 70 millones de estadounidenses padecen el síndrome X.

Los individuos con síndrome X tienen una respuesta anormal de insulina a los carbohidratos, en particular a aquellos que son absorbidos de manera rápida (alimentos ricos en glicémicos). A diferencia de las guías dietéticas de la American Heart Association, los investigadores del síndrome X indican que es posible que la dieta actual baja en grasas y alta en carbohidratos no sea la mejor para prevenir la CHD y que, de hecho, podría aumentar el riesgo de esta enfermedad en los individuos con una resistencia alta a la insulina y con intolerancia a la glucosa.[16]

Quizás resulte mejor para estas personas distribuir su ingesta calórica diaria de modo que obtengan 45% de sus calorías a partir de los carbohidratos (principalmente los bajos en glicémicos), 40% de la grasa y 15% de las proteínas.[17] Cerca de 40% de las calorías que se obtienen de la grasa, de 30 a 35% debe provenir de las grasas mono y poliinsaturadas y sólo de 5 a 10% deben provenir de la grasa saturada.

Las personas con síndrome X se ven también beneficiadas por la pérdida de peso (si es que hay sobrepeso), del ejercicio y dejar de fumar. La resistencia a la insulina se reduce en cerca de 40% en personas con sobrepeso que pierden 20 libras (9 kg). Cuarenta y cinco minutos diarios de ejercicio aeróbico fortalecen la eficiencia de la insulina en 25%. En contraste, el hábito de fumar aumenta la resistencia a la insulina.

Electrocardiogramas (ECG) anormales

Los **electrocardiogramas (ECG)** se llevan a cabo en el estado de reposo, durante el ejercicio y durante la fase de recuperación. Un ECG de ejercicio o estrés se conoce también como una prueba de estrés gradual en el ejercicio o como una prueba de tolerancia máxima al ejercicio. De manera similar a un examen de velocidad en un automóvil, un ECG de estrés revela la resistencia del corazón al ejercicio de alta intensidad. Con base en los resultados, un ECG puede interpretarse como normal, ambiguo o anormal.

El **electrocardiograma de estrés (ECG de estrés)** se emplea en forma frecuente para diagnosticar las enfermedades coronarias. De igual manera, se administra para determinar los niveles de condición cardiorrespiratoria;

◤ TÉRMINOS CLAVE

Diabetes mellitus: Condición en la que la glucosa es incapaz de entrar en las células debido a que, ya sea que el páncreas deje del todo de producir insulina o de que no produzca la suficiente como para cumplir con las necesidades del cuerpo.

Diabetes mellitus dependiente de la insulina: Forma de diabetes en la que el páncreas produce poca o ninguna cantidad de insulina.

Diabetes mellitus no dependiente de la insulina: Forma de diabetes en la que el páncreas no produce suficiente insulina o la produce en cantidades adecuadas, pero las células se vuelven resistentes a ella, lo cual evita que la glucosa penetre en la célula.

Síndrome X (síndrome metabólico): Disposición de anormalidades metabólicas que contribuyen al desarrollo de la aterosclerosis y que se generan debido a la resistencia a la insulina. Estas condiciones incluyen un colesterol de LAD bajo, triglicéridos altos, presión sanguínea alta y un aumento en el mecanismo de revestimiento de la sangre.

Electrocardiograma (ECG): Registro de la actividad eléctrica del corazón.

Electrocardiograma de estrés (ECG de estrés): Prueba de ejercicio durante la cual la carga de trabajo se incrementa en forma gradual (hasta que el sujeto alcanza un nivel máximo de fatiga). Durante toda la prueba se toma la presión sanguínea y se hace uso de un monitoreo electrocardiográfico.

para examinar a aquellos individuos que requieren programas preventivos y de rehabilitación cardiaca; para detectar una respuesta anormal de presión sanguínea durante la realización de ejercicio, y para establecer el ritmo cardiaco máximo, real o funcional con el objetivo de aprobar la participación de un individuo en un programa de ejercicio.

No todos los adultos que desean empezar o continuar un programa de ejercicios requieren un ECG de estrés. Las siguientes guías le pueden ayudar a determinar en qué momento debe realizarse este tipo de prueba:

1. Hombres mayores de 45 y mujeres mayores de 55 años de edad.
2. Un nivel de colesterol total por encima de 200 mg/dl, o bien, un nivel de colesterol de LAD por debajo de 35 mg/dl.
3. Individuos hipertensos y diabéticos.
4. Fumadores.
5. Individuos con un historial familiar de CHD, síncope o muerte repentina antes de los 60 años de edad.
6. Individuos con un ECG anormal en el estado de reposo.
7. Todos los individuos con síntomas de dolor en el pecho, arritmias, síncope o **incompetencia cronotrópica**.

Consumo de tabaco

Se calcula que cerca de 23% o 49 millones de adultos en Estados Unidos fuman. Cada día, un número adicional de 3 000 personas menores de 18 años se vuelven fumadores. Este hábito es la única gran causa de enfermedades y muerte prematura en Estados Unidos que pueden ser prevenidas. Si se consideran todas las muertes con las que se le relaciona, el tabaco es responsable de más de 440 000 muertes prevenibles al año. El consumo de tabaco se vincula con padecimientos cardiovasculares, cáncer, bronquitis, enfisema y úlcera péptica.

Cerca de 53 000 de estas muertes al año fueron de personas expuestas al humo del cigarro en su vida diaria. Tanto los infartos fatales como los no fatales incrementan en gran medida en los fumadores pasivos. Cerca de 37 000 muertes al año a causa de enfermedades del corazón se atribuyen al hábito pasivo de fumar. Incluso en los fumadores regulares, la adaptación a los efectos dañinos de fumar es leve, por lo que los efectos adversos son mucho mayores en los no fumadores. Fumar en forma pasiva se sitúa detrás del hábito activo de fumar y del consumo de alcohol como la tercera causa prevenible de muerte en Estados Unidos; por lo tanto, es un factor importante de riesgo de enfermedades cardiacas en niños y adultos por igual.

Con relación a las enfermedades coronarias, fumar acelera el proceso de aterosclerosis y produce también un riesgo tres veces mayor de muerte súbita después de un **infarto del miocardio**. Fumar aumenta el ritmo cardiaco y la presión sanguínea e irrita el corazón, lo que puede desatar **arritmias** cardiacas fatales. Con respecto a la carga extra en el corazón, dejar de fumar un paquete diario de cigarrillos al día equivale a perder entre 50 y 75 libras (34 kg) de exceso de grasa corporal. Otro efecto dañino es

Fumar es la única causa prevenible de enfermedad y muerte prematura en Estados Unidos.

la disminución de colesterol de LAD, es decir, del tipo "bueno" que ayuda a controlar los lípidos sanguíneos.

El riesgo de enfermedades cardiovasculares empieza a disminuir en el momento en que una persona deja de fumar. Después de cesar el hábito, el riesgo se aproxima al de una persona que nunca ha fumado en su vida. Fumar pipa o cigarro y mascar tabaco incrementan también el riesgo de enfermedades cardiacas. Incluso cuando no se inhala humo, las sustancias tóxicas se absorben a través de las membranas de la boca y terminan en la corriente sanguínea.

Dejar de fumar no es fácil: Las propiedades adictivas de la nicotina así como los síntomas físicos y fisiológicos que aparecen después de abandonar el hábito dificultan dejarlo. En la figura 8.7 se proporciona un plan de seis pasos para dejar de fumar.

Pensamiento crítico

Fumar es la principal causa prevenible de enfermedad y muerte prematuras en Estados Unidos. ¿Considera que el gobierno debe prohibir el uso de tabaco en todas sus formas? o ¿considera que el individuo tiene el derecho de empeñarse en continuar un comportamiento autodestructivo?

El factor más importante para dejar de fumar es un deseo sincero de hacerlo. Más de 95% de las personas que han logrado de manera exitosa dejar de fumar lo han hecho por ellos mismos, ya sea porque dejaron el hábito en forma repentina o porque utilizaron los paquetes de autoayuda que ponen a disposición organizaciones tales como el American Cancer Society, el American Heart Association y el American Lung Association. Sólo 3% de los individuos que dejan de fumar lo hace como resultado de un programa formal de ayuda.

Figura **8.7** *Plan de seis pasos para dejar de fumar.*

El siguiente plan de seis pasos ha sido desarrollado como una especie de guía para ayudarlo a dejar de fumar. El programa completo debe llevarse a cabo en cuatro semanas o incluso en menos tiempo. Los pasos del uno al cuatro no deben tomar más de dos semanas. Se permite un máximo de dos semanas adicionales para completar el resto del programa.

PASO UNO. Decida en forma positiva que desea dejar de fumar. A continuación prepare una lista de las razones de porqué fuma y el motivo para dejar este hábito.

PASO DOS. Inicie una dieta personalizada así como un programa de ejercicios. La actividad física y un peso corporal menor generan una mayor conciencia de la vida saludable y aumentan la motivación para abandonar el cigarro.

PASO TRES. Elija la forma en que dejará de fumar: puede dejar el hábito de manera repentina o ir disminuyendo de manera gradual el número de cigarros que fuma a diario. A mucha gente le ha funcionado dejarlo de manera repentina pues constituye el método más simple. Si bien es posible que éste no funcione a la primera, después de varios intentos, los fumadores son ca-

paces, de repente, de superar el hábito sin grandes dificultades. Disminuir el número de cigarros puede llevarse a cabo de diferentes maneras: Puede empezar por eliminar los que no requiere necesariamente, puede cambiar a una marca con menos nicotina o alquitrán cada dos días, puede fumar menos de cada cigarro, o bien, simplemente puede disminuir el número total de cigarros que fuma al día.

PASO CUATRO. Establezca una fecha para dejar de fumar. Si elige una fecha especial añadirá un incentivo extra: Un cumpleaños, un aniversario, las vacaciones, una graduación o una reunión familiar próximas —todos son ejemplos de buenas fechas para liberarse del hábito.

PASO CINCO. Atibórrese de alimentos bajos en calorías como las zanahorias, el brócoli, la coliflor, el apio, las palomitas de maíz (sin mantequilla y sal), frutas, semillas de girasol (con cáscara), goma de mascar sin azúcar y mucha agua. Mantenga estos alimentos a la mano el día que deje de fumar y en las primeras semanas después de haber abandonado el hábito. Si desea un cigarro, reemplácelo con alguno de estos alimentos.

PASO SEIS. Es el día en el que dejará de fumar. A partir de éste y de los días

siguientes, no tenga los cigarros a la mano. Aléjese de los amigos o las situaciones que puedan despertar su deseo de fumar. Beba grandes cantidades de agua y de jugos y consuma alimentos bajos en calorías. Sustituya el viejo hábito con uno nuevo: Necesitará reemplazar el tiempo que destinaba a fumar con nuevos sustitutos positivos que hagan que fumar resulte difícil o imposible. Cada vez que quiera un cigarro, respire de manera profunda y después ocúpese en otras actividades como conversar con alguien más, lavarse las manos, los dientes, comer un bocadillo sano, mascar una pajilla, lavar los trastes, jugar, caminar o andar en bicicleta, nadar, etcétera.

Si ha tenido éxito en dejar de fumar, muchas situaciones pueden todavía despertar su urgencia de probar un cigarro. Al momento de enfrentarse a tales situaciones, la gente por lo normal se detiene a pensar, "Uno no me hará daño". Esto último no le funcionará. Antes de lo que se imagine habrá retomado este desagradable hábito. Esté listo para actuar en dichas situaciones: busque sustitutos adecuados para el cigarro. Recuerde lo difícil que ha sido y el tiempo que le ha tomado llegar hasta este punto. Conforme transcurra el tiempo, le será cada vez más fácil.

Estrés

El **estrés** se ha vuelto parte de nuestra vida. A diario las personas tienen que lidiar con metas, plazos, responsabilidades y presiones. El **factor de estrés** por sí mismo no es el que crea un peligro para la salud sino más bien la respuesta del individuo a dicho factor.

El cuerpo humano responde al estrés mediante la producción de más catecolaminas para preparar al cuerpo para **pelear o escapar.** Si la persona pelea o huye, el cuerpo metaboliza los niveles más altos de catecolaminas y entonces es capaz de regresar a un estado normal. Sin embargo, si una persona está bajo estrés constante y es incapaz de actuar (como sucede con la muerte de un pariente cercano o de un amigo, con la pérdida de empleo, los problemas en el trabajo o la inseguridad financiera), las catecolaminas permanecen elevadas en el flujo sanguíneo.

Las personas que no son capaces de relajarse imponen una tensión baja sobre el sistema cardiovascular que puede llegar a manifestarse en una enfermedad cardiaca. Además, cuando una persona se encuentra en una situación estresante, las arterias coronarias que alimentan al

músculo cardiaco se encogen, lo que reduce el suministro de oxígeno al corazón. Si los vasos sanguíneos están muy obstaculizados por la aterosclerosis, podrían sucederse ritmos cardiacos anormales o incluso un ataque al corazón.

▶ TÉRMINOS CLAVE

Incompetencia cronotrópica: Condición en la que el ritmo cardiaco se incrementa con lentitud durante el ejercicio y nunca alcanza el máximo.

Infarto del miocardio: Ataque cardiaco; daño o causa de la muerte de un área del músculo del corazón como resultado de una arteria obstruida en dicha área.

Arritmias: Ritmos cardiacos irregulares.

Estrés: Respuesta fisiológica, emocional y mental del cuerpo a cualquier situación que resulte nueva, amenazante, aterradora o excitante.

Factor de estrés: Agente causante del estrés.

Pelear o escapar: Respuesta psicológica del cuerpo al estrés que prepara al individuo a actuar (pelear o huir) por medio de la estimulación de los sistemas vitales de defensa.

© Fitness & Wellness, Inc.

La actividad física es una excelente forma de controlar el estrés.

Los individuos que se encuentran bajo mucho estrés y no saben cómo manejarlo requieren tomar medidas para contrarrestar los efectos de éste en sus vidas. Deben identificar y aprender a lidiar con las fuentes de estrés. Por lo tanto, la gente necesita tomar el control de sí misma, examinar y actuar sobre las cosas que considera importantes en su vida e ignorar los detalles más insignificantes.

La actividad física es una de las mejores formas de mitigar el estrés. Al momento de tomar parte en una actividad física, el cuerpo metaboliza el exceso de catecolaminas y es capaz de regresar a un estado normal. Asimismo, el ejercicio da paso a la actividad muscular, lo que contribuye a la relajación de los músculos.

Historia personal y familiar

Los individuos con una historia familiar o que ya han experimentado problemas cardiovasculares presentan un mayor riesgo que aquellos que nunca han tenido estos problemas. Se debe alentar a las personas con este historial a que mantenga los otros factores de riesgo en el nivel más bajo posible. Debido a que la mayoría de estos factores son reversibles, el riesgo de problemas futuros disminuirá de manera significativa.

Edad y género

La edad se vuelve un factor de riesgo en hombres mayores de 45 y en mujeres mayores de 55 años de edad. La mayor incidencia de enfermedades cardiacas parece surgir en parte de los cambios en el estilo de vida a medida que vamos envejeciendo (menor actividad física, mala nutrición, obesidad, etc.). A muy temprana edad, los hombres presentan un mayor riesgo de enfermedades cardiovasculares que las mujeres. Después de la menopausia, el riesgo en las mujeres se incrementa. Con base en estadísticas finales sobre mortalidad en 2000, más

mujeres (505 661) que hombres (440 175) fallecieron a causa de estas enfermedades.[18]

La gente joven no debe creer que es inmune a padecimientos del corazón. El proceso inicia a muy temprana edad, como lo demuestran los soldados estadounidenses que murieron durante las guerras de Vietnam y Corea. Las autopsias practicadas en soldados muertos a la edad de 22 años o más jóvenes revelaron que cerca de 70% presentaba etapas tempranas de aterosclerosis. Otros estudios hallaron niveles elevados de colesterol en la sangre de jóvenes de incluso 10 años de edad.

Si bien no podemos detenerlo, sí podemos retrasar el proceso de envejecimiento. El concepto de **edad cronológica** contra **edad psicológica** resulta importante en la longevidad. Algunos individuos en sus 60 o de mayor edad tienen el cuerpo de un individuo de 30, mientras que algunas personas en sus 30 tienen una condición física y una salud tan malas que parecen poseer el cuerpo de una persona de 60. Manejar los factores de riesgo y desarrollar hábitos positivos de estilo de vida constituyen las mejores formas de desacelerar el proceso natural de envejecimiento.

■ Cáncer

El crecimiento de las células es controlado por el **ácido desoxirribonucleico (ADN)** y por el **ácido ribonucleico (ARN)**. Cuando los núcleos pierden su habilidad de regular y controlar el crecimiento celular, la división de las células se interrumpe; por lo tanto, es posible que se desarrollen células mutantes. Algunas de estas células podrían crecer de manera incontrolable y anormal formando una masa de tejido llamada tumor, el cual puede ser **benigno** o **maligno**. Si bien los tumores benignos pueden interferir con las funciones normales del cuerpo, rara vez ocasionan la muerte.

Cerca de 23% de todas las muertes en Estados Unidos tienen como causa al **cáncer**. Cada año, se reportan más de 1.3 millones de casos nuevos y más de medio millón de personas mueren a causa de él.[19] En el cuerpo se pueden desarrollar alrededor de 100 tipos de cáncer. Las células cancerígenas crecen sin razón alguna y se multiplican destruyendo el tejido normal. Si no se controla la propagación de las células, entonces la muerte sobreviene (una célula se puede multiplicar hasta 100 veces).

Por lo normal, la molécula de ADN se duplica en forma perfecta durante la división celular. En sólo unos cuantos casos la molécula de ADN no se duplica de manera exacta; sin embargo, enzimas especializadas la reparan de manera rápida. En forma ocasional, las células con un ADN deficiente continúan dividiéndose y, al final, forman un pequeño tumor. A medida que ocurren más mutaciones, las células alteradas continúan dividiéndose y pueden volverse malignas. Una década o más puede transcurrir entre la exposición carcinogénica o las mutaciones y el momento en el que el cáncer se diagnostica. Un cambio crítico en el desarrollo del cáncer es cuando el tumor alcanza alrededor de 1 millón de células. En esta etapa se le conoce como **carcinoma *in situ***, es decir, cuando no se ha propagado. Un tumor sin detectar como éste puede continuar así por meses o incluso años sin que se presente ningún crecimiento significativo.

Mientras está encapsulado, un tumor no representa una amenaza seria a la salud. Para crecer, el tumor requiere más oxígeno y nutrientes. Con el tiempo, unas cuantas de las células cancerígenas empiezan a producir químicos que acrecientan el peligro de **angiogénesis**. Las células se escapan de un tumor maligno y, a través de nuevos vasos sanguíneos, migran a otras partes del cuerpo en un proceso llamado **metástasis**, por medio del cual pueden generar un nuevo cáncer.

Si bien el sistema inmunológico y la turbulencia sanguínea destruyen la mayoría de las células, una sola célula anormal que se encuentre alojada en otro sitio puede empezar un nuevo cáncer. Estas células crecerán y se multiplicarán también de manera incontrolable, destruyendo el tejido normal. Una vez que las células cancerígenas pasan por el proceso de metástasis, el tratamiento se vuelve más difícil. La terapia puede matar a la mayoría de las células cancerígenas, pero unas cuantas células pueden ser resistentes al tratamiento. Éstas podrían formar entonces un nuevo tumor que no responda al mismo tratamiento.

Como sucede con las enfermedades cardiovasculares, el cáncer es, en la mayoría de los casos, prevenible. Hasta 80% de esta enfermedad se relaciona con el estilo de vida o con factores ambientales (los cuales incluyen la dieta, el consumo de tabaco, el abuso de alcohol, la actividad sexual y reproductiva y la exposición a peligros de tipo ambiental). Un hecho igualmente importante es que más de 8 millones de estadounidenses con historial de cáncer vivían en el 2001. En la actualidad, se espera que de cuatro a 10 personas diagnosticadas con cáncer continúen vivas cinco años después del diagnóstico inicial.

▶ Guías para prevenir el cáncer

El principal factor en la lucha contra el cáncer es la educación en materia de salud: La gente necesita ser informada de los factores de riesgo de cáncer y de las guías para su detección temprana. La forma más efectiva para protegerse contra esta enfermedad es cambiar los hábitos y los comportamientos negativos. La actividad 8.1, página 191, contiene un cuestionario sobre los factores de riesgo y las medidas preventivas que se tratarán a continuación.

Cambios en la dieta

La American Cancer Society (ACS) estima que un tercio de todos los casos de cáncer en Estados Unidos se relaciona con la nutrición. Por consiguiente, una dieta saludable es fundamental para disminuir el riesgo de cáncer. Esta dieta debe ser predominantemente vegetariana —alta en fibra y baja en grasas (en particular aquéllas de origen animal). Se recomienda el consumo de **verduras crucíferas**, té, productos de soya, calcio y grasas omega 3. La ingesta de proteínas debe mantenerse en el rango de las guías de nutrientes recomendados. Si consume alcohol, debe hacerlo con moderación; y debe evitar también la obesidad.

Al parecer las verduras de color verde o amarillo oscuro, las crucíferas (coliflor, brócoli, calabaza, brotes de Bruselas y el colirrábano) y los frijoles (legumbres) protegen

contra el cáncer. El ácido fólico que se encuentra de manera natural en las verduras de hoja verde oscuro, los frijoles secos y el jugo de naranja reducen el riesgo de cánceres de colon y cervical. Las frutas muy coloridas y las verduras que contienen **carotenoides** y vitamina C. Se ha vinculado al licopeno, uno de los muchos carotenoides (un fitoquímico, ver discusión más adelante), con la disminución del riesgo del cáncer de próstata, colon y cervical. El licopeno se encuentra de manera abundante especialmente en los productos que contienen jitomates cocidos.

Los investigadores creen que el efecto antioxidante de las vitaminas, así como del selenio mineral, ayudan a proteger al cuerpo de la acción de los radicales libres de oxígeno. Como se trató en el capítulo 5, durante el metabolismo normal la mayor parte del oxígeno en el cuerpo humano se convierte en formas estables de dióxido de carbono y agua. Sin embargo, una pequeña cantidad termina siendo una forma inestable conocida como radicales libres de oxígeno, los cuales, se cree, atacan y dañan a la membrana celular y al ADN, lo que conduce a la formación del cáncer. Los antioxidantes absorben a los radicales libres antes de que puedan causar daño e interrumpen también la secuencia de reacciones una vez que el daño ha comenzado.

Muchos estudios han relacionado la ingesta baja en fibra con el aumento del riesgo de cáncer de colon. La fibra atrapa los ácidos biliosos en el intestino para luego desecharlos del cuerpo. La interacción de los ácidos biliosos con la bacteria intestinal libera los residuos que causan el cáncer. La producción de ácidos biliosos se incrementa con el aumento del contenido de grasa en el intestino delgado.

◥ TÉRMINOS CLAVE

Edad cronológica: Edad conforme al calendario.

Edad fisiológica: Edad con base en la capacidad funcional y física del individuo.

Ácido desoxirribonucleico (ADN): Sustancia genética que conforma a los genes; molécula que contiene el código celular genético.

Ácido ribonucleico (ARN): Material genético que participa en la formación de las proteínas celulares.

Benigno: No cancerígeno.

Maligno: Cancerígeno.

Cáncer: Grupo de enfermedades caracterizadas por un crecimiento y una propagación incontrolables de células anormales que llegan a formar tumores malignos.

Carcinoma *in situ*: Tumor maligno encapsulado que se encuentra en una etapa primera y que no se ha propagado.

Angiogénesis: Formación capilar (vasos sanguíneos) que deviene en un tumor.

Metástasis: Movimiento de bacterias o células del cuerpo de una parte del cuerpo a otro, como en el cáncer.

Verduras crucíferas: Plantas que producen hojas en forma de cruz (coliflor, brócoli, calabaza, brotes de Bruselas, colirrábano) y que al parecer tiene un efecto protector contra el cáncer.

Carotenoides: Sustancias de pigmento (más de 600) contenidas en las plantas, cerca de 50 de ellas son precursoras de la vitamina A. El carotenoide más potente es el beta-caroteno.

© 2001 PhotoDisc, Inc.

Tal parece que los fitoquímicos que se encuentran en abundancia en las frutas y las verduras tienen un efecto poderoso en la disminución del riesgo de cáncer.

Se recomienda el consumo diario de 25 (mujeres) a 38 (hombres) gramos de fibra. Los granos son ricos en fibra y contienen vitaminas y minerales —ácido fólico, selenio y calcio— los cuales, al parecer, disminuyen el riesgo de cáncer de colon. El selenio protege también en contra del cáncer de próstata y quizá del cáncer de pulmón. El calcio protege contra el cáncer de colon al prevenir el rápido crecimiento de células en el colon, especialmente en las personas con pólipos en el colon.

Fitoquímicos Un horizonte promisorio en la prevención del cáncer es el descubrimiento de los **fitoquímicos**. Estos compuestos, que se encuentran en abundancia en las frutas y las verduras, al parecer ejercen un efecto poderoso en la prevención del cáncer al impedir la formación de tumores cancerígenos e interrumpir el proceso en casi cada fase. Los expertos recomiendan que, para obtener la mayor protección posible, los productos se consuman varias veces durante el día (en lugar de consumirlos sólo en una comida) para mantener niveles efectivos de fitoquímicos. Las investigaciones indican que los niveles de éstos en la sangre se reducen después de tres horas de haber consumido los productos.[20]

Se sabe que los polifenoles (fitoquímicos) impiden también la formación de **nitrosaminas** (compuestos potencialmente generadores de cáncer que se forman a partir de los químicos que se hallan en las carnes procesadas y que previenen la formación de bacterias dañinas) al convertir las defensas naturales de desintoxicación del cuerpo y, por medio de esto, eliminan la progresión de la enfermedad. Los fitoquímicos están presentes también en mu-

chos granos y en el té regular (no en el herbal). Asimismo, el té verde, el negro y el rojo proporcionan protección. Las pruebas señalan también que ciertos componentes en el té pueden impedir la propagación del cáncer en otras partes del cuerpo. El té verde y el negro contienen cantidades similares de polifenoles, en tanto que el té herbal no proporciona los mismos beneficios que el té regular.

El té verde parece ser especialmente de ayuda en la prevención del cáncer gastrointestinal, incluyendo el cáncer de estómago, intestino delgado, páncreas y colon. El consumo de té verde se ha vinculado también con una menor incidencia de los cánceres relacionados con el pulmón, esófago y estrógenos, así como con la mayoría de los cánceres de mama. Otras investigaciones indican que los fitoquímicos del té verde hacen que las células cancerígenas se autodestruyan.[21] En Japón, donde la gente bebe té verde de manera regular pero fuma el doble que la población estadounidense, la incidencia de cáncer de pulmón es menor que en Estados Unidos por casi la mitad. En una dieta de prevención del cáncer se recomienda beber dos o más tazas de té verde al día.

El efecto antioxidante de uno de los polifenoles en el té verde —el galato de epigallocatequina o EGCG— es al menos 25 veces más efectivo que la vitamina E y 100 veces más efectivo que la vitamina C pues protege a las células y al ADN del daño que se cree genera el cáncer, las enfermedades cardiacas así como otras asociadas con los radicales libres.[22] El EGCG es también dos veces más fuerte que el resveratrol antioxidante del vino tinto que ayuda a prevenir los padecimientos cardiacos.

Otros factores dietéticos Una ingesta alta de grasas puede constituir un factor de cáncer y sobrepeso. Algunos expertos recomiendan que en una dieta de prevención del cáncer, la ingesta total de grasa se limite a menos de 20% del total de las calorías diarias. La ingesta de grasa debe consistir principalmente de grasas monoinsaturadas y omega 3. Estas últimas, las cuales se hallan en muchos tipos de pescado, semillas de lino y aceite de linaza, parecen ofrecer protección contra los cánceres del recto, del páncreas, de mama, bucal, del esófago y del estómago. Las grasas omega 3 impiden la síntesis de prostaglandinas, compuestos del cuerpo que promueven el crecimiento de tumores.

Los alimentos ricos en vitamina C pueden frenar algunos tipos de cáncer. Se ha asociado a los alimentos preparados con sal, con nitrito o ahumados con el cáncer de esófago y estómago. Las carnes procesadas deben consumirse de manera esporádica y siempre acompañadas de jugo de naranja o de otros alimentos ricos en vitamina C pues ésta frena la formación de nitrosaminas.

Las guías nutricionales desalientan también la ingesta excesiva de proteínas. En algunas personas esta ingesta es casi el doble de lo que el cuerpo humano necesita. Todo indica que demasiada proteína animal disminuye las enzimas de la sangre que previenen que las células precancerígenas se conviertan en tumores.

Algunas investigaciones sugieren que cocer las proteínas (grasas o magras) a altas temperaturas por largo tiempo incrementa la formación de sustancias carcinogénicas en la piel y en la superficie de la carne. Poner a cocer la carne en el horno de microondas por un par de minutos antes de asarlo a la parrilla disminuye dicho riesgo, ya que el fluido que la carne libera es desechado (la mayoría de los **carcinógenos** potenciales se reúnen en esta solución). Remover la piel antes de servir y cocinar las carnes en término medio o tres cuartos en lugar de bien cocido reducen el riesgo.

Otra forma de disminuirlo es mezclar la proteína de soya en polvo con la carne, lo cual contribuye a reducir la formación de carcinógenos al momento de cocinar las carnes. Los alimentos de soya podrían contribuir también debido a que contienen químicos que previenen el cáncer. Si bien se requiere una mayor investigación, las isoflavonas (fitoquímicos) que se encuentran en la soya son estructuralmente parecidos al estrógeno y podrían prevenir los cánceres de mama, próstata, pulmón y colon. Estas isoflavonas se conocen por lo común como fitoestrógenos o estrógenos de planta. Las isoflavonas detienen también la angiogénesis. En la actualidad, no se sabe si los beneficios de la soya en la salud se relacionan con las isoflavonas en sí mismas o con su combinación con otros nutrientes de la soya.

En estudios con animales, cuando a los que tenían tumores se les daba grandes cantidades de soya, la actividad de estrógeno de las isoflavonas de soya generaba en realidad el crecimiento de tumores dependientes del estrógeno. Por consiguiente, los expertos aconsejan a las mujeres con cáncer de mama o con un historial de esta enfermedad a limitar la ingesta de soya debido a que ésta podría estimular las células cancerígenas al imitar con exactitud las acciones del estrógeno.

No hay recomendaciones específicas en la actualidad sobre la cantidad de ingesta diaria de proteína de soya para prevenir el cáncer. La FDA aprueba la recomendación de que 25 gramos al día junto con una dieta baja en grasa saturada y colesterol reduce el riesgo de enfermedades cardiovasculares. Con base en la dieta tradicional de la población en China y Japón, incluyendo a los niños, quienes consumen de manera regular alimentos de soya, al parecer no existe un nivel de consumo que resulte peligroso. Sin embargo, es posible que el suplemento de proteínas de soya en polvo no sea seguro, pues éste podría elevar la ingesta de proteína de soya a un nivel altamente artificial.

La gente que consume alcohol lo debe hacer con moderación, ya que demasiado alcohol aumenta el riesgo de desarrollar cierto tipo de cánceres, en especial si éste se combina con el hábito activo y pasivo de fumar. Cuando se combinan, estas sustancias aumentan de manera significativa el riesgo de cáncer en la boca, la laringe, la garganta, el esófago y el hígado. Según el ACS, cerca de 17 000 muertes al año a causa del cáncer se atribuyen al consumo excesivo de alcohol, a menudo en combinación con el consumo de tabaco. Esta acción combinada puede incrementar el cáncer de la cavidad oral hasta 15 veces más.

También se sugiere mantener el peso corporal recomendado, pues la obesidad podría estar asociada con los cánceres de colon, recto, mama, próstata, endometrio y riñón.

Abstenerse del tabaco

Fumar representa en sí mismo uno de los principales peligros para la salud. Como se indicó antes en este capítu-

lo, si se consideran todas las muertes relacionadas con este hábito, fumar es responsable de más de 440 000 muertes al año en Estados Unidos. La Organización Mundial de la Salud calcula que fumar ocasiona tres millones de muertes al año a nivel mundial. El promedio de vida de un fumador crónico es de cerca de 15 años menos que el de una persona que no fuma. La exposición carcinogénica más frecuente en los lugares de trabajo es el humo del cigarro. Al menos 28% de todos los cánceres, así como 87% del cáncer de pulmón, se vinculan con el hábito de fumar. El consumo de tabaco sin humo puede conducir a la adicción a la nicotina y a la dependencia y el incremento del riesgo de cáncer en la boca, laringe, garganta y esófago.

Evitar la exposición excesiva al sol

La exposición excesiva a la radiación ultravioleta (tanto a los rayos UVB como a los UVA) constituye uno de los factores principales del cáncer de piel. Las áreas que más comúnmente padecen cáncer de piel son las que con más frecuencia se encuentran expuestas al sol (cara, cuello y manos). Los tres tipos de cáncer de piel son:

1. Carcinoma basocelular
2. Carcinoma escamocelular
3. Carcinoma maligno

Cerca de 90% de casi 1 millón de casos de cánceres de células basales o escamosas que se reportan al año en Estados Unidos pudieron haberse prevenido si los individuos se hubieran protegido de los rayos solares. Datos de la ACS indican que el **melanoma** es el más mortal pues provocó alrededor de 7 700 muertes en 2000. Uno de cada seis estadounidenses desarrollará con el tiempo algún tipo de cáncer de piel.

No hay nada saludable en un "bronceado saludable". El bronceado de la piel es la reacción natural del cuerpo al daño permanente e irreversible que tiene lugar a partir de una exposición excesiva al sol. Incluso las exposiciones breves a la luz del día contribuyen al riesgo de cáncer de piel y envejecimiento prematuro. El bronceado desaparece al final de la temporada de verano, pero el daño principal a la piel no desaparece. Las personas con piel muy sensible deben, en particular, evitar la exposición al sol entre las 10:00 a.m. y 4:00 p.m.

◣ TÉRMINOS CLAVE

Fitoquímicos: Compuestos que se encuentran en las verduras y las frutas, y que cuentan con propiedades contra el cáncer.

Nitrosaminas: Compuestos que son generadores potenciales de cáncer y que se forman cuando los nitritos y los nitratos —los cuales se utilizan para prevenir el crecimiento de bacterias dañinas en las carnes procesadas— se combinan con otros químicos en el estómago.

Carcinógenos: Sustancias que contribuyen a la formación del cáncer.

Melanoma: Forma de cáncer de piel más virulenta y de propagación rápida.

© Fitness & Wellness, Inc.

Las quemaduras de sol y el bronceado conllevan un riesgo de cáncer de piel debido a la exposición excesiva a los rayos ultravioleta del sol.

La quemadura de sol aguda se debe a los rayos ultravioleta B (UVB), la cual se cree que constituye la principal causa de arrugas prematuras, envejecimiento y de piel corrugada, correosa y blanda, así como del cáncer de piel. Desafortunadamente, el daño no se vuelve evidente sino hasta 20 años después. Al contrario, la piel que no ha sido sobreexpuesta al sol permanece suave y sin daño alguno, y, con el tiempo, muestra menos evidencias de envejecimiento.

Las lámparas solares y las cámaras de bronceado proporcionan principalmente rayos ultravioleta A (UVA). Alguna vez se pensó que eran seguras pero hoy en día se sabe que también resultan dañinas, además de que se les ha vinculado con el melanoma, la forma más grave de cáncer de piel. Tan sólo de 15 a 30 minutos de exposición al UVA puede ser tan peligroso como pasar un día completo expuesto a la luz del sol.

Los bloqueadores solares deben aplicarse cerca de 30 minutos antes de una exposición prolongada al sol debido a que a la piel le toma mucho tiempo absorber los ingredientes de protección. Se recomienda un **factor de protección solar (FPS)** de al menos 15. El FPS 15 significa que a la piel le toma 15 veces más tiempo quemarse que si no tuviera ninguna protección. Si acostumbra asolearse de manera leve después de 20 minutos de sol de mediodía, un FPS 15 le permitirá permanecer cerca de 300 minutos al sol antes de que se pueda quemar. Mientras mayor sea el número del factor, mayor será la protección. Al nadar o sudar, los bronceadores a prueba de agua se deben volver

a aplicar más a menudo debido a que todos los protectores solares tienden a perder fuerza cuando se diluyen.

Monitoreo del estrógeno, la exposición a las radiaciones y los peligros ocupacionales potenciales

En algunos estudios se ha vinculado el uso de estrógenos con el cáncer de endometrio a pesar de que otras pruebas contradicen tales hallazgos. Y si bien la exposición a la radiación incrementa el riesgo de cáncer, los beneficios de los rayos X pueden balancear dicho riesgo; además, la mayoría de las facilidades médicas utilizan la menor dosis posible para mantener el riesgo en un nivel mínimo. Los peligros ocupacionales, tales como las fibras de asbesto, polvo de níquel y uranio, compuestos de cromo, el cloruro de vinilo y el éter bisclormetil, aumentan el riesgo de cáncer. El humo del cigarro magnifica el riesgo que representan los peligros ocupacionales.

Actividad física

Un ritmo activo de vida constituye un efecto protector contra el cáncer. Aunque el mecanismo no es claro, es posible que la condición física y la mortalidad por cáncer en hombres y mujeres mantengan una relación inversa, gradual y consistente.

Un programa de ejercicios de intensidad moderada a intensa de 30 minutos diarios reduce el riesgo de cáncer de colon y podría llegar a disminuir el riesgo de cáncer de mama o del sistema reproductivo. Las investigaciones demuestran que el ejercicio regular reduce el riesgo de cáncer de mama en las mujeres en 20 a 30%. Además, pruebas crecientes sugieren que el sistema inmunológico del cuerpo podría desempeñar una función importante en la prevención del cáncer. El ejercicio moderado mejora el sistema autoinmunológico.[23]

Detección temprana

Por fortuna, muchos tipos de cáncer se controlan o se curan por medio de una detección temprana. El verdadero problema surge cuando las células cancerígenas se propagan ya que entonces resulta difícil eliminarlas. Por lo tanto, una prevención efectiva, o al menos una detección temprana, es fundamental. Es allí donde radica la importancia de una revisión periódica. La tabla 8.4 resume las recomendaciones del ACS para la detección temprana del cáncer. En casa, una vez al mes, las mujeres se deben practicar el autoexamen de busto (BSE), mientras que los hombres, el autoexamen de testículos (TSE). Los hombres deben elegir un día regular cada mes (por ejemplo, el

Tabla **8.4** *Resumen de recomendaciones para la detección temprana del cáncer en personas asintomáticas.*

SITIO	RECOMENDACIÓN
Revisión	Se recomienda la realización de una revisión cada tres años para las personas de entre 20 y 40 años y una cada año para las personas mayores de 40. Este examen debe incluir consejos para la salud y, dependiendo de la edad del individuo, podría incluir exámenes de cáncer de tiroides, cavidad oral, piel, nudos linfáticos, testículos y ovarios, así como para ciertas enfermedades no malignas.
Busto	Las mujeres mayores de 40 años deben someterse cada año a una mamografía, un examen clínico de busto (CBE) llevado a cabo por un profesional de la salud, y debe realizarse cada mes un autoexamen (BSE). El CBE debe hacerse de preferencia antes o en una fecha cercana al examen programado de mamografía. Las mujeres de entre 20 y 39 años de edad deben realizarse un examen clínico de busto cada tres años, mientras que el BSE se debe llevar a cabo cada mes.
Colon y recto	A la edad de 50 años, los hombres y las mujeres con riesgo promedio deben seguir uno de los exámenes siguientes: • Prueba de sangre fecal oculta (FOBT) cada año o • La sigmodoscopía flexible cada cinco años o • El FOBT cada año y la sigmodoscopía cada cinco años o • El enema de bario de doble contraste cada cinco años o • La colonoscopía cada 10 años* De estas tres opciones, la American Cancer Society prefiere la tercera opción, es decir, el FOBT anual y la sigmodoscopía cada cinco años. * Un examen digital del recto debe llevarse a cabo al mismo tiempo que la sigmodoscopía, la colonoscopía o el enema de bario de doble contraste. La gente que presenta un riesgo alto o creciente de cáncer colorectal debe consultar a un médico si desea someterse a una programación distinta de exámenes.
Próstata	A la edad de 50 años, el examen antígeno específico de próstata (PSA) y el examen digital del recto se deben ofrecer cada año a hombres con una esperanza de vida de al menos 10 años. Los hombres con mayor riesgo (hombres afroestadounidenses y hombres que tiene un pariente en primer grado que haya sido diagnosticado con cáncer de próstata en una edad joven) deben empezar a realizarse exámenes a la edad de 45. Se les debe proporcionar información a los pacientes acerca de los beneficios y limitaciones de los exámenes a fin de que puedan decidir de manera informada.
Útero	Cerviz: todas las mujeres que son o han sido sexualmente activas o que son mayores de 18 años deben someterse a un examen de papanicolao y uno de pelvis. Después de tres o más exámenes satisfactorios con hallazgos normales, el papanicolao debe llevarse a cabo en forma menos frecuente. Comente dicho asunto con su médico. Endometrio: a la edad de 35, las mujeres con riesgo hereditario de cáncer de colon sin pólipos deben someterse a una biopsia del endometrio cada año para revisar si hay o no presencia de cáncer.

Cancer Facts and Figures. ©2001, American Cancer Society, Inc. Utilizado con permiso.

primer día del mes) para practicar el TSE y las mujeres deben llevar a cabo el BSE dos o tres días después de que haya finalizado su periodo menstrual.

Otros factores de riesgo de cáncer

Las contribuciones al cáncer de muchos otros factores que se conocen no son tan significativas como los que se han señalado. Los aditivos alimenticios, la sacarina, los agentes procesadores, los pesticidas y los materiales de empaquetamiento que hoy en día se emplean en Estados Unidos y otros países desarrollados tienen consecuencias mínimas. Los niveles altos de estrés y la manera poco eficiente de manejarlos podrían afectar al sistema inmunológico en forma negativa y, por consiguiente, hacer que el cuerpo sea menos efectivo al momento de enfrentar los diversos tipos de cáncer.

La *genética* desempeña cierta función en la susceptibilidad en cerca de 10% de todos los tipos de cáncer. La mayor parte del efecto se puede observar en los primeros años de la niñez. Algunos cánceres se generan a partir de la combinación de riesgos genéticos y ambientales: la genética, por lo tanto, podría contribuir al riesgo ambiental de ciertos tipos de cáncer. La mayor exposición carcinogénica en las áreas de trabajo es el humo del cigarro.

Factores ambientales van más allá de la contaminación y el humo. Estos factores incluyen a la dieta, a situaciones relacionadas con el estilo de vida, a los virus y a agentes físicos como los rayos X y la exposición al sol.

TÉRMINO CLAVE

Factor de protección solar (FPS): Grado de protección que ofrecen los ingredientes de los bloqueadores solares. Se recomienda al menos el uso del FPS 15.

Señales de advertencia de cáncer

Todas las personas deberían familiarizarse con los siguientes signos de advertencia de la presencia de cáncer y lograr ser atendidos por un médico en el caso de que cualquiera de ellos se presente:

1. Cambios en el funcionamiento de los intestinos o de la vesícula.
2. Una herida que no sane.
3. Sangrado o derrame inusuales.
4. Endurecimiento o protuberancia en el busto o en alguna otra parte del cuerpo.
5. Indigestión o dificultad para tragar.
6. Cambios notables en verrugas o lunares.
7. Tos o ronquera persistentes.

Las pruebas científicas y los procedimientos de examen para la prevención y detección temprana del cáncer cambian, pues los estudios continúan proporcionando nueva información. La intención de los programas de prevención del cáncer es educar y guiar a los individuos hacia un estilo de vida que ayude a prevenir el cáncer y permita su detección temprana. Las recomendaciones de la ACS (tabla 8.4) para la detección temprana del cáncer en personas asintomáticas se deben atender en los exámenes físicos regulares como parte de un programa de prevención del cáncer.

El tratamiento del cáncer debe dejarse siempre a médicos especializados. Las modalidades de tratamiento actual incluyen cirugía, radiación, sustancias radiactivas, quimioterapia, hormonas e inmunoterapia.

Enfermedad de obstrucción crónica pulmonaria

La **enfermedad pulmonar obstructiva crónica (EPOC)** incluye a las enfermedades que limitan el flujo de aire, como la bronquitis crónica, el enfisema y un componente reactivo de paso de aire similar al asma. La incidencia de EPOC incrementa de manera proporcional con el hábito de fumar (y otras formas de aspiración de tabaco) y con la exposición a ciertos tipos de contaminación industrial. En el caso del enfisema, también se encuentra la presencia de factores genéticos.

Accidentes

A pesar de que muchas personas no consideran a los accidentes como un problema de salud, éstos se sitúan en el cuarto sitio de causa de muerte en Estados Unidos, lo que afecta el bienestar de millones de estadounidenses al año. La prevención de accidentes y la seguridad personal son parte también de un programa de fortalecimiento de la salud enfocado a lograr una mejor calidad de vida. Una nutrición adecuada, el ejercicio, dejar de fumar y el manejo del estrés son de poca ayuda si la persona se ve involucrada en un accidente fatal o que la deje incapacitada y cuyas causas podrían ser la distracción, un sola decisión imprudente o no llevar puesto el cinturón de seguridad.

Los accidentes no siempre ocurren en forma inevitable: en ocasiones nosotros mismos los provocamos y en otras somos víctimas de ellos. Aunque algunos factores en la vida —temblores, tornados y accidentes aéreos, por ejemplo— están completamente fuera de nuestro control, más a menudo de lo que se piensa el cinturón de seguridad y la prevención de accidentes son una cuestión de sentido común. Muchos accidentes se derivan de una actitud negativa o de un estado mental confuso. Con frecuencia los accidentes ocurren cuando nos encontramos molestos, no ponemos atención a lo que estamos realizando o por consumo excesivo de alcohol o drogas.

El abuso de alcohol es la causa número uno de todos los accidentes. La intoxicación alcohólica es la principal causa de accidentes automovilísticos fatales. Otras drogas que en general se consumen en exceso en la sociedad alteran los sentimientos y las percepciones, ocasionan confusión mental y deterioran el juicio y la coordinación, con lo que aumentan en gran medida el riesgo de mortalidad y morbilidad por accidentes.

Abuso de sustancias

En la actualidad la dependencia a las sustancias químicas conlleva algunos de los comportamientos sociales más autodestructivos. El abuso de sustancias incluyen al alcohol, las drogas y los cigarros (este último ya se trató en este capítulo). Los problemas que se asocian al abuso de sustancias incluyen manejar en estado alcoholizado o inapropiado, mezclar prescripciones de fármacos, las dificultades familiares y el uso de drogas para mejorar el desempeño deportivo (esteroides anabólicos). A partir del reconocimiento de que todas las formas de abuso de sustancias son dañinas, la siguiente información se enfoca en el alcohol y en las drogas ilegales como la mariguana, la cocaína, las metanfetaminas, la heroína y el MDMA (éxtasis).

Alcohol

El uso de alcohol representa uno de los problemas de drogas relacionados con la salud más significativo en Estados Unidos hoy en día. Se calcula que siete de cada 10 adultos, o más de 100 millones de estadounidenses mayores de 18 años, son bebedores. Alrededor de 10 millones de ellos llegarán a tener un problema relacionado con el acto de beber, incluido el **alcoholismo**, durante su vida. Se cree que otros 3 millones de adolescentes tienen problemas con el alcohol.

El consumo de alcohol impide la visión periférica, deteriora la habilidad de ver y oír, disminuye el tiempo de reacción, obstaculiza la concentración y las habilidades motoras (lo que incluye un creciente balanceo del cuerpo) y provoca deterioro en la consideración de la distancia y la velocidad de los objetos en movimiento. Además, disminuye el sentido del miedo, incrementa los comportamientos riesgosos, estimula la micción e induce el sueño.

Una sola dosis grande de alcohol puede afectar también la función sexual. Uno de los efectos más desagradables, peligrosos y amenazantes de beber es la **acción sinergística** del alcohol cuando se combina con otras drogas, en particular con los sedantes del sistema nervioso central. Las manifestaciones a largo plazo del abuso de alcohol pueden ser graves y dañinas. Dichas condiciones incluyen la **cirrosis** de hígado (a menudo fatal), un mayor riesgo de cáncer oral, de esófago y de hígado; **cardiomiopatía**, presión sanguínea alta, mayor riesgo de infartos, inflamación del esófago, del estómago, del intestino delgado y del páncreas; úlceras en el estómago; impotencia sexual; desnutrición; daño en las células del cerebro y, por consiguiente, pérdida de la memoria; depresión, psicosis y alucinaciones. En el capítulo 9 se proporciona información sobre los efectos psicológicos del alcohol.

⬠ Drogas ilegales

Cerca de 60% de la producción mundial de drogas ilegales se consume en Estados Unidos. Cada año se gastan más de 100 000 millones de dólares en estas drogas, sobrepasando la cantidad de dinero que reciben los granjeros por sus cosechas en este país.

Según el U.S. Department of Education, las drogas actuales son más potentes y adictivas, lo cual impone más que nunca un riesgo. Las drogas conducen a una dependencia física y psicológica. Si se consumen por lo regular, se integran a la química del cuerpo, lo que aumenta la tolerancia de éste, lo que obliga a la persona a incrementar la dosis en forma constante para obtener efectos similares. Además de los graves problemas en la salud que éstas implican, más de la mitad de los suicidios de adolescentes se relacionan con las drogas.

Mariguana

La mariguana (hierba o hachís) es la droga ilegal más usada en Estados Unidos: alrededor de más de 20 millones de personas en el país la consumen en forma regular. Los primeros estudios en los sesenta indicaban que los efectos potenciales de la mariguana eran exagerados y que la droga era relativamente inofensiva. La droga, como hoy en día se consume, es hasta 10 veces más potente que cuando estos primeros estudios se llevaron a cabo. Los efectos dañinos a largo plazo de la mariguana incluyen atrofia cerebral, lo que conlleva daños irreversibles en el cerebro, así como también una disminución en la resistencia a enfermedades infecciosas, bronquitis crónica, cáncer de pulmón y posible esterilidad e impotencia.

Cocaína

Al igual que la mariguana, por muchos años se consideró a la cocaína como una droga inofensiva. Esta creencia terminó en forma repentina en los ochenta cuando dos conocidos atletas, Len Bias (básquetbol) y Don Rogers (fútbol americano) murieron como consecuencia de una sobredosis de cocaína. Se estima que en la actualidad de 4 a 8 millones de personas en Estados Unidos consumen cocaína, 96% de los cuales la había consumido previamente.

La aspiración de cocaína puede provocar flujo nasal constante, congestión e inflamación nasal, así como perforación del séptum nasal. Las consecuencias de largo plazo del consumo de cocaína incluyen, en general, pérdida del apetito, desórdenes alimenticios, pérdida de peso, desnutrición, insomnio, confusión, ansiedad y psicosis por cocaína (caracterizada por paranoia y alucinaciones). Las sobredosis de cocaína pueden tener como consecuencia una muerte súbita debido a una parálisis respiratoria, arritmias cardiacas y convulsiones severas. En los individuos que carecen de una enzima utilizada en la metabolización de la cocaína, tan sólo dos o tres líneas de esta droga podrían resultar fatales.

Metanfetaminas

La metanfetamina es una forma más potente de anfetamina que se ha convertido en una amenaza creciente en Estados Unidos. Esta droga es poderosamente adictiva. En general tiene la presentación de un polvo blanco, inodoro y amargo que se disuelve rápido en agua o alcohol. Es un estimulante potente del sistema nervioso central que produce un sentimiento general de bienestar, disminuye el apetito, incrementa la actividad motora y reduce la fatiga y la necesidad de sueño.

Las metanfetaminas se fabrican con facilidad con ingredientes ilegales en laboratorios clandestinos. El riesgo de daños en un laboratorio de este tipo es muy alto debido a que se desechan contaminantes ambientales potencialmente explosivos en la producción de la droga. Los consumidores de anfetaminas experimentan un incremento de la temperatura corporal, la presión sanguínea, el ritmo cardiaco y respiratorio; disminución del apetito; hiperactividad; temblores y comportamiento violento. Las dosis altas producen irritabilidad, paranoia, daños irreversibles en los vasos sanguíneos del cerebro (lo que provoca infartos), y el riesgo de muerte repentina por hipertermia y convulsiones si ésta no se trata de inmediato.

Los adictos crónicos experimentan insomnio, confusión, alucinaciones, inflamación del revestimiento del músculo cardiaco, desorden mental similar a la esquizofrenia y daños en las células del cerebro similares a los provocados por infartos. Los cambios físicos del cerebro pueden llegar a durar meses o tal vez ser permanentes. Con el tiempo, el consumo de metanfetaminas podría re-

◢ TÉRMINOS CLAVE

Enfermedad pulmonar obstructiva crónica (EPOC): Enfermedad que limita el flujo de aire que va a los pulmones.

Alcoholismo: Enfermedad en la que el individuo pierde control al tomar bebidas alcohólicas.

Acción sinergística: Efecto de mezclar dos o más drogas, lo cual puede resultar mucho mayor a la suma de dos o más drogas que actúan por separado.

Cirrosis: Enfermedad caracterizada por la degeneración progresiva de los tejidos del hígado.

Cardiomiopatía: Enfermedad que afecta al músculo cardiaco.

ducir los niveles de dopamina en el cerebro lo cual puede generar síntomas de la enfermedad de Parkinson. Además, los adictos se ven involucrados con frecuencia en crímenes violentos, homicidio y suicidio. El consumo de metanfetaminas durante el embarazo puede provocar complicaciones prenatales, parto prematuro y el desarrollo anormal, físico y emocional del niño.

Heroína

Por primera vez en décadas, el consumo de heroína está en aumento. Algunos de los términos en inglés con los que también se le conoce son: Diesel, Dope, Dynamite, White Death, Nasty Boy, China White, H. Harry, Gumball, Junk, Brown Sugar, Smack, Tootsie Roll, Black Tar y Chasing the Dragon. Una amenaza aún más seria para los consumidores es que no hay forma de determinar la potencia de la droga que se adquiere en las calles, lo cual supone un gran riesgo de sobredosis y muerte. Se calcula que 15% de los casos de emergencia relacionados con drogas en los hospitales tienen que ver con el uso de la heroína.

Esta droga induce un estado de euforia que sobreviene después de unos cuantos segundos de haber sido inyectada vía intravenosa o de 5 a 15 minutos cuando se utilizan otros métodos de administración. La droga es un sedante, así que durante el aflujo inicial la persona experimenta un sentido de relajación y no siente dolor alguno. En los consumidores que inhalan la droga, el aflujo puede estar acompañado de náusea, vómito, comezón intensa y, en ocasiones, ataques severos de asma. A medida que el aflujo desaparece, los individuos se sienten soñolientos y confundidos, además de que su función cardiaca y su ritmo de respiración se reducen.

Una sobredosis de heroína puede causar convulsiones, estado de coma y muerte. Durante una sobredosis, el ritmo cardiaco, la respiración, la presión sanguínea y la temperatura corporal disminuyen de manera drástica. Estas respuestas fisiológicas pueden inducir el vómito, tensar los músculos y provocar que la respiración se detenga. La muerte es a menudo el resultado de la falta de oxígeno o de una obstrucción por vómito.

Después de cuatro a cinco horas de haber tomado la droga, los síntomas posteriores sobrevienen: dejar la droga resulta doloroso y los síntomas pueden prolongarse por dos semanas, o bien, pueden continuar hasta por varios meses. En el caso de individuos que han consumido la droga durante mucho tiempo, los síntomas incluyen: ventanas de la nariz rojas o despellejadas, dolor de huesos y músculos, espasmos musculares y calambres, sudor, ráfagas de frío o calor, flujo nasal, lagrimeo, mareo, lentitud, un habla torpe, pérdida de apetito, náusea, diarrea, inquietud y bostezo exagerado. El uso de heroína puede también matar a un feto en desarrollo o provocar un aborto espontáneo.

Los síntomas de consumir esta droga por un largo periodo incluyen alucinaciones, pesadillas, constipación, problemas sexuales, deterioro de la vista, reducción de la fertilidad, bochornos, venas colapsadas y un aumento significativo del riesgo de enfermedades del pulmón, del hígado y de tipo cardiovascular, que incluye infecciones bacterianas en los vasos sanguíneos y las válvulas del corazón. Los aditivos de la heroína que se vende en las calles pueden bloquear los vasos sanguíneos debido a que no se disuelven en la sangre y, por consiguiente, esto puede conducir a infecciones y a la muerte de las células en órganos vitales. El síndrome de muerte súbita infantil se presenta de manera frecuente en los niños de madres adictas.

MDMA (éxtasis)

El **MDMA**, también conocido como **"éxtasis"**, se volvió popular entre los adolescentes y los jóvenes en Estados Unidos a mediados de la década de los ochenta. Antes de 1985, pocos estadounidenses consumían esta droga. El nombre de MDMA lo recibe a partir de su estructura química: 3-4 metilenedioximetanfetamina. Además del nombre de éxtasis, otros términos en inglés para esta droga son: X-TC, E, Adam y love drug.

Si bien esta droga se presenta en general en la forma de una o dos píldoras con dosis de 50 a 240 mg, también es posible fumarla, aspirarla o en ocasiones inyectarla. Debido a que esta droga se prepara a menudo con otras sustancias, los consumidores no tienen forma de saber la potencia exacta tanto de la droga como de las sustancias adicionales que se encuentran en cada píldora.

El MDMA tiene la reputación entre los jóvenes de ser una droga divertida e inofensiva en tanto sea consumida de manera inteligente. Sin embargo, esto último está lejos de ser verdad: Los consumidores pueden llegar a experimentar movimientos rápidos de los ojos, desmayos, visión borrosa, escalofríos, sudor, náusea, tensión muscular y rechinido de dientes. Los individuos con enfermedades del corazón, hígado o riñón o con una presión sanguínea alta presentan un mayor riesgo pues el MDMA aumenta la presión sanguínea, el ritmo cardiaco y la temperatura corporal; de esta forma, la droga puede provocar fallos en el riñón, ataques cardiacos, infartos y ataques de apoplejía.

Otras pruebas sugieren que los hijos de las mujeres que consumían MDMA durante el embarazo podrían padecer lento aprendizaje y problemas de memoria. Otros efectos colaterales a largo plazo, que pueden durar por semanas después de haber consumido la droga, incluyen confusión, depresión, desórdenes del sueño, ansiedad, agresión, paranoia y comportamiento impulsivo. La memoria verbal y visual podría deteriorarse en forma significativa por años después de un consumo prolongado.

▶ Tratamiento para la dependencia a los estupefacientes

Si se reconocen los peligros del consumo de estupefacientes, las familias, los equipos de trabajo y las comunidades pueden asistirse entre sí para prevenir este tipo de problemas, así como también ayudar a aquellas personas que los padecen. El tratamiento de la dependencia a los estupefacientes (incluyendo al alcohol) rara vez se lleva a cabo sin la guía y el apoyo de profesionales en la materia. Para asegurarse de contar con la mejor asistencia disponible, la gente que la requiere debe contactar a un médico u obtener referencias de una clínica local de salud mental (consulte la Sección Amarilla).

▚ Enfermedades de transmisión sexual

Como su nombre lo indica, las **enfermedades de transmisión sexual (ETS)** son aquellas que se propagan por medio del contacto sexual. Las ETS han alcanzado proporciones epidémicas en Estados Unidos. De las más de 25 ETS conocidas, algunas de ellas son aún incurables. El American Social Health Association sostiene que 25% de todos los estadounidenses adquirirán al menos una ETS en algún momento de su vida.

Cada año más de 12 millones de personas se infectan con una ETS: se tienen registrados más de 4 millones de casos de clamidia, 800 000 casos de gonorrea, entre medio millón y 1 millón de casos de verrugas genitales, medio millón de casos de herpes y cerca de 100 000 casos de sífilis. Por supuesto, la enfermedad que acapara la atención es el VIH debido a sus mortales consecuencias.

▶ VIH/SIDA

El **VIH** o **síndrome de inmunodeficiencia adquirida** es la más terrible de todas las ETS ya que no tiene cura y en la mayoría de los casos es fatal. Es el resultado final del **virus de inmunodeficiencia humana (VIH)**, el cual se propaga entre los individuos cuyo comportamiento es altamente riesgoso: Tienen sexo sin protección o comparten jeringas hipodérmicas. Cuando una persona se infecta con el virus de VIH, éste se multiplica y ataca y destruye a las células blancas sanguíneas. Estas células forman parte del sistema inmunológico, cuya función es combatir las infecciones y enfermedades en el cuerpo. A medida que el número de células blancas aniquiladas se incrementa, el sistema inmunológico se colapsa en forma gradual o incluso puede llegar a destruirse por completo. Una vez que el sistema deja de funcionar, la persona se vuelve susceptible a **infecciones oportunistas** o a cánceres que en general no se observan en las personas sanas.

El VIH es una enfermedad progresiva. Al principio, es posible que las personas que adquieren el virus no se den cuenta de que están infectadas. Un periodo de incubación de semanas, meses, o años puede transcurrir sin que se presente ningún síntoma. El virus puede vivir en el cuerpo durante 10 años o más tiempo antes de que surja algún síntoma.

Conforme la infección avanza al grado que ciertas enfermedades empiezan a desarrollarse, se dice entonces que la persona padece de sida. El VIH por sí mismo no mata, así como tampoco la gente muere de sida. El término "SIDA" se emplea para definir a la etapa final de la infección por VIH. La muerte es provocada por un sistema inmunológico debilitado que es incapaz de combatir las enfermedades oportunistas. Se sabe que el virus llega a vivir en el cuerpo 10 años o más tiempo antes de que los síntomas surjan. Una vez que el individuo desarrolla los síntomas que corresponden a la definición de sida, la persona puede llegar a vivir alrededor de otros tres años.

No hay razón para infectarse con el VIH. En la actualidad, una vez que la persona se infecta con el virus,

no habrá forma de desinfectarla: La única solución es protegerse uno mismo contra la enfermedad. Nadie debe ser tan ignorante como para creer que nunca se infectará con el virus.

El VIH se transmite mediante el intercambio de fluidos celulares —sangre, semen, secreciones vaginales y leche materna. Se puede intercambiar estos fluidos durante el coito, mediante el uso de jeringas hipodérmicas que hayan sido utilizadas por individuos infectados, entre una mujer embarazada y el feto en desarrollo, en los bebés de mujeres infectadas, ya sea durante el nacimiento, con menos frecuencia en el amamantamiento y, rara vez, a causa de una transfusión sanguínea o un transplante de órgano.

El sida es una enfermedad que puede atacar a todo mundo sin importar diferencias de ningún tipo. La gente no se infecta del VIH por lo que es, sino por lo que hace. El VIH y el sida representan una amenaza para cualquier persona en cualquier parte del mundo: Hombres, mujeres, niños, adolescentes, jóvenes, adultos mayores, blancos, negros, hispanos, homosexuales, heterosexuales, bisexuales, drogadictos, estadounidenses, africanos, asiáticos, europeos. Nadie es inmune al VIH.

No es posible decir si una persona está infectada con el VIH o tiene sida con simplemente observarla o creer en su palabra. Ni usted, ni una enfermera, ni siquiera un doctor lo puede determinar sin la ayuda de una prueba de anticuerpos de VIH. Por lo tanto, cada vez que actúe sin medir las consecuencias, correrá el riesgo de contraer el VIH. Los dos comportamientos de más riesgo son: (a) tener sexo vaginal, anal, u oral sin protección con una persona infectada con el VIH y (b) compartir jeringas hipodérmicas u otros objetos de uso personal en el consumo de drogas con alguien que esté infectado.

El Centers for Disease Control and Prevention calcula que entre 300 000 y 900 000 personas en Estados Unidos están infectadas con el VIH. Uno de cada 300 estadounidenses tiene el virus en la actualidad y cerca de 23% de los nuevos casos reportados son mujeres. Hacia el final del año 2001, un total acumulado de 816 149 casos de sida había sido reportado en Estados Unidos y 467 910 personas habían muerto a causa de las enfermedades causadas por el VIH.

◣ TÉRMINOS CLAVE

MDMA (éxtasis): Droga alucinógena sintética con una estructura química muy parecida al MDA y la metanfetamina. También se le conoce como éxtasis.

Enfermedades de transmisión sexual (ETS): Enfermedades comunicables que se propagan a través del contacto sexual.

Síndrome de inmunodeficiencia adquirida (SIDA): Etapa final de la infección de VIH que se manifiesta por cualquiera de una serie de enfermedades que surgen cuando el sistema inmunológico del cuerpo se ve afectado por el virus.

Virus de inmunodeficiencia humana (VIH): Virus que conduce al síndrome de inmunodeficiencia adquirida (SIDA).

Infecciones oportunistas: Enfermedades que surgen en la ausencia de un sistema inmunológico que las combata en las personas sanas.

Aunque más de la mitad de los casos de sida en Estados Unidos ocurrieron al principio en hombres homosexuales o bisexuales, la infección por VIH se está propagando rápidamente en los heterosexuales. En la actualidad, cerca de 40 000 nuevas infecciones se reportan cada año. De éstas, 42% de los casos se reportan en hombres que sostienen relaciones sexuales con hombres, 33% en hombres y mujeres a través de una relación heterosexual y 25% a causa de la inyección por droga. Muchos heterosexuales practican sexo sin protección porque no creen que el sida pueda estar presente en su segmento de población. Sin embargo, el VIH es una enfermedad epidémica que no discrimina a nadie por su orientación sexual. A nivel mundial, se ha reportado hasta 80% de los casos de sida en la población heterosexual.

Al igual que con otras enfermedades graves, los pacientes de sida merecen respeto, comprensión y apoyo. El rechazo y la discriminación son propios de gente inmadura, ignorante y despreciable. La educación, el conocimiento y un comportamiento responsable son las mejores formas de minimizar el miedo y la discriminación.

☞ Guías para prevenir las ETS

Ante el panorama desolador de las ETS, la buena noticia es que usted mismo puede prevenir su propagación y tomar precauciones para que no se convierta en una víctima más. El hecho es el siguiente: La mejor técnica de prevención es mantener, de manera mutua, una relación sexual monógama, es decir, sexo sólo con una persona que, a su vez, tenga relaciones sexuales sólo con usted. Este único comportamiento lo mantendrá alejado casi por completo de cualquier riesgo de desarrollar una ETS.

Desafortunadamente, en la sociedad actual, la confianza es un concepto vago. Es posible que crea que sostiene una relación monógama cuando su pareja en realidad: (a) podría estarlo engañando e infectarse; (b) termina por tener una relación de una noche con alguien infectado; (c) adquirió el virus tiempo atrás antes de la relación que mantiene con usted y aún no sabe que está infectado; (d) podría no ser honesto con usted y decide no comentarle nada acerca de la infección o (e) consume drogas y se infecta. En cualquiera de estos casos, usted puede resultar infectado con el VIH.

Debido a que su futuro y su vida están en juego y que tal vez nunca llegue a saber si su compañero está infectado, debe considerar seria y detenidamente posponer las relaciones sexuales hasta que crea que encontró a la persona con la que sostendrá una relación monógama de por vida. Al hacerlo, no tendrá que vivir con el miedo de infectarse con el VIH o de otra ETS, o bien, de tener que enfrentar un embarazo no planeado.

Por más extraño que esto le pueda parecer a algunos, mucha gente pospone la actividad sexual hasta que se unen en matrimonio, lo cual constituye la mejor garantía contra el VIH. La gente joven debe entender que el matrimonio proporciona mucho tiempo para una sexualidad plena y satisfactoria. Si decide retrasar las relaciones sexuales, no permita que sus amigos o compañeros lo presionen para tenerlas. Algunas personas le harán creer que no es una mujer o un hombre verdaderos si no tiene sexo. La hombría o la feminidad no se comprueban durante el coito sino a través de decisiones maduras, responsables y sanas. Otras personas le harán creer que el amor no existe sin el sexo. Este último en las primeras etapas de una relación no es el producto del amor, sino que simplemente es la satisfacción de un impulso físico y a menudo egoísta. Una relación amorosa se desarrolla a lo largo de mucho tiempo y mediante el respeto que las dos personas se guarden entre sí.

Los adolescentes son en especial susceptibles a la presión de sus amigos lo que conduce a una actividad sexual prematura. Como resultado, más de 1 millón de adolescentes se embarazan cada año (un índice de 43% de embarazos en al menos una ocasión cuando fueron adolescentes). Muchos jóvenes desearían haber pospuesto las relaciones sexuales y en silencio admiran a aquellos que sí las posponen. El coito dura sólo unos cuantos minutos pero las consecuencias del sexo irresponsable pueden durar toda una vida y, en algunos casos, son fatales. Así, hay a quienes les gusta alardear sus conquistas sexuales y se burlan de las personas que deciden esperar. En realidad, muchas de estas conquistas son sólo fantasías que se exponen en un intento por ganar popularidad con los amigos.

La promiscuidad sexual no lleva nunca a una relación duradera de amor y confianza. Las personas maduras respetan las decisiones de los otros. Si alguien no respeta su decisión de esperar, sin lugar a dudas, él o ella no merece su afecto y, por tal motivo, tampoco merece nada más. No hay mejor sexo que aquél que se da entre dos individuos enamorados y responsables que confían en forma mutua y se admiran uno al otro. Contrario a muchas creencias, este tipo de relaciones son posibles pues están construidas con base en actitudes y comportamientos no egoístas.

Si analiza su entorno, encontrará que hay personas que tienen estos valores. Búsquelas y forme su grupo de amistades y su futuro alrededor de personas que lo respeten por lo que es y por lo que cree, ya que no tiene que comprometer sus decisiones o valores. Al final, cosechará la mejor recompensa de gozar una relación plena y duradera, libre de sida y de otras ETS.

Además, esté preparado a fin de que conozca su curso de acción antes de que se involucre en una situación de intimidad. Encuentre los intereses que tiene en común con la otra persona y trabaje en ellos. Exprese sus sentimientos de manera abierta: "No estoy preparado para tener sexo; sólo quiero divertirme y me gusta tan sólo besarte." Si su compañero no acepta su respuesta y no está dispuesto a detenerse, esté preparado con una respuesta más determinante. Frases como "Por favor, detente" o "No sigas" resultan la mayoría de las veces poco efectivas. Utilice una razón más contundente como "No, no estoy dispuesto a hacerlo" o "lo he pensado y no voy a tener relaciones sexuales". Si esto no funciona, considere la situación como una violación: "Intentas violarme. Voy a llamar a la policía."

Una relación sexual monógama protege casi por completo a las personas de tener riesgos de contraer el VIH u otras enfermedades de transmisión sexual.

¿Y qué hay de aquellos que no tienen o no desean una relación monógama? Los comportamientos de riesgo que incrementan de manera significativa las posibilidades de contraer una ETS, incluyendo la infección de VIH, son:

1. Parejas sexuales múltiples o anónimas como una prostituta o una conquista callejera.
2. Sexo anal con o sin condón.
3. Sexo vaginal u oral con alguien adicto a las drogas o que tiene sexo anal.
4. Sexo con alguien que usted sepa que tiene varias parejas sexuales.
5. Sexo sin protección (sin condón) con una persona infectada.
6. Contacto sexual de cualquier tipo con alguien que tenga síntomas de sida o que pertenezca a un grupo con alto riesgo de padecer esta enfermedad.
7. Compartir cepillos de dientes, rastrillos u otros implementos que pudieran estar contaminados con sangre de alguien que está, o podría estar, infectado con el virus de VIH.

Evitar comportamientos riesgosos que destruyen la calidad de vida y la vida misma es uno de los componentes fundamentales de un estilo saludable de vida. Conocer la realidad de modo que pueda tomar decisiones responsables lo protegerán a usted y a aquellos que lo rodean de situaciones inesperadas o alarmantes. Consumir alcohol en forma moderada (o abstenerse por completo de él), alejarse de las drogas y prevenir las enfermedades de transmisión sexual son las claves para evitar tanto daños físicos como psicológicos.

INTERACCIÓN EN LA RED

Elabore una dieta para disminuir su nivel de colesterol. Este sitio interactivo le proporcionará guías personalizadas sobre cómo comer de manera saludable y reducir su riesgo de enfermedades cardiacas, con base en su altura, peso, edad, sexo y nivel de actividad física.
http://www.nhlbisupport.com/chd1/create.htm

Cuestionario sobre cáncer: evalúe sus medidas de prevención. Conteste este cuestionario de siete preguntas para determinar su conocimiento sobre la prevención del cáncer.
http://mayoclinic.com/programsandtools/morequizzes.cfm

DETERMINE SU CONOCIMIENTO

Evalúe su conocimiento de los conceptos presentados en este capítulo mediante esta sección y practique las opciones de las series de preguntas en su Profile Plus CD-ROM.

1. La enfermedad de las arterias coronarias
   a. es la primera causa de muerte en Estados Unidos.
   b. es la principal causa de muerte cardiaca súbita.
   c. es una condición en la que las arterias que suministran al músculo cardiaco con oxígeno y nutrientes se adelgazan debido a los depósitos de grasa.
   d. es responsable de cerca de 20% de todas las muertes por padecimientos cardiovasculares.
   e. todas las opciones son correctas.

2. El riesgo de enfermedades del corazón se incrementa con
   a. un colesterol de LBD alto.
   b. un colesterol de LAD alto.
   c. falta de homocisteína.
   d. bajos niveles de PRC-as
   e. todos los factores anteriores.

3. La diabetes tipo II se relaciona de manera estrecha con
   a. un IMC bajo.
   b. la obesidad y la falta de actividad física.
   c. una homocisteína genéticamente baja.
   d. un aumento en la sensibilidad a la insulina.
   e. todos los factores anteriores.

4. El síndrome X se relaciona con
   a. un colesterol de LAD bajo.
   b. los triglicéridos altos.
   c. un aumento en el mecanismo de revestimiento de la sangre.
   d. una respuesta anormal de la insulina a los carbohidratos.
   e. todo lo anterior.

5. Se puede definir al cáncer como
   a. un proceso en el cual algunas células invaden y destruyen el sistema inmunológico.
   b. el crecimiento y propagación incontrolables de células anormales.
   c. la propagación de tumores benignos a través de todo el cuerpo.
   d. la interferencia de las funciones normales del cuerpo a través de una interrupción del flujo sanguíneo ocasionada por la angiogénesis.
   e. todas las opciones son correctas.

6. El cáncer
   a. es principalmente una enfermedad prevenible.
   b. se relaciona a menudo con el consumo de tabaco.
   c. ha estado vinculado con hábitos dietéticos.
   d. puede aumentar, con respecto a su riesgo, con la obesidad.
   e. todas las opciones son correctas.

7. Una dieta de prevención del cáncer debe incluir
   a. cantidades vastas de frutas y verduras.
   b. verduras crucíferas.
   c. fitoquímicos.
   d. productos de soya.
   e. todo lo anterior.

8. La mayor exposición carcinogénica en las áreas de trabajo
   a. son las fibras de asbesto.
   b. es el humo del cigarro.
   c. son los agentes biológicos.
   d. son las nitrosaminas.
   e. son los pesticidas.

9. El tratamiento de la dependencia a los estupefacientes
   a. es llevado a cabo principalmente por el propio individuo.
   b. resulta más exitoso cuando hay presión por parte de los amigos para que el individuo los deje.
   c. se logra mejor con la ayuda de los miembros de la familia.
   d. rara vez se logra sin una ayuda profesional.
   e. se realiza en general con la ayuda de los amigos.

10. La mejor forma de protegerse contra las enfermedades de transmisión sexual es
    a. mediante el uso de condones con espermicida.
    b. conocer a las personas que han sostenido previamente relaciones sexuales con su pareja.
    c. a través de una relación sexual mutuamente monógama.
    d. tener sexo sólo con un individuo que no presenta síntomas de ETS.
    e. todas las opciones anteriores proporcionan de igual forma protección contra las ETS.

Las respuestas correctas se encuentran en la página 255.

Manejo de enfermedades cardiovasculares y riesgos de cáncer

actividad

8.1

Nombre _____   Fecha _____

Curso _____   Sección _____

I. Enfermedad cardiovascular

	Sí	No
1. Acumulo entre 30 y 60 minutos de actividad física durante casi toda la semana	☐	☐
2. Me ejercito de manera aeróbica durante un mínimo de tres veces a la semana en la zona objetivo apropiada por al menos 20 minutos por sesión	☐	☐
3. Estoy en o ligeramente por debajo del porcentaje de grasa corporal recomendado para una condición saludable (ver la tabla 2.12, página 43)	☐	☐
4. Mis lípidos sanguíneos se sitúan en un rango normal	☐	☐
5. Consumo de 25 (mujeres) a 38 (hombres) gramos de fibra en mi dieta diaria	☐	☐
6. Consumo más de cinco porciones de fruta y verduras todos los días.	☐	☐
7. Limito la cantidad de grasa total, grasa saturada y colesterol en mi dieta diaria	☐	☐
8. No soy diabético	☐	☐
9. Mi presión sanguínea es normal	☐	☐
10. No fumo ni utilizo tabaco (en ninguna forma posible)	☐	☐
11. Manejo el estrés en forma adecuada en mi vida diaria	☐	☐
12. No tengo un historial personal o familiar de enfermedades cardiacas	☐	☐

Evaluación

Una respuesta "negativa" a cualquiera de los enunciados anteriores aumenta su riesgo de enfermedad cardiovascular. Mientras mayor sea el número de respuestas "negativas", mayor será el riesgo de desarrollar este tipo de enfermedad.

Por favor indique los cambios en su estilo de vida que implementará o mantendrá a fin de disminuir su riesgo personal de enfermedades cardiovasculares.

_____

_____

_____

_____

_____

_____

II. Cuestionario para la prevención del cáncer: riesgo de cáncer: ¿está tomando medidas al respecto?

Hoy en día, los científicos piensan que la mayoría de los cánceres podrían estar relacionados con el estilo de vida y con el ambiente —lo que come y bebe, si fuma o no, y el lugar donde trabaja o juega. La buena noticia, entonces, es que puede contribuir usted mismo a reducir su propio riesgo de cáncer si toma control de las situaciones y aspectos de su vida diaria.

12 pasos para una vida más saludable y para reducir el riesgo de cáncer	Sí	No
1. **¿Consume más verduras de la familia de las calabazas?** Éstas incluyen al brócoli, la coliflor, los brotes de Bruselas, todas las calabazas y la col.	☐	☐
2. **¿Incluye en su dieta alimentos ricos en fibra?** La fibra se encuentra en los granos enteros, la fruta y las verduras, incluyendo los duraznos, las fresas, las papas, la espinaca, los jitomates, el trigo o los cereales de fibra, el arroz, las palomitas de maíz y el pan de trigo entero.	☐	☐
3. **¿Elige alimentos con vitamina A?** Alimentos frescos con beta-caroteno (las zanahorias, los duraznos, los albaricoques, el chayote y el brócoli son las mejores fuentes, no las píldoras con esta vitamina).	☐	☐
4. **¿Incluye vitamina C en su dieta?** La encontrará de manera natural en muchas frutas y verduras frescas, incluyendo las uvas, el melón, la naranja, las fresas, los pimientos verdes y rojos, el brócoli y los jitomates.	☐	☐
5. **¿Hace ejercicio y supervisa su ingesta de calorías para evitar aumentar de peso?** Caminar es un ejercicio ideal para muchas personas.	☐	☐
6. **¿Disminuye su ingesta general de grasa?** Esto lo puede llevar a cabo comiendo carne magra, pescado, pollo sin piel y productos lácteos bajos en grasa.	☐	☐
7. **¿Limita el consumo de alimentos preparados con sal, con nitrito o que son humeados?** Consuma tocino, jamón, hot dogs o pescado preparado con sal sólo de manera ocasional en caso de que le gusten mucho.	☐	☐
8. **Si fuma, ¿ha intentado dejar este hábito?**	☐	☐
9. **Si bebe alcohol, ¿lo hace en forma moderada?**	☐	☐
10. **¿Se cuida de los rayos solares?** Protéjase con bloqueador solar (al menos de FPS 15) y vístase con camisas de manga larga y con sombrero, en especial durante el mediodía: 10 a.m. a 2 p.m.	☐	☐
11. **En su historial familiar, ¿está presente algún tipo de cáncer? Si es así, ¿le ha informado a su médico personal?**	☐	☐
12. **¿Conoce los siete signos de advertencia de cáncer?**	☐	☐

Si respondió de manera afirmativa a la mayoría de las preguntas, felicidades: Está tomando el control de factores simples en su estilo de vida que le ayudarán a sentirse mejor y a reducir su riesgo de padecer cáncer.

Adaptado del American Cancer Society, Texas Division.

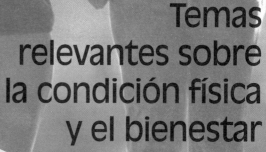

Temas relevantes sobre la condición física y el bienestar

O B J E T I V O S

- Disipar aspectos erróneos relacionados con la condición física y el bienestar.
- Proporcionar consejos prácticos y *tips* relacionados con la seguridad.
- Tratar ciertas preocupaciones específicas de las mujeres.
- Clarificar conceptos adicionales con respecto a la nutrición y el control de peso.
- Responder algunas preguntas en relación con el bienestar y la edad.
- Proporcionar guías sobre la compra de productos relacionados con la condición física y el bienestar.

Para este capítulo las actividades de su Profile Plus CD-ROM le ayudarán a determinar su riesgo de enfermedad cardiaca y cáncer, así como a planear un futuro libre de tabaco y evaluar su conocimiento sobre el VIH/sida.

Este capítulo trata algunas de las preguntas más frecuentes sobre varios aspectos de la condición física y el bienestar. Las respuestas aclararán además los conceptos tratados en este libro y desmentirán varios mitos que desinforman a la gente. La letra "P" corresponde a la pregunta mientras que la "R" designa la respuesta.

◤ Seguridad en la realización de ejercicio y prevención de daños

P ¿El ejercicio aeróbico puede lograr que una persona se vuelva inmune a las enfermedades del corazón y los vasos sanguíneos?

R Las pruebas científicas indican con claridad que los individuos con condición aeróbica tienen una menor incidencia de enfermedades cardiovasculares. Sin embargo, un programa regular de ejercicios por sí mismo no constituye una garantía absoluta en contra de las enfermedades del corazón y los vasos sanguíneos. Varios factores incrementan el riesgo de una persona de padecer estas enfermedades.

Si bien la inactividad física es uno de los factores de riesgo más significativos, los estudios documentan que éstos mantienen múltiples interrelaciones. La inactividad física, por ejemplo, contribuye a menudo al aumento de (a) la grasa corporal, (b) el colesterol de LBD, (c) los triglicéridos, (d) el es-

Figura **9.1** *Interrelaciones entre los principales factores de riesgo de enfermedades cardiovasculares.*

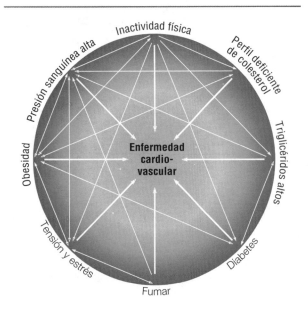

Tabla **9.1** *Cantidad mínima de horas de caminata (actividad aeróbica) requerida para una condición física moderada en los adultos.*

PROGRAMA 1	DÍAS A LA SEMANA	DISTANCIA (MILLAS)	TIEMPO (MIN)
Mujeres	≥3	2	≤30
Hombres	≥3	2	≤27
PROGRAMA 2			
Mujeres	5–6	2	30–40
Hombres	6–7	2	30–40

Tomado de S. N. Blair, *Fitness and Mortality* (Dallas: Aerobics Research Center, 1991).

trés, (e) la presión sanguínea y (f) el riesgo de diabetes (ver la figura 9.1). Como se trató en el capítulo 8, es posible prevenir y revertir la mayoría de los factores de riesgo de enfermedades cardiovasculares. El tratamiento general de los factores constituye la mejor forma de minimizar el riesgo de estas enfermedades. Las investigaciones indican también que las probabilidades de sobrevivir a un ataque cardiaco son mucho mayores en las personas que llevan a cabo un programa regular de ejercicios.

P ¿Qué cantidad de ejercicio aeróbico es óptimo para disminuir en forma significativa el riesgo de enfermedades cardiovasculares?

R La cantidad de ejercicio que se requiere para mantener la condición cardiorrespiratoria es de una sesión con una duración aproximada de 20 a 30 minutos cada 48 horas, en la cual se deberá ejercitar la zona objetivo apropiada (ver el capítulo 3). Las personas que acumulen 30 minutos de actividad moderada cada día durante casi toda la semana obtendrán de seguro muchos de los beneficios que un programa regular de ejercicios ofrece. No es posible precisar la cantidad de ejercicio que se requiere para contrarrestar el riesgo debido a las muchas diferencias existentes (genéticas y de estilo de vida) de un individuo a otro. Con todo, las investigaciones han arrojado alguna luz al respecto.

Uno de los primeros estudios indicaba que se debía gastar todos los días cerca de 300 calorías a través del ejercicio aeróbico para obtener cierto grado de protección contra las enfermedades cardiovasculares. Un estudio con estudiantes de Harvard (ver la figura 1.7, página 9), el doctor Ralph Paffenbarger y sus colabores encontraron que gastar 2 000 calorías por semana como resultado

de la actividad física generaba el riesgo más bajo de enfermedades cardiovasculares en este grupo de casi 17 000 alumnos. Las 2 000 calorías por semana representan cerca de 300 calorías por sesión diaria de ejercicio.

El trabajo que se menciona en el capítulo 8 (ver la figura 8.5, página 169), realizado en el Aerobics Research Institute de Dallas, indicaba que incluso los niveles moderados de ejercicio pueden reducir de manera sustancial la incidencia de padecimientos cardiovasculares. La dosis mínima para obtener una condición física moderada requiere un gasto de cerca de 200 calorías de cinco a siete veces por semana (ver la tabla 9.1). Apenas se logra una protección ligeramente mayor mediante niveles más altos de ejercicio.

Datos clínicos sobre individuos con o en riesgo de enfermedades coronarias sugieren que se tendrían que gastar más de 1 400 calorías por semana para mejorar la condición cardiorrespiratoria, más de 1 500 a la semana para detener la progresión de lesiones ateroscleróticas y más de 2 200 calorías por semana, o el equivalente de cinco a seis horas de ejercicio semanal, para la regresión de las lesiones. Como se comentó en la pregunta anterior, ni la actividad física ni el ejercicio por sí mismo proporcionan una garantía absoluta contra en las enfermedades cardiovasculares.

P ¿A qué edad debo empezar a preocuparme por las enfermedades cardiovasculares?

R El proceso de estas enfermedades, al igual que el cáncer, comienza en una etapa temprana de la vida como resultado de malos hábitos. Los estudios demuestran etapas iniciales de aterosclerosis y lípidos sanguíneos elevados en niños de hasta 10 años de edad.

Es posible establecer muchos hábitos positivos a una edad temprana en la vida dentro del ámbito familiar. Si se les enseñara a los individuos desde pequeños que deben evitar el consumo excesivo de calorías, dulces, sal, alcohol, que no deben fumar y que, al contrario, deben hacer ejercicio, sus probabilidades de gozar una vida más saludable serían mayores que las que hoy tiene la generación actual. Con respecto a la enseñanza, uno de los me-

La actividad física regular durante la juventud aumenta las probabilidades de llevar a cabo un programa de ejercicios durante toda la vida.

jores consejos que se le puede brindar a la humanidad se resume en la siguiente frase: "Sigue mi ejemplo". Si cultiva hábitos positivos de salud en su propia vida, será más probable que sus hijos sigan su ejemplo.

P ¿El alcohol protege contra las enfermedades cardiovasculares?

R Los beneficios en la salud del consumo moderado de alcohol han sido publicitados de manera amplia en los medios de comunicación, pero éstos se exageran. A los medios les gusta tratar este tema debido a que les agrada la idea de que éste pueda ser "un vicio benéfico para todo mundo". Las investigaciones apoyan el consumo de no más de dos bebidas alcohólicas al día en el caso de los hombres y de una al día en el caso de las mujeres pues se sabe que proporcionan beneficios más bien moderados en la disminución del riesgo de enfermedades cardiovasculares. Sin embargo, lo que no se informa en los medios de comunicación es que estos beneficios moderados no siempre aplican en el caso de la población afroestadounidense.

Los beneficios del consumo moderado de alcohol se pueden igualar con los beneficios que se obtienen de una dosis diaria de aspirina (cerca de 81 mg por día o el equivalente a un aspirina para bebé), o bien, es equivalente a consumir una cantidad pequeña de nueces todos los días. La aspirina o unas cuantas nueces no trastornan el juicio o conducen a acciones de las que más tarde se puede arrepentir o vivir con ellas el resto de su vida.

El alcohol no es para todos. Al parecer el alcoholismo tiene tanto un componente genético como uno ambiental. Aún no se sabe a ciencia cierta la razón de que algunos individuos sean capaces de beber por años sin volverse adictos mientras que otros caen en el vicio. Lo

cierto es que la adicción se desarrolla en forma lenta: La mayoría de las personas cree que tiene el control cuando bebe y no se da cuenta del problema en el que está envuelta sino hasta que se vuelve alcohólica, es decir, cuando dependen de manera física y emocional del alcohol.

En el capítulo 8 (páginas 184-185) se tratan las consecuencias nocivas a corto y largo plazo del consumo de alcohol. Si no lo consume, no empiece a hacerlo. Las mejores formas de cuidar la salud de su corazón son la actividad física regular y una dieta sana.

P ¿El ejercicio contrarresta los efectos nocivos del cigarro?

R El ejercicio físico motiva el deseo de dejar de fumar pero no contrarresta ninguno de los efectos nocivos de este hábito, el cual disminuye de manera considerable la habilidad de la sangre de transportar el oxígeno a los músculos en funcionamiento. El oxígeno es transportado en el sistema circulatorio por la hemoglobina, el pigmento con contenido de hierro de las células sanguíneas rojas. El monóxido de carbono, un residuo del humo del cigarro, tiene 210 veces mayor afinidad con la hemoglobina que con el oxígeno. En consecuencia, el monóxido de carbono se combina más rápidamente con la hemoglobina con lo que disminuye la capacidad de la sangre de transportar oxígeno.

El hábito crónico de fumar aumenta también la resistencia del paso del aire, lo cual requiere que los músculos trabajen mucho más y consuman más oxígeno para ventilar una determinada cantidad de aire. Si deja de fumar, el ejercicio contribuirá a aumentar la capacidad funcional de su sistema pulmonar.

P ¿El ejercicio me hará sentir mejor?

R Sí. Muchos estudios demuestran que el ejercicio ayuda a la gente a sentirse mejor, mejora la autoestima y la confianza en uno mismo, libera el estrés e incluso alivia la depresión. Además de beneficios fisiológicos, el ejercicio genera beneficios psicológicos. Por lo tanto, llevar a cabo una actividad física durante toda la vida resulta igualmente importante para el bienestar mental.

Pensamiento crítico

¿Qué función desempeñan la actividad física y el ejercicio en su vida? ¿Qué impacto tienen en su bienestar emocional?

P ¿Cómo puedo darme cuenta de que estoy excediendo los límites de seguridad del ejercicio?

R La mejor manera de determinar si se está ejercitando demasiado es revisar su ritmo cardiaco y asegurarse de que éste no sobrepase los límites de su objetivo. Ejercitarse más allá de este objetivo podría resultar peligroso en el caso de individuos que presentan un alto riesgo o que no tienen condición física. No es necesario ejercitarse más allá de la zona objetivo para obtener los beneficios deseados en el sistema cardiorrespiratorio. Además, si su ritmo cardiaco no vuelve a estar por debajo de las 120 pulsaciones por minuto después de que haya dejado de hacer ejercicio, significa entonces que se ha excedido. Si el nivel de recuperación de su ritmo cardiaco continúa elevado después de haber disminuido la intensidad y duración del ejercicio, es posible que presente alguna condición médica que deberá ser revisada.

Asimismo, varios signos físicos le revelarán si está excediendo sus limitaciones funcionales: Ritmo cardiaco rápido o irregular, dificultad al respirar, náusea, vómito, mareo, dolor de cabeza, vértigo, palidez, sonrojo, debilidad extrema, falta de energía, inestabilidad, músculos doloridos, calambres y opresión en el pecho. Todos estos son signos de intolerancia al ejercicio, es decir, la aversión física al ejercicio que se lleva a cabo en niveles de intensidad que sobrepasan la capacidad funcional de una persona. Aprenda a escuchar a su cuerpo. Si nota cualquiera de estos síntomas, busque atención médica antes de continuar con su programa de ejercicios.

P ¿Debo hacer ejercicio cuando estoy resfriado o tengo gripe?

R La consideración más importante es utilizar el sentido común y poner atención a los síntomas. En general puede continuar con el ejercicio si los síntomas son flujo nasal, estornudo o garganta irritada, pero si presenta fiebre y tiene los músculos doloridos, si padece vómito, diarrea o tiene una tos persistente, debe evitar hacer ejercicio. Después de una enfermedad, vuelva a incorporarse de manera gradual a su programa. No intente seguir la misma intensidad y duración a la que estaba acostumbrado antes de enfermarse.

P ¿Qué tan rápido pierde una persona los beneficios del ejercicio después de abandonar un programa?

R La rapidez con que éstos se pierden depende de los diversos componentes de la condición física y de la condición que la persona logró alcanzar antes de discontinuar el ejercicio. Específicamente, en lo que se refiere a la resistencia cardiorrespiratoria, se calcula que cuatro semanas de ejercicio aeróbico se revierten por completo en dos semanas consecutivas de inactividad física.

Si ha estado haciendo ejercicio en forma regular por meses o años, dos semanas de inactividad no le perjudicarán tanto como si se hubiera ejercitado tan sólo unas cuantas semanas. En general, con dos o tres días de inactividad aeróbica, el sistema cardiorrespiratorio empieza a perder algo de su capacidad. La flexibilidad se puede mantener con dos o tres sesiones de ejercicios de estiramiento a la semana, mientras que la fuerza se mantiene con sólo una sesión máxima a la semana. Si tuvo que interrumpir el programa por razones más allá de su control, no intente regresar al mismo nivel al que estaba

acostumbrado, sino que vaya alcanzándolo de nuevo de manera gradual.

Debe mantener un programa regular de ejercicios incluso cuando viaja y en periodos vacacionales. Si viaja, planee con anticipación y examine las opciones que tiene antes de partir. Muchos hoteles cuentan con instalaciones para hacer ejercicio. Si bien el equipo a menudo es limitado, en general es suficiente para un trabajo cardiorrespiratorio y muscular adecuados. Los viajeros frecuentes podrían incorporarse a un centro deportivo como el YMCA o el YWCA. De esta manera, podrá continuar el mismo programa de ejercicios mientras visita diferentes ciudades.

Las actividades que requieren un equipo mínimo y ningún tipo de instalaciones, como caminar, trotar y saltar la cuerda, constituyen excelentes alternativas en un viaje. Si decide viajar a otra ciudad, investigue siempre si hay lugares seguros para trotar. Los parques cercanos o los sitios aledaños a una escuela lo mantendrán alejado del tránsito y los semáforos. Los ejercicios de fortalecimiento muscular (sin aparatos) y de flexibilidad que se proporcionan en los apéndices A y B, páginas 221-232, se pueden llevar a cabo para mantener la fuerza muscular y la flexibilidad. Si decide ir a un área de campo, hallará también disponible la renta de equipo como bicicletas o patines.

P ¿Cómo debo vestirme para hacer ejercicio?

R El tipo de vestimenta que utilice para hacer ejercicio también es importante. En general, ésta debe ser confortable y permitir el movimiento libre de las diversas partes del cuerpo. Elija su vestimenta según aspectos como la temperatura del aire, la humedad y la intensidad del ejercicio. Evite el uso de nylon y de materiales impermeabilizantes, así como de las prendas ajustadas que podrían interferir con el mecanismo de enfriamiento del cuerpo u obstruir el flujo normal de la sangre. Las telas hechas de polipropileno, Capilene, Thermax y materiales sintéticos son las mejores, ya que liberan a la piel de la humedad y con ello permiten la evaporación y la sensación de frescura del cuerpo. La intensidad del ejercicio es también fundamental ya que su cuerpo producirá más calor entre más se ejercite.

Cuando haga ejercicio en lugares calurosos, evite las horas del día en las que hace más calor, es decir, entre las 11:00 a.m. y 5:00 p.m. Evite superficies como el asfalto, el concreto y el césped artificial pues éstas absorben calor, el cual se irradia después a todo el cuerpo. (Ver el tema de ejercicio en condiciones húmedas y calurosas en las páginas 199-200.)

En condiciones calurosas sólo es necesario vestir el mínimo de prendas a fin de permitir una máxima evaporación. Las prendas deben ser ligeras, de colores claros, holgadas, absorbentes y que permitan el paso del aire. Algunos de los productos que puede utilizar para hacer ejercicio en condiciones calurosas son Asci's Perma Plus, Cool-max y Nike's Dri-F.I.T. Asimismo, los calcetines de acrílico de doble capa son más absorbentes que el algodón y ayudan a prevenir la formación de ampollas y la

© Fitness & Wellness, Inc.

*Se recomienda utilizar calzado específico
para determinada actividad física a fin
de prevenir daños en las extremidades inferiores.*

irritación de los pies. Puede también usar un sombrero de paja para proteger la cabeza y los ojos del sol. En la página 201 se comenta el tipo de prendas para hacer ejercicio en condiciones frías.

Un buen par de tenis es fundamental para prevenir daños en las extremidades inferiores, por lo que debe usar tenis especialmente diseñados para su tipo de actividad. Otros aspectos sobre el uso de un calzado adecuado incluyen su tipo de cuerpo, si hay tendencia hacia la pronación o supinación, así como las superficies para hacer ejercicio. Los tenis deben tener una buena estabilidad, control del movimiento y que se ajusten de manera adecuada. Es mejor adquirir este tipo de calzado a mediodía cuando los pies se han expandido y podrían ser media talla más. Para una mayor respiración de los pies, elija tenis con la parte exterior de nylon o de malla. En general, las personas que atienden las tiendas de deportes conocen las diferencias en el tipo de calzado y pueden ayudarlo a elegir un buen par de tenis que se ajuste a sus necesidades. Examine su calzado después de haber recorrido 500 millas (805 km) o después de seis meses y adquiera un nuevo par si es que éstos se encuentran gastados. El calzado viejo es a menudo responsable de daños en las extremidades inferiores.

P ¿Qué momento del día es mejor para hacer ejercicio?

R Una persona puede ejercitarse casi a cualquier hora del día excepto alrededor de dos horas después de haber comido, o bien, durante el mediodía o en las primeras horas de la tarde cuando el día es más caluroso y húmedo. Mucha gente disfruta hacer ejercicio muy temprano en la mañana porque les inyecta energía para empezar el día y las probabilidades de alguna otra actividad o conflicto que interfiera con el tiempo destinado para el ejercicio son mínimas. Otros prefieren la hora de la comida para controlar el peso. Si se ejercita a mediodía, no comerá tanto

durante la hora de la comida, lo cual le permitirá mantener en un nivel bajo la ingesta diaria de calorías. Al parecer las personas bajo mucho estrés prefieren las horas de la noche debido a los efectos relajantes del ejercicio.

P ¿Cuánto tiempo debe esperar una persona después de haber comido para hacer ejercicio físico vigoroso?

R El tiempo de espera para poder ejercitarse después de haber comido depende de la cantidad de alimento que se consumió. En promedio, después de una comida regular una persona debe esperar cerca de dos horas antes de realizar una actividad física vigorosa. Un ejercicio ligero como caminar es recomendable pues ayuda a quemar las calorías extra y podría contribuir también a que el cuerpo metabolice las grasas de manera más eficiente.

P ¿Cómo deben tratarse los daños graves que se presentan al practicar un deporte?

R El mejor tratamiento siempre será la prevención. Si una actividad causa una molestia inusual o irritación crónica, es necesario que trate la causa disminuyendo la intensidad, intercambiando actividades, sustituyendo el equipo o sus prendas, por ejemplo, adquirir un par de tenis que le ajusten mejor.

En los casos de daño severo, el tratamiento estándar consiste en descansar, aplicar hielo, hacer compresión o entablillar (o ambos) y elevar la parte del cuerpo afectada. El acrónimo para los pasos que hay que seguir es el siguiente:

D = descanso
A = aplicación de hielo
C = compresión
E = elevación

Se debe aplicar hielo tres o cinco veces al día de 15 a 20 minutos durante las primeras 24 a 36 horas ya sea sumergiendo el área afectada en agua fría, utilizando una bolsa de hielo o aplicando masaje con hielo en la parte afectada. Se puede utilizar una banda elástica o una envoltura para la compresión, mientras que elevar el área dañada disminuye el flujo sanguíneo que corre hacia ella. El propósito de estas modalidades de tratamiento es minimizar la hinchazón del área, lo cual acelera el tiempo de recuperación.

Después de las primeras 36 a 48 horas, se puede emplear calor en el caso de que la herida no muestre signos de hinchazón o inflamación. Si tiene dudas con respecto a la naturaleza de la seriedad del daño (como una posible fractura), debe buscar atención médica.

Las deformaciones obvias (como las que se presentan en las fracturas, las dislocaciones totales o parciales) requieren entablillar, aplicar una bolsa de hielo y atención médica. No intente nunca colocar los huesos en su lugar pues los músculos, los ligamentos y los nervios podrían resultar más dañados. Personal médico especializado debe atender este tipo de accidentes. En la tabla 9.2 se proporciona una guía de referencia rápida sobre los signos, síntomas y tratamiento de los accidentes relacionados con el ejercicio.

Tabla **9.2** *Guía de referencia para problemas relacionados con el ejercicio.*

DAÑO	SIGNOS/SÍNTOMAS	TRATAMIENTO*
Moretón (contusión)	Dolor, hinchazón, palidez	Aplicación de hielo, compresión, descanso
Dislocaciones/Fracturas	Dolor, hinchazón, deformidad	Entablillado, aplicación de hielo, atención médica
Calambres por calor	Calambres, espasmos y punzadas en las piernas, los brazos y el abdomen	Detener la actividad, guarecerse del calor, estirarse, dar masaje al área afectada, tomar muchos líquidos
Agotamiento por calor	Desvanecimiento, sudor copioso, piel fría o húmeda, pulso rápido y débil, debilidad y dolor de cabeza	Detener la actividad, descansar en un lugar fresco, aflojar las prendas de vestir, frotar el cuerpo con una toalla fría o húmeda, tomar muchos líquidos, mantenerse lejos del calor por dos o tres días
Insolación	Piel caliente o seca, falta de sudor, desorientación grave, pulso rápido y a nivel máximo, vómito, diarrea, inconsciencia, temperatura corporal alta	Buscar atención médica de inmediato, pedir ayuda y guarecerse del sol, bañarse o rociarse con agua fría, o bien, frotar el cuerpo con toallas frías, tomar muchos líquidos
Esguinces	Dolor, sensibilidad, hinchazón, palidez, inutilidad	Aplicación de hielo, compresión, elevación, descanso, calor después de 36 a 48 horas (en caso de que haya desaparecido la hinchazón)
Calambres musculares	Dolor, espasmo	Estirar el músculo o músculos, ejercitar el área afectada de manera moderada
Dolor y rigidez muscular	Sensibilidad, dolor	Ejercicios moderados de estiramiento, ejercicios de baja intensidad, baño de agua caliente
Tensión muscular	Dolor, sensibilidad, hinchazón, inutilidad	Aplicación de hielo, compresión, elevación, descanso, calor después de 36 a 48 horas (en caso de que haya desaparecido la hinchazón)
Dolor de espinillas	Dolor, sensibilidad	Aplicación de hielo antes de o después de cualquier actividad física, descanso, calor (si no se lleva a cabo ninguna actividad)
Dolor de caballo	Dolor en la parte del abdomen que está por debajo de las costillas	Disminuir el nivel de actividad física o detenerse por completo, aumentar en forma gradual el nivel de ejercicio
Tendinitis	Dolor, sensibilidad, inutilidad	Descanso, aplicación de hielo, calor después de pasadas 48 horas

* El hielo debe aplicarse de tres a cuatro veces al día durante 15 minutos. La aplicación de calor se debe dar tres veces al día de 15 a 20 minutos.

P ¿Qué ocasiona el dolor y la rigidez de los músculos?

R El dolor y la rigidez de los músculos son comunes en individuos que (a) empiezan a hacer ejercicio, (b) se ejercitan más allá de los niveles acostumbrados de intensidad y duración y (c) se ejercitan de manera irregular. El dolor agudo que aparece durante las primeras horas después de realizado el ejercicio se relaciona con una fatiga general ocasionada por residuos químicos que se forman en los músculos ejercitados.

El dolor de músculos que aparece varias horas después de hacer ejercicio (en general cerca de 12 horas más tarde) y que dura entre dos y cuatro días podría relacionarse con desgarres microscópicos en el tejido muscular, espasmos musculares que aumentan la retención de fluido y en consecuencia estimulan el dolor en las terminaciones nerviosas, y con el estiramiento excesivo o el desgarre de tejido conectivo en y alrededor de los músculos y las articulaciones.

Dos tipos de contracción acompañan la actividad muscular con movimiento (ver también el tema de modo de ejercitación —contracción muscular concéntrica y contracción muscular excéntrica— en el capítulo 3, páginas 57-59). La **contracción muscular concéntrica** es una contracción dinámica en la cual el músculo se acorta a medida que se pone tenso. La **contracción muscular excéntrica** es una contracción dinámica en la que las fibras del músculo se alargan mientras desarrollan tensión.

Por ejemplo, durante el levantamiento de pesas, los músculos flexores del codo (bíceps, braquiorradial y braquial) se acortan a medida que el peso se lleva hacia el hombro (contracción concéntrica). Al bajar el peso, los músculos se contraen de manera excéntrica pues se alargan mientras la persona regresa lentamente el peso a la posición inicial.

Al correr, mientras coloca un pie en el piso, los músculos se contraen en forma excéntrica para absorber el peso del cuerpo a medida que golpea la superficie. Esta contracción excéntrica es seguida por una contracción concéntrica de la pierna al momento de golpear el piso para poder echar el cuerpo hacia adelante.

A diferencia de correr, andar en bicicleta requiere sólo contracciones concéntricas de los músculos de la pierna al momento de pedalear. Al hacer el movimiento descendente en el pedal se produce la contracción concéntrica de los músculos de los cuadriceps. Si utiliza clips en los pies, la acción de jalar el pedal de nuevo hacia la parte superior de su ciclo producirá la contracción concéntrica de los músculos del tendón de la corva.

Se ha comprobado que el ejercicio excéntrico produce más dolor de músculos que el concéntrico. Por consiguiente, correr a un nivel extenuante produce mayor dolor que andar en bicicleta a un nivel similar y con una intensidad y duración parecidas.

Para prevenir el dolor y la rigidez, se recomienda calentar los músculos en forma gradual antes de cualquier actividad física y estirarlos de manera adecuada después del ejercicio. No intente hacer demasiada actividad en poco tiempo: si presenta dolor o rigidez significará que se ha excedido. En estos casos, el estiramiento moderado, el ejercicio de baja intensidad para estimular la corriente sanguínea y un baño de agua caliente pueden proporcionar alivio.

Quizá el estiramiento constituya uno de los elementos de más ayuda después de hacer ejercicio. Los músculos cansados tienden a contraerse más de lo normal. Los residuos del metabolismo durante el ejercicio pueden producir espasmos musculares. Así pues, el estiramiento después del ejercicio ayuda al músculo a recuperar su extensión normal.

P ¿Cómo debo atender el dolor en las espinillas?

R El **dolor en las espinillas**, uno de los daños más comunes de las extremidades inferiores, se produce debido a una o más de las siguientes causas: (a) falta de un acondicionamiento adecuado y gradual; (b) realizar actividades físicas en superficies duras (pisos de madera, pistas de superficie dura como cemento o asfalto; (c) pie plano; (d) ejercicio excesivo; (e) agotamiento muscular; (f) mala postura; (g) calzado inapropiado y (h) hacer levantamiento de pesas cuando hay sobrepeso.

Para tratar el dolor en las espinillas:

1. Elimine o reduzca la causa (ejercítese en superficies menos duras, lleve un mejor calzado o soporte en el talón, o bien, deje de hacer ejercicio por completo hasta que el dolor desaparezca).
2. Haga ejercicios de estiramiento antes y después de cualquier actividad física.
3. Recurra al masaje con hielo durante 10 a 20 minutos antes y después de hacer ejercicio.
4. Aplicar calor activo (remolinos o baños de agua caliente) por 15 minutos dos o tres veces al día.
5. Utilizar vendas de soporte durante una actividad física (un terapeuta deportivo calificado le puede enseñar la técnica adecuada para vendar).

P ¿Qué provoca los calambres musculares y qué se debe hacer cuando éstos se presentan?

R Los calambres musculares son ocasionados por la reducción en el cuerpo de los electrolitos esenciales o por un colapso en la coordinación de grupos opuestos de músculos. Si sufre un calambre muscular, intente primero estirar el músculo o músculos afectados. En el caso de las pantorrillas, por ejemplo, jale los dedos del pie en dirección a las rodillas. Después de estirar los músculos, frótelos de manera suave y por último realice ejercicios ligeros que requieran el uso de esos músculos en específico.

En el caso de mujeres embarazadas o en lactancia y en personas que incluyen muy poco calcio en su dieta, los calambres se relacionan a menudo con la falta de este nutriente. Por lo tanto, en estos casos se recomienda el consumo de suplementos de calcio, ya que, en general, solucionan este problema. Asimismo, las prendas ajustadas los pueden provocar también debido a que restringen la corriente sanguínea que va hacia el tejido muscular activo.

P ¿Por qué hacer ejercicio en condiciones calurosas y húmedas resulta peligroso?

R Cuando una persona hace ejercicio, sólo 30 o 40% de la energía que su cuerpo produce se emplea para el trabajo o el movimiento mecánico. El resto de la energía (60 o 70%) se convierte en calor. Si este calor no se disipa en forma adecuada debido a que el clima es demasiado caluroso o a que la humedad es relativamente alta, la temperatura corporal aumenta y en casos extremos puede ocasionar la muerte.

El calor específico del tejido corporal (es decir, el calor que se requiere para elevar la temperatura del cuerpo a 1°C) es de 0.38 calorías por libra de peso corporal por 1°C (0.38 cal/lb/C). Esto indica que si no se disipa el calor, una persona que pesa 150 libras (68 kg) debe quemar sólo 57 calorías (150 × 0.38) para incrementar su temperatura corporal total a 1°C. Si esta persona hiciera una sesión de ejercicio que requiriera 300 calorías (correr cerca de 3 millas, 4.8 km) sin que el calor se disipara, la temperatura interna de su cuerpo aumentaría a 5.3° C, el equivalente de pasar de 98.6 a 108.1°F.

Este ejemplo ilustra con claridad la necesidad de tomar precauciones cuando se hace ejercicio en climas calurosos o húmedos. Si la humedad relativa es demasiado alta, el calor corporal no se puede disipar mediante la evaporación porque la atmósfera ya se encuentra saturada con vapor de agua. Como ejemplo, un partido de fútbol tuvo lugar cuando la temperatura era de sólo 64°F (18°C) pero la humedad relativa era de 100%. Como regla general, hay que tomar precauciones cuando la temperatura del aire está por arriba de los 90°F (32.2°C) y la humedad relativa es superior al 60 por ciento.

TÉRMINOS CLAVE

Contracción muscular concéntrica: Contracción dinámica en la que el músculo se acorta conforme desarrolla tensión.

Contracción muscular excéntrica: Contracción dinámica en la que las fibras musculares se alargan conforme desarrollan tensión.

Dolor en las espinillas: Daño en la parte baja de la pierna caracterizado por dolor e irritación.

El American College of Sports Medicine recomienda no llevar a cabo una actividad física vigorosa cuando la lectura del termómetro de bombilla húmeda excede los 82.4°F (28°C). Con este tipo de termómetro, la bombilla húmeda se enfría a causa de la evaporación, mientras que en los días secos muestra una temperatura más baja que el termómetro regular (seco). En los días húmedos el efecto de enfriamiento es menor debido a una evaporación menor; por lo tanto, la diferencia entre las lecturas húmedas y secas no es tan grande.

A continuación se presenta la descripción de medidas de primeros auxilios para los tres principales signos de problemas en el caso de realizar ejercicio en condiciones calurosas:

1. *Calambres por calor*: Los síntomas incluyen calambres y espasmos, así como tirones repentinos en las piernas, brazos y abdomen. Para aliviar los calambres por calor, deje de hacer ejercicio, busque la sombra, dé masaje al área afectada, estire en forma lenta y beba muchos líquidos (agua, bebidas de frutas o de electrolitos).
2. *Agotamiento por calor:* Los síntomas incluyen desvanecimiento, mareo, sudor excesivo, frío, humedad de la piel, debilidad, dolor de cabeza y pulso rápido y débil. Si presenta alguno de estos síntomas, deténgase y busque un lugar fresco para descansar. Sólo en estado consciente beba agua fría. Afloje o quítese las prendas de vestir y frótese el cuerpo con una toalla fría o húmeda o apliquese hielo. Póngase en posición supina con las piernas elevadas de 8 a 12 pulgadas (30.4 cm). Si no se recupera del todo en 30 minutos, busque atención médica de inmediato.
3. *Insolación:* Los síntomas incluyen desorientación grave; piel caliente o seca; falta de sudor; pulso al máximo; vómito; diarrea; inconsciencia y temperatura corporal alta. Conforme la temperatura del cuerpo se eleva, surge una ansiedad inexplicable. Cuando alcanza los 104 o 105°F, el individuo puede llegar a sentir una sensación fría en el torso, carne de gallina, náusea, palpitaciones en las sienes y entumecimiento de las extremidades. La mayoría de las personas se vuelve incoherente en esta etapa. Cuando la temperatura alcanza los 105 o 106°F (41.1°C), se presenta desorientación, pérdida de control motriz y debilidad muscular. Si la temperatura excede los 106°F, un daño neurológico grave o incluso la muerte podrían ser inminentes.

    La insolación requiere atención médica inmediata. Pida ayuda, apártese del sol y diríjase a un lugar fresco donde haya control de humedad. Mientras espera a ser llevado a la sala de emergencias de algún hospital, debe ser colocado en posición semisentada; su cuerpo debe ser rociado con agua fría o frotado con toallas frías. De ser posible, las aplicaciones de hielo deben colocarse en las áreas del cuerpo con mayor suministro de sangre, como la cabeza, el cuello, las axilas y la ingle. Si se encuentra inconsciente no se le deben suministrar líquidos.

En cualquier caso de enfermedad relacionada con condiciones calurosas, si la persona rechaza el agua, vomita o empieza a perder la conciencia, llame a una ambulancia de inmediato. Un tratamiento inicial adecuado de la insolación es fundamental.

P ¿Cuáles son las guías de recomendación de reemplazo de líquidos durante un ejercicio aeróbico prolongado?

R El objetivo principal del reemplazo de líquidos durante el ejercicio aeróbico prolongado es mantener el volumen de la sangre de modo que la circulación y la sudoración puedan continuar en niveles normales. La sustitución adecuada del agua constituye el factor más importante en la prevención de trastornos ocasionados por el calor. Tomar cerca de 6 a 8 onzas (226 g) de agua fría cada 15 a 20 minutos durante el ejercicio es ideal para prevenir la deshidratación. El estómago absorbe con mayor rapidez los líquidos fríos.

Las soluciones comerciales de reemplazo de líquidos (por ejemplo, Powerade, All Sport, Gatorade) contienen cerca de 6 a 8% de glucosa, la cual se cree que, en la mayoría de los casos, es óptima para la absorción de líquidos y el desempeño físico. Los músculos no disponen del azúcar sino hasta después de 30 minutos de haber bebido la solución de glucosa.

Las bebidas altas en fructuosa o con una concentración de glucosa por arriba de 8% harán más lenta la absorción del agua si el ejercicio se realiza bajo condiciones calurosas. La mayoría de las bebidas no alcohólicas (con o sin cola) contiene entre 10 y 12% de glucosa, cantidad demasiado elevada para una rehidratación apropiada cuando se hace ejercicio bajo el sol.

Se recomienda tomar bebidas deportivas especiales de venta comercial sobre todo si el ejercicio será vigoroso y se llevará a cabo por más de una hora. En el caso del ejercicio con menos duración, el agua es suficiente para reemplazar la pérdida de líquidos. Su selección de bebidas deberá basarse en su gusto personal. Pruebe varias de ellas con 6 a 8% de concentración de glucosa con el objetivo de determinar la bebida que tolera mejor y que además le agrada por su sabor.

En el caso de competencias de larga duración, los investigadores recomiendan consumir de 30 a 60 gramos de carbohidratos (120 a 240 calorías) cada hora. Esto se logra tomando una bebida deportiva especial de 8 onzas (226.8 g) con 6 a 8% de carbohidratos cada 15 minutos. El porcentaje de carbohidratos de la bebida se determina dividiendo la cantidad de carbohidratos (en gramos) entre la cantidad de líquidos (en ml) y multiplicándolo por 100. Por ejemplo, 18 gramos de carbohidratos en 240 ml (8 onzas) de líquido genera una bebida de 7.5% (18 ÷ 240 × 100).

P ¿Qué precauciones se deben tomar cuando se hace ejercicio en condiciones frías?

R Para estas situaciones se deben considerar dos factores: la congelación y la hipotermia. A diferencia de lo que ocurre en condiciones calurosas o húmedas, hacer ejercicio en el frío no representa una amenaza para la salud debido a que es posible utilizar prendas de vestir que conserven el calor, además de que el ejercicio por sí mismo aumenta la producción de calor corporal.

El reemplazo de líquidos y de carbohidratos es esencial durante el ejercicio de duración prolongada.

De hecho, al hacer ejercicio en estas condiciones la mayoría de las personas utiliza ropa de más. Debido a que el ejercicio aumenta la temperatura del cuerpo, el trabajo moderado en un día frío le hará sentir que la temperatura es 20° o 30° más cálida de lo que en realidad es. Usar prendas de más puede ocasionar que éstas se humedezcan debido a la sudoración excesiva. El riesgo de hipotermia aumenta cuando la persona está húmeda o no se mueve lo suficiente como para generar calor corporal. Los primeros signos de advertencia de **hipotermia** son tiritar de frío, pérdida de la coordinación y dificultad para hablar. Con el descenso continuo de la temperatura corporal, los escalofríos desaparecen, los músculos se debilitan y se ponen rígidos, y la persona se siente exaltada o intoxicada y poco a poco empieza a perder la conciencia. Para prevenir la hipotermia, utilice el sentido común: Vístase de manera adecuada y esté al pendiente de las condiciones ambientales.

La creencia popular de que hacer ejercicio en bajas temperaturas (menores a 32°F, es decir 0°C) congela los pulmones es falsa ya que el aire se calienta en forma apropiada a lo largo de su trayecto hacia los pulmones. El frío no representa una amenaza, sino la velocidad del aire, la cual contribuye a que se presenten escalofríos.

Por ejemplo, hacer ejercicio a una temperatura de 25°F (−3.8°C) con ropa adecuada no resulta muy molesto, pero si el viento sopla a 25 millas por hora (40.23 km por hora), el factor de frío reduce la temperatura a 15°F (9.4°C). El efecto se vuelve incluso peor si la persona está húmeda y fatigada. Si hay viento, ejercítese en dirección contraria a él de ida y en dirección con él de regreso.

Si bien los pulmones no se encuentran bajo ningún riesgo al hacer ejercicio en condiciones frías, se debe proteger el rostro, la cabeza, las manos y los pies pues tienden a congelarse. Tenga cuidado con el entumecimiento y el decoloramiento pues éstos son signos de congelación. En temperaturas bajas, se puede perder hasta 50% del calor corporal si no se protegen la cabeza y el cuello. Un sombrero, una capucha o una gorra de lana o de material sinté-

tico mantendrán el calor corporal. Los guantes de una sola pieza son mejores que los guantes normales pues los primeros mantienen los dedos juntos de manera que la superficie del área donde se podría perder el calor es menor. Se recomienda utilizar prendas con revestimientos de materiales sintéticos pues preservan al cuerpo de la humedad. Evite utilizar material de algodón cerca de su piel debido a que una vez que se humedece, ya sea por la sudoración, la lluvia o la nieve, pierde sus propiedades aislantes.

Llevar varias capas de ropa ligera es más recomendable que llevar una sola capa gruesa de ropa debido a que el aire caliente queda atrapado entre las capas de ropa, lo que permite una mayor conservación del calor. Conforme la temperatura corporal vaya aumentando, puede ir despojándose de las capas si es necesario. Para las competencias o ejercicios en los que se requiera recorrer largas distancias (esquí a campo traviesa o carreras largas) lleve consigo una mochila pequeña para que pueda guardar las prendas que vaya quitándose. Puede también llevar ropa caliente y seca extra en caso de que deje de hacer ejercicio en un lugar protegido. Si permanece en el exterior después de haberse ejercitado, es esencial que se ponga ropa extra y que mueva su cuerpo de manera continua.

La primera capa de ropa debe mantener su piel seca. Para ello, se recomienda utilizar materiales como el polipropileno, el Capilene y el Thermax. A continuación, una capa de lana, de dacrón o de tejido de poliéster tiene un buen efecto aislante incluso cuando se humedece. Las lycras ajustadas o los pants ayudan a proteger las piernas. La capa exterior debe ser a prueba de agua, resistente al viento y que permita la respiración del cuerpo. Se recomienda el uso de un material sintético como el Gortex a fin de que la humedad escape del cuerpo. Una máscara de esquí o una máscara para el rostro le ayudarán a protegerlo. En condiciones extremas de frío, puede emplear jalea de petróleo para proteger la piel expuesta, por ejemplo, la nariz, las mejillas o el área alrededor de los ojos.

▲ Consideraciones especiales para las mujeres

P ¿Cuáles son las diferencias fisiológicas entre hombres y mujeres en relación con el ejercicio?

R Los hombres y las mujeres presentan varias diferencias básicas que afectan su desempeño físico. En promedio, los hombres son alrededor de 3 a 4 pulgadas (10 cm) más altos y 25 a 30 libras (13.6 kg) más pesados que las mujeres. La grasa corporal promedio en los hombres en edad universitaria es de cerca de 12 a 16%, mientras que en las mujeres es de 22 a 26 por ciento.

La captación máxima de oxígeno (capacidad aeróbica) es de cerca de 15 a 30% mayor en los hombres, lo cual se relaciona con un contenido más bajo de grasa corporal (grasa esencial), una concentración más alta de

TÉRMINO CLAVE

Hipotermia: Falla en la habilidad del cuerpo de generar calor; descenso de la temperatura corporal por debajo de los 95°F.

hemoglobina y un mayor tamaño del músculo cardiaco. Esta concentración más alta de hemoglobina permite a los hombres cargar con más oxígeno durante el ejercicio, lo que representa una ventaja en las competencias deportivas. Un músculo cardiaco más grande bombea más sangre en cada latido, con lo que se incrementa la cantidad de sangre oxigenada que se halla disponible para los músculos en funcionamiento.

La calidad de los músculos en hombres y mujeres es la misma. Sin embargo, los primeros son más fuertes debido a que cuentan con mayor masa muscular y una mayor capacidad de hipertrofia muscular, es decir, la capacidad de los músculos de aumentar en tamaño. Esta mayor capacidad de hipertrofia muscular se relaciona con hormonas específicas del sexo masculino. Sin embargo, las diferencias en fuerza son significativamente menores si se toman en consideración el tamaño y la composición del cuerpo.

Los hombres tienen también los hombros más amplios, las extremidades más largas y el ancho de sus huesos es 10% mayor, excepto la pelvis. Si tomar en cuenta todas estas diferencias de género en cuanto a las características fisiológicas, los dos sexos responden al ejercicio de manera similar.

P Si el potencial de hipertrofia muscular de las mujeres no es tan grande, ¿por qué tantas mujeres fisicoculturistas desarrollan una musculatura tan impresionante?

R La idea de que los ejercicios de fortalecimiento muscular permiten a las mujeres desarrollar la hipertrofia muscular al mismo grado que se desarrolla en los hombres es tan falsa como sugerir que el hecho de jugar básquetbol hará que las mujeres se conviertan en gigantes. La masculinidad y feminidad se encuentran establecidas por herencia genética, no por la cantidad de actividad física. Las variaciones en el grado de masculinidad y feminidad están determinadas por las diferencias individuales en cuanto a las secreciones hormonales de andrógeno, testosterona, estrógeno y progesterona.

Las mujeres de complexión corporal mayor a la del promedio a menudo tienden a participar en actividades deportivas debido a la ventaja física y natural con la que cuentan. Como resultado, muchas mujeres asocian el desempeño deportivo y el desarrollo de los músculos mediante el ejercicio con el tamaño grande de los músculos.

A medida que el número de mujeres que participa en actividades deportivas se ha ido incrementando de manera constante en los últimos años, la noción errónea de que los ejercicios de fortalecimiento muscular aumentan de manera considerable el tamaño de los músculos ha ido desapareciendo en cierta medida. Por ejemplo, por libra de peso corporal, se considera a las gimnastas entre los atletas más fuertes en el mundo. Este tipo de atletas llevan a cabo de manera regular programas intensos de trabajo muscular. Sin embargo, de todas las mujeres, las gimnastas poseen algunas de las figuras más graciosas y mejor tonificadas.

En años recientes, el mejoramiento de la apariencia física se ha convertido en la regla más que en la excep-

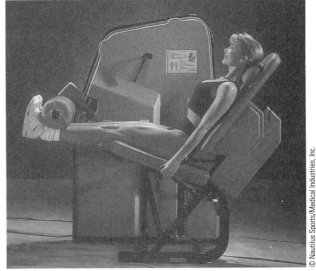

Contrario a algunas creencias, los niveles altos de fuerza no generan una mayor musculatura en el caso de las mujeres.

ción para las mujeres que participan en programas de fortalecimiento muscular. Algunas de las estrellas de cine más atractivas, así como las participantes en los concursos de belleza, hacen pesas para mejorar su imagen.

Posiblemente se pregunte en este momento: si el levantamiento de pesas no masculiniza a las mujeres, ¿por qué entonces tantas mujeres fisicoculturistas desarrollan una gran musculatura? En el fisicoculturismo, los atletas llevan a cabo rutinas intensas de ejercicio que pueden consistir de dos o más horas de levantamiento constante de pesas caracterizadas por pequeños intervalos entre cada serie de ejercicios.

En muchas ocasiones, las rutinas de este deporte requieren ejercicios de respaldo que utilicen los mismos grupos musculares. El objetivo de estos ejercicios es bombear sangre extra a los músculos, lo que los hace parecer más grandes de lo que en realidad son cuando están en estado de reposo. Con base en la intensidad y la duración de la sesión de ejercicio, los músculos pueden quedar repletos de sangre y parecer más grandes por varias horas después de haber completado la sesión. Por consiguiente, en la vida real, las mujeres no son tan musculosas como parecen cuando se preparan para una competencia.

En el fisicoculturismo, el uso de **esteroides anabólicos** y hormonas de crecimiento tanto por hombres como por mujeres representa una gran controversia. Estas hormonas producen efectos colaterales indeseables y dañinos, pero que algunas mujeres consideran tolerables (por ejemplo, la hipertensión, la retención de líquidos, un busto más pequeño, engrosamiento de la voz, la aparición de bigotes y de vello corporal). En general, el uso de esteroides anabólicos, excepto por razones médicas y cuando es supervisado en forma cuidadosa por un médico, puede provocar graves consecuencias en la salud.

No obstante, el consumo de esteroides anabólicos por mujeres fisicoculturistas se encuentra muy extendido. Según varios especialistas en medicina del deporte y con mujeres fisicoculturistas, un alto porcentaje de este tipo de deportistas ha hecho uso de los esteroides. Además, según varios entrenadores, muchas atletas del fisicoculturismo alrededor del mundo utilizan esteroides para mantener su nivel competitivo internacional.

Sin duda, las mujeres que toman esteroides desarrollarán una gran musculatura y, si los toman por largo tiempo, mostrarán efectos masculinizantes. Como resultado, el International Federation of Body Building instituyó un programa obligatorio de examen de consumo de esteroides al que se deben someter las participantes del concurso Miss Olympia. Cuando las drogas no se utilizan para promover el desarrollo, el mejoramiento de la imagen corporal se convierte en la regla más que en la excepción para las mujeres que hacen fisicoculturismo, ejercicios de fortalecimiento muscular o que participan en el ámbito deportivo en general.

P ¿Hacer ejercicio impide la menstruación?

R En algunos casos las atletas de alto nivel desarrollan **oligomenorrea** o **amenorrea** durante el ejercicio o las competencias. Estas condiciones se observan por lo común en mujeres con muy poca grasa corporal, con desórdenes alimenticios y que llevan a cabo ejercicio físico vigoroso durante un tiempo considerable. La amenorrea se asocia a menudo con los niveles bajos de estrógeno. La falta de estrógeno conlleva pérdida de masa ósea y un incremento en el riesgo de osteoporosis (ver pregunta sobre la osteoporosis en las páginas 204-206).

La amenorrea primaria se presenta cuando una chica alcanza la edad de 16 años sin haber tenido menstruación o que han pasado dos años después del desarrollo de características secundarias del sexo sin que ésta se haya presentado. La amenorrea secundaria se define como el cese de la menstruación después de transcurridos los ciclos menstruales normales.

En la actualidad se desconoce si estos desórdenes son ocasionados por el estrés físico o por el estrés emocional, los cuales están vinculados a la realización de ejercicio de alta intensidad, a una grasa corporal excesivamente baja y a otros factores. Estas condiciones no son de ninguna manera irreversibles.

La combinación de desórdenes alimenticios, amenorrea secundaria y desórdenes de los minerales de los huesos se conoce como la **tríada de las atletas** (ver la figura 9.2). Esta tríada se observa con más frecuencia en las deportistas jóvenes de alto nivel competitivo. También conocida como la tríada femenina debido a que se observa también en las mujeres que no son atletas pero que tienen muy poca grasa corporal y son en extremo activas. Una mujer puede presentar uno, dos o tres elementos de esta tríada.

El American College of Sports Medicine advierte que la tríada de las atletas puede generar una disminución de la capacidad física, enfermedad y muerte prematura. El tratamiento de la amenorrea secundaria debe iniciar después de que hayan transcurrido tres meses del

Figura **9.2** *La tríada de las atletas.*

cese de la menstruación. Se recomienda el incremento gradual de la ingesta diaria de calorías, el aumento ligero de peso, disminuir el nivel de ejercicio y mantener la ingesta adecuada de calcio a fin de que todo ello contribuya al tratamiento de la tríada.

P ¿La menstruación afecta al ejercicio?

R Si bien la mujer promedio tiene una menor capacidad física durante la menstruación, hay mujeres que han roto récords olímpicos y mundiales durante todas las etapas de su ciclo menstrual. Por lo tanto, la menstruación no debe impedir que la mujer lleve a cabo una actividad física pues no necesariamente impactará en forma negativa en su desempeño deportivo.

P ¿El ejercicio ayuda a aliviar la dismenorrea?

R Aunque no se ha probado que el ejercicio cure o agrave la **dismenorrea**, se ha comprobado que ayuda a aliviar los cólicos menstruales debido a que mejora la circulación que va al útero. En particular, los ejercicios de estiramiento de los músculos en la zona pélvica parecen reducir y prevenir el dolor de la menstruación en tanto éste no sea el resultado de una enfermedad.

TÉRMINOS CLAVE

Hemoglobina: Proteína compuesta de hierro que se encuentra en las células rojas y que transporta oxígeno en la sangre.

Esteroides anabólicos: Versión sintética de la testosterona (hormona sexual masculina), que promueve el desarrollo e hipertrofia de los músculos.

Oligomenorrea: Ciclos menstruales con poco sangrado.

Amenorrea: Detención del flujo menstrual regular.

Tríada de las atletas: Término que describe a tres desórdenes interrelacionados: El desorden alimenticio, la amenorrea y los desórdenes en los minerales de los huesos.

Dismenorrea: Menstruación dolorosa.

P ¿El ejercicio resulta seguro durante el embarazo?

R Las mujeres no deben abandonar el ejercicio durante el embarazo. Al contrario, deben ejercitarse para fortalecer su cuerpo y prepararse para el parto. El ejercicio moderado durante el embarazo contribuye a prevenir el aumento excesivo de peso y acelera el tiempo de recuperación después del parto.

Las mujeres embarazadas en las tribus indias solían realizar todas las labores pesadas hasta el mismo día en que iban a dar a luz. Unas cuantas horas después del nacimiento de su bebé, se incorporaban a sus actividades normales. De hecho, las atletas han competido durante las primeras etapas del embarazo. La mujer y su médico personal deben tomar la decisión final en lo referente al programa de ejercicios.

En cuanto a la rutina de estiramiento, los ejercicios deberán realizarse en forma suave debido a que los cambios hormonales durante el embarazo incrementan la laxitud de los músculos y el tejido conectivo. Si bien estos cambios facilitan el parto, también hacen que la mujer sea más susceptible a lastimarse durante el ejercicio.

El American College of Obstetricians and Gynecologists ha publicado las siguientes guías de ejercicio durante el embarazo. Entre las recomendaciones para las mujeres embarazadas que no presentan factores de riesgo adicionales se encuentran:

1. Continuar ejercitándose a un nivel de suave a moderado a lo largo de todo el embarazo, pero disminuya la intensidad del ejercicio en 25% en el programa de preembarazo.
2. Ejercitarse de manera regular un mínimo de tres veces a la semana en lugar de hacerlo de manera ocasional.
3. Poner atención a las señales del cuerpo tanto de molestia como de angustia. Detenga el ejercicio si se siente fatigada. Nunca se ejercite de más: Deténgase si surgen síntomas anormales como dolor de cualquier tipo, calambres abdominales, náusea, sangrado, goteo del líquido amniótico, desvanecimiento, mareo, palpitaciones, entumecimiento de cualquier parte del cuerpo o disminución de la actividad fetal.
4. Después de primer trimestre, evite los ejercicios que requieren recostarse en el piso. Esta posición puede bloquear el flujo sanguíneo que va hacia el útero y al bebé.
5. Haga actividades que no impliquen el levantamiento de peso como andar en bicicleta, nadar, hacer aeróbicos acuáticos pues éstas minimizan el riesgo de daños y pueden permitirle hacer ejercicio a lo largo de todo el embarazo.
6. Evite las actividades que podrían precipitar la pérdida de equilibrio u ocasionar incluso un trauma leve al abdomen.
7. Aliméntese de manera sana (el embarazo requiere cerca de 300 calorías extra al día).
8. Especialmente durante los primeros tres meses, evite hacer ejercicios en condiciones calurosas. Vista prendas que permitan la disipación adecuada del calor y beba mucha agua.

P ¿Qué es la osteoporosis y cómo puede prevenirse?

R La **osteoporosis,** cuyo significado literal es "huesos porosos", es una condición en la cual los huesos no cuentan con los minerales que requieren para mantenerse fuertes. Con la osteoporosis, los huesos —principalmente los de la cadera, las muñecas y la espina vertebral— se vuelven tan débiles y quebradizos que se fracturan con facilidad. El proceso inicia de manera lenta en la tercera y cuarta décadas de vida. Las mujeres son especialmente susceptibles después de la menopausia debido a la pérdida de **estrógeno** que ello conlleva, lo cual incrementa el ritmo con el que la masa ósea se va debilitando.

Alrededor de 22 millones de mujeres en Estados Unidos tiene osteoporosis y 16 millones no saben que padecen esta enfermedad. Cerca de 30% de mujeres en etapa posmenopáusica tiene osteoporosis, pero sólo a 2% se le ha diagnosticado y recibe tratamiento.

Una de cada dos mujeres y uno de cada ocho hombres mayores de 50 años tendrá una fractura relacionada con la osteoporosis en algún momento de su vida. Las probabilidades de que una mujer en etapa posmenopáusica desarrolle osteoporosis son mayores a las de desarrollar cáncer de mama o sufrir una ataque cardiaco o de apoplejía.

Cerca de 1.5 millones de fracturas se atribuyen a la osteoporosis cada año. De las mujeres que sufren fracturas de cadera, la mitad de ellas muere después de seis meses y la otra mitad no retoma su vida independiente. Por más alarmantes que puedan parecer estas cifras, no reflejan el dolor y la pérdida de la calidad de vida en las mujeres que sufren los efectos desgarradores de las fracturas por osteoporosis.

Aunque esta enfermedad es vista como un padecimiento exclusivo de las mujeres, más de 30% de la población masculina resultará afectada por ésta a la edad de 75 años. Cerca de 100 000 de las 300 000 fracturas de cadera producidas al año en Estados Unidos se presentan en hombres. El componente genético de esta enfermedad es muy fuerte, pero es posible prevenirla. El aumento de la densidad de los huesos a edad temprana y la posterior disminución del ritmo de pérdida de la densidad ósea más tarde en la vida son fundamentales para prevenir la osteoporosis.

No hay que subestimar los niveles hormonales normales antes de la menopausia, la ingesta adecuada de calcio y la actividad física a lo largo de la vida. Todos estos factores son vitales para prevenir la enfermedad: La ausencia de alguno de ellos conduce a una pérdida de densidad ósea que los otros dos factores nunca lograrán compensar por completo. Fumar, el abuso de alcohol y las drogas corticosteroides aceleran también el ritmo de pérdida de densidad ósea tanto en los hombres como en las mujeres. La osteoporosis es también más común en individuos de raza blanca, en los asiáticos y en la gente de estructura ósea pequeña. La figura 9.3 ilustra estas variables.

La salud de los huesos comienza a una edad joven. Algunos expertos han llamado a la osteoporosis "una enfermedad pediátrica". Es posible promover la densidad ósea a temprana edad si se incorporan suficientes cantidades de calcio en la dieta y se llevan a cabo actividades que impliquen el levantamiento de peso. La ingesta adecuada de calcio tanto en hombres como en mujeres se

Figura **9.3** *Factores que afectan la salud de los huesos.*

Tabla **9.3** *Ingesta diaria recomendada de calcio.*

EDAD	CANTIDAD (GRAMOS)
1–5	800
6–10	800–1 200
11–24	1 200–1 500
25–50 mujeres	1 000
25–64 hombres	1 000
MPM* en TRH**	1 000
MPM que no están TRH	1 500
>65	1 200–1 500

*MPM = mujeres posmenopáusicas
**TRH = terapia de reemplazo hormonal

Tabla **9.4** *Alimentos ricos en calcio.*

ALIMENTO	CANTIDAD DE CALCIO	(mg)	CALORÍAS
Frijoles, alubias, cocidos	1 taza	70	218
Remolacha, verduras, cocidas	½ taza	82	19
Bok choy (coliflor china)	1 taza	158	20
Brócoli, cocido, escurrido	1 taza	72	44
Burritos sin queso	1	57	225
Queso cottage 2% bajo en grasa	½ taza	78	103
Helado de leche (vainilla)	½ taza	102	100
Desayuno instantáneo, leche sin grasa	1 taza	407	216
Col, cocida, escurrida	1 taza	94	36
Leche, sin grasa, en polvo	1 cucharada	52	15
Leche, delgada	1 taza	296	88
Harina de avena, instantánea, fortificada, natural	½ taza	109	70
Quimbombó, cocido, escurrido	½ taza	74	23
Jugo de naranja, fortificado	1 taza	300	110
Leche de soya, fortificada, sin grasa	1 taza	400	110
Espinacas, crudas	1 taza	56	12
Nabos, cocidos	1 taza	197	29
Queso de soya (algunos tipos)	½ taza	138	76
Yogur de frutas	1 taza	372	250
Yogur bajo en grasa, natural	1 taza	448	155

asocia también a la disminución del riesgo de cáncer de colon. El CRP del calcio se sitúa entre los 1 000 y 3 000 mg al día, pero los especialistas en el área recomiendan consumir mayores cantidades (ver la tabla 9.3). Si bien las cantidades recomendadas permitidas pueden cumplirse con facilidad mediante la sola dieta, algunos expertos recomiendan suplementos de calcio, incluso en el caso de los niños antes de que entren a la pubertad.

Para obtener el requerimiento diario, consuma tanto como sea posible alimentos ricos en calcio, incluyendo los fortificados. Si no obtiene suficiente (como la mayoría de las personas), consuma suplementos.

El calcio suplementario se puede obtener en la forma de calcio citrato o de calcio carbonato. El primero parece absorberse de igual forma con o sin alimento, mientras que el segundo no se absorbe bien sin alimento. De manera que, si su suplemento contiene calcio carbonato, consúmalo siempre con los alimentos. No tome más de 500 mg al mismo tiempo porque las cantidades grandes no se absorben bien. No olvide tomar vitamina D pues es vital para la absorción del calcio.

Evite consumir suplementos de calcio con alimentos ricos en hierro o en conjunción con multivitamínicos con contenido de hierro. Desafortunadamente, el calcio interfiere con la absorción del hierro, así que es mejor separar la ingesta de estos dos minerales. El beneficio de tomar el suplemento de calcio sin alimento (calcio citrato) es que, en una joven en etapa de menstruación que requiere hierro, el calcio no interferirá con su absorción.

La tabla 9.4 proporciona una selección de alimentos y su contenido de calcio. Junto con una ingesta adecuada de calcio, se recomienda tomar de 400 a 800 UI de vitamina D diariamente para una absorción óptima del calcio. Las personas mayores de 50 pueden llegar a requerir de 800 a 1 000 UI. Cerca de 40% de estos adultos presentan deficiencia de vitamina D.

TÉRMINOS CLAVE

Osteoporosis: Debilitación, deterioro y pérdida de masa ósea.

Estrógeno: Hormona sexual femenina; esencial para la formación de los huesos y la conservación de la densidad ósea.

La ingesta excesiva de proteínas puede afectar también la absorción del calcio. Mientras más proteínas se consuman, mayor será el contenido de calcio en la orina (es decir, mayor será la cantidad de calcio que se evacue). Ésta podría ser la razón de que los países con una ingesta alta de proteínas tengan también los índices más altos de osteoporosis. No obstante, debe intentar cumplir con el CRP de proteínas pues las personas que las consumen muy poco (menos de 25 gramos al día) pierden más masa ósea que aquellas que las consumen en más cantidad (más de 100 gramos al día). El CRP de proteínas es de cerca de 50 gramos al día en el caso de las mujeres y de 63 en el de los hombres.

Las bebidas sin alcohol, el café y las bebidas alcohólicas pueden contribuir también a la pérdida de masa ósea si se consumen en grandes cantidades. El daño no lo ocasiona estas bebidas de manera directa sino más bien el hecho de que con frecuencia reemplazan a los productos lácteos en la dieta.

El ejercicio es esencial en la prevención de la osteoporosis pues disminuye el ritmo con que la masa ósea se va perdiendo después de la menopausia. Las personas activas son capaces de mantener la densidad ósea de manera más efectiva que las inactivas. Una combinación de actividades que impliquen levantar peso como caminar, trotar o el levantamiento de pesas, resulta de especial ayuda. Los beneficios del ejercicio mejoran también el equilibrio y la coordinación, los cuales pueden prevenir caídas y daños.

Estudios actuales indican que la gente activa tiene una mayor densidad de minerales en los huesos que la inactiva. Al igual que otros beneficios del ejercicio, no existe aquello de "tener buenos huesos": Para una buena salud ósea se requiere llevar a cabo un programa regular y permanente de ejercicios.

La investigación prevaleciente indica que el estrógeno es el factor más importante en la prevención de la pérdida de masa ósea. La densidad ósea lumbar en las mujeres que siempre han tenido ciclos menstruales mayores que los de aquellas con historias de oligomenorrea y amenorrea intercaladas con ciclos regulares. Además, la densidad lumbar ósea de estos dos grupos de mujeres es mayor que la de aquellas que nunca han tenido ciclos menstruales regulares.

Por ejemplo, las atletas con amenorrea (que tienen niveles bajos de estrógeno) presentan una densidad de minerales en los huesos más baja que las mujeres que no son atletas pero que tienen niveles normales de estrógeno. Los estudios demuestran que las atletas con amenorrea de 25 años de edad tienen los huesos de una mujer mayor de 50 años. A lo largo de los últimos años, ha sido evidente que las mujeres sedentarias con niveles normales de estrógeno tienen una mejor densidad de minerales óseos que las atletas activas con amenorrea. Muchos expertos creen que el mejor indicador del contenido de minerales óseos es el historial de regularidad menstrual.

En principio, las mujeres mayores de 65 años deben someterse a una prueba de densidad ósea con el objetivo de establecer su riesgo de osteoporosis. Las mujeres más jóvenes con riesgo de esta enfermedad deben comentar los resultados de dicha prueba con su médico personal una vez que alcancen la fase de menopausia. Esta prueba se puede emplear también para revisar los cambios que experimenta la masa ósea al paso del tiempo y para predecir el riesgo de futuras fracturas. Por otro lado, las pruebas de densidad ósea consisten de monitoreos que no causan dolor y que requieren sólo pequeñas cantidades de radiación para determinar la masa ósea de la espina vertebral, la cadera, las muñecas, el talón y los dedos. La cantidad de radiación es tan baja que los técnicos que aplican la prueba pueden sentarse junto a la persona y recibirla sin mayor problema. El procedimiento dura en general menos de 10 minutos.

⬛ Terapia de reemplazo de hormonas

Por décadas, la terapia de reemplazo de hormonas (TRH) fue la modalidad más común de tratamiento para prevenir la pérdida de masa ósea después de la menopausia. Un estudio grande con 16 000 mujeres sanas entre los 50 y 79 años finalizó tres años antes de lo planeado porque los resultados mostraron que tomar estrógeno y progestina, una forma común de TRH, incrementaba el riesgo de la enfermedad. Este estudio constituyó la primera gran prueba clínica de larga duración (ocho años) en la que se investigó la asociación entre el TRH y las enfermedades relacionadas con la edad tales como las cardiovasculares, el cáncer y la osteoporosis. Si bien el riesgo de fracturas de cadera y de cáncer colorectal disminuyó, el riesgo de desarrollar cáncer de mama, coágulos sanguíneos, apoplejías y ataques cardiacos se incrementó.

Tal vez el TRH continué siendo el tratamiento más efectivo para el alivio de algunos síntomas (de corta duración) de la menopausia como los bochornos, los cambios de humor, la dificultad para dormir y la sequedad vaginal. Sin embargo, los investigadores y los médicos deben determinar qué tanto tiempo la paciente debe seguir el TRH, de qué manera manipular mejor el tratamiento para proporcionar el máximo alivio tanto físico como emocional y, por último, cómo proteger a la mujer de la osteoporosis y de otras enfermedades relacionadas con la edad.

En forma reciente se han desarrollado nuevos tratamientos alternativos para prevenir la pérdida de masa ósea. La miacalcina, una forma sintética de la hormona calcitonina, está aprobada por el FDA para el caso de mujeres con osteoporosis y con al menos cinco años de fase posmenopáusica. La calcitonina es una hormona de la tiroides que ayuda a mantener el delicado balance de calcio en el cuerpo al tomar el contenido de éste en la sangre y depositarlo en los huesos. Si bien resulta efectiva en la prevención de la pérdida de masa ósea, no contribuye mucho en la reconstrucción de los huesos. Al parecer la miacalcina no tiene efectos colaterales y se encuentra disponible en las modalidades de inyección o spray nasal.

Dos drogas prometedoras, el alendronato (Fosamax) y el risedronato (Actonel) previenen la pérdida de masa ósea e incluso la incrementan. Se recomienda el uso del alen-

Tabla **9.5** *Alimentos ricos en hierro.*

ALIMENTO	CANTIDAD	HIERRO (mg)	CALORÍAS	COLESTEROL	CALORÍAS DE LA GRASA
Frijoles, alubias, cocidos	1 taza	4.4	218	0	4%
Bistec, magro	3 oz.	3.0	186	81	48%
Bistec, sirloin	3 oz.	2.5	329	77	74%
Bistec, hígado, fritos	3 oz.	7.5	195	345	42%
Remolacha cocida	½ taza	1.4	13	0	—
Brócoli cocido, escurrido	1 tallo pequeño	1.1	36	0	—
Frijoles refritos	1	2.4	307	14	28%
Huevo cocido	1	1.0	72	250	63%
Fécula de trigo cocida	½ taza	6.0	51	0	—
Desayuno instantáneo, leche entera	1 taza	8.0	280	33	26%
Chícharos, congelados, cocidos, escurridos	½ taza	1.5	55	0	—
Camarones hervidos	3 oz.	2.7	99	128	9%
Espinacas crudas	1 taza	1.7	14	0	—
Verduras mixtas, cocidas	1 taza	2.4	116	0	—

dronato en las mujeres que ya han padecido osteoporosis. El alendronato se utiliza principalmente para la salud de los huesos y no proporciona beneficios en el sistema cardiovascular. Aunque la investigación sobre sus efectos aún es limitada, esta droga parece ser segura y efectiva.

Los moduladores receptivos de estrógeno selectivo (MRES) se emplean también para prevenir la pérdida de masa ósea. Estos compuestos tienen un efecto positivo en los lípidos de la sangre y no representan ningún riesgo al tejido de mama y al uterino. Sin embargo los MRES no contribuyen a incrementar la densidad ósea. En la actualidad un MRES que se utiliza para prevenir la osteoporosis es el raloxifeno (Evista).

P ¿Las mujeres requieren cantidades especiales de hierro?

R El hierro es un elemento clave de la hemoglobina en la sangre. El CRP de hierro en el caso de las mujeres adultas se sitúa en los 15 y 18 mg al día (8 a 11 mg en el caso de los hombres). Los niños, los adolescentes, las mujeres en edad de procreación y las atletas de alta resistencia a menudo presentan una ingesta inadecuada de hierro. Se desarrolla una deficiencia de hierro si la absorción de este mineral no compensa las pérdidas o la ingesta diaria es baja.

Hasta 50% de las mujeres estadounidenses tienen deficiencias de hierro. Con el tiempo, la falta de depósitos de hierro en el cuerpo genera anemia, condición en la que la concentración de hemoglobina en las células rojas del cuerpo es más baja de lo que debería ser, lo cual provoca fatiga y dolores de cabeza entre otros síntomas.

Los individuos físicamente activos, en particular las mujeres, requieren hierro en cantidades mayores a las promedio. El ejercicio pesado crea una demanda de hierro mayor a la ingesta recomendada debido a que se pierden pequeñas cantidades de hierro por medio del sudor, la orina y el excremento. El trauma mecánico, ocasionado por el peso de los pies en el pavimento durante el trote excesivo, puede llegar también a generar la destrucción de células rojas con contenido de hierro.

Se sabe que hasta 25% de atletas de alta resistencia padecen deficiencias de hierro. Por tal motivo, en el caso de mujeres que realizan ejercicio físico intenso es necesario revisar en forma frecuente los niveles de **ferritina** en la sangre.

Los índices de absorción y pérdida de hierro varían según el individuo. Sin embargo, en la mayoría de los casos es posible obtener suficiente hierro a partir del consumo de alimentos ricos en este mineral como los frijoles, los chícharos, las verduras de hoja verde, los productos de grano enriquecidos, la yema de huevo, el pescado y las carnes magras. Si bien las vísceras como el hígado son fuentes especialmente buenas, tienen también un alto contenido de colesterol. En la tabla 9.5 se proporciona una lista de alimentos ricos en hierro.

◤ Nutrición y control de peso

P ¿Cuál es la diferencia entre una caloría y una kilocaloría (kcal)?

R La caloría es la unidad de medida que indica el valor energético de los alimentos y el gasto de actividad física. Técnicamente, 1 kilocaloría (kcal), o caloría grande, es la cantidad de calor necesaria para aumentar a 1°C la temperatura de 1 kilogramo de agua. Por ejemplo, si el valor calórico de un alimento es de 100 calorías (kcal), la energía de este alimento puede aumentar en 1°C la temperatura de 100 kilogramos de agua.

TÉRMINO CLAVE

Ferritina: Hierro almacenado en el cuerpo.

P ¿Cocinar los alimentos afecta su contenido calórico?

R El contenido calórico no se ve afectado de manera significativa si los alimentos se cocinan. La única excepción es la carne pues al asarla a la parrilla se drena cierta cantidad de grasa y disminuye su contenido calórico. En cambio, si se fríe se incrementa de manera significativa el contenido calórico debido al gran número de calorías contenidas en el aceite en el cual se fríe.

P ¿Hoy en día las frutas y las verduras son menos nutritivas?

R La noción de que a la tierra se le privan de sus nutrientes constituye uno de los mitos más difíciles de combatir. A continuación le presentamos la opinión del doctor Gary Banuelos, científico de la USDA Research Service en Fresno, California:

> Las frutas, verduras y granos no crecen, no pueden ser vendidos y no son adquiridos si contienen un nivel nutritivo insuficiente. Si hay una cantidad inadecuada de nutrientes en la tierra, las plantas pueden morir debido a las plagas o la enfermedad, o bien, no es posible venderlas debido a su apariencia desagradable.

Muchos otros científicos han hecho eco de estas palabras. Los promotores de este mito están desinformados o no dicen la verdad. La mayoría de las veces tan sólo intentan promover la adquisición de suplementos para obtener beneficios financieros.

P En muchas ocasiones, ¿por qué los diferentes tipos de grasas que se enlistan en la información nutricional no se añaden a la cantidad total de grasa que se indica?

R Si están presentes, los **ácidos transgrasos** y el glicerol se incluyen en la cifra total de grasa que se indica en la información nutricional. En la mayoría de los alimentos éstos constituyen sólo una pequeña parte de la grasa total. Los ácidos transgrasos no se incluyen en la información debido a que no corresponden a ninguna de las clasificaciones propuestas de grasa (monoinsaturada y poliinsaturada). El glicerol se incluye en la cantidad total de grasa porque se emplea en la formación de los ácidos grasos (triglicéridos).

P ¿El sudor copioso durante el ejercicio contribuye a que la persona pierda peso?

R El ejercicio intenso, en especial bajo condiciones cálidas o calurosas, provoca la pérdida significativa de agua. Se suda agua, no grasa. Sin el reemplazo de líquidos una persona puede perder entre 3 y 8 libras (3.6 kg) de peso (en agua) por hora, dependiendo del tamaño corporal y la temperatura ambiente. Una vez que el líquido se reemplaza, se recupera el peso rápidamente. Sin embargo, los líquidos deben reemplazarse con regularidad durante el ejercicio. Como se indicó antes, el reemplazo de líquidos

es fundamental para un desempeño óptimo y un adecuado balance del calor corporal.

P ¿Los trajes de baño de tela impermeabilizante y los baños de sauna son efectivos para perder peso?

R La respuesta es un definitivo no. Cuando una persona viste un traje de tela impermeabilizante o toma un baño de sauna, no pierde grasa sino una cantidad significativa de agua. Por supuesto que al pesarse en la báscula inmediatamente después de, por ejemplo, tomar un baño de sauna, notará que su peso ha disminuido pero esto tan sólo será una ilusión momentánea pues, una vez que reemplace los líquidos, habrá ganado el peso perdido de inmediato.

Además de acelerar el ritmo de pérdida de líquidos corporales —los líquidos que son vitales durante un ejercicio prolongado—, usar trajes de baño de tela impermeabilizante aumenta la temperatura interna del cuerpo. Este efecto combinado pone en peligro a la persona de sufrir deshidratación, lo cual puede dañar la función celular y en casos extremos ocasionar incluso la muerte.

P ¿El café es dañino para la salud?

R Una pequeña cantidad de cafeína puede avivar su mente y mantenerlo alerta. La recomendación general es que la persona consuma no más de dos tazas de café o de dos a cinco tazas de bebidas con cafeína al día. El contenido de cafeína de diversos tipos de café está entre 65 mg por 6 onzas (170 g) de café instantáneo a una cantidad más alta de 180 mg de café colado. Las bebidas sin alcohol, como casi todas las de cola, varían en contenido de cafeína entre 30 y 80 mg por una lata de 12 onzas (340 g). Mediante prueba y error, muchos adultos son capaces de moderar por sí mismos su consumo diario de cafeína.

La cafeína es una droga y, como tal, puede producir varios efectos colaterales indeseables. Dosis de cafeína de más de 200 a 500 mg pueden provocar un ritmo cardiaco inusualmente rápido o anormal, aumento de la presión sanguínea, niveles más altos de homocisteína, temperatura corporal elevada y una mayor secreción de ácidos gástricos lo cual genera problemas estomacales. Asimismo, la cafeína puede inducir síntomas de ansiedad, depresión, nerviosismo y mareo. Incluso aunque no pareciera encontrarse afectado en forma negativa por la cafeína, los riesgos en su salud se incrementan si su consumo diario está por arriba del equivalente a dos tazas de café al día.

Las mujeres embarazadas y en lactancia deben evitar la cafeína pues un consumo alto incrementa el riesgo de aborto, defectos y bajo peso del feto. La cafeína se transmite también a través de la leche materna. Las mujeres en lactancia a menudo dan a luz a niños irritables y con dificultades para dormir.

P ¿Los atletas o los individuos que se ejercitan por largos periodos requieren una dieta especial?

R En general, los atletas no requieren suplementos especiales o ningún otro tipo especial de dieta. A menos que esta última sea deficiente en cuanto a los nutrientes básicos, ninguna dieta especial, secreta o mágica hará que las personas se desempeñen mejor o se desarrollen más rápido como resultado de lo que comen. Mientras la dieta esté balanceada, con base en una gran variedad de nutrientes pertenecientes a los grupos alimenticios básicos, los atletas no requieren más suplementos adicionales que las recomendaciones de antioxidantes que se proporcionan en las páginas 110-113. Incluso en los ejercicios de fuerza y mejoramiento muscular, no es necesario el consumo de proteínas con un exceso de 20% de la ingesta total de calorías diarias.

La principal diferencia entre un individuo sedentario y otro altamente activo radica en el número total de calorías que requieren a diario, así como en la cantidad de carbohidratos durante los lapsos de actividad física prolongada. Al hacer ejercicio la gente consume más calorías debido al gran gasto de energía que se requiere como resultado de un ejercicio físico intenso.

Una dieta debe incluir cerca de 70% de carbohidratos (carga de carbohidratos) si el ejercicio aeróbico es pesado y dura varios días o cuando una persona va a participar en un evento deportivo de larga distancia con duración de más de 90 minutos (maratones, triatlones, carreras de ciclismo). En el caso de eventos de menos de 90 minutos, todo indica que la carga de carbohidratos no mejora el desempeño.

▲ Ejercicio y edad

P ¿Cuál es la relación entre edad y la capacidad física para el trabajo?

R La población de adultos mayores constituye el segmento de mayor crecimiento en Estados Unidos. El número de estadounidenses mayores de 65 años se incrementó de 3.1 millones en 1900 (4.1% de la población) a más de 34 millones (12.8%) en 1996. Para el año 2030 se espera que más de 70 millones de personas, o 22% de la población en Estados Unidos, sean mayores de 65 años.

El principal objetivo de los programas de ejercicio para adultos mayores es ayudarlos a mejorar su **condición funcional** y su salud. Esto implica la habilidad de mantener su **independencia funcional** y evitar la discapacidad. Es recomendable que los adultos mayores participen en programas que les permitan desarrollar su resistencia cardiorrespiratoria, su fuerza, resistencia y flexibilidad musculares, su agilidad y equilibrio y su coordinación motriz.

Aunque se sabe que el funcionamiento fisiológico y la capacidad motriz se ven alteradas en forma negativa como resultado de la edad, no existen pruebas contundentes en la actualidad que demuestren que la disminución de la capacidad física para el trabajo se relacione principalmente con el proceso de envejecimiento. La falta de actividad física —fenómeno común en nuestra so-

El ejercicio aumenta la calidad de vida y la longevidad.

ciedad conforme las personas envejecen— se acompaña de una disminución en la capacidad física para el trabajo que resulta mucho más dañina que los propios efectos del envejecimiento.

La información sobre individuos que han realizado una actividad física de manera sistemática a lo largo de su vida indica que este tipo de personas mantienen un nivel más alto de capacidad funcional y que no experimentan las disminuciones típicas en años posteriores. Desde un punto de vista funcional, los estadounidenses que en general son sedentarios tienen 25 años más de lo que su edad cronológica indica. Así, una persona activa de 60 años puede tener una capacidad de trabajo similar a la de una de 35 años.

Los comportamientos nocivos precipitan el envejecimiento prematuro. Para el caso de las personas sedentarias, la vida productiva termina alrededor de los 60 años. La mayoría de estas personas espera llegar a los 65 o 70 años y a menudo sufre dolencias físicas graves por lo que dejan de vivir a la edad de 60, aunque son sepultados a los 70 años. (Ver el modelo teórico en la figura 9.4.)

Un estilo de vida saludable permite a las personas vivir una vida excitante —es decir, una existencia inde-

TÉRMINOS CLAVE

Ácido transgraso: Grasa solidificada que se forma agregando hidrógeno a las grasas monoinsaturadas y poliinsaturadas para incrementar el periodo de caducidad.

Condición funcional: Capacidad física del individuo de cumplir con las demandas comunes y extraordinarias de la vida diaria en forma segura y efectiva.

Independencia funcional: Habilidad de llevar a cabo las actividades de la vida diaria sin la ayuda de otras personas.

Figura **9.4** *Relaciones entre la capacidad de trabajo físico, la edad y los hábitos de vida.*

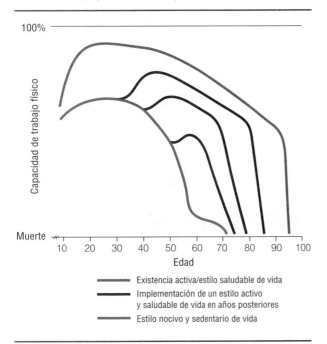

Existencia activa/estilo saludable de vida

Implementación de un estilo activo y saludable de vida en años posteriores

Estilo nocivo y sedentario de vida

pendiente tanto física, intelectual, emocional, social y funcional— a la edad de 95. Cuando a este tipo de personas les sobreviene la muerte, en general es de manera rápida y no como resultado de una enfermedad prolongada (ver la figura 9.4). Tales son las recompensas de un estilo de vida regido por el bienestar.

Pensamiento crítico

¿Alguna ha pensado cómo le gustaría sentirse y el tipo de actividades que le gustaría llevar a cabo después de los 65 años? ¿Qué necesitará hacer para lograr lo anterior?

La actividad física regular proporciona a los adultos mayores tanto beneficios fisiológicos como físicos. Los ejercicios de resistencia cardiorrespiratoria incrementan la capacidad funcional, disminuyen el riesgo de enfermedades, mejoran el nivel de salud y aumentan la esperanza de vida. Los ejercicios de fortalecimiento muscular disminuyen el índice de pérdida de fuerza y masa muscular que en general se asocia al envejecimiento. Entre los beneficios fisiológicos se cuenta el mantenimiento de la función cognitiva, la reducción de síntomas y comportamientos relacionados con la depresión y un mejoramiento de la confianza y la autoestima.

P ¿Los adultos mayores responden al ejercicio físico?

R En estudios previos se ha demostrado la capacidad para el ejercicio de las mujeres y hombres mayores, así como la efectividad de la actividad física en el mejora-

miento de su salud. Los adultos mayores que aumentan su nivel de actividad física experimentan cambios significativos en cuanto a su resistencia cardiorrespiratoria, su fuerza y flexibilidad. El tipo de cambios depende de su nivel inicial de condición física y de las actividades que las personas elijan (caminar, andar en bicicleta, entrenamiento muscular, etcétera).

El mejoramiento de la captación máxima de oxígeno en los adultos mayores es similar a la de los jóvenes, aunque los primeros requieren un periodo de ejercitación más largo para alcanzar dicho cambio. Las disminuciones en la captación máxima de oxígeno son cerca de 1% al año en promedio entre las edades de 25 y 72 años. Se observa un índice más lento de disminuciones en las personas que toda su vida han llevado a cabo un programa de ejercicios aeróbicos.

Los resultados de la investigación de los efectos del envejecimiento en el sistema cardiorrespiratorio de los hombres que hacen ejercicio en comparación con los sedentarios demostraron que la captación máxima de oxígeno de los primeros era casi el doble que la de los segundos. El estudio reveló una disminución de la captación de oxígeno, entre las edades de 50 y 68, de sólo 13% en el grupo de personas activas en comparación con 41% en las inactivas. Estos cambios indican que cerca de un tercio de la pérdida de captación de oxígeno se debe al envejecimiento, mientras que dos tercios de esta pérdida se deben a la inactividad.

Asimismo, la presión sanguínea, el ritmo cardiaco y el peso corporal resultaron notablemente mejores en el grupo de personas que se ejercita. Además, todo indica que el ejercicio aeróbico disminuye la presión sanguínea alta en los participantes de mayor edad a un mismo ritmo que en las personas jóvenes e hipertensas.

La fuerza muscular disminuye en 10 a 20% entre las edades de 20 y 50 años, pero entre los 50 y 70 decae en otro 25 a 30%. Mediante ejercicios de fortalecimiento muscular, los adultos de condición física frágil en sus 80 o 90 pueden duplicar o triplicar su fuerza en tan sólo unos cuantos meses. Sin embargo, la cantidad de hipertrofia muscular alcanzada disminuye con la edad. Se ha observado un aumento de la fuerza muscular de 200% en adultos anteriormente inactivos mayores de 90 años. De hecho, las investigaciones demuestran que el ejercicio muscular regular mejora el equilibrio, el modo de andar, la velocidad, la independencia funcional, el estado de ánimo, los síntomas de depresión y la captación de energía.

Si bien la flexibilidad muscular disminuye cerca de 5% por década de vida, 10 minutos de ejercicios de estiramiento de vez en cuando puede prevenir la mayor parte de esta pérdida conforme la persona va envejeciendo. El mejoramiento de la flexibilidad contribuye al fortalecimiento de las habilidades motrices, las cuales promueven la independencia debido a que contribuyen a que los adultos mayores realicen de manera exitosa sus **actividades diarias**.

En cuanto a la composición corporal, los adultos inactivos continúan aumentando de peso después de los 60 años (a pesar de la tendencia hacia un peso corporal más bajo). Este aumento de peso está quizá relacionado con una disminución en el índice metabólico basal, así como con una actividad física acompañada de un aumento en la ingesta de calorías superior a la que se requiere para mantener los requerimientos diarios de energía.

Se recomienda en forma amplia que los adultos mayores que deseen iniciar o continuar un programa de ejercicios se sometan a un examen médico completo que incluya una prueba de estrés mediante el empleo del electrocardiograma (ver el capítulo 8). Las actividades recomendadas para los adultos mayores incluyen la calistenia, caminar, trotar, nadar, andar en bicicleta y los aeróbicos acuáticos.

Asimismo, los adultos mayores deben evitar los ejercicios de fortalecimiento isométricos y de muy alta intensidad. Las actividades que requieren un gran esfuerzo o en las que se deba mantener la respiración (maniobra de valsalva) tienden a reducir el flujo sanguíneo que va hacia el corazón y ocasionan una disminución significativa de la presión sanguínea y de la carga impuesta al músculo cardiaco. Los adultos mayores deben participar en actividades que requieran una actividad muscular rítmica y continua (cerca de 40 a 60% de la capacidad funcional). Estas actividades no incrementan la presión sanguínea o imponen una carga intensa al corazón.

◤ Temas de consumo relacionados con el ejercicio y el bienestar

P ¿Cómo debo protegerme de los charlatanes y del engaño que se presentan a menudo en la industria del ejercicio y el bienestar?

R El rápido crecimiento de programas de ejercicio y bienestar en las tres últimas décadas ha impulsado al **fraude** y la **charlatanería**. La promoción de productos fraudulentos ha llevado a los consumidores a adquirir procedimientos "milagrosos", rápidos y fáciles en su deseo por gozar de un bienestar total.

Hoy en día el mercado está saturado de alimentos "especiales", suplementos, píldoras, remedios, aparatos, libros y videos que prometen resultados rápidos y sorprendentes. Los anuncios de estos productos se basan a menudo en testimonios, afirmaciones no comprobadas, investigaciones secretas, verdades a medias y frases hechas que el consumidor ingenuo desea siempre escuchar. Mientras tanto, la organización o empresa que está detrás de todo ello se dispone a obtener grandes ganancias a partir de la voluntad de los consumidores de pagar por soluciones increíbles y espectaculares a problemas derivados de su estilo nocivo de vida.

Los anuncios que aparecen en la televisión, las revistas y en los periódicos no son necesariamente confiables. Por ejemplo, un aparato de ejercicio que se anunció a través de la televisión y los periódicos prometía "terminar con la barriga" mediante cinco minutos de ejercicio diario que parecían enfocarse al grupo muscular abdominal que se proponía como objetivo. El aparato consistía de una cinta elástica que se ataba a los pies en uno de sus extremos mientras que en el otro se sostenía con las manos. Según los distribuidores, el aparato se vendió como pan caliente por lo que las compañías apenas y se podían dar abasto con las demandas de los consumidores.

Para los conocedores, tres problemas resultaban evidentes: En primer lugar, no existe nada que pueda reducir

La reducción de un área específica no funciona.

un área específica; por consiguiente las afirmaciones vertidas sobre este aparato no eran verdaderas. En segundo lugar, Cinco minutos de ejercicio diario difícilmente pueden quemar calorías y, por lo tanto, no tienen ningún efecto en cuanto a la pérdida de peso. En tercer lugar, los músculos abdominales (barriga) que se suponía eran el objetivo en realidad no estaban siendo trabajados con este ejercicio, pues en él participan más los músculos de los glúteos y de la espalda baja. Hoy en día es posible descubrir este aparato en las ventas de garaje a un precio muchísimo menor a su costo original.

Si bien muchas personas tienden a ser conscientes de los beneficios de la actividad física y de los hábitos positivos de vida como medios para gozar una mejor salud, la mayoría no obtiene dichos beneficios porque simplemente no sabe cómo poner en práctica un programa saludable de ejercicio y bienestar que les brinde los resultados que necesitan. Desafortunadamente, muchos consumidores ingenuos se vuelven el blanco de los trucos que las compañías utilizan para vender sus productos.

El engaño no es exclusivo de los comerciales, pues es posible encontrarlo en todas partes: En los artículos periodísticos y de revista, en los libros, la radio y los programas de televisión. A fin de obtener ganancias, las publicaciones populares en ocasiones exageran sobre los beneficios de sus productos o dejan de lado información pertinente con el fin de no hacer quedar mal a los anunciantes. Algunos libros sobre dietas o autotratamientos carecen de un fundamento científico. Por consiguiente, los consumidores deben estar alertas incluso con las noticias sobre los últimos y más novedosos descubrimientos en medicina pues en ellos a menudo se omite información importante o se le dan a ciertos hallazgos mayor crédito del que en realidad merecen.

Asimismo se deben tomar precauciones al momento de buscar consejos relacionados con la salud en la Internet, pues ésta está llena de información tanto confiable

---

◤ **TÉRMINOS CLAVE**

Actividades diarias: Actividades que la gente realiza por lo normal todos los días para funcionar en la vida (cruzar la calle, cargar los víveres, levantar objetos, lavar, barrer).

Charlatanería/fraude: Promoción consciente de afirmaciones no comprobadas con el objetivo de obtener una ganancia.

como dudosa. Los siguientes consejos le permitirán realizar una mejor búsqueda en este medio:

- Busque la información concerniente a la persona u organización responsable del sitio.
- Revise la fecha en la que el sitio fue actualizado por última vez. Los sitios confiables son actualizados con frecuencia.
- Revise la apariencia de la información en el sitio. Debe presentarse de manera profesional (si cada oración termina con un signo de exclamación, empiece a dudar).
- Sea precavido en el caso de que el responsable del sitio venda un producto. Si es así, sea suspicaz ante las opiniones vertidas sobre el producto en el sitio, pues éstas podrían ser tendenciosas, dado que el principal objetivo de la compañía es vender su producto. Las compañías confiables que se anuncian en Internet en general brindan datos de referencia sobre sus fuentes de información y proporcionan sitios adicionales que apoyan su producto.
- Compare el contenido de un sitio con otras fuentes confiables. La comparación debe resultar favorable con respecto a otros sitios o publicaciones reconocidas.
- Anote la dirección e información que permita establecer contacto con la compañía. Si ésta es confiable, incluirá no sólo el código postal, un número de lada o un correo electrónico. Si sólo se proporciona la información anterior, es posible que los consumidores nunca lleguen a contactar a la compañía a fin de que ésta pueda resolver preguntas, inquietudes, o bien, les reembolse su dinero.
- Desconfíe de las compañías que afirman ser innovadoras y que critican a sus competidores o al gobierno por no ser de mente abierta o por tratar de impedir que promocionen sus productos.
- Desconfíe de los anunciantes que emplean terminología médica válida en un contexto irrelevante o que emplean una jerga seudomédica para vender su producto.

No todas las personas que anuncian productos fraudulentos están conscientes de ello. Es posible que algunas de ellas estén convencidas de que el producto es efectivo. Si tiene preguntas o inquietudes sobre determinado producto, puede escribir a la siguiente organización con sede en Estados Unidos: National Council Against Health Fraud (NCAHF), PO Box 141, Fort Lee, NJ 07021. El propósito de esta organización es proporcionar a los consumidores información responsable, confiable y sustentada sobre temas relacionados con la salud. Esta organización supervisa también la publicidad, da seguimiento a las quejas y ofrece información con respecto a productos fraudulentos relacionados con la salud. Puede denunciar cualquier tipo de charlatanería a la NCAHF en su sito de Internet http://www.ncahf.org/, el cual contiene una lista actualizada tanto de sitios confiables como poco serios en torno a temas sobre la salud.

Otras organizaciones de protección al consumidor ofrecen dar seguimiento a las quejas sobre charlatanería y fraude. Sin embargo, la existencia de dichas organizaciones no debe dar al consumir una sensación falsa de seguridad. El número impresionante de quejas realizadas cada año hace imposible que se le dé seguimiento a cada una de ellas.

El FDA's Center for Drug Evaluation Research, por ejemplo, ha desarrollado un sistema de prioridad para determinar qué producto fraudulento debe regular en primer lugar; así que los productos se califican de acuerdo con la gravedad del riesgo que implican. Con base en esto, puede emplear la siguiente lista de organizaciones a fin de tomar una decisión informada antes de que se disponga a gastar su dinero. Asimismo, puede dirigirse a las siguientes organizaciones para denunciar algún fraude:

- *Better Business Bureau (BBB)*. Esta organización le puede decir si otros consumidores han puesto quejas sobre algún producto, una compañía o un vendedor. La dirección en internet es: http://www.betterbusinessbureau.com/
- *Consumer Product Safety Commission (CPS)*. Esta agencia regulatoria federal independiente tiene como objetivo detectar los productos que atentan contra la seguridad de las familias estadounidenses. Es posible localizar y reportar los productos inseguros en su sitio, http://www.cpsc.gov/
- *U. S. Food and Drug Administration (FDA)*. Esta agencia regula la seguridad y la información que aparece en las etiquetas de los productos relacionados con la salud y los cosméticos.

Otra forma de estar informado antes de comprar es pedir consejo a un profesional reconocido. Pregunte a alguien que entiende del producto pero que no espere obtener una ganancia a partir de su venta. Como ejemplo, un profesor de educación física o un fisiólogo del ejercicio pueden orientarlo con respecto a aparatos de ejercicio; un dietista con licencia puede proporcionarle información sobre programas de nutrición y control de peso; un médico puede ofrecerle consejos sobre suplementos nutritivos. Además, desconfíe de las personas que se dicen "expertas". Por consiguiente, vea si la persona cuenta con grados académicos, experiencia profesional, certificaciones, capacidad y reputación.

Tenga presente que si suena demasiado bueno para ser verdad, no es seguro que lo sea. Las promociones fraudulentas a menudo se apoyan en testimonios o métodos alarmistas y prometen que su producto curará una larga lista de dolencias que no mantienen relación una con otra. En sus anuncios utilizan frases como de "fácil instalación", "probado con el paso del tiempo", "de nuevo descubrimiento", "milagroso", "especial", "secreto", "completamente natural", "sólo mediante envío por correo" y "el reembolso de su dinero si no queda satisfecho". Las compañías que anuncia este tipo de productos cambian de dirección con tanta frecuencia que los consumidores no tienen forma de contactarse con ellas para pedir el reembolso de su dinero.

Cuando el anunciante realice alguna afirmación sobre su producto, pregunte o investigue en qué publicación se sustenta. En este sentido, las publicaciones científicas de referencia constituyen las fuentes más confiables de información. Cuando un investigador proporciona un manuscrito para que sea publicado en una revista científica, al menos dos profesionistas calificados y reconocidos en el campo llevan a cabo una reseña a ciegas de éste. Una reseña a ciegas es aquella en la que el autor no sabe quién hará la reseña y los que se encargan de hacerla no saben por su parte quién es el autor del manuscrito. La autorización para su publicación se basa en los cambios relevantes y en la información proporcionada.

P ¿Qué guías debo seguir para hallar una institución o centro de ejercicios reconocido?

R Conforme siga un programa de bienestar, tal vez desee en algún momento inscribirse a una institución donde se promueva el ejercicio y el bienestar. O bien, si atendiendo los contenidos del presente libro decidió que su actividad sea una que pueda regular usted mismo (como caminar, trotar, andar en bicicleta), quizá no sea necesario que se incorpora a un club deportivo o de salud. Salvo que se presente un accidente, puede continuar su programa de ejercicios fuera de las paredes de un centro deportivo por el resto de su vida. De igual forma puede realizar programas de fortalecimiento muscular o de estiramiento en su propio hogar (ver los capítulos 3 y 4 y apéndices A, B y C).

Para estar al día sobre desarrollos en cuanto al ejercicio y el bienestar, quizá sea necesario que adquiera cada cuatro o cinco años una publicación reconocida y actualizada que trate dichos temas. Podría también suscribirse a un boletín confiable sobre salud, ejercicio, nutrición o bienestar para poder estar actualizado. También puede buscar en Internet (pero asegúrese de que los sitios provengan de organizaciones confiables y reconocidas).

Si considera inscribirse en un centro deportivo o de salud:

- Asegúrese de que la institución cumpla con los estándares establecidos por el American College of Sports Medicine (ACSM) en cuanto a los servicios de salud y ejercicio. En la figura 9.5 se proporcionan dichos estándares.
- Analice todas las opciones de ejercicio en su comunidad —clubes de salud o spas, gimnasios, colegios, escuelas, centros comunitarios, centros deportivos, etcétera.
- Revise si la atmósfera de la institución es agradable y segura. Considere si se sentirá a gusto con los instructores y con las personas que asisten al lugar. Revise también si es un establecimiento limpio y bien conservado. Si todo esto resultara negativo, es posible entonces que no sea el lugar adecuado para usted.
- Analice los costos tomando en cuenta las instalaciones, el equipo y los programas. Considere su presupuesto y piense si en realidad hará uso de las instalaciones y con qué frecuencia lo hará. Mucha gente obtiene membresías y permite que se descuente el costo de su cuenta de banco, pero rara vez asisten al centro.
- Averigüe el tipo de instalaciones disponible: pista de carreras, canchas de básquetbol, tenis y frontón, sala de aeróbicos y de aparatos, alberca, casilleros, saunas, tinas de agua caliente, acceso restringido, etcétera.
- Revise el equipo disponible para los ejercicios aeróbicos y de fortalecimiento muscular. Vea si cuenta con caminadoras, bicicletas con ergómetros, escaladoras,

Fuentes confiables sobre información de salud, ejercicio, nutrición y bienestar

Boletín	Publicaciones anuales aprox.	Costo anual en dls.
Bottom Line / Health Código Postal 53408 Boulder, CO 80322-3408	12	49
Consumer Reports Health Letter Código Postal 56356 Boulder, CO 80323-2148	12	24
Environmental Nutrition Código Postal 420234 Palm Coast, FL 32142-0234	12	30
Tufts University Diet & Nutrition Letter Código Postal 57857 Boulder, CO 80322-7857	12	28
University of California Berkeley Wellness Letter Código Postal 420148 Palm Coast, FL 32142	12	29

Figura **9.5** *Estándares del American College of Sports Medicine en cuanto a las instituciones de salud y ejercicio.*

1. La institución debe contar con un plan adecuado de emergencia.
2. Debe ofrecer a cada miembro adulto una proyección privada con información relevante sobre las actividades que éste podrá llevar a cabo en el centro.
3. Los individuos que tienen responsabilidades de supervisión deben ser profesionales competentes.
4. Debe contar con avisos de alerta en las áreas de las instalaciones o aparatos que presenten un riesgo potencial.
5. Los centros que ofrezcan servicios o programas a los jóvenes deben proporcionar una supervisión adecuada.
6. Los centros deben cumplir con todas las leyes, las regulaciones y los estándares reconocidos.

Adaptado del *Health/Fitness Facility Standards y Guidelines* del ACSM. (Champaign, IL: Human Kinetics, 1997.)

simuladores de esquí a campo traviesa, pesas y aparatos de fortalecimiento muscular. Asegúrese de que las instalaciones y el equipo cumplan con sus intereses.
- Considere la localización: si el sitio es cercano o deberá recorrer una distancia considerable para llegar. La distancia a menudo desalienta la participación.
- Revise los horarios en los que el lugar está accesible: si está abierto durante su horario preferido para hacer ejercicio (por ejemplo, muy temprano en la mañana o muy tarde por la noche).

Sitios confiables sobre salud en Internet

- American Cancer Society
  http://cancer.org/
- American College of Sports Medicine
  http://acsm.org
- American Heart Association
  http://americanheart.org
- Annals of Internal Medicine
  http://www.acponline.org/index.html
- Centers for Disease Control
  http://www.cdc.gov/
- Clinical Trials Center
  http://www.med-library.com/medlibrary/
- Global Health Network
  http://www.pitt.edu/HOME/GHNet/GHNet.html
- HospitalWeb
  http://neuro-www.mgh.harvard.edu/hospitalweb.shtml
- Medical Matrix
  http://www.medmatrix.org/Index.asp
- National Cancer Institute
  http://cancernet.nci.nih.gov/
- National Center for Complementary
  and Alternative Medicine
  http://nccam.nih.gov/
- National Council for Reliable Health Information
  http://www.ncahf.org/
- National Institutes of Health
  http://www.nih.gov/
- National Library of Medicine
  http://www.nlm.nih.gov/
- U.S. Department of Health and Human Services
  http://www.healthfinder.gov
- U.S. Food and Drug Administration
  http://www.fda.gov/
- WebMD
  http://webmd.com/
- World Health Organization
  http://www.who.ch/

■ Pruebe las instalaciones varias veces antes de convertirse en miembro. Note si las personas se tienen que formar en línea para poder utilizar el equipo o si está disponible durante el tiempo que usted hace ejercicio.

■ Investigue acerca de la capacidad de los instructores, es decir, ¿cuentan con una formación profesional en el campo o con certificaciones profesionales de organizaciones tales como el American College of Sports Medicine o la International Dance Exercise Association (IDEA). Estas organizaciones tienen estándares rigurosos para avalar la preparación profesional y la calidad de los instructores.

■ Considere el método que se emplea (incluyendo todos los componentes del ejercicio relacionados con la salud). ¿Está completo?, ¿los instructores atienden a los miembros o éstos deben buscarlos de manera constante para obtener ayuda e instrucción?

■ Pregunte por servicios complementarios. Revise si la institución proporciona o tiene convenios para la realización de valoraciones de salud y condición física (resistencia cardiorrespiratoria, composición corporal, presión sanguínea y análisis químico de la sangre). Pregunte también si se ofrecen seminarios sobre nutrición, control de peso, manejo del estrés y si éstos tienen un costo.

P ¿En qué aspectos me debo fijar al momento de elegir un entrenador personal?

R En años recientes, los **entrenadores personales** han tenido gran demanda entre las personas que desean hacer ejercicio. Un entrenador personal es un especialista del ejercicio que trabaja de la mano con una persona y que en general recibe un pago por sesión u hora de ejercicio. Las sesiones se llevan a cabo comúnmente en algún centro deportivo o en la casa del cliente. En la actualidad, cualquier persona que prescriba ejercicio puede hacerse llamar entrenador personal sin que necesariamente cuente con experiencia, preparación o certificación; así que, por años, las personas no han sabido cómo evaluar la preparación de estos profesionistas.

Hoy en día no existe ninguna asociación que supervise la labor de los entrenadores personales. En Estados Unidos, por ejemplo, como requisito mínimo éstos deben ser pasantes de licenciatura y contar con un certificado de alguna organización reconocida como la ACSM o la IDEA. Los títulos universitarios (o estudios como pasante) deben relacionarse con áreas del ejercicio tales como ciencia del ejercicio, fisiología del ejercicio, kinesiología, medicina del deporte o educación física.

La ACSM ofrece tres niveles de certificación: líder de grupos de ejercicio, instructor de ejercicio y salud, y director de ejercicio y salud. La IDEA por su parte ofrece cuatro niveles: profesional, avanzado, elite y maestro. En ambas organizaciones, cada nivel de certificación resulta progresivamente más difícil de obtener. Una tercera organización, el National Strength and Conditioning Association (NSCA) ofrece también un programa de certificación de entrenadores personales. Si está en la búsqueda de uno de estos profesionistas, pregunte siempre por la formación educativa y los certificados que avalan su trabajo.

P ¿Qué aspectos debo considerar antes de adquirir un equipo de ejercicio?

R La primera pregunta que necesita hacerse es: ¿realmente necesito este aparato de ejercicio? La mayoría de las personas compra impulsada por los anuncios de televisión o porque un vendedor la convenció de que un determinado aparato hará maravillas por su salud y condición física. Con un poco de creatividad, usted mismo puede implementar un excelente y completo programa de ejercicios con muy pocos o ningún aparato (ver los capítulos 3 y 4).

Mucha gente adquiere equipo muy costoso sólo para descubrir que en realidad no disfrutan ese tipo de modalidad de ejercicio y, por lo tanto, dejan de utilizarlo de manera regular. En los años ochenta, por ejemplo, las bicicletas estacionarias (donde se trabaja sólo la parte baja de cuerpo) o las remadoras se encontraban entre los aparatos más populares. En la actualidad, se utilizan rara vez o han pasado a formar parte del sótano.

Este tipo de aparatos resultan de utilidad en el caso de las personas que prefieren ejercitarse en casa, en especial durante los días de invierno; además de que mantienen su motivación y participación. Asimismo tienen la ventaja de hacer más flexibles los momentos destinados al ejercicio: puede trabajar en ellos antes o después de ir al trabajo o mientras ve su programa de televisión favorito.

Si está interesado en algún aparato, se recomienda que lo pruebe varias veces ante de comprarlo. Plantéese varias preguntas: ¿disfrutó la sesión?, ¿el aparato es cómodo?, ¿es usted demasiado alto, bajo o pesado para él?, ¿es estable, firme o fuerte?, ¿es durable?, ¿tiene que armar el aparato? Si es así, ¿qué tan difícil resulta? Pida también referencias, es decir, a personas o centros deportivos donde lo han empleado. Pregunte si están satisfechos y si les ha agradado. Comente sus inquietudes con el personal especializado de colegios, clínicas de medicina del deporte o gimnasios.

En el caso de aparatos de segunda mano, revise si presentan daños significativos. Recuerde que la calidad es importante: es posible que las marcas más económicas no sean las de mayor duración y, por tanto, perderá su inversión.

Por último, revise también los aparatos costosos: Algunos cuentan con monitores que proporcionan información que podría motivarlo como el ritmo cardiaco durante el ejercicio, el rendimiento, el gasto calórico, la velocidad, la calificación y la distancia. Sin embargo, a menudo estos aparatos son muy costosos, necesitan reparación y no aumentan los beneficios reales del ejercicio. Investigue entonces los costos de mantenimiento y la disponibilidad del personal de servicio en su comunidad.

¿Qué sigue a continuación?

El objetivo de este libro es proporcionarle la información básica necesaria para que implemente su programa perso-

nal de estilo saludable de vida. Sus actividades a lo largo de estas últimas semanas o meses tal vez le han permitido desarrollar hábitos positivos que deberá intentar llevar a cabo toda su vida.

Ahora que está por terminar este curso, el reto verdadero consiste en un compromiso permanente con el ejercicio y la salud. Es todavía más fácil seguir un programa que ya esté completamente estructurado pero, recuerde, el ejercicio y el bienestar requieren un proceso continuo. Conforme avance en su programa, tenga siempre en mente que el mayor beneficio será una mejor calidad de vida.

La mayoría de las personas que adopta un modo de vida regido por el bienestar reconoce esta mejor calidad después de unas cuantas semanas de seguir el programa. En algunos casos —en especial en los de personas que han llevado un estilo nocivo de vida por mucho tiempo— establecer hábitos positivos y sentirse cada vez mejor podría tomar más tiempo, tal vez unos cuantos meses. Sin embargo, al final, todo aquél que aplique los principios del ejercicio y la salud cosechará los beneficios deseados.

Pensamiento crítico

¿Qué impacto ha tenido este curso en su programa personal de ejercicio y vida saludable? ¿Ha implementado cambios que estén teniendo impacto en su calidad de vida?

Ser diligente y tomar control de usted mismo le proporcionará una vida mejor, más feliz, saludable y productiva. Asegúrese de mantener un programa basado en sus necesidades y en sus gustos, pues esto hará que su jornada sea más fácil y divertida. Una vez que haya alcanzado la cima, se dará cuenta de que no podrá retroceder. Si no la alcanza, no sabrá realmente lo que se siente estar arriba. Mejorar su longevidad y calidad de vida está ahora en sus manos: Requerirá constancia y compromiso, pero sólo usted puede tomar el control de su vida y cosechar los beneficios del bienestar.

TÉRMINO CLAVE

Entrenador personal: Especialista del ejercicio que trabaja de la mano con una persona y que en general recibe un pago por hora o sesión de ejercicio.

DETERMINE SU CONOCIMIENTO

 Evalúe su conocimiento de los conceptos presentados en este capítulo mediante esta sección y practique las opciones de las series de preguntas en su Profile Plus CD-ROM.

1. Un programa regular de ejercicios
   a. logra que una persona se vuelva inmune a las enfermedades cardiacas.
   b. disminuye de manera significativa el riesgo de enfermedades cardiovasculares.
   c. disminuye el colesterol de LBD.
   d. incrementa los triglicéridos.
   e. todas las opciones son correctas

2. ¿Cuál de los siguientes no es un signo de que ha sobrepasado sus limitaciones funcionales durante el ejercicio?
   a. mareo.
   b. dificultad para respirar.
   c. opresión en el pecho.
   d. ritmo cardiaco irregular.
   e. todas las anteriores son signos de ejercicio excesivo.

3. El tratamiento estándar para un daño severo es
   a. descanso.
   b. aplicación de hielo.
   c. compresión.
   d. elevación.
   e. todas las opciones aplican.

4. La intensidad del ejercicio durante el embarazo se debe disminuir en cerca de _____% en el programa de preembarazo.
   a. 5
   b. 10
   c. 20
   d. 25
   e. 50

5. Desde un punto de vista funcional, las personas sedentarias en Estados Unidos son alrededor de _____ años mayores de lo que su edad cronológica indica.
   a. 2
   b. 8
   c. 15
   d. 25
   e. 50

6. Una persona que sufre de insolación
   a. requiere atención médica inmediata.
   b. debe ser colocada en un lugar fresco y donde la humedad esté controlada.
   c. debe ser rociada con agua o frotada con toallas frías.
   d. no deben suministrársele líquidos si está inconsciente.
   e. todas las opciones son correctas.

7. Tomar un vaso de agua fría cada _____ minutos resulta ideal para prevenir la deshidratación cuando se hace ejercicio en condiciones calurosas.
   a. 5
   b. 15 a 20
   c. 30
   d. 30 a 45
   e. 60

8. El mejoramiento en la captación máxima de oxígeno en los adultos mayores (en comparación con los más jóvenes) como resultado de ejercicios de resistencia cardiorrespiratoria es _____.
   a. similar
   b. más alto
   c. más bajo
   d. difícil de determinar
   e. inexistente

9. La osteoporosis
   a. es una enfermedad que incapacita.
   b. es más frecuente en las mujeres.
   c. es mayor en las personas que presentaban deficiencias de calcio cuando eran más jóvenes.
   d. está vinculada con el abuso de alcohol y el tabaco.
   e. todas las opciones son correctas.

10. A fin de protegerse del engaño al momento de adquirir un nuevo producto
    a. pregunte al proveedor tanta información como le sea posible.
    b. obtenga de otro proveedor información sobre el producto.
    c. pregunte a alguien que entienda el producto pero que no espere obtener una ganancia a partir de su venta.
    d. obtenga toda la información de referencia del fabricante.
    e. todas las opciones son correctas.

Las respuestas correctas se encuentran en la página 255.

Valoración de la condición física
y el estilo saludable de vida

Nombre _____   Fecha _____

Curso _____   Sección _____

I. Explique el programa de ejercicios que implementó en este curso. Comente los resultados que obtuvo y si alcanzó o no sus metas.

_____

_____

_____

_____

_____

_____

_____

_____

_____

_____

II. Enliste los cambios nutricionales o dietéticos que fue capaz de implementar durante este tiempo, así como los efectos de dichos cambios en su composición corporal y su bienestar personal.

_____

_____

_____

_____

_____

_____

_____

_____

_____

_____

_____

_____

_____

III. Enliste otros cambios que fue capaz de realizar que podrían disminuir su riesgo de padecer enfermedades. En unas cuantas oraciones, exprese su opinión sobre estos cambios y su impacto en su bienestar general.

_____

_____

_____

_____

_____

_____

_____

_____

_____

_____

IV. Brevemente evalúe este curso y su impacto en su calidad de vida. Indique lo que considere que requiera para continuar llevando a cabo un estilo de vida activo y saludable.

_____

_____

_____

_____

_____

_____

_____

_____

_____

_____

_____

_____

_____

Apéndices

EJERCICIOS DE FUERZA MUSCULAR

Ejercicios de fortalecimiento muscular sin pesas

Ejercicio 1 **Banco**

Acción: Suba y baje de una caja o silla de cerca de 12 a 15 pulgadas (38 cm) de altura. Realice una serie utilizando la misma pierna cada vez que suba y realice después la segunda serie con la otra pierna. Puede también alternar las piernas en cada ciclo. De igual forma, puede incrementar la resistencia cargando a un niño o algún objeto (mantenga al niño o al objeto cerca de su cuerpo para evitar la tensión en su espalda baja).

Músculos desarrollados: Músculos de los glúteos, cuadriceps, gastrocnemio y sóleo

© Fitness & Wellness, Inc.

Ejercicio 2 **Trabajo de torso**

Acción: Levante sus brazos lateralmente (abducción) hasta lograr una posición horizontal y doble sus codos a 90°. Pida a un compañero que aplique suficiente presión en sus codos a fin de que los fuerce a moverse de manera gradual hacia delante (flexión horizontal) mientras intenta resistir la presión. A continuación, haga el ejercicio en sentido inverso: Con los brazos en la misma posición horizontal su compañero intentará ahora mover sus codos hacia atrás aplicando suficiente presión para crear resistencia.

Músculos desarrollados: Deltoide posterior, romboides y trapecios.

© Fitness & Wellness, Inc.

Las fotografías de los ejercicios 1-15, 21, 27 y 28-50 son de © Fitness & Wellness, Inc.

Las fotografías de los ejercicios 16, 29, 20, 22, 23 y 25 son cortesía de Universal Gym® Equipment, Inc., 930 27th Avenue, S.W. Cedar Rapids, IA 52406.

Las fotografías de los ejercicios 17, 18, 24 y 26 son cortesía de Nautilus®, marca registrada de Nautilus® Sports/Medical Industries, Inc., PO Box 809014, Dallas, TX 75380-9014.

Ejercicio 3 *Plancha*

Acción: Manteniendo una posición lo más recta posible, flexione sus codos y baje su cuerpo hasta que casi toque el piso, después suba hasta alcanzar la posición inicial. Si no puede realizar el ejercicio como se indica, puede disminuir la resistencia apoyándose con las rodillas en lugar de con los pies (ver ilustración c), o bien, utilice un plano inclinado para apoyar sus manos en un punto más alto que el piso (ver ilustración d). Si desea aumentar la resistencia, pida a alguien que presione sus hombros conforme vaya subiendo (ver ilustraciones e y f).

Músculos desarrollados: Tríceps, deltoides, pectoral mayor, músculos de la masa común y abdomen.

© Fitness & Wellness, Inc.

Ejercicio 4 *Fortalecimiento abdominal y posición encogida con las piernas dobladas*

Acción: Despegue su cabeza y sus hombros del piso, coloque sus brazos de forma cruzada sobre su pecho y doble ligeramente sus rodillas (mientras mayor sea la flexión de las rodillas, más difícil será la ejecución). A continuación, levántese hasta formar un ángulo aproximado de 30° (fortalecimiento abdominal —vea la ilustración b) o levántese por completo (posición encogida con las piernas dobladas), regrese después a la posición inicial sin dejar que su cabeza o sus hombros toquen el piso o permitir que su cadera se despegue del piso, pues si lo hace, lo más probable es que se balancee cuando suba de nuevo, lo cual minimiza el trabajo de los músculos abdominales. Si no puede subir con los brazos sobre el pecho, coloque sus manos a los lados de la cadera o ayúdese a subir cogiendo sus muslos (ilustraciones d y e). No lleve a cabo este ejercicio con las piernas completamente extendidas pues provocará tensión en la espalda baja.

Músculos desarrollados: Músculos abdominales (fortalecimiento del abdomen) y flexores de la cadera (posición encogida con las piernas dobladas).

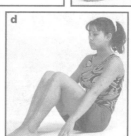

© Fitness & Wellness, Inc.

NOTA: El ejercicio de posición encogida con las piernas dobladas debe ser realizado sólo por individuos que tengan al menos una condición física promedio y que no presenten un historial de problemas en la espalda baja. Es preferible que tanto los novatos como las personas con este tipo de historial realicen el ejercicio de fortalecimiento abdominal en lugar del de posición encogida.

Ejercicio 5 ***Levantamiento de piernas***

Acción: Recuéstese en el piso boca abajo. Cruce el tobillo derecho encima del talón izquierdo. Aplique resistencia con su pie derecho a medida que sube su pie izquierdo hasta lograr un ángulo de 90°. (Aplique suficiente resistencia de manera que el pie izquierdo suba en forma lenta.) Repita el ejercicio cruzando el tobillo izquierdo encima del talón derecho.

Músculos desarrollados: Isquiotibiales (y cuadríceps).

 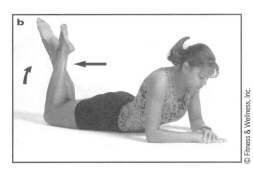

© Fitness & Wellness, Inc.

Ejercicio 6 ***Fondos modificados***

Acción: Coloque sus manos y pies en sillas situadas una frente de la otra (asegúrese de que estén bien estables). Con las rodillas ligeramente dobladas baje hasta formar con sus brazos un ángulo de al menos 90° y luego regrese a la posición inicial. Para incrementar la resistencia, pida a un compañero que presione sus hombros mientras intenta subir (ver ilustración c). También puede llevar a cabo este ejercicio utilizando una grada de gimnasio o una caja y con la ayuda de un compañero, como se ilustra en la fotografía d.

Músculos desarrollados: Tríceps, deltoides y pectoral mayor.

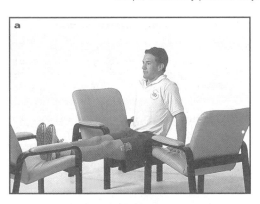 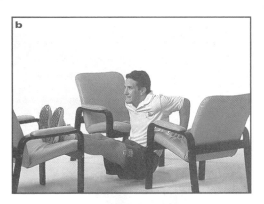

© Fitness & Wellness, Inc.

Ejercicio *7* *Dominadas con la barra*

Acción: Quede suspendido de una barra con un movimiento de pronación (con los pulgares dentro). Jale su cuerpo hacia arriba hasta que su barbilla se encuentre por arriba de la barra. Luego baje su cuerpo de manera lenta a la posición inicial. Si no puede hacer el ejercicio de esta manera, pida a un compañero que sostenga sus pies a fin de que pueda impulsarse y subir con más facilidad (ver ilustración c y d), o bien, utilice una barra más baja y apoye sus pies en el piso (ilustración e).

Músculos desarrollados: Bíceps, braquiorradial, braquial, trapecios y dorsal ancho.

© Fitness & Wellness, Inc.

Ejercicio *8* *Flexión (curls) de brazos*

Acción: Con el brazo completamente extendido sujete, con las palmas de la mano hacia arriba, una bolsa llena de arena o una cubeta llena de arena o rocas y súbala tanto como le sea posible (b); regrese después a la posición inicial. Repita el ejercicio con el otro brazo.

Músculos desarrollados: Bíceps, braquirradial y braquial.

© Fitness & Wellness, Inc.

Ejercicio *9* *Levantamiento de talones*

Acción: De pie y con los pies apoyados por completo en el piso (a), levante y baje su cuerpo moviendo sólo la articulación del tobillo (b). Para una mayor resistencia, pida a alguien que presione sus hombros mientras lleva a cabo el ejercicio.

Músculos desarrollados: Grastrocnemio y sóleo.

© Fitness & Wellness, Inc.

Ejercicio 10 *Abducción y aducción de las piernas*

Acción: Ambos participantes se sientan en el piso. La persona que está a la izquierda coloca sus pies en la parte lateral interna de los pies de la otra persona. De manera simultánea, la persona de la izquierda presiona sus piernas en forma lateral (hacia fuera-abducción), mientras que la persona de la derecha presiona las piernas al medio (aducción). Mantenga la contracción de 5 a 10 segundos. Repita el ejercicio en todos los tres ángulos, y después reinvierta la secuencia de presión. La persona a la izquierda coloca sus pies en la parte lateral externa y presiona hacia adentro mientras que la de la derecha presiona hacia afuera.

Músculos desarrollados: Aductores de la cadera (recto femoral, músculo sartorio, glúteo medio y mínimo), y abductores (pectíneo, gracilis, abductor magno [mayor], abductor largo [mediano] y abductor breve [menor]).

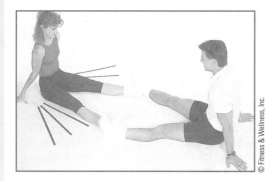

© Fitness & Wellness, Inc.

Ejercicio 11 *Abdominal a la inversa*

Acción: Recuéstese sobre su espalda con los brazos colocados de forma cruzada sobre su pecho y las rodillas y cadera flexionadas a 90° (a). A continuación intente despegar la pelvis del piso levantando en forma vertical las rodillas y la parte baja de las piernas (b). Éste es un ejercicio desafiante que para los principiantes podrían resultar difícil de llevar a cabo.

Músculos desarrollados: Abdominales, recto anterior bajo.

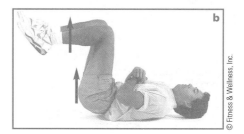

© Fitness & Wellness, Inc.

Ejercicio 12 *Inclinación de pelvis*

Acción: Recuéstese en el piso con las rodillas dobladas en un ángulo aproximado de 90° (a). Incline la pelvis presionando los músculos abdominales, apoyando por completo su espalda en el piso y levantando el área baja de los glúteos ligeramente del piso (b). Mantenga esta posición por varios segundos. El ejercicio también se puede llevar a cabo contra la pared (c).

Áreas estiradas: Músculos y ligamentos de la espalda baja.

Áreas fortalecidas: Músculos abdominales y de los glúteos.

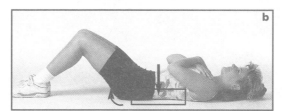

© Fitness & Wellness, Inc.

Ejercicio 13 **Puente decúbito lateral**

Acción: De lado con sus piernas dobladas (a: Versión sencilla) o estiradas (b: Versión difícil) apoye la parte superior de su cuerpo con su brazo. Enderece su cuerpo levantando la cadera del piso y mantenga esta posición por varios segundos. Repita el ejercicio con el otro lado del cuerpo.

Músculos desarrollados: Abdominales (músculos oblicuo y transverso del abdomen) y cuadrado lumbar (espalda baja).

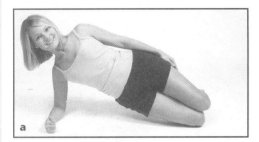
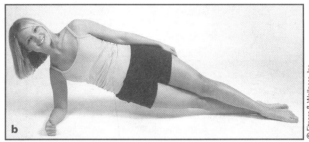

Ejercicio 14 **Puente decúbito prono**

Acción: En posición decúbito prono, mantenga el equilibrio apoyándose con las puntas de los dedos de los pies y con sus codos mientras intenta mantener su cuerpo derecho (no arquee la espalda baja). Puede aumentar la dificultad del ejercicio colocando sus manos frente a usted y enderezando los brazos (los codos separados del piso).

Músculos desarrollados: Grupos de músculos anteriores y posteriores del tronco y la pelvis.

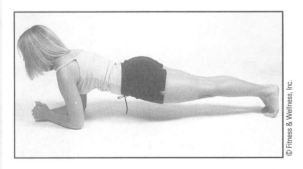

Ejercicio 15 **Puente decúbito supino**

Acción: Recuéstese boca arriba con las rodillas dobladas en un ángulo aproximado de 120°. Incline la pelvis (ejercicio 12, página 225) y mantenga esta posición conforme levanta la cadera del piso hasta que la parte superior de su cuerpo y la parte superior de sus piernas se encuentren en línea recta. Mantenga esta posición por 5 segundos.

Áreas fortalecidas: Músculos flexores del abdomen y los glúteos.

Ejercicios de fortalecimiento muscular con pesas

Ejercicio 16 *Levantamiento de brazos (en brazo predicador)*

Acción: Sujete el aparato con las palmas de la mano hacia arriba o de forma supina y comience el ejercicio con los brazos completamente extendidos (a). A continuación levante tanto como sea posible (b) y regrese después a la posición inicial.

Músculos desarrollados: Bíceps, braquirradial y braquial.

© Universal Gym Equipment, Inc.

Ejercicio 17 *Banca de presión (press de banco)*

Acción: Recuéstese en la banca con la cabeza apuntando hacia las pesas, la barra de presión sobre su pecho y con los pies sobre el descanso (a). Sujete los mangos de la barra y presione hacia arriba hasta que sus brazos se extiendan por completo (b), regrese después a la posición original. No arquee la espalda durante el ejercicio.

Músculos desarrollados: Pectorales: mayor, menor y tríceps.

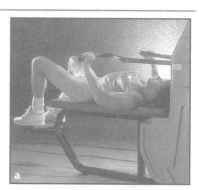
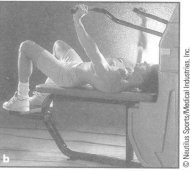

© Nautilus Sports/Medical Industries, Inc.

Ejercicio 18 *Abdominales (crenches en aparato)*

Acción: Siéntese en posición recta y sujete los mangos sobre sus hombros e inclínese hacia delante. En forma lenta regrese a la posición original.

Músculos desarrollados: Abdominales (rectos anteriores).

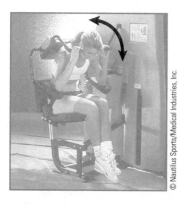

© Nautilus Sports/Medical Industries, Inc.

Ejercicio 19 *Presión con las piernas*

Acción: Siéntese y flexione las piernas a un ángulo aproximado de 90° y coloque los pies en el descanso (a), extienda las piernas completamente (b) y regrese después a la posición inicial.

Músculos desarrollados: Cuadríceps y músculos de los glúteos.

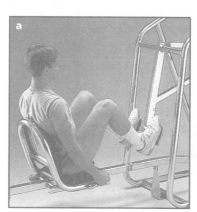
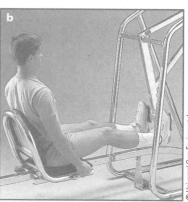

© Universal Gym Equipment, Inc.

Ejercicio 20 *Levantamiento de piernas (flexión muslos)*

Acción: Recuéstese boca abajo en la banca, sus piernas deben estar en posición recta, coloque la parte trasera de los pies en la barra acolchonada (a). Levante las piernas hasta formar un ángulo de al menos 90° (b), y regrese a la posición inicial.

Músculos desarrollados: Isquiotibiales.

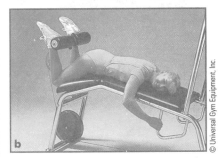

© Universal Gym Equipment, Inc.

Ejercicio 21 *Jalar la barra en polea*

Acción: En posición sentada, sujete la barra de ejercicios con la mano bien extendida (a). Jale la barra hasta que ésta quede enfrente de usted y alcance la base de su cuello (b); luego regrese a la posición inicial.

Músculos desarrollados: Dorsal ancho, pectoral mayor y bíceps.

© Fitness & Wellness, Inc.

Ejercicio 22 *Levantamiento de talones*

Acción: Ya sea con los pies sobre el piso o con las puntas de los pies sobre un bloque elevado (a), suba y baje moviendo sólo la articulación del tobillo (b). Si requiere una resistencia adicional, utilice un aparato de ejercicio que oponga presión en sus hombros.

Músculos desarrollados: Gastrocnemio y sóleo.

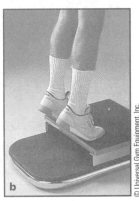

© Universal Gym Equipment, Inc.

Ejercicio 23 *Extensión de los tríceps en polea*

Acción: Con las palmas de la mano hacia abajo sujete la barra y acérquela ligeramente a sus hombros; comience con los codos casi completamente doblados (a). Extienda los brazos por completo (b) y regrese a la posición inicial.

Músculos desarrollados: Tríceps.

© Universal Gym Equipment, Inc.

Ejercicio 24 *Rotación de torso*

Acción: Siéntese en el aparato, mantenga una posición derecha y coloque los codos detrás de las barras acolchonadas. Gire el torso tanto como le sea posible hacia un lado y luego regrese de manera lenta a la posición inicial. Repita el ejercicio hacia el lado opuesto.

Músculos desarrollados: Oblicuos internos y externos (transversales del abdomen).

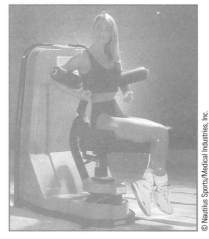

© Nautilus Sports/Medical Industries, Inc.

Ejercicio 25 *Echar hacia atrás (hiperextensiones tronco)*

Acción: Siéntese en el aparato con su tronco flexionado y la espalda alta contra el colchón. Coloque los pies bajo la barra acolchonada y sujétese de las barras que están a los lados (a). Inicie el ejercicio presionando hacia atrás, extendiendo en forma simultánea el tronco y las articulaciones de la cadera (b). Regrese lentamente a la posición original.

Músculos desarrollados: Músculos de la masa común y glúteo máximo.

© Universal Gym Equipment, Inc.

Ejercicio 26 *Remo con aparato*

Acción: Siéntese en el aparato y ponga sus brazos frente a usted, doble sus codos y colóquelos sobre las barras acolchonadas (a). Presione hacia atrás tanto como le sea posible: mueva los hombros juntando los omóplatos (b). Regrese a la posición original.

Músculos desarrollados: Deltoide posterior, romboides y trapecios.

© Nautilus Sports/Medical Industries, Inc.

Ejercicio 27 *Hiperextensión silla romana*

Acción: Ponga sus pies bajo los rodillos acolchonados y coloque su cadera sobre el asiento. Inicie con el tronco en posición flexionada y con los brazos cruzados sobre el pecho (a). Extienda con lentitud el tronco hasta lograr una posición horizontal (b), mantenga dicha posición de 2 a 10 segundos y después flexione (baje) lentamente el tronco hasta regresar a la posición original.

Músculos desarrollados: Músculos de la masa común, glúteo máximo y cuadrado lumbar (espalda baja).

© Fitness & Wellness, Inc.

EJERCICIOS DE FLEXIBILIDAD

Ejercicio 28 **Inclinación lateral de cabeza**

Acción: Incline la cabeza a los lados de manera lenta y suave. Repita varias veces a cada lado.

Áreas estiradas: Flexores y extensores del cuello y los ligamentos de la espina cervical.

© Fitness & Wellness, Inc.

Ejercicio 29 **Círculos con los brazos y hombros**

Acción: Haga círculos completos con los brazos y hombros de manera suave. Realice el ejercicio en ambas direcciones.

Áreas estiradas: Músculos y ligamentos de los hombros.

© Fitness & Wellness, Inc.

Ejercicio 30 **Estiramiento a los lados**

Acción: En posición recta con los pies separados a una amplitud similar a la de los hombros, coloque sus manos en la cintura y mueva la parte superior de su cuerpo hacia un lado. Mantenga el estiramiento final por unos cuantos segundos. Repita hacia el otro lado.

Áreas estiradas: Músculos y ligamentos en la región de la pelvis.

© Fitness & Wellness, Inc.

Ejercicio 31 **Rotación del cuerpo**

Acción: Coloque sus brazos ligeramente separados de su cuerpo y gire el tronco tanto como le sea posible; mantenga la posición final por varios segundos. Realice el ejercicio a ambos lados del cuerpo. También puede hacerlo colocándose a dos pies de la pared (con la espalda hacia ésta); gire después el tronco (coloque las manos contra la pared).

Áreas estiradas: Cadera, abdomen, pecho, espalda, cuello y músculos de los hombros; los ligamentos de la cadera y la columna vertebral.

© Fitness & Wellness, Inc.

Ejercicio 32 **Estiramiento de pecho**

Acción: Coloque sus manos sobre los hombros de su compañero quien ejercerá presión sobre sus hombros. Mantenga la posición final por unos cuantos segundos.

Áreas estiradas: Músculos del pecho (pectoral) y los ligamentos del hombro.

© Fitness & Wellness, Inc.

Ejercicio 33 **Hiperextensión de los hombros**

Acción: Coloque sus brazos hacia atrás y pida a un compañero que los sujete por las muñecas y los empuje de manera lenta hacia arriba. Mantenga la posición final por unos cuantos segundos.

Áreas estiradas: Músculos deltoides y pectorales y los ligamentos de la articulación del hombro.

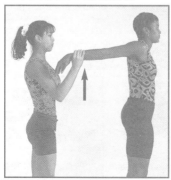

© Fitness & Wellness, Inc.

Ejercicio 34 *Estiramiento y rotación de hombros*

Acción: Coloque un tubo o un palo de aluminio o madera detrás de su espalda y sujete los extremos con las palmas de la mano hacia abajo (los pulgares hacia fuera). Lentamente suba el tubo o palo por encima de su cabeza manteniendo los codos derechos. Repita varias veces (junte un poco más las manos a fin de lograr un mayor estiramiento).

Áreas estiradas: Deltoides, dorsal ancho, músculos del pectoral y ligamentos del hombros.

© Fitness & Wellness, Inc.

Ejercicio 35 *Estiramiento de cuadríceps*

Acción: Recuéstese de lado y mueva un pie hacia atrás flexionando la rodilla. Sujete la parte frontal del tobillo y jale éste hacia los glúteos. Mantenga por varios segundos. Repita con la otra pierna.

Áreas estiradas: Músculos del cuadríceps y los ligamentos de la rodilla y el tobillo.

© Fitness & Wellness, Inc.

Ejercicio 36 *Estiramiento de talones*

Acción: Póngase en posición de arranque, después doble una rodilla y estire el talón opuesto. Mantenga el estiramiento por unos cuantos segundos. Alterne las piernas. También puede hacer este ejercicio recargándose contra la pared o parándose al filo de un escalón para después estirar el talón hacia abajo.

Áreas estiradas: El talón (tendón de Aquiles), gastrocnemio y los músculos del sóleo.

© Fitness & Wellness, Inc.

Ejercicio 37 *Estiramiento del aductor*

Acción: Separe sus pies al doble de la amplitud de sus hombros y coloque sus manos ligeramente encima de las rodillas. Flexione una rodilla y baje en forma lenta tanto como le sea posible. Mantenga la posición final por unos cuantos segundos. Repita con la otra pierna.

Áreas estiradas: Músculos aductores de la cadera.

© Fitness & Wellness, Inc.

Ejercicio 38 *Estiramiento del aductor en posición sentada*

Acción: Siéntese en el piso y acerque sus pies hacia usted permitiendo que las plantas se toquen. A continuación coloque sus antebrazos o codos en la parte interna de los muslos y empuje las piernas hacia abajo. Mantenga el estiramiento final por varios segundos.

Áreas estiradas: Músculos aductores de la cadera.

© Fitness & Wellness, Inc.

Ejercicio 39 *Ejercicio de extensión*

Acción: Siéntese en el piso y junte las piernas. Inclínese hacia delante de manera gradual tanto como le sea posible. Mantenga la posición final por unos cuantos segundos. También puede hacer este ejercicio con las piernas separadas e intentando inclinarse a cada lado o hacia el centro.

Áreas estiradas: Tendones isquiotibiales, músculos de la espalda baja y ligamentos de la espina lumbar.

© Fitness & Wellness, Inc.

Ejercicio 40 *Estiramiento de tríceps*

Acción: Coloque su mano derecha detrás de su cuello. Sujete su brazo derecho, por encima del codo, con la mano izquierda. Jale con suavidad el codo hacia atrás. Repita el ejercicio con el otro brazo.

Áreas estiradas: Parte trasera del área superior del brazo (músculos del tríceps) y la articulación.

© Fitness & Wellness, Inc.

EJERCICIOS PARA LA PREVENCIÓN Y REHABILITACIÓN DEL DOLOR DE ESPALDA BAJA

apéndice C

Ejercicio 41 *Estiramiento de rodilla a pecho*

Acción: Recuéstese en el piso. Doble una pierna a cerca de 100° y de manera gradual jale la otra pierna hacia su pecho. Mantenga esta posición por unos segundos. Repita el ejercicio con la otra pierna.

Áreas estiradas: Espalda baja, músculos isquiotibiales y los ligamentos de la espina lumbar.

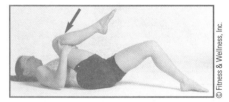
© Fitness & Wellness, Inc.

Ejercicio 44 *Prueba de extensión*

Ver ejercicio 39 en el apéndice B.

Ejercicio 42 *Estiramiento de rodillas a pecho*

Acción: Recuéstese en el piso y en forma lenta vaya adoptando una posición fetal. Mantenga unos segundos.

Áreas estiradas: Espalda baja y alta, músculos isquiotibiales y los ligamentos de la columna vertebral.

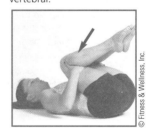
© Fitness & Wellness, Inc.

Ejercicio 43 *Estiramiento de espalda baja y alta (mariposas)*

Acción: Siéntese en el piso y acerque sus pies hacia usted, haga que las plantas de sus pies se toquen. Sujete sus pies y suavemente acerque su cabeza y su pecho hacia ellos.

Áreas estiradas: Ligamentos y músculos de la espalda baja y alta, abductores.

© Fitness & Wellness, Inc.

Ejercicio 45 *Estiramiento de glúteos*

Acción: Siéntese en el piso, doble la pierna izquierda y coloque su tobillo izquierdo encima de su rodilla derecha. Sujete el muslo derecho con las manos y jale con suavidad la pierna hacia su pecho. Repita el ejercicio con la otra pierna.

Áreas estiradas: Músculos de los glúteos.

© Fitness & Wellness, Inc.

Ejercicio 46 *Extensión de espalda*

Acción: Recuéstese boca abajo en el piso con los codos a la altura del pecho, ponga los antebrazos en el piso y sus manos debajo de su barbilla. Levante con suavidad el tronco extendiendo los codos hasta formar un ángulo aproximado de 90°. Asegúrese de que los antebrazos permanezcan en contacto con el piso todo el tiempo. Mantenga la posición por unos segundos. NO extienda la espalda más allá de este punto. La hiperextensión de la espalda baja puede provocar o agravar una molestia o problema ya existente.

Áreas estiradas: Región abdominal.

Beneficio adicional: Restaura la curvatura de la espalda baja.

© Fitness & Wellness, Inc.

Ejercicio 47 *Rotación del tronco y estiramiento de espalda baja*

Acción: Siéntese en el piso y doble su pierna derecha colocando el pie derecho en la parte externa de la rodilla izquierda. Coloque su codo izquierdo sobre la rodilla derecha y empújelo. Al mismo tiempo, intente girar el tronco hacia la derecha (en el sentido de las manecillas del reloj). Mantenga la posición final por unos segundos. Repita el ejercicio hacia el otro lado.

Áreas estiradas: La parte lateral de la cadera y el muslo; el tronco y la espalda baja.

© Fitness & Wellness, Inc.

Ejercicio 48 *Estiramiento de los flexores de la cadera*

Acción: Arrodíllese en una superficie suave como un tapete o una toalla. Levante la rodilla izquierda del piso y coloque su pie izquierdo hacia delante, a una distancia aproximada de 3 pies. Ponga la mano izquierda sobre la rodilla izquierda y la mano derecha en el lado derecho de su cadera. Manteniendo la espalda baja estirada, muévase hacia delante y hacia abajo con lentitud conforme aplica una presión suave sobre su cadera derecha. Repita el ejercicio con la otra pierna hacia delante.

Áreas estiradas: Músculos flexores en frente de la articulación de la cadera.

© Fitness & Wellness, Inc.

Ejercicio 49 *Postura del gato*

Acción: Póngase de rodillas y coloque sus manos frente a usted (en el piso) separadas a una distancia aproximada a la extensión de sus hombros. Relaje el tronco y la espalda baja (a). A continuación arquee la columna y jale el abdomen hacia dentro tanto como pueda. Mantenga esta posición por unos segundos (b). Repita el ejercicio de 4 a 5 veces.

Áreas estiradas: Ligamentos y músculos de la espalda baja.

Áreas fortalecidas: Músculos del abdomen y de los glúteos.

© Fitness & Wellness, Inc.

Ejercicio 50 *Reloj pélvico*

Acción: Recuéstese en el piso boca arriba con las rodillas dobladas en un ángulo aproximado de 120°. Extienda por completo la cadera como en el puente decúbito supino (ejercicio 15). A continuación gire las caderas de manera progresiva en el sentido de las manecillas del reloj (las 2, 4, 6, 8, 10, 12 horas). Mantenga cada posición en una contracción isométrica por cerca de 1 segundo. Repita el ejercicio en sentido contrario a las manecillas.

Áreas fortalecidas: Músculos flexores de la cadera, del abdomen y de los glúteos.

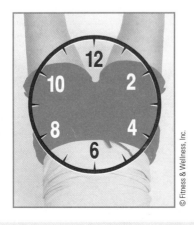

© Fitness & Wellness, Inc.

Ejercicio 51 *Inclinación de pelvis*

Ver ejercicio 12 en el apéndice A.

Ejercicio 52 *Fortalecimiento abdominal y posición encogida con las piernas dobladas*

Ver ejercicio 4 en el apéndice A.

Es importante que no estabilice los pies cuando lleve a cabo cualquiera de estos ejercicios ya que, al hacerlo, disminuye el trabajo de los músculos abdominales. De igual manera, recuerde "no balancearse" sino encogerse.

EJERCICIOS CONTRAINDICADOS

Estiramiento de cisne
Tensión excesiva en la columna; se podría dañar los discos intervertebrales.

Alternativa: Ejercicio de flexibilidad 46, página 233.

Cuna
Tensión excesiva en la columna, las rodillas y los hombros.

Alternativas: Ejercicios de flexibilidad 46, 35 y 33, páginas 233, 232 y 231.

Molino de viento
Tensión excesiva en la columna y las rodillas.

Alternativas: Ejercicio de flexibilidad 39 y 37, páginas 232 y 234.

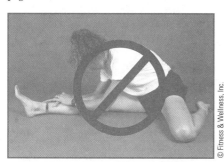

Estiramiento con rodilla doblada
Tensión excesiva en la rodilla doblada.

Alternativas: Ejercicios de flexibilidad 35 y 39, página 232.

El héroe
Tensión excesiva en las rodillas.

Alternativas: Ejercicios de flexibilidad 35 y 48, páginas 323 y 234.

Giros de cabeza
Podría dañar los discos del cuello.

Alternativa: Ejercicio de flexibilidad 28, página 231.

Sentadillas con piernas estiradas
Estos ejercicios tensan la espalda baja.

Sentadillas alternando las piernas

Alternativas: Ejercicios de fuerza 4 y 18, páginas 222 y 227.

© Fitness & Wellness, Inc.

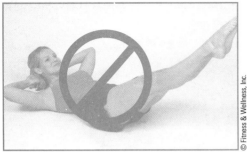

Sentadillas con las piernas levantadas

Sentadillas con las piernas levantadas y en posición recta

Sentadillas en V

Estos tres ejercicios generan una tensión excesiva en la columna y pueden dañar los discos.

Alternativas: Ejercicios de estiramiento 4 y 18, páginas 222 y 227.

Sentadillas con las manos detrás de la cabeza

Tensión excesiva en el cuello.

Alternativas: Ejercicios de fuerza 4 y 18, páginas 222 y 227.

Patadas de burro

Tensión excesiva en la espalda, hombros y cuello.

Alternativas: Ejercicios de flexibilidad 46, 48 y 28, páginas 233, 234 y 231.

Rodillas hacia el pecho (con las manos sobre los tobillos)

Tensión excesiva en las rodillas.

Alternativas: Ejercicios de flexibilidad 41 y 42, página 233.

Tocando las puntas de los pies

Tensión excesiva en las rodillas y la espalda baja.

Alternativa: Ejercicio de flexibilidad 39, página 232.

Postura del arado

Tensión excesiva en la columna, el cuello y los hombros.

Alternativas: Ejercicios de flexibilidad 39, 41, 42, 43 y 45, páginas 232 y 233.

Cuclillas completas

Tensión excesiva en las rodillas.

Alternativas: Ejercicio de flexibilidad 35, ejercicios de fuerza 1, 19, páginas 232, 221 y 227.

CONTENIDO DE CALORÍAS, PROTEÍNAS, GRASA, GRASA SATURADA, COLESTEROL Y CARBOHIDRATOS DE UNA SELECCIÓN DE ALIMENTOS

Alimento	Cantidad	Peso (g)	Calorías	Proteínas (g)	Grasa (g)	Grasa sat. (g)	Colesterol (g)	Carbohidratos (g)
Aceite, cacahuate	1 taza	216	1909	0	216	36.5	0	0
Aceite, canola	1 taza	218	1927	0	218	15.5	0	0
Aceite, cártamo, mayor de 70% "Linoleico"	1 cucharada	15	133	0	15	0.9	0	0
Aceite, maíz	1 cucharada	15	133	0	15	1.9	0	0
Aceite, olivo	1 cucharada	15	133	0	15	2	0	0
Aceite, soya	1 cdita.	5	44	0	5	0.7	0	0
Aceitunas, sin hueso, maduras, grandes, en lata	10	44	51	0.4	5	0.6	0	3
Aceitunas, sin hueso, maduras, pequeñas, en lata	10	32	37	0.3	3	0.5	0	2
Aderezo, francés	1 cucharada	16	69	0.1	7	1.5	0	3
Aderezo, francés, bajo en calorías	1 cucharada	15	20	0	1	0.1	0	3
Aderezo, italiano	1 cucharada	15	70	0.1	7	1.1	0	2
Aderezo, italiano, dieta, 2 cal/cucharada, CMRCL	1 cucharada	15	16	0	1	0.2	1	1
Aderezo, mil islas bajo en calorías	1 cucharada	15	24	0.1	2	0.2	2	2
Aderezo, mil islas	1 cucharada	15	57	0.1	5	0.9	4	2
Aderezo, queso azul/roquefort	1 cucharada	15	76	0.7	8	1.5	3	1
Aderezo, ranchero	1 cucharada	15	80	0	8	1.2	5	0
Aguacate california fresco	½	120	212	2.5	21	3.1	0	8
Albaricoques con piel, en almíbar, en lata, enteros	½ taza	120	100	0.6	0	0	0	26
Albaricoques deshuesados, frescos, enteros	3	114	55	1.6	0	0	0	13
Alga, espirulina, seca	1 taza	119	345	68.4	9	3.2	0	28
Anón o bacalao pequeño, filete, empanizado, frito	3 oz	85	184	17.1	9	1.9	65	7
Apio, crudo, mediano, 8" de largo	1	40	6	0.3	0	0	0	1
Arándanos frescos	½ taza	73	41	0.5	0	0	0	10
Arroz, blanco, regular, cocido	½ taza	103	134	2.8	0	0.1	0	29
Arroz, moreno, cocido	½ taza	96	107	2.5	1	0.2	0	22
Arroz, salvaje, cocido	½ taza	100	101	4	0	0	0	21
Atún, light, en lata en aceite, drenado	3 oz	85	168	24.8	7	1.3	15	0
Atún, light, en lata en agua, drenado	3½ oz	99	115	25.3	1	0.2	30	0
Azúcar, blanca, granulada	1 cdita.	4	15	0	0	0	0	4
Azúcar, remolacha (betabel)/caña, morena, en empaque	1 cdita.	5	19	0	0	0	0	5
Bacalao, al vapor/cocido a fuego lento	3½ oz	100	102	22.4	1	0.1	46	0
Bacalao, batido, freído	3½ oz	100	173	17.4	8	1.6	50	7
BAGEL, 3½" diámetro	1	68	187	7.1	1	0.1	0	36
Barra de dulce, "Almond Joy", tamaño grande	1½ oz	42	196	1.8	11	7.3	2	24
Barra de dulce, "Mars Almond"	1	50	234	4.1	12	3.6	8	31
Barra de dulce, "Milky Way", 2.1 oz la barra	1	60	254	2.7	10	4.7	8	43
Barra de dulce, "Special Dark Sweet", de chocolate	1	41	226	2	13	8.3	0	25

Alimento	Cantidad	Peso (g)	Calorías	Proteínas (g)	Grasa (g)	Grasa sat. (g)	Colesterol (g)	Carbohidratos (g)
Barra dura de granola	1	24	113	2.4	5	0.6	0	15
Bistec de la parte del lomo y cuello, BRSD, selecta, corte ¼"	3 oz	85	212	23	13	5.3	73	0
Bistec T-Bone ¼, a la parrilla, selecto, corte ¼"	3 oz	85	172	25.8	7	2.6	76	0
Bizcocho (muffin), fibra de trigo, preparado según receta, con leche entera	1	45	130	3.2	6	1.2	16	19
Bizcocho (muffin), inglés	1	57	134	4.4	1	0.1	0	26
Bizcocho (muffin), inglés, tostado	1	52	133	4.4	1	0.1	0	26
Bizcochos caseros	1	35	124	2.5	6	1.5	1	16
Bollos para hamburguesa	1	40	114	3.4	2	0.5	0	20
Bollos para hot dogs	1	40	114	3.4	2	0.5	0	20
Bollos, duros, blancos	1	50	146	4.9	2	0.3	0	26
Brandy, prueba 86	1 oz	28	70	0	0	0	0	0
Brócoli crudo	1	114	32	3.4	0	0.1	0	6
Brócolis medianos cocidos sin sal	1	140	39	4.2	0	0.1	0	7
Brotes de Bruselas cocidos, drenados	½ taza	78	30	2	0	0.1	0	7
Brownie (bizcocho) de chocolate con nueces	1	20	93	1.2	6	1.5	15	10
Buñuelo, fermentado, glaseado	1	60	242	3.8	14	3.5	4	27
Buñuelo, pastel	1	47	198	2.3	11	1.7	17	23
Cacao caliente/chocolate, preparado según receta, con leche entera	1 taza	250	192	9.8	6	3.6	20	29
Café, preparado	¾ taza	180	4	0.2	0	0	0	1
Calabaza cocida sin sal, drenada, en tiras	½ taza	85	19	0.9	0	0	0	4
Calabaza cruda, en tiras	½ taza	45	11	0.6	0	0	0	2
Calamar, frito, mezcla de especias	1 taza	150	262	26.9	11	2.8	390	12
Camarones, cocidos, grandes	3 oz	85	84	17.8	1	0.2	166	0
Camarones, empanizados, fritos, grandes	7	85	206	18.2	10	1.8	150	10
Cangrejo, azul, en lata, drenado	1 taza	135	134	27.7	2	0.3	120	0
Carne de ternera, lomo, BRSD	3 oz	85	241	25.7	15	5.7	100	0
Carne de ternera, lomo, magro, BRSD	3 oz	85	192	28.5	8	2.2	106	0
Carne molida, a la parrilla, bien cocida, 16% grasa	3 oz	85	238	24	15	5.9	86	0
Carne molida, a la parrilla, bien cocida, 18% grasa	3 oz	85	184	22.7	7	2.3	410	7
Catsup/Ketchup	1 cucharada	15	16	0.2	0	0	0	4
Cebollas, amarillas, cocidas sin sal, drenadas, picadas	½ taza	105	46	1.4	0	0	0	11
Cecina o carne seca, envasada	3 oz	85	225	24.3	13	5.3	84	0
Cena, pollo, "Cacciatore", con fideos, bajo en calorías, descongelado	1	308	311	22.5	10	2.4	59	33
Cerdo, costillas, separadas, doradas	3 oz	85	337	24.7	26	9.5	103	0
Cerdo, curado, jamón, regular, 11% grasa, asado	3 oz	85	151	19.2	8	2.7	50	0
Cerdo, jamón, entero, asado	3 oz	85	232	22.8	15	5.5	80	0
Cerdo, tocino/cuero frito salado, a la parrilla/ a la caerola, frito/asado	2 pzas.	15	86	4.6	7	2.6	13	0
Cereal, "All-Bran", RTE, seco	¼ taza	21	55	2.6	1	0.1	0	16
Cereal, "Alpha-Bits", RTE, seco	1 taza	28	110	2.2	1	0.1	0	24
Cereal, "Bran Flakes", RTE, seco	¾ taza	30	96	2.8	1	0.1	0	24

Alimento	Cantidad	Peso (g)	Calorías	Proteínas (g)	Grasa (g)	Grasa sat. (g)	Colesterol (g)	Carbohidratos (g)
Cereal, "Cheerios"	1 taza	23	84	2.4	1	0.3	0	18
Cereal, "Chex", maíz, RTE, seco	1 taza	28	105	2	0	0.1	0	24
Cereal, "Chex", trigo, RTE, seco	1 taza	46	159	4.8	1	0.2	0	37
Cereal, "Corn Flakes", RTE, seco	1 taza	25	91	1.6	0	0.1	0	22
Cereal, "Corn Pops", RTE, seco	1 taza	28	107	1	0	0.1	0	26
Cereal, "Cream Of Wheat", rápido, cocido con agua	1 taza	244	132	3.7	0	0.1	0	27
Cereal, "Crispy Rice", RTE, seco	¾ taza	22	87	1.4	0	0	0	19
Cereal, "Frosted Flakes", RTE, seco	1 taza	35	135	1.4	0	0.1	0	32
Cereal, "Frosted Mini Wheats", RTE, seco	1 taza	55	186	5.2	1	0.2	0	45
Cereal, "Grape Nuts", seco	½ taza	57	205	6.2	1	0.2	0	46
Cereal, "Honey Bran", seco	½ taza	30	102	2.6	1	0.2	0	25
Cereal, "Life", entero, seco	1 taza	44	167	4.3	2	0.3	0	35
Cereal, "Mueslix", muesli de cinco granos, seco	1 taza	82	289	6.2	5	0.7	0	63
Cereal, "Nutri-Grain", trigo, seco	1 oz	28	101	2.4	0	0.1	0	24
Cereal, "Oatmeal", sin sal, cocido con agua	½ taza	120	74	3.1	1	0.2	0	13
Cereal, "Raisin Bran", seco	1 taza	49	155	3.9	1	0.1	0	38
Cereal, "Shredded Wheat", galletas pequeñas, seco	1 taza	19	68	2.1	0	0.1	0	15
Cereal, "Smacks", seco	1 taza	37	141	2.4	1	0.4	0	32
Cereal, "Special K", seco	1 taza	21	78	4.3	0	0	0	15
Cereal, "Total", trigo, seco	1 taza	33	116	3.3	1	0.2	0	26
Cereal, "Wheaties", seco	1 taza	29	106	3.1	1	0.2	0	23
Cereal, 100% fibra, RTE, seco	½ taza	33	89	4.1	2	0.3	0	24
Cereal, granola, seco	½ taza	57	257	6	10	1.3	0	38
Cerezas, dulces, frescas	10	75	54	0.9	1	0.2	0	12
Cerveza	12 fl-oz	360	148	1.1	0	0	0	13
Cerveza light	12 fl-oz	354	99	0.7	0	0	0	5
Champiñones, crudos, piezas/rebanadas	1 taza	35	9	1	0	0	0	1
Chayote, cocido	1 taza	245	83	1.6	0	0	0	22
Chayote de invierno, tamaño promedio, horneado, en puré	½ taza	103	40	0.9	1	0.1	0	9
Chayote de verano, cocido sin sal, drenado	½ taza	90	18	0.8	0	0.1	0	4
Cheese Puffs, "Cheetos"	1 oz	28	155	2.1	10	1.8	1	15
"Cheese Spread", bajo en grasa, bajo en sodio	1 pza.	34	61	8.4	2	1.5	12	1
Cilantro, crudo	¼ taza	4	1	0.1	0	0	0	0
Ciruelas, secas	5	61	146	1.6	0	0	0	38
Cóctel de frutas, con jarabe, en lata	1 taza	245	179	1	0	0	0	46
Cóctel de frutas, en jugo	1 taza	248	114	1.1	0	0	0	29
Col rizada, cocinada sin sal	½ taza	95	25	2	0	0	0	5
Coliflor, cocida, drenada	½ taza	63	14	1.2	0	0	0	3
Compota de manzana, endulzada, sin sal, en lata	1 taza	255	194	0.5	0	0.1	0	51
Cono, helado, de oblea	1	115	480	9.3	8	1.4	0	91
Cordero, chuleta de lomo, magra, a la parrilla, selecta, corte ¼"	3 oz	84	181	25.2	8	2.9	80	0
Cordero, pierna, entera, magra, asada, selecta, corte ¼"	3 oz	85	162	24.1	7	2.3	76	0

Alimento	Cantidad	Peso (g)	Calo-rías	Proteí-nas (g)	Grasa (g)	Grasa sat. (g)	Coles-terol (g)	Carbohi-dratos (g)
Crema ácida, refinada	1 cucharada	14	30	0.4	3	1.8	6	1
Crema, batida, pesada	1 cucharada	15	52	0.3	6	3.5	21	0
Crema de cacahuate, suave, con sal	1 cucharada	32	190	8.1	16	3.3	0	6
Crema, ligera (light)	1 cucharada	15	29	0.4	3	1.8	10	1
Cuernito, mantequilla	1	57	231	4.7	12	6.6	38	26
Dátiles, frescos, enteros	10	83	228	1.6	0	0.2	0	61
Desayuno instantáneo, preparado a partir de una mezcla seca con leche entera	1 taza	281	280	15.4	9	5.4	38	36
Desayuno instantáneo, preparado a partir de una mezcla seca con leche sin grasa	1 taza	282	216	15.7	1	0.7	9	36
Dulce, caramelos, chocolate entero	1 oz	28	107	1.3	2	1.8	2	22
Dulces, chocolate con leche, con almendras	1 oz	28	147	2.5	10	4.8	5	15
Dulces, duros, de todos los sabores	1 oz	28	110	0	0	0	0	27
Dulces, "Kisses", chocolate con leche	1 oz	28	144	1.9	9	5.2	6	17
Dulces, "M&M's", chocolate con cacahuate	1 oz	28	144	2.7	7	2.9	3	17
Dulces, "M&M's", chocolate entero	1 oz	28	138	1.2	6	3.7	4	20
Duraznos, en almíbar, en lata	½ cdita.	96	71	0.4	0	0	0	19
Duraznos, en jugo, en lata, enteros	½ cdita.	77	34	0.5	0	0	0	9
Duraznos, frescos, en rebanadas	½ taza	85	37	0.6	0	0	0	9
Embutido, Bologna, pavo	2 pzas.	57	113	7.8	9	2.9	56	1
Embutido, Bologna, res y cerdo	1 pza.	28	88	3.3	8	3	15	1
Embutido, carne de res asada, estilo "Deli", porción	3 oz	85	96	17.2	3	1.1	41	1
Embutido, pechuga de pavo, asada, sin grasa	1 pza.	28	24	4.2	0	0.1	9	1
Embutido, untable, de hígado, en lata	1 oz	28	87	3.6	7	2.5	33	2
Ensalada, atún	1 taza	205	383	32.9	19	3.2	27	19
Ensalada, papa	½ taza	125	179	3.4	10	1.8	85	14
Ensalada, pasta, jardín, primavera, envasado en seco	¾ taza	142	280	8	12	2.5	2	34
Ensalada, pollo con apio	½ taza	78	268	10.6	25	3.1	48	1
Entrada, carne mechada, res	1 pza.	111	232	20.2	14	5.6	107	5
Entrada, espagueti, con bolas de carne, preparado según receta	1 taza	248	332	18.6	12	3.3	74	39
Entrada, espagueti, con salsa de tomate y queso, preparado según receta	1 taza	250	260	8.8	9	2	8	37
Entrada, lasaña, con carne, preparado según receta	1 pza.	220	352	20.7	14	7.2	52	36
Entrada, macarrones con queso, preparado según receta con margarina	½ taza	100	215	8.4	11	4.4	21	20
Entrada, Quiché, Lorraine	1 pza.	242	724	20.5	56	25.9	304	34
Escalopas, empanizadas, fritos, mezcla de especies, grandes	2	31	67	5.6	3	0.8	19	3
Espárragos cocidos sin sal	4	60	14	1.6	0	0	0	3
Espinaca, cocida sin sal, drenada	½ taza	103	24	3.1	0	0	0	4
Espinaca, cruda, picada	1 taza	55	12	1.6	0	0	0	2
Espinaca, sin sal, en lata, drenada	½ taza	103	24	2.9	1	0.1	0	4
Frambuesas, endulzadas, descongeladas	1 taza	250	400	10	15	9.1	12	62
Frambuesas, frescas	1 taza	123	60	1.1	1	0	0	14
Fresas, frescas, enteras	1 taza	149	45	0.9	1	0	0	10
Fresas, rebanadas, endulzadas, descongeladas	1 taza	250	240	1.3	0	0	0	65

Alimento	Cantidad	Peso (g)	Calorías	Proteínas (g)	Grasa (g)	Grasa sat. (g)	Colesterol (g)	Carbohidratos (g)
Frijoles, habas de mung, maduros, en germen, crudos	1 taza	171	234	14	1	0.2	0	44
Frijoles, habas, ejotes, tiernos, cocidos descongelado sin sal, drenados	½ taza	52	16	1.6	0	0	0	3
Frijoles negros cocidos sin sal	1 taza	172	227	15.2	1	0.2	0	41
Frijoles pintos maduros cocidos sin sal	3 oz	85	296	22.9	22	8.6	84	0
Frijoles refritos	½ taza	145	136	8	2	0.7	12	23
Frijoles tiernos de media luna, cocidos sin sal, drenados	½ taza	85	85	5.2	0	0.1	0	16
FUDGE, chocolate, preparado	1 oz	28	107	0.5	2	1.4	4	22
Galleta, avena, uva pasa, preparadas según receta	2	26	113	1.7	4	0.8	9	18
Galleta, barra de higo	4	56	195	2.1	4	0.6	0	40
Galleta, chips de chocolate, preparadas con margarina, según receta	2	20	98	1.1	6	1.6	6	12
Galleta, de sándwich de chocolate, relleno de crema	4	40	189	1.9	8	1.5	0	28
Galleta, mantequilla de cacahuate, preparadas según receta	2	24	114	2.2	6	1.1	7	14
Galleta, vainilla, de oblea 12-17% grasa	10	40	176	2	6	1.5	20	29
Galletas "Crackers", centeno, de oblea	2	14	47	1.3	0	0	0	11
Galletas "Crackers", estándar, regular, tipo botana, redondos	1	3	15	0.2	1	0.1	0	2
Galletas "Crackers", "Graham", con miel, ½	2	14	59	1	1	0.2	0	11
Galletas "Crackers", "Matzoh", enteras, porción	1	28	111	2.8	0	0.1	0	23
Galletas "Crackers", queso	1	10	50	1	3	0.9	1	6
Galletas "Crackers", "Saltine"	1	11	48	1	1	0.3	0	8
Galletas "Crackers", trigo	1	2	9	0.2	0	0.1	0	1
Galletas "Crackers", "Triscuit"	1	5	24	0.5	1	0.2	0	3
Galletas estilo escosés, "Shortbread", comercial, entera	4	32	161	2	8	2	6	21
Garbanzos maduros cocidos	1 taza	164	269	14.5	4	0.4	0	45
Gelatina	1 cucharada	18	51	0	0	0	0	13
Habichuelas cocidas	1 taza	185	157	9.7	1	0.1	0	29
Hamburguesa de soya, vegetariana	1	71	142	14.9	6	1	0	6
Hamburguesa vegetariana, "Gardenburger", original	1	71	130	8	3	1	11	18
Harina de maíz, amarillo, desgerminado, enriquecido, seco	½ taza	120	439	10.2	2	0.3	0	93
Harina, para todo uso, blanca, refinada, enriquecida	1 taza	125	455	12.9	1	0.2	0	95
Harina, trigo entero	1 taza	120	407	16.4	2	0.4	0	87
Helado de yogur, vainilla/fresa, sin grasa, bola pequeña	4 oz	113	112	5.6	0	0.1	2	22
Hígado frito	3 oz	85	263	19.7	20	7.7	57	0
Higos, secos, sin cocer	1	21	54	0.6	0	0	0	14
Hipogloso, filete, horneado/a la parrilla	3 oz	85	203	15.7	15	2.6	50	0
Hot dog/"Frankfurter", pavo	1	45	102	6.4	8	2.7	48	1
Hot dog/"Frankfurter", res y PACK	1	57	180	6.8	16	6.9	35	1

Alimento	Cantidad	Peso (g)	Calo-rías	Proteí-nas (g)	Grasa (g)	Grasa sat. (g)	Coles-terol (g)	Carbohi-dratos (g)
Hot dog/"Frankfurter", res y cerdo, paquete de 10	1	57	182	6.4	17	6.1	28	1
Huevos blancos, crudos	1	33	16	3.5	0	0	0	0
Huevos, duros cocidos/hervidos, grandes	1	50	78	6.3	5	1.6	212	1
Huevos, enteros, fritos	1	46	92	6.2	7	1.9	211	1
Huevos, revueltos, grandes	1	64	106	7.1	8	2.4	225	1
Huevos, yema, crudo, grandes	1	17	61	2.8	5	1.6	218	0
Humus (preparado a base de garbanzo en polvo, aceite de oliva y jugo de limón), crudo	1 taza	246	421	12.1	21	3.1	0	50
Jamón/conserva, empaquetado	1	14	39	0.1	0	0	0	10
Jarabe, arce	1 cucharada	20	52	0	0	0	0	13
Judías verdes cocidas	½ taza	65	23	1.2	0	0	0	5
Jugo, ciruela, sin pulpa	½ taza	88	60	0.7	0	0	0	14
Jugo, cóctel de arándanos	1 taza	253	144	0	0	0	0	36
Jugo, limón, fresco	1 cucharada	15	4	0.1	0	0	0	1
Jugo, manzana, sin endulzar, en lata/embotellado	½ taza	124	58	0.1	0	0	0	14
Jugo, naranja, preparado a partir de jugo descongelado	½ taza	125	56	0.9	0	0	0	13
Jugo, tomate, con sal, en lata	1 taza	244	41	1.9	0	0	0	10
Jugo, tomate, con sal, en lata	½ taza	55	15	1	0	0	0	3
Jugo, toronja, sin endulzar, en lata	½ taza	124	47	0.6	0	0	0	11
Jugo, toronja, sin endulzar, preparado a partir de concentrado congelado	1 taza	247	101	1.4	0	0	0	24
Jugo, uva, sin endulzar, en lata	½ taza	127	77	0.7	0	0	0	19
Kiwi/grosellas chinas con espinas, frescos, medianos	1	76	46	0.8	0	0	0	11
Langosta, norteña, al vapor	1 taza	145	142	29.7	1	0.2	104	2
Leche cortada, sin nata, refinada	1 taza	245	99	8.1	2	1.3	9	12
Leche, baja en grasa, 1%, con vitamina A	1 taza	244	102	8	3	1.6	10	12
Leche, baja en grasa, 2%, chocolate	1 taza	250	179	8	5	3.1	17	26
Leche, baja en grasa, 2%, con vitamina A	1 taza	244	121	8.1	5	2.9	18	12
Leche, entera, 3.3%	1 taza	244	150	8	8	5.1	33	11
Leche, evaporada, entera, adicionada con vitamina A, en lata	½ taza	126	169	8.6	10	5.8	37	13
Leche, sin grasa/descremada, con vitamina A	1 taza	245	86	8.4	0	0.3	4	12
Lechuga, redonda, fresca, picada	1 taza	55	8	0.9	0	0	0	1
Lechugas, redondas y de hoja larga, frescas	2 pzas.	15	2	0.2	0	0	0	0
Legumbres verdes, hervidas sin sal, drenadas	½ taza	70	10	1.6	0	0	0	1
Lenguado, filete, horneado/a la parrilla	3 oz	85	99	20.5	1	0.3	58	0
Lentejas, brotes, sofritas	1 taza	124	125	10.9	1	0.1	0	26
Lentejas, sin sal, cocidas	1 taza	200	232	18	1	0.1	0	40
Licuado, chocolate, comida rápida	10 fl-oz	340	432	11.6	13	7.9	44	70
Licuado, fresa, comida rápida	10 fl-oz	340	384	11.6	10	5.9	37	64
Limonada, blanca, concentrado congelado	12 oz	340	615	1	1	0.1	0	160
Maíz, amarillo, empacado al vacío, en lata	½ taza	83	66	2	0	0.1	0	16
Mantequilla con sal	1 cucharada	5	36	0	4	2.5	11	0
Manzanas grandes frescas con cáscara	1	150	88	0.3	1	0.1	0	23
Mayonesa, aceite de soya, con sal	1 cdita.	5	36	0.1	4	0.6	3	0

Alimento	Cantidad	Peso (g)	Calo-rías	Proteí-nas (g)	Grasa (g)	Grasa sat. (g)	Coles-terol (g)	Carbohi-dratos (g)
Mayonesa, imitación, baja en calorías	1 cucharada	15	35	0	3	0.5	4	2
Melón, anaranjado (chino), mediano 5″ diámetro	1/8	239	84	2.1	1	0.2	0	20
Melón, verde, fresco, trozo grande, 1/8 melón	1 pza.	129	45	0.6	0	0	0	12
Miel, colada, extracto	1 cucharada	21	64	0.1	0	0	0	17
Nabos, cocidos descongelados, drenados	1/2 taza	73	22	2.4	0	0.1	0	4
Nabos, cocidos sin sal, crudos, en cubos	1/2 taza	78	16	0.6	0	0	0	4
Naranjas, frescas, medianas	1	180	85	1.7	0	0	0	21
Nueces, almendras, secas, mondadas, enteras	1/4 taza	36	208	7.7	18	1.4	0	7
Nueces, cacahuates, tostados en aceite, sin sal, picadas	1 oz	28	163	7.4	14	1.9	0	5
Nueces, coco, sin endulzar, secas	1/2 taza	65	429	4.5	42	37.2	0	16
Nueces de Brasil, secas, con cáscara, 32 almendras	1 oz	28	184	4	19	4.5	0	4
Nueces de la India, secas, asadas, saladas	1 taza	137	786	21	63	12.5	0	45
Nueces, de nogal, negras, secas, picadas	1 oz	28	170	6.8	16	1	0	3
Nueces, lisas, secas, mitades	1 oz	28	193	2.6	20	1.7	0	4
Ostiones, de la costa norte de Estados Unidos, crudos, al natural	1/2 taza	120	82	8.5	3	0.9	64	5
Ostiones, de la costa norte de Estados Unidos, empanizados, fritos, medianos	1	45	89	3.9	6	1.4	36	5
Palomitas, cocidas en aceite, con sal	1 taza	11	55	1	3	0.5	0	6
Palomitas, infladas	1 taza	6	23	0.7	0	0	0	5
Pan blanco con 2% de leche	1 pza.	25	71	2	1	0.3	1	12
Pan de centeno	1 pza.	25	65	2.1	1	0.2	0	12
Pan de maíz, preparado de una mezcla seca	1	60	188	4.3	6	1.6	37	29
Pan, de trigo	1 pza.	25	65	2.2	1	0.2	0	12
Pan de trigo entero	1 pza.	25	62	2.4	1	0.2	0	12
Pan francés	1 pza.	35	96	3.1	1	0.2	0	18
Pan multigrano	1 pza.	26	65	2.6	1	0.2	0	12
Pan negro de centeno	1 pza.	32	80	2.8	1	0.1	0	15
Pan, "Pita" (tamaño mini), blanco	1	60	165	5.5	1	0.1	0	33
Pan, plátano, preparado según receta, con manteca vegetal	1 pza.	50	169	2.2	6	1.5	22	28
Panqué, casero, 4″	1	73	166	4.7	7	1.5	43	21
Panqué, trigo sarraceno, preparado con trigo integral	1	27	56	2.1	2	0.5	18	8
Papas, dulces, pulpa, horneadas, medianas, peladas	1	146	150	2.5	0	0	0	35
Papas, fritas en tiras delgadas, descongeladas	1/2 taza	78	170	2.5	9	3.5	0	22
Papas, gratinadas, preparadas con leche y mantequilla fritas/en polvo	1 taza	245	228	5.6	10	6.3	37	31
Papas, horneadas, con cáscara, largas	1	202	220	4.6	0	0.1	0	51
Papas, puré, con leche entera	1/2 taza	105	81	2	1	0.3	2	18
Papaya, fresca, mediana	1/2	227	89	1.4	0	0.1	0	22
Pasitas, sin semilla, a granel	1 oz	28	84	0.9	0	0	0	22
Pasta, espagueti, enriquecidos, con sal, cocidos	1 taza	140	197	6.7	1	0.1	0	40
Pasta, espagueti, trigo entero, cocida	1 taza	125	155	6.7	1	0.1	0	33
Pasta, fideos de huevo, enriquecidos, cocidos	1/2 taza	80	106	3.8	1	0.2	26	20

Alimento	Cantidad	Peso (g)	Calorías	Proteínas (g)	Grasa (g)	Grasa sat. (g)	Colesterol (g)	Carbohidratos (g)
Pasta, macarrones, enriquecidos, con sal, cocidos	½ taza	70	99	3.3	0	0.1	0	20
Pastel, "Angel Food"	1 pza.	60	155	3.5	0	0.1	0	35
Pastel blanco con chocolate	1 pza.	71	259	1.8	8	3.7	13	46
Pastel de chocolate con chocolate glaseado, ¼	1 pza.	69	253	2.8	11	3.3	29	38
Pastel de queso	1 pza.	85	273	4.7	19	8.4	47	22
Pastel de zanahoria con queso cremoso glaseado	1 pza.	96	419	4.4	25	4.7	52	45
Pastel, "Devils Food", bombones glaseados	1 pza.	99	408	3.5	21	5.8	52	52
Pastel, libra, con mantequilla	1 pza.	30	116	1.7	6	3.5	66	15
"Pastry", canela danesa	1	110	443	7.7	25	6.2	23	49
Patatas fritas, con sal	10 pzas.	20	107	1.4	7	2.2	0	11
Pavo, promedio, sin piel, asado	3 oz	85	144	24.9	4	1.4	65	0
Pay, calabaza, ⅙ de 8"	1 pza.	114	239	4.4	11	2	23	31
Pay, cereza, preparado según receta, ⅛ de 9"	1 pza.	118	319	3.3	14	3.5	0	45
Pay, crema de chocolate, ⅙ de 8"	1 pza.	175	532	4.5	34	8.7	9	59
Pay, manzana, horneado, descongelado, ⅙ de 8"	1 pza.	118	280	2.2	13	4.5	0	40
Pay, merengue de limón, ⅙ de 8"	1 pza.	140	375	2.1	12	2.5	63	66
Pay, nuez, ⅙ de 8"	1 pza.	138	552	5.5	26	4.9	44	79
Pay, zarzamora, preparado según receta, ⅛ de 9"	1 pza.	158	387	4.3	19	4.6	0	53
Pepinillos, dulces, medianos	1	35	41	0.1	0	0	0	11
Pepinillos, eneldo	1	135	24	0.8	0	0.1	0	6
Pepino, sin cáscara, crudo, en rebanadas	½ taza	60	7	0.3	0	0	0	2
Peras, "Bartlett", frescas, medianas	1	180	106	0.7	1	0	0	27
Peras, en almíbar, en lata, mitades	½	103	76	0.2	0	0	0	20
Peras, en jugo, en lata, mitades	½	77	38	0.3	0	0	0	10
Peras, en lata, drenadas	½ taza	85	59	3.8	0	0.1	0	11
Peras, verdes, descongeladas y cocidas sin sal, drenadas	½ taza	80	62	4.1	0	0	0	11
Pescado, barras/porciones individuales, calentadas descongeladas, 4 x 1 x 0.5	2	56	152	8.8	7	1.8	63	13
Pimientos, amarillos, dulces, crudos, grandes	1	186	50	1.9	0	0.1	0	12
Pimientos, rojos, dulces, crudos, pequeños	1	74	20	0.7	0	0	0	5
Pimientos, verdes, dulces, crudos, medianos	1	200	54	1.8	0	0.1	0	13
Piña, en almíbar, en lata, trocitos	½ taza	128	100	0.4	0	0	0	26
Piña, en jugo, en lata	½ taza	125	75	0.5	0	0	0	20
Piña, fresca, trozo	½ taza	78	38	0.3	0	0	0	10
Plátano fresco mediano	1	140	129	1.4	1	0.3	0	33
Pollo, a la parrilla/frito, carne oscura, sin piel, asado	3 oz	85	174	23.3	8	2.3	79	0
Pollo, a la parrilla/frito, muslo, asado	1	52	112	14.1	6	1.6	47	0
Pollo, a la parrilla/frito, pechuga, asada	1	98	193	29.2	8	2.1	82	0
Pollo, a la parrilla/frito, sólo carne, sin piel, asado	3 oz	85	162	24.6	6	1.7	76	0
Ponche de frutas, preparado de polvo	1 taza	240	89	0	0	0	0	23
Pretzels, duros, con sal, torcidos	1 oz	28	107	2.5	1	0.2	0	22

Alimento	Cantidad	Peso (g)	Calorías	Proteínas (g)	Grasa (g)	Grasa sat. (g)	Colesterol (g)	Carbohidratos (g)
Pudín, Chocolate, 5 oz lata	5 oz	142	189	3.8	6	1	4	32
Pudín, tapioca, 5 oz lata	5 oz	142	169	2.8	5	0.9	1	28
Pudín, vainilla, 5 oz lata	5 oz	142	185	3.3	5	0.8	10	31
Queso, americano, procesado (mediante la mezcla de varios tipos), en tiras	1 oz	28	105	6.2	9	5.5	26	0
Queso, azul	1 oz	28	99	6	8	5.2	21	1
Queso, cheddar, en rebanadas	1 oz	28	113	7	9	5.9	29	0
Queso cottage, 2% grasa	½ taza	113	101	15.5	2	1.4	9	4
Queso cottage, con crema, pequeño, cuajado	½ taza	105	109	13.1	5	3	16	3
Queso crema	1 oz	28	98	2.1	10	6.2	31	1
Queso, feta	1 oz	28	74	4	6	4.2	25	1
Queso, "Monterey Jack", en tiras	1 oz	28	105	6.9	8	5.3	25	0
Queso, mozzarella, parcialmente descremado, bajo en humedad, en tiras	1 oz	28	78	7.7	5	3	15	1
Queso, parmesano, rallado	1 cucharada	5	23	2.1	2	1	4	0
Queso, ricota, parcialmente descremado	1 oz	28	39	3.2	2	1.4	9	1
Queso, suizo, en tiras	1 oz	28	105	8	8	5	26	1
Quimbombó, "Dedos de dama", cocidos sin sal, drenado, "Pods"	8	85	27	1.6	0	0	0	6
Relleno preparado a base de pan remojado y hierbas, pan, preparado a partir de una mezcla seca	½ taza	70	125	2.2	6	1.2	0	15
Remolacha (betabel) deshidratada, rebanada	½ taza	80	25	0.7	0	0	0	6
Salami, res y cerdo, seca	1 oz	28	117	6.4	10	3.4	22	1
Salchicha, cerdo, ahumada, porción separada	1	68	265	15.1	22	7.7	46	1
Salmón, filete de salmón de Alaska, filete, al horno/a la parrilla	3 oz	85	184	23.2	9	1.6	74	0
Salmón, rosa, con hueso, en lata, sin drenar	3 oz	85	118	16.8	5	1.3	47	0
Salsa, hecha en casa, salsa mexicana	1 cucharada	15	3	0.1	0	0	0	1
Salsa, soya, hecha con soya y trigo	1 cucharada	16	9	1.3	0	0	0	1
Salsa, teriyaki	1 cucharada	18	15	1.1	0	0	0	3
Sandía, fresca, en cubos	1 taza	160	51	1	1	0.1	0	11
Sándwich, crema de cacahuate y jamón, sobre pan blanco comercial, sin sal	1	100	348	11.5	15	3.1	2	46
Sándwich, ensalada de huevo, sobre pan blanco comercial	1	111	361	9.1	24	4.2	149	29
Sándwich, tipo Reuben (o estilo judío), a la parrilla	1	237	458	27.6	29	9.8	80	25
Sándwich, tocino, lechuga y tomate, sobre pan blanco comercial	1	130	323	10.8	18	4.7	22	30
Sardinas, "Atlantic", con espinas, en lata en aceite, drenadas	1 oz	28	58	6.9	3	0.4	40	0
Sauerkraut (preparación de col en vinagre estilo alemán), con líquido, en lata	½ taza	118	22	1.1	0	0	0	5
Soda, cerveza de raíz	12 fl-oz	340	139	0	0	0	0	36
Soda, cola	12 fl-oz	369	151	0	0	0	0	38
Soda, cola/Coke de dieta, con sacarina, baja en sodio	12 fl-oz	340	0	0	0	0	0	0
Soda, "Ginger Ale"	12 fl-oz	366	124	0	0	0	0	32
Soda, lima limón	12 fl-oz	340	136	0	0	0	0	35

Alimento	Cantidad	Peso (g)	Calo-rías	Proteí-nas (g)	Grasa (g)	Grasa sat. (g)	Coles-terol (g)	Carbohi-dratos (g)
Sopa, chícharo, chícharos secos en mitades, con jamón, preparada con agua	1 taza	245	184	10	4	1.7	7	27
Sopa, crema de champiñones, preparada con leche	1 taza	245	201	6	13	5.1	20	15
Sopa, crema de pollo, preparada con leche	1 taza	248	191	7.5	11	4.6	27	15
Sopa, de almejas, "Manhattan", en lata	1 taza	244	112	12.3	2	0	10	11
Sopa, de almejas, "New England", preparada con leche	1 taza	248	164	9.5	7	3	22	17
Sopa, fideos, con pollo, preparada con agua	1 taza	241	75	4	2	0.7	7	9
Sopa, minestrone, preparada con agua	1 taza	241	82	4.3	3	0.6	2	11
Sopa, tomate, preparada con agua	1 taza	245	86	2.1	2	0.4	0	17
Sopa, tomate, preparada con leche	1 taza	248	161	6.1	6	2.9	17	22
Sopa, verduras, res, preparada con agua	1 taza	245	78	5.6	2	0.9	5	10
Sopa, verduras, vegetariana, prep. con agua	1 taza	250	75	2.2	2	0.3	0	12
Sopa/caldo de res, en lata, preparada con agua	1 taza	240	17	2.7	1	0.3	0	0
Sustituto de huevo, "Egg Beaters", nuevo	¼ taza	61	30	6	0	0	0	1
Tangerinas/mandarinas, frescas, medianas	1	116	51	0.7	0	0	0	13
Té, preparado	¼ taza	180	2	0	0	0	0	1
Tempeh	1 taza	166	320	30.8	18	3.7	0	16
Tofu (queso de soya), duro, añejo	½ taza	126	78	8.7	3	0.5	0	3
Tomates, rojos, tiernos, crudos, medianos, enteros	1	100	21	0.9	0	0	0	5
Tomates, rojos, tiernos, sin sal, en lata, en líquido	½ taza	121	23	1.1	0	0	0	5
Toronja, rosa, fresca, 3¼ diámetro	½	123	37	0.7	0	0	0	9
Tortilla/taco/tostada frita, maíz	1	148	693	10.7	33	5	0	92
Tortillas fritas y dobladas	1	10	47	0.7	2	0.3	0	7
Totopos, maíz	1 oz	28	151	1.8	9	1.3	0	16
Totopos, tortilla, chile y LIME	18 pzas.	28	110	2	2	0	0	22
Totopos, tortilla, entera	1 oz	28	140	2	7	1.4	0	18
Trigo, "Bulgur", cocido	1 taza	135	112	4.2	0	0.1	0	25
Trigo, germen, tostado	1 cucharada	6	23	1.7	1	0.1	0	3
Trigo, hojuelas, rollo, seco	1 taza	30	97	3.5	0	0	0	21
Trucha, arco iris, filete, horneado/ a la parrilla, natural	3 oz	85	128	19.5	5	1.4	59	0
Uvas rojas, frescas	10	50	36	0.3	0	0.1	0	9
Verduras mixtas, en lata, drenadas	1 taza	182	86	4.7	0	0.1	0	17
Vinagre, balsámico, 60 grano	1 cucharada	15	21	0	0	0		5
Vino, blanco, mediano	2 fl-oz	59	40	0.1	0	0	0	0
Vino, refresco envinado "Cooler"	4 oz	113	56	0.1	0	0	0	7
Vino, rosado	2 fl-oz	59	42	0.1	0	0	0	1
Vino, tinto	⅛ taza	30	22	0.1	0	0	0	1
Whiskey, prueba 90	2 fl-oz	42	110	0	0	0	0	0
Yogur, fruta, bajo en grasa, 10 g prot/8 oz	1 taza	227	231	9.9	2	1.6	10	43
Yogur, natural, bajo en grasa, 12 g prot/8 oz	8 oz	226	143	11.9	4	2.3	14	16
Zanahorias, cocidas sin sal, drenadas, en rebanadas	½ taza	73	33	0.8	0	0	0	8
Zanahorias, crudas, enteras, 7½" de largo	1	81	35	0.8	0	0	0	8

Alimento	Cantidad	Peso (g)	Calo-rías	Proteí-nas (g)	Grasa (g)	Grasa sat. (g)	Coles-terol (g)	Carbohi-dratos (g)
RESTAURANTES DE COMIDA RÁPIDA								
General								
Burrito, frijoles	1	166	342	10.8	10	5.3	3	55
Chile, con carne	1 taza	255	258	24.8	8	3.5	135	22
Ensalada de col fresca, comida rápida	1 taza	120	178	1.8	13	1.9	6	15
Entrada, enchilada, queso	1	230	451	13.6	27	14.9	62	40
Helado "Sundae", postre de chocolate y otros sabores "Hot fudge", comida rápida	1	164	295	5.9	9	5.2	21	49
Hot dog	1	98	242	10.4	15	5.1	44	18
Muffin inglés con mantequilla	1	63	189	4.9	6	2.4	13	30
Panqué, con mantequilla y jarabe	2	232	520	8.3	14	5.9	58	91
Sándwich, pollo, filete	1	157	444	20.8	25	7.4	52	33
Arby's								
Ensalada, chef	1	273	136	12.3	6	2.6	84	9
Salsa, "Arby's"	½ oz	14	15	0.1	0	0	0	3
Salsa, "Horsey"	½ oz	14	110	0.1	5	1.2	0	3
Sándwich, bistec, "Arby Q"	1	190	389	17.6	15	5.4	29	48
Sándwich, bistec, salsa francesa y queso suizo	1	154	369	24.7	16	7.5	58	31
Sándwich, bistec y cheddar	1	194	508	24.6	26	7.7	52	43
Sándwich, carne de res asada, regular	1	155	383	22	18	6.9	43	35
Sándwich, pollo, a la parrilla, "Deluxe"	1	195	365	20	17	3	37	35
Burger King								
Anillos de cebolla, porción regular	3	30	75	1	3	0.5	0	10
Cuernito, con huevo, salchicha y queso	1	110	375	13.8	29	10	162	16
Hamburguesa con queso, "Whopper"	1	294	730	33	46	16	115	46
Hamburguesa, "Whopper"	1	270	640	27	39	11	90	45
Papas a la francesa, con sal, porción mediana	1	116	370	5	20	5	0	43
Sándwich, pescado, grande	1	255	700	26	41	6	90	56
Sándwich, pollo, a la parrilla	1	168	373	20.3	20	4.1	54	28
Dunkin Donuts, Inc.								
Cuernito	1	18	81	1.2	5	1.2	2	8
Hidden Valley								
Aderezo, ranchero, reducido en grasa y calorías	2 cucharadas	28	58	0.5	5	0.9	10	2
International Dairy Queen Inc.								
Aros de cebolla, porción	3 oz	85	241	3.8	12	3	0	29
Cono de helado, vainilla, mediano	1	142	237	5.7	6	4.3	22	38
Cono de yogur helado, mediano	4 oz	113	148	5.1	1	0.3	3	32
Hamburguesa, estilo casero	1	138	290	17	12	5	45	29
Helado "Sundae", chocolate, mediano	1	184	315	6.3	8	4.7	24	56
Licuado, vainilla, mediano	1	397	520	12	14	8	45	88
Sándwich, pescado, filete	1	182	396	17.1	17	3.7	48	42
Yogur helado, sin grasa	4 oz	113	133	4	0	0		28
Jack in the Box								
Hamburguesa	1	104	250	12	9	3.5	30	30
Hamburguesa con queso, "Jumbo Jack"	1	296	640	31	38	15	105	44
Hamburguesa, masa fermentada, "Jack"	1	233	690	34	45	15	105	37

Alimento	Cantidad	Peso (g)	Calo-rías	Proteí-nas (g)	Grasa (g)	Grasa sat. (g)	Coles-terol (g)	Carbohi-dratos (g)
Sándwich, pollo, supremo	1	305	830	33	49	7	65	66
Tazón, pollo, "Teriyaki"	1	502	670	26	4	1	15	128
Kentucky Fried Chicken Corporation								
Pollo, ala, "Hot & Spicy"	1	55	210	10	15	4	55	9
Pollo, ala, receta original	1	45	134	8.6	10	2.4	53	5
Pollo, pierna, receta original	1	54	124	11.5	8	1.8	66	4
Long John Silver´s								
Comida, pescado y papas, empanizados, 2 piezas	1	261	610	27	37	7.9	60	52
Centro de información nutricional de McDonald's								
Bizcocho, salchicha y huevo	1	175	541	17.7	36	9.8	241	34
Cono de helado de vainilla, bajo en grasa	3 oz	85	142	3.8	4	2.8	19	22
Ensalada, Jardín, "Shaker"	1	149	100	7	6	3	75	4
Hamburguesa, "Big Mac"	1	204	529	24.6	29	9.4	80	42
Hamburguesa con queso	1	115	304	14.3	12	5.7	38	33
Hamburguesa con queso, cuarto de libra	1	186	493	26	28	12.1	88	35
Hamburguesa, cuarto de libra	1	160	391	21.4	20	7.4	65	34
Licuado, vainilla, pequeño	1	289	355	10.8	9	5.9	39	58
Manzana, danesa	1	115	394	5.5	18	5.5	44	56
McMuffin, fibra de manzana, sin grasa	1	75	197	3.9	2	0.3	0	40
McMuffin, huevo	1	138	294	17.2	12	4.6	238	27
McMuffin, salchicha	1	135	434	15.7	28	9.6	54	31
Papas, fritas en tiras delgadas	1	55	135	1	8	1.6	0	15
Papas, papas fritas, porción pequeña	1	68	210	3	10	1.5	0	26
Pay, manzana	1	307	1037	12	52	14	0	136
Pollo, trocitos empanizados y fritos (nuggets), McNuggets, 4 pzas., porción	1	71	190	12	11	2.5	40	10
Salsa, dulce y ácida, Paquete 1	1⅛ oz	32	57	0	0	0	0	13
Sándwich, filete O Pescado	1	131	378	13.4	21	3.8	42	35
Pizza Hut, Inc.								
Pizza, pepperoni, pan-pizza, mediana, 12"	2 pza.	211	539	22.4	24	8.1	49	57
Pizza, pepperoni, personal pan-pizza	1	255	637	27	28	10	55	69
Pizza, queso, pan, mediano, 12"	2 pza.	205	495	22.8	21	9.5	47	53
Pizza, queso, "Thin n' Crispy", med. 12"	2 pza.	148	350	18.8	14	6.8	43	36
Pizza, suprema, pan-pizza, med, 12"	2 pza.	255	581	28	28	11.2	56	52
Subway International								
Sándwich, atún, con mayonesa, sobre pan blanco, 6"	1	253	391	19	15	2	32	46
Sándwich, bolas de carne, sobre pan blanco, 6"	1	260	404	18	16	6	33	44
Sándwich, carne de res asada, estilo "Deli"	1	180	245	13	4	1	13	38
Sándwich, pavo, sobre pan blanco, 6"	1	232	273	17	4	1	19	40
Sándwich, pechuga de pollo, rostizada, en salsa blanca, 6"	1	246	332	26	6	1	48	41
Sándwich, salchichón italiano, sobre pan blanco, 6"	1	246	445	21	21	8	56	39
Taco Bell Inc.								
Burrito, bistec, "Big Supreme"	1	298	520	24	23	10	55	54
Burrito, "Seven Layer"	1	234	438	13.2	19	5.8	21	55
Burrito, "Supreme"	1	255	440	17	19	8	35	51

Alimento	Cantidad	Peso (g)	Calo-rías	Proteí-nas (g)	Grasa (g)	Grasa sat. (g)	Coles-terol (g)	Carbohi-dratos (g)
Taco	1	83	192	9.6	11	4.3	27	13
Taco, suave	1	92	225	9.2	10	4.1	26	12
Wendy's Foods International								
Ensalada, "César", con aderezo, guarnición	1	130	151	12.4	8	3.4	25	9
Ensalada, jardín, "Deluxe", con aderezo	1	271	110	6.7	6	1	1	10
Ensalada, pollo, a la parrilla, con aderezo	1	338	195	22.1	8	1.7	46	10
Ensalada, taco, con papas	1	510	411	28.7	20	10.5	69	31
Hamburguesa con queso, con tocino, "Junior"	1	170	393	20.5	19	7.5	58	35
Hamburguesa, tocino clásico, grande	1	251	517	30.1	26	10.7	88	41
Pollo, trocitos empanizados y fritos (nuggets)	6 pzas.	94	292	13.9	20	3.6	37	14
Postre, helado de leche, mediano	1	298	440	11	11	7	50	73
Sándwich, pollo, a la parrilla	1	177	283	22.6	7	1.5	61	34
Sándwich, pollo, club	1	220	483	30.6	20	4.4	64	48
Sándwich, pollo, empanizados	1	208	433	27.4	16	3.1	54	47

ALIMENTOS O COMIDA PREPARADA

Alimento	Cantidad	Peso (g)	Calo-rías	Proteí-nas (g)	Grasa (g)	Grasa sat. (g)	Coles-terol (g)	Carbohi-dratos (g)
El Charrito								
Entrada, enchilada, bistec, tamaño familiar, 6 paquetes	1	200	353	11.8	17	6.5	33	39
Healthy Choice								
Comida, carne mechada, tradicional, descongelada	1	340	316	15.3	5	2.5	37	52
Comida, pescado, a las hierbas, descongelada	1	273	300	14.1	6	1.3	31	48
Entrada, burrito, pollo, con queso, descongelada	1	216	253	10.1	4	1.8	25	43
Entrada, espagueti, boloñesa, descongelada	1	284	280	14	6	2	30	43
Entrada, lasaña, roma, descongelada	1	284	311	19.3	7	2.2	26	44
Lean Cuisine								
Entrada, "Chow Mein", pollo, con arroz	1	241	198	12.3	5	0.9	33	26
Entrada, espagueti, con bolas de carne, descongelado	1	290	322	19.4	8	2.2	6	43
Entrada, lasaña, con salsa de carne	1	291	270	19	6	2.5	25	34
Entrada, ravioles, queso	1	241	250	12	8	3	55	32
The Budget Gourmet								
Comida, carne de ternera, a la "Parmigiana", 3 platos	1	340	440	26	20		165	39
Comida, pollo, "Teriyaki", 3 platos	1	340	360	20	12		55	44
Entrada, bistec, puntas de sirloin, con salsa "Country"	1	334	365	18.8	21		47	25
Entrada, "Lingüini", con camarones	1	284	330	15	15		75	33
The Budget Gourmet-Slim Select								
Entrada, "Stroganoff", bistec	1	238	269	17.3	10		58	28
Weight Watchers								
Entrada, "Chow mein", pollo	1	255	200	12	2	0.5	25	34

Esta tabla de alimentos ha sido elaborada por West-Wadsworth Publishing Company y está registrada como propiedad de ESHA Research en Salem, Oregon (el desarrollador y editor de Food Processor®, Genesis® R&D, y de los sistemas de programa de nutrición Computer Chef®). Las principales fuentes de la información provienen del USDA y se encuentran complementadas por más de 1200 fuentes adicionales de información. La lista de referencias es muy extensa y, por tanto, no se proporciona en este libro pero está disponible con el editor.

NOTAS

CAPÍTULO 1

1. W. M. Bortz II, "Disuse and Aging", *Journal of the American Medical Association*, 248 (1982), 1203–1208.

2. U.S. Department of Health and Human Services, *Physical Activity and Health: A Report of the Surgeon General* (Atlanta: U.S. Department of Health and Human Services, Centers for Disease Control and Prevention, National Center for Chronic Disease Prevention and Health Promotion, 1996).

3. U.S. Department of Health and Human Services, Centers for Disease Control and Prevention, National Center for Health Statistics, National Vital Statistics Reports, *Deaths: Final Data for 2002*, 50 (15) (16 de septiembre de 2002).

4. Véase la nota 2.

5. Véase la nota 2.

6. National Academy of Sciences, Institute of Medicine, *Dietary Reference Intakes for Energy, Carbohydrates, Fiber, Fat, Protein and Amino Acids (Macronutrients)* (Washington, DC: National Academy Press, 2002).

7. "Wellness Facts", *University of California at Berkeley Wellness Letter* (Palm Coast, FL: The Editors, abril de 1995).

8. R. S. Paffenbarger, Jr., R. T. Hyde, A. L. Wing y C. H. Steinmetz, "A Natural History of Athleticism and Cardiovascular Health", *Journal of the American Medical Association*, 252 (1984), 491–495.

9. S. N. Blair, H. W. Kohl III, R. S. Paffenbarger, Jr., D. G. Clark, K. H. Cooper y L. W. Gibbons, "Physical Fitness and All-Cause Mortality: A Prospective Study of Healthy Men and Women", *Journal of the American Medical Association*, 262 (1989), 2395–2401.

10. S. N. Blair, H. W. Kohl III, C. E. Barlow, R. S. Paffenbarger, Jr., L. W. Gibbons y C. A. Macera, "Changes in Physical Fitness and All-Cause Mortality: A Prospective Study of Healthy and Unhealthy Men", *Journal of the American*

Medical Association, 273 (1995), 1193–1198.

11. I. Lee, C. Hsieh y R. S. Paffenbarger, Jr., "Exercise Intensity and Longevity in Men: The Harvard Alumni Health Study", *Journal of the American Medical Association*, 273 (1995), 1179–1184.

12. U.S. Department of Health and Human Services, *Healthy People 2010 Objectives: Draft for Public Comment* (Washington DC, Public Health Service, 1998).

13. J. O. Prochaska, J. C. Norcross y C. C. DiClemente, *Changing for Good* (Nueva York: William Morrow and Co., 1994).

14. American College of Sports Medicine, *Guidelines for Exercise Testing and Prescription* (Philadelphia: Lippincott Williams & Wilkins, 2000).

CAPÍTULO 2

1. American College of Sports Medicine, *Guidelines for Exercise Testing and Prescription* (Philadelphia: Lippincott Williams & Wilkins, 2000).

2. W. J. Evans, "Exercise Nutrition and Aging", *Journal of Nutrition*, 122 (1992), 786–801.

3. W. W. Campbell, M. C. Crim, V. R. Young y W. J. Evans, "Increased Energy Requirements and Changes in Body Composition with Resistance Training in Older Adults", *American Journal of Clinical Nutrition*, 60 (1994), 167–175.

4. R. A. Faulkner, E. J. Sprigings, A. McQuarrie y R. D. Bell", A Partial Curl-Up Protocol for Adults Based on Analysis of Two Procedures", *Canadian Journal of Sports Science*, 14 (1989), 135–141.

5. P. A. Macfarlane, "Out with the Sit-Up, in with the Curl-Up!", *JOPERD*, 64 (1993), 62–66.

6. D. Knudson y D. Johnston, "Validity and Reliability of a Bench Trunk Curl Up Test of Abdominal Endurance", *Journal of Strength and Conditioning Research*, 9 (1995), 165–169.

7. R. Kjorstad, *Validity of Two Field Tests of Abdominal Strength and Muscular*

Endurance, unpublished master's thesis, Boise State University, 1997.

8. T. McNeill, D. Warwick, G. Anderson y A. Schultz, "Trunk Strengths in Attempted Flexion, Extension, and Lateral Bending in Healthy Subjects and Patients with Low-Back Pain Disorders", *Spine*, 5 (1980), 529–536.

9. L. D. Robertson y H. Magnusdottir, "Evaluation of Criteria Associated with Abdominal Fitness Testing", *Research Quarterly for Exercise and Sport*, 58 (1987), 355–359.

10. Macfarlane, nota 5.

11. Kjorstad, nota 7.

12. G. L. Hall, R. K. Hetzler, D. Perrin y A. Weltman, "Relationship of Timed Sit-Up Tests to Isokinetic Abdominal Strength", *Research Quarterly for Exercise and Sport*, 63 (1992), 80–84.

13. American College of Obstetricians and Gynecologists, *Guidelines for Exercise During Pregnancy*, 1994.

14. "Stretch Yourself Younger", *Consumer Reports on Health*, 11 (agosto de 1999), 6–7.

15. J. H. Wilmore, *Exercise and Weight Control: Myths, Misconceptions, Gadgets, Gimmicks, and Quackery*, conferencia dictada en la junta anual del American College of Sports Medicine, Indianapolis, junio de 1994.

CAPÍTULO 3

1. H. Atkinson, "Exercise for Longer Life: The Physician's Perspective", *Health News*, 3:7 (1997), 3.

2. U.S. Department of Health and Human Services, *Physical Activity and Health: A Report of the Surgeon General*, Atlanta: U.S. Department of Health and Human Services, Centers for Disease Control and Prevention, National Center for Chronic Disease Prevention and Health Promotion, 1996.

3. American College of Sports Medicine, *Guidelines for Exercise Testing and Prescription* (Philadelphia: Lippincott Williams & Wilkins, 2000).

4. American College of Sports Medicine, "Position Stand: The Recommended Quantity and Quality of Exercise for Developing and Maintaining Cardio-respiratory and Muscular Fitness, and Flexibility in Healthy Adults", *Medicine and Science in Sports and Exercise*, 30 (1998), 975–991.

5. S. N. Blair, "Surgeon General's Report on Physical Fitness: The Inside Story", *ACSM's Health & Fitness Journal*, 1 (1997), 14–18.

6. R. F. DeBusk, U. Stenestrand, M. Sheehan y W. L. Haskell, "Training Effects of Long Versus Short Bouts of Exercise in Healthy Subjects", *American Journal of Cardiology*, 65 (1990), 1010–1013.

7. National Academy of Sciences, Institute of Medicine, *Dietary Reference Intakes for Energy, Carbohydrates, Fiber, Fat, Protein and Amino Acids (Macronutrients)* (Washington, DC: National Academy Press, 2002).

8. Véase la nota 7.

9. U.S. Department of Health and Human Services, *Physical Activity and Health: A Report of the Surgeon General* (Atlanta: U.S. Department of Health and Human Services, Centers for Disease Control and Prevention, National Center for Chronic Disease Prevention and Health Promotion, 1996).

10. U.S. Department of Health and Human Services: Department of Agriculture. *Nutrition and Your Health: Dietary Guidelines for Americans* (Home and Garden Bulletin núm. 232), (2000).

11. Gatorade Sports Science Institute, "Core Strength Training", *Sports Science Exchange Roundtable* 13, 1 (2002): 1–4.

12. Véase la nota 4.

13. "Minimizing Back Pain", *Tufts University Health and Nutrition Letter* (Nueva York: The Editors, mayo de 1998).

14. R. Deyo, "Chiropractic Care for Back Pain: The Physician's Perspective", *HealthNews*, 4 (10 de septiembre de 1998).

15. A. Brownstein, "Chronic Back Pain Can Be Beaten", *Bottom Line Health*, 13 de octubre de 1999, 3–4.

CAPÍTULO 4

1. J. L. Christi, L. M. Sheldahl, F. E. Tristani, L. S. Wann, K. B. Sagar, S. G. Levandoski, M. J. Ptacin, K. A. Sobocinski y R. D. Morris, "Cardio-vascular Regulation During Head-out Water Immersion Exercise", *Journal of Applied Physiology*, 69 (1990), 657–664. L. M. Sheldahl, F. E. Tristani, P. S. Clifford, C. V. Hughes, K. A. Sobocinski y R. D. Morris, "Effect of Head-out Water Immersion on Cardiorespiratory Response to Dynamic Exercise", *Journal of American College of Cardiology*, 10 (1987), 1254–1258; J. Svedenhang y J. Seger, "Running on Land and in Water: Comparative Exercise Physiology", *Medicine and Science in Sports and Exercise*, 24 (1992), 1155–1160.

2. W. Hoeger, D. Hopkins y D. Barber, "Physiologic Responses to Maximal Treadmill Running and Water Aerobic Exercise", *National Aquatics Journal*, 11 (1995), 4–7.

3. W. Hoeger, T. A. Spitzer-Gibson, N. Kaluhiokalani, J. Kokonnen, "Comparison of Physiologic Responses to Self-Paced Water Aerobics and Self-Paced Treadmill Running", *Journal of the International Council for Health, Physical Education, Recreation, Sport, and Dance* (en prensa, 2004).

4. W. W. K. Hoeger, T. S. Gibson, J. Moore y D. R. Hopkins, "A Comparison of Selected Training Responses to Low Impact Aerobics and Water Aerobics", *National Aquatics Journal*, 9 (1993), 13–16.

5. E. J. Marcinick, J. Potts, G. Schlabach, S. Will, P. Dawson y B. F. Hurley, "Effects of Strength Training on Lactate Threshold and Endurance Performance", *Medicine and Science in Sports and Exercise*, 23 (1991), 739–743.

CAPÍTULO 5

1. National Academy of Sciences, Institute of Medicine. *Dietary Reference Intakes for Energy, Carbohydrates, Fiber, Fat, Protein and Amino Acids (Macronutrients)* (Washington, DC: National Academy Press, 2002).

2. E. B. Rimm, A. Ascherio, E. Giovannucci, D. Spiegelman, M. J. Stampfer y W. C. Willett, "Vegetable, Fruit, and Cereal Fiber Intake and Risk of Coronary Heart Disease Among Men", *Journal of the American Medical Association*, 275 (1996), 447–451.

3. Véase la nota 1.

4. S. Begley, "Beyond Vitamins", *Newsweek*, 25 de abril de 1994, 45–49.

5. "Vitamin C: We Still Take It, and So Should You", *University of California at Berkeley Wellness Letter* (Palm Coast, FL: The Editors, mayo de 2000).

6. L. C. Clark *et al.*, "Effects of Selenium Supplementation for Cancer Prevention in Patients with Carcinoma of the Skin: A Randomized Controlled Trial", *Journal of the American Medical Association*, 276 (1996), 1957–1963.

7. "Does This Mineral Prevent Cancer?", *University of California at Berkeley Wellness Letter*, 16:9 (2000), 1–2.

8. "The Antioxidant All-Stars", *University of California at Berkeley Wellness Letter*, marzo de 1997.

9. American Psychiatric Association, *Diagnostic and Statistical Manual of Mental Disorders* (Washington, DC: APA, 1994), 262, 263.

10. Véase la nota 9.

11. U.S. Department of Health and Human Services, Department of Agriculture. *Nutrition and Your Health: Dietary Guidelines for Americans* (Home and Garden Bulletin núm. 232) (Washington, DC: U.S. Government Printing Office, 2000).

CAPÍTULO 6

1. A. Must *et al.*, "The Disease Burden Associated with Overweight and Obesity", *Journal of the American Medical Association*, 282 (1999), 1523–1529.

2. R. Sturm y K. B. Wells, "Does Obesity Contribute as Much to Morbidity as Poverty or Smoking?", *Public Health* 115 (2001): 229–235.

3. S. Thomsen, "A Steady Diet of Images", *BYU Magazine* 57, núm. 3 (2003): 20–21.

4. G. D. Foster *et al.*, "A Randomized Trial of a Low-Carbohydrate Diet for Obesity", *The New England Journal of Medicine* 348 (2003): 2082-2090. F. F. Samaha *et al.*, "A Low-Carbohydrate as compared with Low-Fat Diet in Severe Obesity", *New England Journal of Medicine* 348 (2003): 2074–2081.

5. R. L. Leibel, M. Rosenbaum y J. Hirsh, "Changes in Energy Expenditure Resulting from Altered Body Weight", *New England Journal of Medicine*, 332 (1995), 621–628.

6. American College of Sports Medicine, "Position Stand: Appropriate Intervention Strategies for Weight Loss and Prevention for Weight Regain for Adults", *Medicine and Science in Sports and Exercise* 33 (2001): 2145–2156.

7. J. H. Wilmore, "Exercise, Obesity, and Weight Control", *Physical Activity and Fitness Research Digest* (Washington DC: President's Council on Physical Fitness & Sports, 1994).

8. M. K. Serdula *et al.*, "Prevalence of Attempting Weight Loss and Strategies for Controlling Weight", *Journal of the American Medical Association* 282 (1999): 1353–1358.

9. National Academy of Sciences, Institute of Medicine, *Dietary Reference Intakes for Energy, Carbohydrates, Fiber, Fat, Protein and Amino Acids (Macronutrients)* (Washington, DC: National Academy Press, 2002).

10. W. W. Campbell, M. C. Crim, V. R. Young y W. J. Evans, "Increased Energy Requirements and Changes in Body Composition with Resistance Training in Older Adults", *American Journal of Clinical Nutrition* 60 (1994): 167–175.

11. A. Tremblay, J. A. Simoneau y C. Bouchard, "Impact of Exercise Intensity on Body Fatness and Skeletal Muscle Metabolism", *Metabolism* 43 (1994): 814–818.

12. W. W. K. Hoeger, C. Harris, E. M. Long y D. R. Hopkins, "Four-Week Supplementation with a Natural Dietary Compound Produces Favorable Changes in Body Composition", *Advances in Therapy* 15, núm. 5 (1998): 305–313; W. W. K. Hoeger, C. Harris, E. M. Long, R. L. Kjorstad, M. Welch, T. L. Hafner y D. R. Hopkins, "Dietary Supplementation with Chromium Picolinate/L-Carnitine Complex in Combination with Diet and Exercise Enhances Body Composition", *Journal of the American Nutraceutical Association* 2, núm. 2 (1999): 40–45.

CAPÍTULO 7

1. H. E. Selye, *Stress Without Distress* (Nueva York: Signet, 1974).

2. See Ray Rosenman, "Do You Have Type 'A' Behavior?", *Health and Fitness* (supplement), 1987; Redford Williams, *The Trusting Heart: Great News About Type A Behavior* (Nueva York: Times Books, 1989), 120; Howard Friedman, *The Self-Healing Personality* (Nueva York: Henry Holt & Co., 1991).

3. R. Williams, *The Trusting Heart: Great News About Type A Behavior* (Nueva York: Times Book, Division of Random House, 1989).

4. D. Girdano y G. Everly, *Controlling Stress and Tension: A Holistic Aproach* (Englewood Cliffs, NJ: Prentice Hall, 1992); W. Schafer, *Stress Management for Wellness* (Ft. Worth: HBJ College Publishers, 1995).

5. D. Mueller, "Yoga Therapy", *ACSM's Health & Fitness Journal* 6, núm. 1 (2002): 18–24.

6. S. C. Manchanda *et al.*, "Retardation of Coronary Atherosclerosis With Yoga Lifestyle Intervention", *Journal of the Association of Physicians of India* 48 (2000): 687–694.

CAPÍTULO 8

1. E. R. Growald y A. Lusks, "Beyond Self", *American Health*, marzo de 1988, 51–53.

2. U.S. Department of Health and Human Services, Centers for Disease Control and Prevention, National Center for Health Statistics, *National Vital Statistics System: Deaths, Preliminary Data for 2001*, 51:5 (14 de marzo de 2003).

3. J. M. McGinnis y W. H. Foege, "Actual Causes of Death in the United States", *Journal of the American Medical Association*, 270 (1993), 2207–2212.

4. Véase la nota 2.

5. American Heart Association, *Heart Disease and Stroke Statistics—2003 Update* (Dallas: AHA, 2003).

6. S. N. Blair, H. W. Kohl III, R. S. Paffenbarger, Jr., D. G. Clark, K. H. Cooper y L. W. Gibbons, "Physical Fitness and All-Cause Mortality: A Prospective Study of Healthy Men and Women", *Journal of the American Medical Association*, 262 (1989), 2395–2401.

7. G. A. Kelley y Z. Tran, "Aerobic Exercise and Normotensive Adults: A Metaanalysis", *Medicine and Science in Sports and Exercise*, 27 (1995), 1371–1377.

8. R. Collins *et al.*, "Blood Pressure, Stroke and Coronary Heart Disease: Part 2, Short-term Reductions in Blood Pressure: Overview of Randomized Drug Trials in Their Epidemiological Context", *Lancet*, 335 (1990), 827–838.

9. S. N. Blair *et al.*, "Influences of Cardio-respiratory Fitness and Other Precursors on Cardiovascular Disease and All-cause Mortality in Men and Women", *Journal of the American Medical Association*, 276 (1996), 205–210.

10. G. A. Kelley y K. S. Kelley, "Progressive Resistance Exercise and Resting Blood Pressure: A Meta-Analysis of Randomized Controlled Trials", *Hypertension*, 35 (2000), 838–843.

11. "Lipid Research Clinics Program: The Lipid Research Clinic Coronary Primary Prevention Trial Results", *Journal of the American Medical Association*, 251 (1984), 351–364.

12. American Heart Association, *Know the Facts, Get the Stats* (Dallas: AHA, 2003).

13. American Heart Association, *Heart and Stroke Facts* (Dallas: AHA, 1999).

14. E. B. Rimm, A. Ascherio, E. Giovannucci, D. Spiegelman, M. J. Stampfer y W. C. Willett, "Vegetable, Fruit y Cereal Fiber Intake and Risk of Coronary Heart Disease Among Men", *Journal of the American Medical Association*, 275 (1996), 447–451.

15. American College of Sports Medicine, "Position Stand: Exercise and Type 2 Diabetes", *Medicine and Science in Sports and Exercise*, 32 (2000), 1345–1360.

16. S. Liu *et al.*, "A Prospective Study of Dietary Glycemic Load, Carbohydrate Intake y Risk of Coronary Heart Disease in the U.S.", *American Journal of Clinical Nutrition*, 71 (2000), 1455–1461.

17. G. M., Reaven, T. K. Strom y B. Fox, *Syndrome X: Overcoming the Silent Killer That Can Give You a Heart Attack* (Nueva York: Simon & Schuster, 2000).

18. Véase la nota 5.

19. American Cancer Society, *2003 Cancer Facts and Figures* (Nueva York: ACS, 2003).

20. "Colorful Diet Helps Keep Cancer at Bay: Fruits and Vegetables Are Key", *Environmental Nutrition* 24, núm. 6 (2001): 1, 6.

21. N. Ahmad *et al.*, "Green Tea Constituent Epigallocatechin-3-Gallate and Induction of Apoptosis and Cell Cycle Arrest in Human Carcinoma Cells", *Journal of the National Cancer Institute* 89 (1997): 1881–1886.

22. L. Mitscher y V. Dolby, *The Green Tea Book—China's Fountain of Youth* (Nueva York: Avery Press, 1997); L. Mitscher, "Strongest Known Disease-fighting Antioxidant", *Bottom Line/Personal Health*, 18:4 (1997), 3.

23. I-Min Lee, "Exercise and Physical Health: Cancer and Immune Function", *Research Quarterly for Exercise and Sport*, 66 (1995), 286–291.

CAPÍTULO 9

1. R. S. Paffenbarger, Jr., R. T. Hyde, A. L. Wing y C. H. Steinmetz, "A Natural History of Athleticism and Cardiovascular Health", *Journal of the American Medical Association*, 252 (1984), 491–495.

2. S. N. Blair, H. W. Kohl III, R. S. Paffenbarger, Jr., D. G. Clark, K. H. Cooper y L. W. Gibbons, "Physical Fitness and All-Cause Mortality: A Prospective Study of Healthy Men and Women", *Journal of the American Medical Association*, 262 (1989), 2395–2401.

3. R. Hambrecht *et al.*, "Various Intensities of Leisure Time Physical Activity in Patients with Coronary Artery

Disease: Effects on Cardiorespiratory Fitness and Progression of Coronary Atherosclerotic Lesions", *Journal of the American College of Cardiology*, 22 (1993), 468–477.

4. C. L. Otis, B. Drinkwater, M. Johnson, A. Loucks y J. Wilmore, "The Female Athlete Triad", *Medicine and Science in Sports and Exercise*, 29 (1997), i–ix.

5. American College of Obstetricians and Gynecologists, *Guidelines for Exercise During Pregnancy*, 1994.

6. "New Advice About Bone Density Tests", *University of California at Berkeley Wellness Letter* 18, núm. 10 (2002): 1–2.

7. M. T. Goodman *et al.*, "Association of Dairy Products, Lactose, and Calcium with the Risk of Ovarian Cancer", *American Journal of Epidemiology* 156 (2002): 148–157.

8. Writing Group for the Women's Health Initiative, "Risks and Benefits of Combined Estrogen and Progestin in Healthy Postmenopausal Women: Principal Results from the Women's Health Initiative Randomized Controlled Trial", *Journal of the American Medical Association* 288 (2002): 321–333.

9. "Are Fruits and Vegetables Less Nutritious Today". *University of California Berkeley Wellness Letter*, 14:8 (1998), 1.

10. American College of Sports Medicine, "Position Stand: Exercise and Physical Activity for Older Adults", *Medicine and Science in Sports and Exercise*, 30 (1998), 992–1008.

11. F. W. Kash, J. L. Boyer, S. P. Van Camp, L. S. Verity y J. P. Wallace, "The Effect of Physical Activity on Aerobic Power in Older Men (A Longitudinal Study)", *The Physician and Sports Medicine*, 18:4 (1990), 73–83.

12. Véase la nota 10.

SECCIÓN DE RESPUESTAS

Capítulo 1

1. a 2. e 3. d 4. c 5. c 6. b 7. b 8. d 9. a 10. e

Capítulo 2

1. e 2. a 3. e 4. e 5. c 6. b 7. b 8. a 9. d 10. c

Capítulo 3

1. d 2. c 3. c 4. d 5. a 6. c 7. b 8. c 9. e 10. e

Capítulo 4

1. d 2. a 3. c 4. d 5. c 6. d 7. e 8. d 9. a 10. b

Capítulo 5

1. b 2. e 3. c 4. d 5. d 6. a 7. a 8. c 9. a 10. e

Capítulo 6

1. c 2. d 3. e 4. a 5. b 6. c 7. a 8. c 9. d 10. e

Capítulo 7

1. a 2. c 3. c 4. e 5. b 6. e 7. e 8. a 9. b 10. c

Capítulo 8

1. e 2. a 3. b 4. e 5. b 6. e 7. e 8. b 9. d 10. c

Capítulo 9

1. b 2. e 3. e 4. d 5. d 6. e 7. b 8. a 9. e 10. e

CRÉDITOS FOTOGRÁFICOS

Portada © Brad Wrobleski/Masterfile

p. iii © Brad Wrobleski/Masterfile; **p. v** © Michael Keller/CORBIS; **p. vi** © Christel Rosenfeld/ Stone/Getty Images; **p. vii** © Owaki - Kulla/CORBIS; **p. viii** © Jim Cummins/Taxi/Getty Images

Capítulo 1

p. 1 © V.C.L./Taxi/Getty Images; **p. 2** © Fitness & Wellness, Inc.; **p. 3** © Fitness & Wellness, Inc.; **p. 7** © Fitness & Wellness, Inc.; **p. 14** © Fitness & Wellness, Inc.; **p. 16** © Fitness & Wellness, Inc.

Capítulo 2

p. 23 © Peter Nicholson/Stone/Getty Images; **p. 24** © Fitness & Wellness, Inc.; **p. 25** © Fitness & Wellness, Inc.; **p. 26** © Fitness & Wellness, Inc.; **p. 28** © Fitness & Wellness, Inc.; **p. 30** © Fitness & Wellness, Inc.; **p. 31** © Fitness & Wellness, Inc.; **p. 32** © Fitness & Wellness, Inc.; **p. 35** © Fitness & Wellness, Inc.; **p. 36** © Fitness & Wellness, Inc.; **p. 37** © Fitness & Wellness, Inc.; **p. 40** (bottom left) © Life Measurement, Inc.; (todas las demás) © Fitness & Wellness, Inc.

Capítulo 3

p. 51 © Michael Keller/CORBIS; **p. 52** © Fitness & Wellness, Inc.; **p. 53** © Fitness & Wellness, Inc.; **p. 54** © Fitness & Wellness, Inc.; **p. 57** © Fitness & Wellness, Inc.; **p. 58** (arriba a la izquierda) © Nautilus Sports/Medical Industries, Inc.; (arriba a la derecha) © Fitness & Wellness, Inc.; **p. 63** © Doug Olmstead. United Spirit Association, Sunnyvale, CA; **p. 64** © Fitness & Wellness, Inc.; **p. 69** © Fitness & Wellness, Inc.

Capítulo 4

p. 81 © Peter Griffith/Masterfile; **p. 82** © Fitness & Wellness, Inc.; **p. 83** © Fitness & Wellness, Inc.; **p. 84** (arriba a la derecha) © Fitness & Wellness, Inc.; (arriba a la derecha) © Aero-belt Aerobics; **p. 85** © Fitness & Wellness, Inc.; **p. 86** (arriba) Chuck Scheer, Boise State University; (a la mitad de la página, a la derecha) © Fitness & Wellness, Inc.; **p. 87** © Fitness & Wellness, Inc.; **p. 89** © Fitness & Wellness, Inc.; **p. 90** © Fitness & Wellness, Inc.; **p. 91** (arriba a la derecha) © StairMaster; (arriba a la derecha) Eric Risberg

Capítulo 5

p. 99 © Christel Rosenfeld/Stone/Getty Images; **p. 100** © Fitness & Wellness, Inc.; **p. 116** © Fitness & Wellness, Inc.

Capítulo 6

p. 121 © Michael Keller/CORBIS; **p. 123** (arriba a la derecha) Eric Risberg; (todas las demás) © Fitness & Wellness, Inc.; **p. 126** © 2001 PhotoDisc, Inc.; **p. 129** (arriba a la derecha) © Fitness & Wellness, Inc.; (a la mitad de la página, a la derecha) © Nautilus Sports/Medical Industries, Inc.; **p. 135** © Fitness & Wellness, Inc.

Capítulo 7

p. 145 © Owaki - Kulla/CORBIS; **p. 147** © Fitness & Wellness, Inc.; **p. 152** © Fitness & Wellness, Inc.; **p. 154** © Fitness & Wellness, Inc.; **p. 155** © Fitness & Wellness, Inc.; **p. 157** © Fitness & Wellness, Inc.; **p. 159** © Fitness & Wellness, Inc.; **p. 161** © Fitness & Wellness, Inc.

Capítulo 8

p. 165 © Moy Williams/Taxi/Getty Images; **p. 172** © CORBIS; **p. 176** © Fitness & Wellness, Inc.; **p. 178** © Fitness & Wellness, Inc.; **p. 180** © 2001 PhotoDisc, Inc.; **p. 182** © Fitness & Wellness, Inc.; **p. 189** © Fitness & Wellness, Inc.

Capítulo 9

p. 193 © Jim Cummins/Taxi/Getty Images; **p. 195** © Fitness & Wellness, Inc.; **p. 197** © Fitness & Wellness, Inc.; **p. 201** © Fitness & Wellness, Inc.; **p. 202** © Nautilus Sports/Medical Industries, Inc.; **p. 209** © Fitness & Wellness, Inc.; **p. 211** Eric Risberg

Apéndices

p. 219 © Ghislain & Marie David de Lossy/The Image Bank/Getty Images; **p. 221** © Fitness & Wellness, Inc.; **p. 222** © Fitness & Wellness, Inc.; **p. 223** © Fitness & Wellness, Inc.; **p. 224** © Fitness & Wellness, Inc.; **p. 225** © Fitness & Wellness, Inc.; **p. 226** © Fitness & Wellness, Inc.; **p. 227** (las dos de arriba a la izquierda) © Universal Gym Equipment, Inc.; (arriba a la derecha, las dos de la izquierda) © Nautilus Sports/Medical Industries, Inc.; **p. 228** (arriba, las dos de la derecha) © Fitness & Wellness, Inc.; (todas las demás) © Universal Gym Equipment, Inc.; **p. 229** (las dos de la mitad de la página) © Universal Gym Equipment, Inc.; (todas las demás) © Nautilus Sports/Medical Industries, Inc.; **p. 230** © Fitness & Wellness, Inc.; **p. 231** © Fitness & Wellness, Inc.; **p. 232** © Fitness & Wellness, Inc.; **p. 233** © Fitness & Wellness, Inc.; **p. 234** © Fitness & Wellness, Inc.; **p. 235** © Fitness & Wellness, Inc.; **p. 236** © Fitness & Wellness, Inc.

GLOSARIO

Acción sinergística: El efecto de mezclar dos o más drogas, lo cual puede resultar mucho mayor a la suma de dos o más drogas que actúan por separado.

Ácido desoxirribonucleico (ADN): Sustancia genética que conforma a los genes; molécula que contiene el código celular genético.

Ácido ribonucleico (ARN): Material genético que participa en la formación de las proteínas celulares.

Ácido transgraso: Grasa solidificada que se forma agregando hidrógeno a las grasas monoinsaturadas y poliinsaturadas para incrementar el periodo de caducidad.

Actividad física: Movimiento del cuerpo producido por los músculos del esqueleto que requiere gasto de energía y que produce beneficios progresivos en la salud.

Actividades diarias: Actividades que la gente realiza por lo normal todos los días para funcionar en la vida (cruzar la calle, cargar los víveres, levantar objetos, lavar, barrer).

Aero-belt TM (Aeróbic Endurance Resístanse Overloader): Cinturón provisto de una banda elástica que se desliza con libertad a través del cinturón y que se ata a las muñecas.

Aeróbicos de alto impacto (AAH): Ejercicios que incorporan movimientos en los que ambos pies se despegan momentáneamente del piso al mismo tiempo.

Aeróbicos de bajo impacto (ABI): Ejercicios en los que al menos un pie está en contacto con el piso todo el tiempo.

Aeróbicos de impacto moderado (AIM): Los aeróbicos que incluyen ejercicio pliométrico.

Aeróbicos en banco (AB): Forma de ejercicio que combina los movimientos ascendentes y descendentes de un banco con movimientos de los brazos.

Alcoholismo: Enfermedad en la que el individuo pierde control al tomar bebidas alcohólicas.

Altruismo: Acción y preocupación genuinas por el bienestar de los otros (lo opuesto al egoísmo); un deseo sincero de servir a los otros por encima de las necesidades personales.

Amenorrea: Detención del flujo menstrual regular.

Aminoácidos: Los cimientos básicos de las proteínas.

Angiogénesis: Formación capilar (vasos sanguíneos) que deviene en un tumor.

Angustia: Estrés negativo o dañino en el cual el desempeño diario y la salud comienzan a deteriorarse.

Anorexia nerviosa: Desorden alimenticio caracterizado por dejar de comer de manera voluntaria a fin de perder y más tarde mantener un peso corporal muy bajo.

Anorexia nerviosa: Véase **Anorexia nerviosa**.

Antioxidantes: Compuestos que evitan que el oxígeno se combine con otras sustancias a las que podría dañar.

Arritmias: Ritmos cardiacos irregulares.

Aterosclerosis: Depósitos de grasa/colesterol en las paredes de las arterias que conducen a la formación de placa.

Baile aeróbico: Serie de rutinas de ejercicio que lleva a cabo con música y que hoy en día se conoce mejor bajo el nombre de aeróbicos.

Benigno: No cancerígeno.

Beta-caroteno: Un precursor de la vitamina A.

Bienestar: El esfuerzo constante y deliberado de estar saludable y lograr desarrollar al máximo un estado de salud óptimo.

Bulimia nerviosa: Desorden alimenticio caracterizado por un ciclo de atracones de comida y de purgaciones.

Bulimia nerviosa: Véase **Bulimia nerviosa**

Calentamiento: Periodo que precede al ejercicio cuando este último inicia lentamente.

Caloría: La cantidad de calor necesaria para aumentar la temperatura de un gramo de agua a un grado centígrado; utilizada para medir el valor energético de los alimentos y el gasto de actividad física.

Cáncer: Grupo de enfermedades caracterizadas por un crecimiento y una propagación incontrolables de células anormales que llegan a formar tumores malignos.

Cantidades Recomendadas Permitidas (CRP): La cantidad diaria de nutrientes (determinada de manera estadística a partir de los requerimientos estimados promedio) considerada como adecuada para cumplir las necesidades nutritivas de casi el 98% de todas las personas sanas de Estados Unidos.

Captación máxima de oxígeno (VO$_{2máx}$): Cantidad máxima de oxígeno que el cuerpo humano es capaz de utilizar por minuto de actividad física.

Carbohidratos: Compuestos conformados por carbono, hidrógeno y oxígeno que el cuerpo utiliza como su fuente principal de energía.

Carcinógenos: Sustancias que contribuyen a la formación del cáncer.

Carcinoma *in situ*: Tumor maligno encapsulado que se encuentra en una etapa primera y que no se ha propagado.

Cardiomiopatía: Enfermedad que afecta al músculo cardiaco.

Carotenoides: Sustancias de pigmento (más de 600) contenidas en las plantas, cerca de 50 de ellas son precursoras de la vitamina A. El carotenoide más potente es el beta-caroteno.

Charlatanería/fraude: Promoción consciente de afirmaciones no comprobadas con el objetivo de obtener una ganancia.

Cirrosis: Enfermedad caracterizada por la degeneración progresiva de los tejidos del hígado.

Colesterol: Sustancia cerosa, técnicamente un alcohol esteroide, que se halla en la grasa animal y en el aceite; se emplea en la elaboración de membranas celulares; como bloque de construcción de algunas hormonas; en la cubierta grasosa alrededor de las fibras nerviosas y en otras sustancias necesarias.

Composición corporal: Los componentes grasos y no grasos del cuerpo humano.

Concéntrico: Acortamiento del músculo durante la contracción muscular.

Condición física: La capacidad general de adaptarse y responder de forma favorable a un esfuerzo físico.

Condición física relacionada con las habilidades: Componentes de la condición importantes para la realización exitosa de actividades motoras en eventos atléticos, así como en los deportes y otro tipo de actividades.

Condición funcional: La capacidad física del individuo de cumplir con las demandas comunes y extraordinarias de la vida diaria de forma segura y efectiva.

Condición metabólica: Mejoramiento en el perfil metabólico mediante un programa de ejercicios de intensidad moderada a pesar del mejoramiento nulo o deficiente de la condición relacionada con la salud.

Condición relacionada con la salud: Estado físico en el que se trabaja la resistencia cardiorrespiratoria, la fuerza, resistencia y flexibilidad muscular, y la composición corporal.

Contracción muscular concéntrica: Contracción dinámica en la que el músculo se acorta conforme desarrolla tensión.

Contracción muscular excéntrica: Contracción dinámica en la que las fibras musculares se alargan conforme desarrollan tensión.

Diabetes mellitus: Condición en la que la glucosa es incapaz de entrar en las células debido a que, ya sea que el páncreas deje del todo de producir insulina o de que no produzca la suficiente como para cumplir con las necesidades del cuerpo.

Diabetes mellitus dependiente de la insulina: Forma de diabetes en la que el páncreas produce poca o ninguna cantidad de insulina.

Diabetes mellitus no dependiente de la insulina: Forma de diabetes en la que el páncreas no produce suficiente insulina o la produce en cantidades adecuadas, pero las células se vuelven resistentes a ella, lo cual evita que la glucosa penetre en la célula.

Diestrés: Estrés negativo o dañino en el cual el desempeño diario y la salud comienzan a deteriorarse.

Dismenorrea: Menstruación dolorosa.

Dolor en las espinillas: Daño en la parte baja de la pierna caracterizado por dolor e irritación.

Duración del ejercicio: La cantidad de tiempo, por sesión, que se emplea para hacer ejercicio.

Ecuación del equilibrio de energía: Una fórmula de peso corporal que establece que cuando la ingesta de calorías iguala al gasto de calorías, el peso permanece inalterable.

Edad cronológica: Edad conforme al calendario.

Edad fisiológica: Edad con base en la capacidad funcional y física del individuo.

Ejercicio: Tipo de actividad física que requiere un movimiento corporal planeado, estructurado y repetitivo a fin de mejorar o mantener uno o más componentes de la condición física.

Ejercicio aeróbico: Actividad que requiere oxígeno para producir la energía necesaria para desempeñarla.

Ejercicio cruzado: Combinar diferentes actividades aeróbicas para desarrollar o mantener la resistencia cardiorrespiratoria.

Ejercicio de intervalo: Series repetidas de ejercicio (intervalos) combinadas con intervalos de descanso o baja intensidad.

Ejercicio dinámico: Ejercicios de fuerza que involucran una contracción muscular con movimiento.

Ejercicio isométrico: Ejercicios de fuerza que conllevan una contracción muscular que genera poco o ningún movimiento.

Ejercicio pliométrico: Forma de ejercicio que requiere saltos fuertes o despegar inmediatamente del suelo después de ejecutar un salto previo.

Ejercicio vigoroso: Intensidad del ejercicio por encima de los 6 MET o 60% de la captación máxima de oxígeno, o bien, en el caso de que estos últimos factores se desconozcan, podemos decir que es el ejercicio que representa un desafío "substancial" para el individuo.

Ejercicios contraindicados: Ejercicios que no se recomiendan debido a que representan un riesgo potencialmente alto de daños.

Electrocardiograma (ECG): Registro de la actividad eléctrica del corazón.

Electrocardiograma de estrés (ECG de estrés): Prueba de ejercicio durante la cual la carga de trabajo se incrementa de forma gradual (hasta que el sujeto alcanza un nivel máximo de fatiga). Durante toda la prueba se toma la presión sanguínea y se hace uso de un monitoreo electrocardiográfico.

Enfermedad de las arterias coronarias (CDH): Condición en la cual las arterias que suministran al músculo del corazón con oxígeno y nutrientes se adelgazan debido a depósitos de grasa como el colesterol y los triglicéridos.

Enfermedad pulmonar obstructiva crónica (EPOC): Enfermedad que limita el flujo de aire que va a los pulmones.

Enfermedades cardiovasculares: Disposición de condiciones que afectan al corazón y los vasos sanguíneos.

Enfermedades crónicas: Padecimientos que se desarrollan y perduran por un largo periodo.

Enfermedades de transmisión sexual (ETS): Enfermedades comunicables que se propagan a través del contacto sexual.

Enfermedades hipokinéticas: Enfermedades relacionadas con la falta de actividad física.

Entrenador personal: Especialista del ejercicio que trabaja de la mano con una persona y que por lo general recibe un pago por hora o sesión de ejercicio.

Epidemiología: Se refiere al estudio de las enfermedades epidémicas.

Especificidad de la ejercitación: Principio que sostiene que, para que un músculo aumente en fuerza o resistencia, el programa de ejercicios debe ser específico para poder obtener los efectos deseados.

Esperanza de vida: El número de años que se espera que una persona viva con base en su año de nacimiento.

Esperanza de vida saludable: El número de años que se espera que una persona viva con buena salud. Este número se obtiene al restar los años de mala salud de la esperanza de vida total.

Espiritualidad: Sentido de dirección y significado en la vida; relación con un ser superior; comprende la libertad, la oración, la fe, el amor, la cercanía con los otros, la paz, el gozo, la satisfacción y el altruismo.

Estándar de condición física: Criterios que se requieren para lograr un nivel alto de condición física; habilidad para hacer una actividad física de moderada a vigorosa sin presentar fatiga excesiva.

Estándar de condición saludable: Los requerimientos más bajos para poder mantener una buena salud, disminuir el riesgo de padecer enfermedades crónicas, así como la incidencia de daños musculares y esqueléticos.

Esteroides anabólicos: Versión sintética de la testosterona (hormona sexual masculina), que promueve el desarrollo e hipertrofia de los músculos.

Estiramiento: Mover las articulaciones más allá del rango acostumbrado de movilidad.

Estiramiento balístico (o dinámico): Ejercicios que se llevan a cabo mediante movimientos rápidos, repentinos e irregulares.

Estiramiento lento sostenido: Técnica en la que los músculos se alargan de forma gradual a través del rango completo de movilidad de una articulación y en la que la posición final se mantiene por unos cuantos segundos.

Estrés: Respuesta fisiológica, emocional y mental del cuerpo a cualquier situación que resulte nueva, amenazante, aterradora o excitante.

Estrés bueno: Estrés positivo.

Estrógeno: Hormona sexual femenina; esencial para la formación de los huesos y la conservación de la densidad ósea.

Etapa de acción: Etapa de cambio en la que las personas están cambiando de manera activa un hábito negativo o adoptando una conducta nueva más sana.

Etapa de consideración: Etapa de cambio en la que las personas consideran cambiar sus hábitos en los próximos seis meses.

Etapa de mantenimiento: Etapa en la que las personas mantienen el cambio de conducta por más de cinco años.

Etapa de preconsideración: Etapa de cambio en la que las personas no tienen la voluntad de cambiar sus hábitos.

Etapa de preparación: Etapa de cambio en la que las personas se disponen a realizar un cambio a partir del mes próximo.

Etapa de término/adopción: Etapa de cambio en la que las personas han eliminado una conducta indeseable o mantenido una conducta positiva por más de cinco años.

Evestrés: Estrés positivo.

Excéntrico: Alargamiento del músculo durante la contracción muscular.

Facilitación propioceptiva neuromuscular (FPN): Técnica de estiramiento en la que los músculos se estiran en forma progresiva mediante contracciones isométricas intermitentes.

Factor de estrés: Agente causante del estrés.

Factor de protección solar (FPS): Grado de protección que ofrecen los ingredientes de los bloqueadores solares. Se recomienda al menos el uso del FPS 15.

Factores de riesgo: Características que predicen las posibilidades de desarrollar cierta enfermedad.

Ferritina: Hierro almacenado en el cuerpo.

Fibra: Término general que denota al material proveniente de las plantas que las enzimas digestivas del cuerpo humano no pueden digerir.

Fitoquímicos: Compuestos que se encuentran en las verduras y las frutas, y que cuentan con propiedades contra el cáncer.

Flexibilidad: La habilidad de una articulación de moverse libremente en su máximo rango de movimiento.

Flexibilidad muscular: La habilidad de una articulación de moverse de manera libre en su máximo rango de movimiento.

Frecuencia del ejercicio: El número de veces que una persona lleva a cabo una sesión de ejercicios.

Fuerza muscular: Habilidad de ejercer una fuerza máxima contra una resistencia.

Grasa almacenada: La grasa corporal almacenada en el tejido adiposo.

Grasa esencial: La grasa corporal necesaria para llevar a cabos las funciones fisiológicas normales.

Grasas (lípidos): Clase de nutrientes que el cuerpo utiliza como fuente de energía.

Hemoglobina: Proteína compuesta de hierro que se encuentra en las células rojas y que transporta oxígeno en la sangre.

Hipertensión: Presión sanguínea elevada crónica.

Hipertrofia muscular: Incremento de la masa y tamaño muscular.

Hipotermia: Falla en la habilidad del cuerpo de generar calor; descenso de la temperatura corporal por debajo de los 95 °F.

Homeostasis: Estado natural de equilibrio. El cuerpo intenta mantener dicho equilibrio al reaccionar de manera constante a fuerzas externas que atentan con romperlo.

Homocisteína: Aminoácido intermedio en la conversión de otros dos aminoácidos: la metionina y la cisteína.

Incompetencia cronotrópica: Condición en la que el ritmo cardiaco se incrementa con lentitud durante el ejercicio y nunca alcanza el máximo.

Independencia funcional: La habilidad de llevar a cabo las actividades de la vida diaria sin la ayuda de otras personas.

Índice cintura/cadera: Medida que sirve para valorar el riesgo potencial de enfermedades con base en la distribución de la grasa corporal.

Índice de masa corporal (IMC): Índice que incorpora la estatura y el peso para calcular valores críticos de grasa a partir de los cuales el riesgo de enfermedades se incrementa.

Índice de metabolismo basal (IMB): El nivel más bajo de ingesta de calorías necesarias para mantener la vida.

Infarto del miocardio: Ataque cardiaco; daño o causa de la muerte de un área del músculo del corazón como resultado de una arteria obstruida en dicha área.

Infecciones oportunistas: Enfermedades que surgen en la ausencia de un sistema inmunológico que las combata en las personas sanas.

Ingesta Adecuada (IA): La cantidad recomendada de ingesta de nutrientes cuando no se dispone de suficientes pruebas para calcular la REP y, por consiguiente, la CRP.

Ingestas Dietéticas Promedio (IDP): Término general que incluye cuatro tipos de estándares nutritivos que se emplean para establecer las cantidades adecuadas y la máxima ingesta de nutrientes en la dieta que resulta segura para la salud: Requerimientos Estimados Promedio (REP), Cantidades Recomendadas Permitidas (CRP), Ingesta Adecuada (IA) y Niveles Superiores de Consumo Tolerable (NS).

Intensidad (en los ejercicios de flexibilidad): Grado de estiramiento.

Intensidad del ejercicio: La cantidad de esfuerzo físico que una persona tendrá que realizar para mejorar su resistencia cardiorrespiratoria.

Isokinético: Fortalecimiento muscular en el que el equipo acomoda la resistencia para que ésta corresponda a la fuerza del individuo. Asimismo, mantiene la velocidad de manera constante a través del rango completo de movilidad.

Lípidos sanguíneos (grasa): Colesterol y triglicéridos.

Lipoproteínas: Moléculas complejas que transportan al colesterol por el flujo sanguíneo.

Lipoproteínas de alta densidad (LAD): Moléculas que transportan al colesterol por la sangre (colesterol bueno).

Lipoproteínas de baja densidad (LBD): Moléculas que transportan al colesterol por la sangre (colesterol dañino).

Lugar de control: El grado al que una persona cree que puede influir en el ambiente externo.

Macronutrientes: Los nutrientes que el cuerpo necesita en cantidades proporcionalmente grandes. Se denominan macronutrientes a los carbohidratos, las grasas, las proteínas y el agua porque se requieren cantidades relativamente grandes de éstas.

Maligno: Cancerígeno.

Masa magra: El componente no graso del cuerpo.

MDMA (éxtasis): Droga alucinógena sintética con una estructura química muy parecida al MDA y la metanfetamina. También se le conoce como éxtasis.

Meditación: Ejercicio mental en el que el objetivo es adquirir control sobre la atención ya sea aclarando la mente o bloqueando los factores de estrés.

Megadosis: Para la mayoría de las vitaminas, 10 veces la CRP o más; para las vitaminas A y D, cinco a dos veces la CRP, respectivamente.

Melanoma: La forma de cáncer de piel más virulenta y de propagación rápida.

MET (equivalente metabólico): Método alternativo de prescribir la intensidad del ejercicio; 1 MET representa el requerimiento de energía del cuerpo en estado de reposo o el equivalente de un VO_2 de 35 ml/kg/min.

Meta: El objetivo último hacia el cual se dirige el esfuerzo.

Metabolismo: Todas las transformaciones de materia y energía que tienen lugar en las células vivientes y que son necesarias para mantener la vida.

Metabolismo en reposo: La cantidad de energía que una persona requiere mientras se encuentra en reposo para mantener de forma apropiada las funciones del cuerpo.

Metástasis: Movimiento de bacterias o células del cuerpo de una parte del cuerpo a otro, como en el cáncer.

Micronutrientes: Los nutrientes que el cuerpo necesita en cantidades pequeñas (vitaminas y minerales) que cumplen funciones específicas en la transformación de la energía y en la síntesis del tejido corporal.

Minerales: Elementos inorgánicos necesarios para el cuerpo.

Modelo transteórico: Modelo de etapas de cambio que proporciona un marco teórico para el estudio del cambio intencional de conducta.

Modificación de la conducta: Proceso de cambiar las acciones de forma permanente.

Modo de ejercicio: Forma de ejercicio (por ejemplo, aeróbico).

Motivación: El deseo y la voluntad de realizar algo.

Nitrosaminas: Compuestos que son generadores potenciales de cáncer y que se forman cuando los nitritos y los nitratos —los cuales se utilizan para prevenir el crecimiento de bacterias dañinas en las carnes procesadas— se combinan con otros químicos en el estómago.

Niveles Superiores de Consumo Tolerable (NS): El nivel más alto de consumo de nutrientes que parece resultar seguro para la mayoría de las personas sanas sin que haya un riesgo elevado de efectos adversos.

Nutrición: Ciencia que estudia la relación de los alimentos con un desempeño y una salud óptimas.

Nutrientes: Sustancias en los alimentos que proporcionan energía, regulan el metabolismo y ayudan al crecimiento y reparación de los tejidos.

Nutrientes esenciales: Carbohidratos, grasas, proteínas, vitaminas, minerales y agua (los nutrientes que el cuerpo humano requiere para sobrevivir).

Obesidad: Enfermedad crónica caracterizada por una cantidad excesivamente alta de grasa corporal (alrededor de 20% por arriba del peso recomendado).

Objetivos: Pasos que se requieren para alcanzar una meta.

Oligomenorrea: Ciclos menstruales con poco sangrado.

Osteoporosis: Debilitación, deterioro y pérdida de masa ósea.

Pelear o huir: Serie de respuestas físicas que se activan en forma automática en respuesta a factores ambientales del estrés.

Pelear o escapar: Respuesta psicológica del cuerpo al estrés que prepara al individuo a actuar (pelear o huir) por medio de la estimulación de los sistemas vitales de defensa.

Perfil metabólico: Resultado de la determinación del riesgo de padecer diabetes y enfermedades cardiovasculares por medio de la insulina de plasma, la glucosa, los lípidos y los niveles de lipoproteína.

Pesas libres: Barras y pesas.

Peso corporal recomendado: El peso que no parece representar ningún daño a la salud del ser humano.

Peso tolerable: Peso corporal realista que está cercano al porcentaje de grasa corporal estándar para una condición saludable.

Pilates: Ejercicios que ayudan a fortalecer la parte central del cuerpo mediante el desarrollo de la estabilidad pélvica y el control abdominal, junto con ciertos patrones de respiración.

Porcentaje de grasa corporal (masa grasosa): El componente graso del cuerpo.

Porcentaje único: Porcentaje de grasa y peso corporal único para cada individuo y que es regulado por factores genéticos y ambientales.

Presión sanguínea diastólica: Presión ejercida por la sangre contra las paredes de las arterias durante la fase de relajación (diástole) del corazón.

Presión sanguínea sistólica: Presión ejercida por la sangre contra las paredes de las arterias durante la contracción vigorosa (sístole) del corazón.

Presión sanguínea: Medida de la fuerza ejercida contra las paredes de los vasos por la sangre que fluye a través de ellos.

Principio de sobrecarga: Concepto de ejercicio que mantiene que las demandas que se le imponen al sistema del cuerpo deben incrementarse de manera sistemática y progresiva durante cierto periodo de tiempo para generar una adaptación fisiológica.

Proteína reactiva C (PRC): Proteína cuyos niveles se incrementan con una inflamación de bajo grado que puede presentarse en varios sitios del cuerpo. Los niveles altos de PRC son utilizados como indicadores para predecir las enfermedades cardiovasculares.

Proteínas: Clasificación de nutrientes que el cuerpo utiliza para construir y reparar los tejidos.

Quilomicrones: Moléculas que transportan triglicéridos en la sangre.

Radicales libres: Compuestos de oxígeno producidos en el metabolismo normal.

Rayos ultravioleta B (UVB): Rayos solares que ocasionan quemaduras y generan cáncer de piel.

Retroceso: Regresar o retomar un hábito o hábitos negativos, o bien, fracasar en mantener las conductas saludables.

Relajación: Periodo al final de una sesión de ejercicio, es decir, cuando este último va disminuyendo.

Relajación muscular progresiva: Técnica de relajación que implica contraer y después relajar, de manera sucesiva, los grupos musculares del cuerpo.

Repeticiones: El número de veces que se realiza un movimiento.

Requerimiento Aproximado de Energía (RAE): La ingesta de energía (calórica) dietética promedio que se considera que mantiene el balance de energía en un adulto sano de determinada edad, género, peso corporal, altura y nivel de actividad física, y que es consistente con una buena salud.

Requerimientos Estimados Promedio (REP): La cantidad de un nutriente que cumple las necesidades dietéticas de la mitad de las personas.

Resistencia: Cantidad de peso que se levanta.

Resistencia cardiorrespiratoria: Habilidad de los pulmones, el corazón y los vasos sanguíneos de llevar la cantidad adecuada de oxígeno a las células para cumplir con las demandas que impone una actividad física prolongada.

Resistencia fija: Ejercicio con equipo de fortalecimiento muscular que proporciona una cantidad constante de resistencia a través del rango de movilidad.

Resistencia muscular: Habilidad de los músculos de ejercer una fuerza submáxima de manera repetida por cierto periodo de tiempo.

Resistencia negativa: La fase excéntrica de una repetición durante la realización de ejercicios de fortalecimiento muscular.

Resistencia positiva: La fase concéntrica, de levantamiento o empuje, de una repetición durante la realización de ejercicios de fortalecimiento muscular.

Resistencia variable: Ejercicio que utiliza un equipo especial con recursos mecánicos que proporcionan diferentes cantidades de resistencia a través del rango de movilidad.

Ritmo cardiaco en reserva: La diferencia entre el máximo ritmo cardiaco (MRC) y el ritmo cardiaco en estado de reposo (RCER).

Serie: Número de repeticiones que se llevan a cabo en un ejercicio determinado.

Síndrome de adaptación general (SAG): Modelo teórico que explica la adaptación del cuerpo a un estrés constante, el cual incluye tres etapas: reacción de alarma, resistencia y agotamiento/recuperación.

Síndrome de inmunodeficiencia adquirida (SIDA): Etapa final de la infección de VIH que se manifiesta por cualquiera de una serie de enfermedades que surgen cuando el sistema inmunológico del cuerpo se ve afectado por el virus.

Síndrome de Muerte por Sedentarismo (SMS): Término empleado para describir el tipo de muertes que se atribuyen a la falta de actividad física regular.

Síndrome X (síndrome metabólico): Disposición de anormalidades metabólicas que contribuyen al desarrollo de la aterosclerosis y que se generan debido a la resistencia a la insulina. Estas condiciones incluyen un colesterol de LAD bajo, triglicéridos altos, presión sanguínea alta y un aumento en el mecanismo de revestimiento de la sangre.

Sinergía: Reacción en la que el resultado es mayor que la suma de sus dos partes.

Sobrepeso: Exceso de peso corporal si se compara con un determinado estándar, por ejemplo, la altura o porcentaje de grasa corporal recomendado.

Suplementos: Tabletas, píldoras, cápsulas, líquidos o polvos que contienen vitaminas, minerales, aminoácidos, hierbas o fibra que se ingieren con el fin de aumentar la ingesta de estas sustancias.

Sustratos: Alimentos que son utilizados como fuentes de energía (carbohidratos, grasas, proteínas).

Tipo A: Patrón de comportamiento característico de una persona de carácter difícil, muy ambiciosa, agresiva y en ocasiones hostil y muy competitiva.

Tipo B: Patrón de comportamiento característico de un individuo tranquilo, informal, relajado y despreocupado.

Tríada de las atletas: Término que describe a tres desórdenes interrelacionados: el desorden alimenticio, la amenorrea y los desórdenes en los minerales de los huesos.

Triglicéridos: Grasas conformadas por glicerol y tres ácidos grasos.

Una repetición máximo (1 RM): La cantidad máxima de resistencia que una persona es capaz de levantar en un solo intento.

Valores diarios (VD): Valores de referencia para los nutrientes y los componentes alimenticios empleados en las etiquetas de los alimentos.

Vegetarianos: Individuos cuya dieta es de origen vegetal o proveniente de las plantas.

Verduras crucíferas: Plantas que producen hojas en forma de cruz (coliflor, brócoli, calabaza, brotes de Bruselas, colirrábano) y que al parecer tiene un efecto protector contra el cáncer.

Virus de inmunodeficiencia humana (VIH): Virus que conduce al síndrome de inmunodeficiencia adquirida (SIDA).

Vitaminas: Sustancias orgánicas esenciales para el metabolismo, crecimiento y desarrollo normales del cuerpo.

Yoga: Escuela de pensamiento en la religión hindú que busca ayudar al individuo a lograr un nivel más alto de espiritualidad y paz mental.

Zona de ejercitación cardiorrespiratoria: El rango de intensidad al que una persona deberá ejercitarse para desarrollar su sistema cardiorrespiratorio.

ÍNDICE

Calorías gastadas en diversas actividades

Para calcular las calorías que gasta en una hora de ejercicio, localice el tipo de actividad que realiza en la columna de la izquierda y su "peso" en la columna de la derecha. En el lugar donde ambos se intersecan se encuentra la cifra que indica las calorías que quema por hora. Por ejemplo, si hace baile aeróbico durante una hora y pesa 125 libras o 56.7 kg, gastará 285 calorías.

PESO (EN LIBRAS)	110	125	150	175	200
Ejercicio	C A L O R Í A S	Q U E	G A S T A	P O R	H O R A
Aeróbicos con banco (120 pasos/minuto)	550	625	750	875	1000
Baile aeróbico	250	285	340	395	450
Básquetbol	415	470	565	660	750
Boliche	180	205	245	285	325
Calistenia (vigorosa)	225	255	305	360	410
Caminar					
15 minutos/milla (4 mph o 6.4 km/h)	300	**345**	415	480	550
17 minutos/milla (3.5 mph o 5.6 km/h)	250	**285**	345	400	450
20 minutos/milla (3 mph o 4.8 km/h)	225	**255**	310	360	410
30 minutos/milla (2 mph o 3.2 km/h)	145	**165**	200	230	265
Caminar en el campo 4 mph o 6.4 km/h, mochila de 20 libras o 9 kg	355	405	490	570	650
Caminar/caminata					
12 minutos/milla (5 mph u 8 km/h	435	495	595	700	800
Ciclismo					
Exteriores (5.5 mph u 8.8 km/h)	195	220	260	305	350
Exteriores (9.4 mph o 15.1 km/h)	300	340	410	475	545
Carrera en exteriores (19 mph o 30.5 km/h)	505	575	690	805	920
Aparato estacionario Schwinn Aerodyne	510	580	695	810	925
(tensión moderada)	330	375	450	525	600
Combinación de caminar/trotar					
12 minutos/milla (4.5 mph o 7.24 km/h)	330	375	450	525	600
Correr (trotar)					
6 minutos/milla (10 mph o 16 km/h)	755	860	1030	1200	1375
7 minutos/milla (8.5 mph o 13.68 km/h)	685	780	935	1090	1245
8 minutos/milla (7.4 mph o 11.9 km/h)	625	710	850	990	1135
9 minutos/milla (6.5 mph o 10.4 km/h)	580	660	790	920	1050
10 minutos/milla (6 mph o 9.6 km/h)	535	605	730	850	970
11 minutos/milla (5.5 mph u 8.8 km/h)	470	530	640	745	850
12 minutos/milla (5 mph u 8 km/h)	375	425	510	600	680
Corredora					
12 minutos/milla (12 minutos o 1.6 km)	375	425	510	600	680
13.5 minutos/milla (13.5 minutos o 1.6 km)	330	375	450	525	600
Ejercicios de fuerza muscular/ levantamiento de pesas (ligeras)	270	310	370	430	500
Esquí a campo traviesa					
Colina de inclinación moderada	595	675	810	945	1080
Aparato en casa (11 mph o 17.7 km/h)	330	375	450	525	600
Esquí en nieve (colina abajo)	300	340	410	480	545
Frontón	550	625	750	875	1000
Golf					
Con carro (90-120 minutos)	145	165	200	230	265
Sin carro (90-120 minutos)	185	210	255	295	340
Nadar					
45 minutos/milla (45 minutos o 1.6 km)	385	435	525	610	700
60 minutos/milla (60 minutos o 1.6 km)	300	335	405	475	540
Patinaje sobre hielo	275	300	350	390	425
Patinaje sobre ruedas/patines en línea	275	300	350	390	425
Remar (bote o aparato)	620	705	845	990	1130
Saltar la cuerda (100 saltos/minuto)	560	640	765	895	1020
Softball	225	255	305	360	410
Subir las escaleras (ejercicio moderado)	515	600	750	850	960
Tenis					
Dobles	225	255	305	360	410
Singles	325	370	445	520	600
Voleibol					
Competitivo	435	495	595	700	800
Recreacional	165	185	225	260	300

Fuente: G. Kostas, MPH, RD, The Balancing Act Nutrition and Weight Guide, Dallas, TX, 1993.